LE LINCEUL DE L'ANTIQUAIRE

LES CHRONIQUES DE VICTOR PELHAM
TOME 3

LE LINCEUL DE L'ANTIQUAIRE

Pierre-Olivier Lavoie

ADA éditions

Éditeur : François Doucet
Révision linguistique : Féminin Pluriel
Correction d'épreuves : Nancy Coulombe, Carine Paradis
Conception de la couverture : Tho Quan
Photo de la couverture : © Thinkstock
Mise en pages : Matthieu Fortin
ISBN 978-2-89667-183-0
Première impression : 2010
Dépôt légal : 2010
Bibliothèque et Archives nationales du Québec
Bibliothèque Nationale du Canada

Éditions AdA Inc.
1385, boul. Lionel-Boulet
Varennes, Québec, Canada, J3X 1P7
Téléphone : 450-929-0296
Télécopieur : 450-929-0220
www.ada-inc.com
info@ada-inc.com

Diffusion
Canada :   Éditions AdA Inc.
France :   D.G. Diffusion
               Z.I. des Bogues
               31750 Escalquens — France
               Téléphone : 05.61.00.09.99
Suisse :   Transat — 23.42.77.40
Belgique :   D.G. Diffusion — 05.61.00.09.99

Imprimé au Canada

Participation de la SODEC.

Nous reconnaissons l'aide financière du gouvernement du Canada par l'entremise du Programme d'aide au développement de l'industrie de
l'édition (PADIÉ) pour nos activités d'édition.
Gouvernement du Québec — Programme de crédit d'impôt pour l'édition de livres — Gestion SODEC.

Table des matières

Chapitre 1

La chasse

Le mois d'octobre était morose. Son air frais et son ciel indécis n'aidaient en rien au moral bien diminué d'un petit village en plein cœur de la région de l'Alsace, en France. Malgré sa remarquable beauté architecturale tout droit sortie de l'époque médiévale, le village de Ribeauvillé était atteint par les sombres heures que vivait le comté. Il faisait nuit et la lune était partiellement cachée par d'épais nuages. Les fêtards, autrefois regroupés dans les pubs et les tavernes les plus populaires, n'étaient plus au rendez-vous. Le bruit des sabots des chevaux tirant des diligences, qui faisait partie de l'ambiance habituelle de la ville, avait été remplacé par un silence glacial. Les gens préféraient rester à l'abri chez eux. Cependant, un homme recouvert d'une longue cape de voyage à capuchon avançait sur les rues pavées et faiblement éclairées par les lumières fantomatiques des réverbères, ses pas rapides claquaient sur le sol mouillé. L'homme jeta un coup d'œil rapide à sa montre de poche. Il était presque l'heure.

Il tourna au coin d'une rue plongée dans l'obscurité, à peine percée par une faible lueur provenant de petites fenêtres illuminées. Les maisons, grandes et impressionnantes, construites dans le style alsacien, semblaient se pencher faiblement au-dessus de la tête de l'homme, rendant la rue plus étouffante. L'homme s'arrêta finalement en face d'une porte. Au-dessus de celle-ci, grinçant faiblement au souffle du vent, un panneau de bois affichait le dessin d'un marteau et d'une enclume. C'est ici qu'il devait rencontrer un homme qui lui vendrait un objet fort important pour la réussite de son travail. Après avoir gravi les trois marches qui se trouvaient devant lui, il leva la main et cogna à la porte. Au bout d'un court moment, la porte s'ouvrit. Un vieux bonhomme barbu et aux cheveux courts grisonnants se tenait dans l'entrée. Ses tempes étaient humides, ses yeux, fortement ridés, et ses joues, sales.

— Vous êtes en retard, dit-il en guise de salutations un peu froides.

— Et vous, répondit calmement l'homme, avez-vous fait votre travail ?

Le bonhomme grisonnant lui envoya un regard froid, les yeux plissés, avant de répondre :

— Ouais… ouais, j'ai ce qu'il vous faut. Entrez.

L'homme entra dans la demeure et referma la porte derrière lui. Le vieux bonhomme l'avait presque bousculé pour fermer les nombreux verrous de la porte. Il jeta un coup d'œil à l'endroit ; c'était l'arrière-boutique du forgeron de la ville. Les planchers et le plafond étaient faits de bois usé. Une petite table, sur laquelle était posée une chandelle, se trouvait au centre de la pièce. De nombreuses armes étaient accrochées au mur : pistolets, carabines, épées, rapières, haches et boucliers.

— C'est mon frère, le forgeron, lâcha le vieux bonhomme en remarquant que son invité analysait les lieux. Moi, je m'occupe des alliages de métaux.

L'homme abaissa la capuche de sa cape de voyage et détacha celle-ci de son cou. Ses cheveux bleu foncé, humides, tombaient sur ses épaules bien définies. Son regard avait quelque chose de surnaturel ; ses yeux étaient d'un jaune vif, presque luminescent. Sa peau était pâle et ses canines, bien développées. Il était vêtu d'un débardeur en cuir, masquant seulement sa poitrine, ainsi que d'une chemise blanche aux manches bouffantes. Quatre lames étaient accrochées à sa ceinture, deux épées et deux dagues.

Voyant la nature de l'homme, le vieillard avala de travers, l'air mal assuré.

— Qui… qui êtes-vous ? demanda-t-il d'une voix tremblante.

— Je m'appelle Caleb Fislek, déclara l'homme en tendant sa main recouverte d'un fin gant de cuir. Je travaille pour le Consortium.

Le vieillard hésita un instant, puis, rassuré, il serra la main du demi-gobelin.

— J'avais peur que vous soyez… Enfin, vous comprenez…

Caleb sourit.

— Vous avez dit avoir ce que je suis venu chercher ? J'ai un travail à accomplir.

— Oh ! oui, déclara le vieil homme, tout à fait. Venez.

Le vieillard se dirigea vers une armoire, sortit un trousseau de clés et déverrouilla le tiroir du bas, avant d'en sortir une masse enroulée dans un tissu pourpre.

— J'ai travaillé dessus pendant près de deux jours, dit-il en refermant le tiroir. J'espère que vous parviendrez à en faire bon usage.

Le vieil homme avança vers une petite table et y déposa l'objet recouvert de tissu, dans un bruit métallique. Il déplia soigneusement le tissu sous les yeux de Caleb, qui se tenait à ses côtés.

— Chaîne faite en onyxide, expliqua-t-il. Longue de deux mètres cinquante, comme vous l'avez demandé.

Caleb prit la chaîne et l'analysa, avant de hocher la tête d'un air convaincant. Elle était d'un noir d'encre et reflétait la moindre lumière.

— Il n'a pas été facile d'acheter la quantité nécessaire d'onyxide aux horizoniers, dit le vieillard. La chaîne a coûté cher, vous savez…

Caleb, observant la chaîne, répondit d'une voix accusatrice et sarcastique :

— Et je suppose que la confection de cette chaîne et son coût vous préoccupent plus que la sécurité de votre propre fille, récemment veuve, et de ses enfants ?

Le demi-gobelin ne quitta pas des yeux l'objet qu'il tenait entre ses mains, mais il savait que le vieil homme devait se sentir honteux.

— Votre comté a un problème, et je suis là pour le régler, ajouta Caleb. Je ne suis pas un justicier, monsieur, mais bien un humble travailleur, tout comme vous, qui ne cherche qu'à gagner sa vie.

Le demi-gobelin leva finalement les yeux vers son interlocuteur, et celui-ci avait une expression grimaçante figée sur le visage.

— Tenez, dit Caleb en lui tendant une petite bourse de cuir. Voilà vingt pièces.

— Vingt ? répéta le vieil homme. Je croyais que trente était...

— Trente, c'était avant que vous envoyiez votre gendre se faire tuer avant que je sois prêt, lui répondit Caleb d'un visage passif. Vous m'avez dit ne pas être le forgeron de cette boutique ; allez donc chercher votre frère, nous avions conclu un accord. J'attendrai à l'extérieur.

Le vieillard prit la bourse tout en affichant un air froid et gravit un escalier de bois poussiéreux qui montait à l'étage. Caleb enroula la chaîne autour de son torse, enfila sa cape de voyage et quitta l'arrière-boutique. Quelques instants plus tard, un petit homme chauve et grassouillet aux avant-bras bien développés vint le rejoindre, lanterne à la main, lançant des regards incertains autour de lui. Il tenait une pelle et une hache sous son autre bras.

— Vous avez préparé la diligence ? demanda Caleb en tendant la main.

— Ouais, dit l'homme en lui donnant la pelle et la hache.

— Bien. Et les deux hommes que vous comptiez amener avec vous ?

— Ils seront là, précisa le bonhomme chauve avec agacement.

Il était évident qu'il n'aimait pas être dehors, à cette heure-ci, par un tel temps.

— Soyez prêts vers une heure du matin, conclut Caleb. Avant de partir, vous irez avertir le préfet de police de votre ville, c'est bien compris ?

— Ouais, grommela l'homme. Mais dites, où serez-vous ?

— Rendez-vous à Rivièrebelle, comme nous l'avons prévu, et lorsque vous entendrez des hurlements bestiaux, répondit le demi-gobelin, vous saurez où me trouver.

Sans ajouter un mot, Caleb fit volte-face et marcha d'un pas rapide à travers les rues sinueuses de la ville de Ribeauvillé. Le demi-gobelin espérait que le forgeron remplirait sa tâche, puisqu'il l'avait payé dix pièces quelques heures plus tôt. Il quitta la ville et s'engagea sur un sentier qui suivait le flanc d'une montagne. Caleb marchait sans lanterne, puisque sa vue, même en pleine nuit, avait toujours été bonne. L'air était frais et les petites bourrasques de vent faisaient virevolter les feuilles mortes qui parsemaient le chemin. Le paysage, quoique baigné dans l'obscurité de la nuit, était magnifique. Les collines vêtues de leur habit d'automne allaient de nouveau rougeoyer durant la journée. Un vieux château était édifié en haut de la montagne. Sa silhouette découpant le ciel obscur et ses quelques fenêtres illuminées lui donnaient l'air d'être l'antre d'un vieux vampire.

Caleb ne cessait de penser à ce que la vie pouvait bien lui réserver. À vrai dire, il n'appréciait pas vraiment son travail. Il était un chasseur de primes, un simple mercenaire payé par le Consortium. Le maniement des armes était son seul et unique talent, depuis son plus jeune âge. C'était une fine lame, il était doué dans toutes les formes de combat. Contrairement à son seul et unique ami, Victor Pelham, qui avait apporté une aide cruciale aux enfants de Londres en achetant un orphelinat, lui, il apportait un peu de bien au monde en faisant couler le sang. Victor, songea Caleb, était un jeune homme bien différent de lui. C'était quelqu'un de bien. Et c'était aussi lui qui, sans même qu'il s'en aperçoive, l'avait convaincu qu'on pouvait accomplir l'impossible, quelle que soit la situation. Grâce à Victor, il avait commencé à économiser de l'argent et comptait s'acheter un pub dès la saison prochaine. Une petite vie calme ne lui ferait pas de mal… ainsi qu'une petite amie. Traquer ce loup-garou allait être son dernier travail pour le Consortium. Il en avait assez de se salir les mains dans d'horribles situations. Ce qu'il ne savait pas, c'est que le pire était à venir.

Le demi-gobelin baissa les yeux vers sa main. La pelle qu'il trimballait avec lui allait lui servir à des fins un peu macabres. Il allait déterrer le corps du pauvre Jérémy Bernard, le défunt mari de la fille de l'homme qui avait confectionné sa chaîne. Ce vieil idiot avait envoyé Jérémy tout droit à sa mort trois jours auparavant, en lui disant d'attirer le loup-garou dans un lieu où plusieurs autres hommes lui tendraient une embuscade. Il avait convaincu Jérémy en lui promettant une forte récompense. Le demi-gobelin les avait bien avisés de ne pas faire ce genre de choses, puisque lui-même avait un plan qu'il allait mettre à exécution. Évidemment, les choses avaient mal tourné. Jérémy avait été tué sur le coup, sans même parvenir à leurrer la créature. Il fallait être idiot pour se croire en mesure d'échapper à un monstre qui court aussi vite qu'un cheval. Malgré tout, songeait Caleb, la situation aurait pu être pire. Le loup-garou n'avait pas eu le temps de dévorer sa proie, puisque les hommes, ayant entendu les cris terribles de Jérémy, s'étaient élancés vers lui. La créature avait donc abandonné son repas et s'était enfuie. Le point positif de la chose était que le loup-garou adore le sang et la chair. Et pas n'importe lesquels. Le sang et la chair de leur dernière victime restent pour eux une obsession ultime, jusqu'à la dernière goutte. Même plusieurs jours après la mort de leur proie, s'ils parviennent à la retrouver, ils la dévorent.

Jérémy avait été enterré dans un lieu trop peuplé et trop bien gardé pour que le monstre puisse s'y aventurer sans problème. Le cimetière du petit village de Rivièrebelle, situé à une dizaine de kilomètres de Ribeauvillé, était fortement défendu par la milice de la ville. Puisque plusieurs d'entre eux avaient succombé aux griffes du loup-garou, ils avaient décidé de défendre le repos de leurs morts ; empêchant ainsi le monstre de terminer ses repas. Ce qui n'était pas une si bonne idée, songea le demi-gobelin. Rendre furieux un loup-garou en le privant des corps qu'il a commencé à manger risquait de le rendre encore plus meurtrier. Et c'était le cas. Le nombre de victimes avait triplé en deux semaines. Caleb avait été envoyé pour remédier au problème et c'était ce qu'il comptait faire. Cependant, il n'allait pas affronter le monstre en duel singulier ; il tenait quand même à sa peau. Il avait informé les autorités de Rivièrebelle et confectionné un plan qui lui permettrait de venir à bout du monstre. Enfin, il l'espérait.

Le demi-gobelin arriva finalement à une intersection. C'était à cet endroit qu'il avait donné rendez-vous à son fidèle compagnon, Hol. À sa gauche, le chemin menait dans un autre comté de France. Tout droit, le village de Rivièrebelle l'attendait, quelques kilomètres plus loin. Caleb porta ses doigts à sa bouche et siffla puissamment. Aussitôt, un battement d'ailes survint dans le ciel et un oiseau géant au pelage mauve sortit de nulle part, avant de poser son lourd corps sur le sol.

— Ça va, mon vieux ? lui demanda Caleb avec quelques tapes affectueuses.

L'oiseau lui répondit par de faibles cris, ce qui signifiait qu'il était de bonne humeur. Caleb fixa solidement la pelle et la hache à la selle de sa monture, avant d'y monter. Il s'assura que ses gants de cuir étaient bien fixés, son capuchon bien abaissé — histoire de se couvrir du froid – et il donna quelques coups dans le flanc de l'oiseau avec ses talons. La bête s'envola aussitôt et fonça en direction de la ville de Rivièrebelle, à une trentaine de mètres du sol, suivant la route. Dix minutes plus tard, l'oiseau se posa sur la place publique du petit village. Malgré l'heure tardive, la plupart des maisons étaient éclairées et de nombreuses torches étaient allumées à l'extérieur. La milice de la ville avait exigé que tous les habitants gardent leur demeure éclairée, et de nombreuses patrouilles serpentaient dans les petites rues du village. Plusieurs hommes, vêtus d'armures et de heaumes en fer, s'étaient levés du feu de camp autour duquel ils se réchauffaient pour venir à la rencontre de Caleb. La main sur le pommeau de leur arme, trois hommes s'approchèrent du demi-gobelin, qui descendait de son oiseau géant.

— Qui êtes-vous ? demanda l'un d'eux. Vous n'avez pas le droit de…

Mais un autre homme, probablement de rang plus élevé, le fit taire en levant brusquement la main.

— C'est celui que le Consortium nous a envoyé, dit-il. Il vient nous aider. J'ai reçu une lettre, cet après-midi.

— Mon oiseau aura besoin de quatre livres de nourriture que vous donnez aux poules, dit Caleb en récupérant sa pelle et sa hache. Ainsi que d'un bon monticule de foin pour se reposer.

— Tout ça est déjà préparé, comme vous l'avez exigé, répondit le même homme, qui était visiblement le chef. Emmène l'oiseau à l'étable, ajouta-t-il à l'intention d'un de ses hommes.

L'homme désigné s'avança d'une démarche mal assurée et Caleb lui tendit les rênes de Hol.

— Je reviens te voir plus tard, dit le demi-gobelin à son oiseau. Sois sage, ce bonhomme n'est pas méchant.

D'une main tremblante, l'homme tira avec maladresse sur les rênes et parvint à emmener l'oiseau géant dans la direction de l'étable de la ville.

— Menez-moi au cimetière, ordonna Caleb.

Le chef de la milice leva la visière de son heaume et fixa le demi-gobelin dans les yeux pendant un court moment. Ses sourcils étaient broussailleux et gris, son front, plissé de rides. L'homme devait être dans la cinquantaine. Son regard inquiet se posa sur la hache et la pelle. Caleb l'avait pourtant bien avisé de ses intentions. Finalement, il hocha lentement la tête en guise d'acquiescement.

— D'accord, dit-il. Suivez-moi. Romuald, retournez à votre poste, ajouta-t-il à l'intention de l'autre milicien.

Caleb suivit l'homme en direction du cimetière, la pelle sur l'épaule, la hache dans la main, et sa cape battant contre ses talons. Ses pas étaient lourds et les joints de ses jambières en fer s'entrechoquaient dans un bruit métallique. Une fois arrivé devant les hautes portes de fer du cimetière, le capitaine de la milice salua les deux hommes qui y étaient postés. Regardant par-dessus l'épaule de l'un des gardes, Caleb vit que quatre hommes patrouillaient entre les pierres tombales, leurs armes dégainées. Le cimetière n'était pas très grand, mais il devait y avoir une cinquantaine de pierres tombales, ce qui était beaucoup, songea Caleb, surtout considérant la taille du village. Un arbre mort, dont les branches serpentaient dans tous les sens tels des doigts crochus, était planté en son centre. Plusieurs lanternes allumées pendaient de ses branches. Il y eut un court silence. Le demi-gobelin voyait bien que le chef voulait lui dire quelque chose.

— Vous n'avez vraiment pas d'autre moyen ? demanda-t-il simplement.

Malgré le manque de précision, Caleb savait de quoi il parlait.

— J'aimerais bien vous dire ce que vous voulez entendre, répondit le demi-gobelin, mais c'est impossible. Nous devons nous adapter aux situations, monsieur. Et celle dans laquelle nous sommes coincés exige une manière plus crue.

Le capitaine murmura un juron.

— Bon, très bien, dit-il. Voilà ce qu'on fera.

Il balaya du regard Caleb et ses hommes, regarda autour de lui d'un air inquiet, puis dit à voix basse :

— Nous allons mener cette opération sans en parler à la veuve et aux enfants, pas avant que le monstre soit mis hors d'état de nuire.

Les deux miliciens chargés de garder la porte hochèrent la tête.

— Bonne idée, dit l'un d'eux.

Quant à Caleb, ça lui était égal. Il hocha cependant la tête lorsque le chef posa son regard sur lui. Puis, ce dernier ouvrit les portes menant au cimetière et s'engagea dans un sentier tracé entre les pierres tombales. Les hommes qui patrouillaient dans le cimetière vinrent rejoindre leur capitaine et celui-ci leur expliqua la situation.

— Pas un mot à la femme ni aux gosses avant l'aube, compris ? dit-il d'un air grave.

— Ouais, pas de problème, assura l'un d'eux.

— Bien, dit le capitaine en hochant le menton, retournez à votre patrouille.

Caleb et le capitaine reprirent leur marche et quelques secondes plus tard, ils arrivèrent à une pierre tombale fraîchement érigée.

— C'est là, désigna le capitaine d'un geste las.

Il regarda à gauche et à droite et ajouta :

— Comment comptez-vous trimbaler ce corps hors d'ici ?

Caleb détacha les deux ceintures retenant ses armes et les déposa sur le sol, avec la chaîne d'onyxide.

— Ma cape de voyage, dit-il en détachant son lacet.

— Ce gars faisait presque deux mètres ! rétorqua le chef.

— Ça ne posera pas de problème, répondit simplement le demi-gobelin en plantant sa pelle dans la terre.

— Comment ça, ça ne posera pas de problème ? répéta l'homme en fronçant les sourcils.

Le demi-gobelin n'avait pas vraiment envie de préciser sa réponse. Ce qu'il allait faire lui levait presque le cœur d'avance.

— Vous pouvez me faire un peu de lumière ? demanda Caleb en ignorant la question.

Le capitaine hésita un instant, puis fit volte-face et ramena l'une des lanternes qui étaient accrochées à l'arbre.

— La veuve n'aimera pas vos manières, dit-il en déposant la lanterne sur le sol.

Caleb ne répondit pas ; il continuait de pelleter la terre. Au moins, l'homme avait compris ce qu'il s'apprêtait à faire. Le demi-gobelin creusa pendant au moins quinze minutes, durant lesquelles le chef de la milice s'adonna à des rondes dans le cimetière. Parfois, il venait jeter un coup d'œil au travail de Caleb, avant de détourner le regard aussitôt. Finalement, le bout de la pelle toucha le bois. Sans prendre la peine d'essuyer la sueur sur son front, le demi-gobelin prit soin de bien dégager le couvercle du cercueil et l'ouvrit.

Le corps de Jérémy Bernard gisait dedans ; un bras, une jambe et une partie de son estomac manquant. Ça allait grandement faciliter les choses, songea Caleb avec soulagement. Malgré l'odeur infecte et les vers qui festoyaient, le demi-gobelin prit sa hache et trancha d'un coup sec la jambe du cadavre, tandis que le chef de la milice détournait le regard. Caleb ne le blâmait pas. Il entendit les autres miliciens murmurer des jurons d'écœurement. Il sortit le cadavre mutilé de la tombe creusée et déposa le tout sur sa cape de voyage étendue sur le sol, avant de refermer le tout en une grosse poche. Il aurait bien emmené une poche confectionnée exprès pour cette tâche, mais il avait manqué de temps et avait dû improviser. Le chef de la milice paraissait blême, même à travers son heaume relevé.

— Avez-vous besoin d'assistance ? demanda-t-il pendant que Caleb rattachait ses ceintures et reprenait sa chaîne.

— Ça ira, répondit-il. Je vous laisse la pelle et la hache, elles ne me seront plus d'aucune utilité.

— Comment allez-vous trouver ce monstre ? demanda le chef de la milice, d'une voix perplexe.

— Avec Jérémy, il viendra à moi. Ne me suivez surtout pas, je viendrai à vous une fois le travail accompli. Je ne veux pas plus de morts inutiles dans mon travail. C'est bien compris ?

Le chef de la milice haussa les sourcils ; il n'était sans doute pas habitué à se faire donner des ordres. Il finit par hocher lentement la tête et rabaissa sa visière. Portant la poche à son épaule, Caleb garda le silence et quitta le cimetière sous les yeux sinistres des miliciens. Il quitta le village à pied et se dirigea vers un boisé situé à proximité. L'endroit idéal. Les loups-garous étaient le produit d'un virus semblable aux nombreuses variantes de la maladie de la *noctemortem*. Les êtres infectés, peu importe leur race, subissaient une rapide mutation qui les transformait en un monstre aux traits de loup. Ils devenaient ainsi de dangereux prédateurs dominés par leur faim et, contrairement à ce que prétendent les contes de fées, les loups-garous ne reprenaient pas leur forme originale. À moins d'être mis en contact direct avec l'onyxide.

Arrivé à la lisière du boisé, Caleb sentit ses pas devenir plus raides. Malgré sa conviction et son calme, la peur commençait à s'emparer de lui. Le boisé était recouvert d'une brume épaisse et ses arbres sans feuilles donnaient la chair de poule. Le demi-gobelin ne ralentit pas sa cadence pour autant ; il avait un dernier boulot à faire. C'était la dernière fois, se dit-il pour se convaincre. S'enfonçant dans le boisé, Caleb restait à l'affût, tous les sens en éveil. Son ouïe et sa vue étaient extraordinairement développées, grâce à son héritage de gobelin. Si jamais le loup-garou le surprenait dans un moment comme celui-là, il en paierait probablement de sa vie. Ses talents d'épéiste ne faisaient pas le poids face à un tel monstre. Fort heureusement, Caleb parvint à repérer ce qu'il cherchait sans que ses sens lui indiquent la présence d'un intrus. Un grand arbre, d'une bonne hauteur et qui semblait facile à escalader, s'étendait devant lui.

Le demi-gobelin lâcha la poche par terre, à un endroit bien choisi, et l'ouvrit en retenant sa respiration. Sans accorder plus de temps au corps mutilé, il se redressa et escalada l'arbre pour s'y cacher, tout en haut, la chaîne déroulée entre ses mains. Calculant le rythme de sa respiration pour ne pas faire de bruit, le demi-gobelin épia doucement le boisé endormi autour de lui. Il n'y avait pas un bruit, pas un mouvement. Au loin, il voyait les torches, lanternes et fenêtres allumées du village de Rivièrebelle, sous un ciel un peu plus dégagé, laissant paraître une grosse lune. Durant de longues minutes, Caleb repassa en détail les choses qu'il ferait dès l'aube. Il quitterait la France pour se rendre au quartier général du Consortium, il donnerait sa démission en main propre à Liam, et…

Un bruit survint. Un froissement de feuilles. Caleb se redressa doucement et posa son regard là où il avait entendu quelque chose. Plus bas, dans la forêt assombrie, il pouvait voir une masse noire se mouvoir très doucement en direction de l'arbre au pied duquel Caleb avait stratégiquement déposé les restes du corps de Jérémy Bernard. Au bout de quelques secondes, le demi-gobelin put percevoir le monstre dans ses moindres détails. Le loup-garou était entièrement nu, comme un animal ; il avait un pelage noir, une gueule surdéveloppée bourrée de crocs et des yeux verts. Malgré son dos voûté — car il se déplaçait en s'aidant de ses mains, comme un gorille –, le monstre devait faire presque trois mètres de haut, lorsqu'il se tenait droit. Ses bras musculeux se terminaient en mains griffues. Ses pattes étaient identiques à celles d'un loup ou de tout autre canidé. Caleb pouvait entendre les reniflements sonores de la bête. Arrivé au pied de l'arbre, le monstre regarda à gauche et à droite avant d'enfoncer sa gueule dans le corps mutilé. Lorsque Caleb entendit des bruits grossiers d'os se brisant, il se laissa tomber de l'arbre, la chaîne dans les mains.

En un instant, le demi-gobelin tomba sur le dos du monstre et lui passa agilement la chaîne dans la gueule, comme s'il voulait le chevaucher. Le loup-garou lâcha un hurlement horrifiant, ce qui ébranla fortement Caleb, qui manqua de lâcher la chaîne. Le demi-gobelin poussa dans le dos du monstre à l'aide de ses jambes et tira de toutes ses forces sur la chaîne. Le loup-garou se redressa (Caleb se maintenant sur lui par les deux extrémités de la chaîne) la gueule grande ouverte, lâchant des hurlements horribles. Puis, la bête tenta de saisir son agresseur en balançant de puissants coups de griffes dans tous les sens, dont plusieurs faillirent atteindre Caleb.

Puis, tout comme le demi-gobelin l'avait prévu, les coups du loup-garou perdirent de plus en plus de leur force et devinrent nonchalants, flasques. L'onyxide faisait effet ; la force du monstre diminuait. Caleb en profita pour passer un autre tour de chaîne dans la gueule du monstre et dégaina l'une de ses dagues, qu'il coinça habilement dans la chaîne, puis il lâcha prise. Reculant de quelques pas, le demi-gobelin dégaina par sécurité l'une de ses deux nouvelles lames ; une courte épée qu'il avait fait forger deux semaines auparavant. Devant lui, le monstre commença à vaciller, avant de s'écraser lourdement sur le sol, dans une volée de feuilles mortes.

Caleb s'approcha du monstre à grands pas, le cœur lui martelant la poitrine, son épée pointant vers le sol. Il contourna la bête et pratiqua une entaille derrière sa tête poilue, tout juste sous le point de pression de la chaîne. Étourdi, le monstre ne grogna même pas. Mettre la chair à vif d'un loup-garou au contact de l'onyxide était la seule manière de lui rendre sa forme d'origine et de neutraliser le virus. Comme de l'eau froide sur une surface chaude, une fumée brûlante s'éleva dans l'air et le monstre se mit à rugir. La brûlure allait éveiller ses dernières forces. Il ne fallait pas prendre de risques.

Caleb rangea son épée dans son fourreau, tout en s'approchant rapidement du monstre. Il agrippa la chaîne et appliqua une plus forte pression, pour contrer les mouvements du monstre. Caleb finit par tomber à genoux, luttant physiquement contre le loup-garou, qui se débattait en vain. Puis, après de nombreuses et pénibles minutes imprégnées de l'odeur immonde du cadavre de Jérémy, la bête cessa de gesticuler et perdit connaissance. Caleb reprit son souffle, essuya son front et marcha à quelques pas de là pour s'asseoir sur le sol, adossé à un arbre.

Un bruit de sabots et de roues se fit entendre au loin. La diligence arriva quelques secondes plus tard en compagnie d'un cheval monté par le préfet de police. Tous les hommes mirent pied à terre, à l'exception du cocher, qui resta sur son siège. Les hommes fixaient le loup-garou neutralisé avec un mélange de peur et de dégoût. Le préfet portait un habit d'un bleu classique, et une petite moustache finement taillée surmontait ses lèvres. Il venait d'allumer une lanterne.

— C'est sécuritaire? demanda-t-il à Caleb en fixant le monstre.

— Il ne vous dérangera pas, tant et aussi longtemps que vous n'enlèverez pas la chaîne, répondit le demi-gobelin.

— Et pourquoi donc? demanda le préfet d'un air perplexe.

— La chaîne est faite d'onyxide, répondit le forgeron d'une voix bourrue. Elle a pour effet de rendre aux loups-garous leur apparence d'origine et élimine leur maladie.

— Futé, lâcha Caleb.

— Bah! c'est mon frère, l'alchimiste, répondit le forgeron avec un haussement d'épaules, mais je connais un truc ou deux.

— Alors, s'il n'y a pas de problème, dit le préfet en désignant le loup-garou du menton, embarquons-le.

Ne semblant guère rassurés pour autant, les quatre hommes hissèrent le monstre inerte dans la diligence, qui avait été renforcée de barreaux en fer.

— Il reprendra son apparence humaine d'ici l'aube, déclara Caleb en se relevant finalement. Lorsqu'il sera revenu à lui, ne le condamnez pas.

— Pardon? dit le préfet en s'essuyant le front avec un mouchoir. Ne pas condamner un tueur?

— Les loups-garous perdent la tête, une fois qu'ils se sont transformés, répondit Caleb. L'homme qui se réveillera dans la diligence n'est pas un criminel, mais il se souviendra très bien de ses crimes. Il faudra savoir lui pardonner les conséquences de sa maladie et lui apporter de l'aide.

Le préfet parut surpris, mais hocha la tête en guise de compréhension.

— En cas de perturbations mentales graves, dit-il, il sera transporté à l'hôpital de Paris.

— Qu'est-ce que c'est? demanda l'un des hommes qui s'approchaient du cadavre de Jérémy. Oh mon Dieu!

Il recula, la main plaquée contre sa bouche, visiblement atteint de haut-le-cœur.

— C'est le corps de Jérémy Bernard, répondit Caleb.

— C'était pour ça que vous vouliez une pelle ? s'étonna le forgeron, dont les yeux s'emplirent d'effroi.

— La milice de Rivièrebelle est au courant, s'expliqua Caleb. Il n'y avait pas d'autres moyens.

— C'est immonde ! protesta le préfet, je pourrais vous faire arrêter !

— Grâce à moi, rétorqua le demi-gobelin en écrasant son index sur la poitrine du préfet, vous n'avez plus de problème de loup-garou. Alors, arrêtez avec vos conneries !

— Jérémy était déjà mort de toute façon, répondit l'autre homme qui accompagnait le forgeron.

Le préfet fusilla Caleb du regard pendant un certain temps, avant de faire volte-face et de remonter sur son cheval.

— Je vais me rendre à Rivièrebelle pour confirmer vos dires, déclara-t-il d'un air froid. Quant au corps, j'enverrai quelqu'un le récupérer.

Puis, il s'éloigna sur son cheval, au galop. Caleb et les hommes revinrent au village en marchant de chaque côté de la diligence, une dizaine de minutes plus tard. Les miliciens de Rivièrebelle accoururent en leur direction et jetèrent un coup d'œil dans la diligence.

— Il l'a eu ! s'écria l'un d'eux.

— Il l'a capturé ! s'écria un autre.

Le chef de la milice arriva en trottant et leva la visière de son heaume.

— Beau travail, dit-il en tendant sa main recouverte d'un gant de fer à Caleb.

Ce dernier la serra sans dire un mot, mais hocha la tête.

— Vous êtes Caleb Fislek ? demanda une voix.

Le demi-gobelin vit venir, vers lui et le capitaine de la milice, un vieil homme obèse au visage rougi par l'air frais.

— C'est bien moi, répondit le demi-gobelin.

— Je suis le maire de Rivièrebelle, déclara-t-il avec un regard noir. Voilà votre paie, comme convenu.

Il tendit une bourse de cuir à Caleb, qui la prit aussitôt. D'après son poids, elle devait contenir au moins quatre cents pièces.

— Cela fait, continua le maire d'une mine sombre, vos méthodes sont fortement discutables.

Le demi-gobelin n'ajouta rien.

— Il vaudrait mieux pour vous que vous ne reveniez pas ici, ajouta le maire. Vous avez profané une tombe…

Caleb interrompit le maire d'un geste de la main, le visage affichant une grimace.

— Je n'en ai rien à faire, rétorqua-t-il aussitôt d'un air agacé. Si j'avais pu faire autrement, je l'aurais fait, mais il faut savoir s'adapter. Si vous préfériez avoir un loup-garou dans le coin, c'est votre problème.

Puis, Caleb dépassa le maire en frôlant son épaule pour se diriger vers l'étable de la ville. Enfin, il allait rentrer. C'était terminé. Il quitta l'étable sur le dos de Hol quelques instants plus tard. Tout à coup, un bruit survint, provenant de l'une des poches de la selle. C'était sa radio. Il la sortit et la porta à son oreille.

— Ouais ? répondit-il.

— Caleb ? C'est Liam. Où étais-tu ? Ça fait une heure qu'on essaie de te joindre !

— J'étais occupé à capturer un loup-garou. Un monstre en liberté en moins.

— Beau travail, dit Liam sans conviction, mais nous avons un nouveau problème.

Caleb resta silencieux. Il en avait assez de ce travail, et l'argent qu'il venait d'amasser allait lui permettre de passer à une nouvelle étape de sa vie.

— Tu es là ? demanda la voix de Liam. C'est très important. C'est au sujet de Marcus… il ne répond plus. La dernière fois que j'ai entendu parler de lui, il était à Paris.

Caleb lâcha un juron et hocha la tête.

— Ouais, je suis là, dit-il finalement. Raconte.

Chapitre 2

Des friandises et du vin

Deux mois plus tard

Sa canne à la main, Victor marchait dans les rues enneigées de Québec, portant un petit veston noir boutonné, des gants et une longue écharpe enroulée autour du cou. Ses cheveux châtains étaient parsemés de nombreux flocons de neige. La soirée était belle ; les bâtiments de la cité étaient décorés de lumières festives, de couronnes du temps des fêtes, et les gens étaient joyeux. Mieux encore, le jeune homme était avec celle qu'il aimait. Il tenait par le bout des doigts la main de Maeva.

— Regarde comme ça a l'air succulent ! lâcha la jeune femme, dont le regard couleur noisette semblait briller d'envie devant la vitrine d'une chocolaterie.

Même si Maeva parlait le français sans difficulté, elle avait gardé un petit accent, étant donné qu'elle était norvégienne, que Victor avait toujours trouvé adorable. Elle était vêtue d'un manteau beige, qui lui arrivait en haut des cuisses. Un petit chapeau était posé sur sa tête, tandis que ses cheveux bruns et bouclés cascadaient sur ses épaules. Son visage souriant et parsemé de quelques taches de rousseur s'était retourné vers Victor. Avec un tel regard, il ne pouvait jamais lui résister bien longtemps.

— Tu aimerais qu'on en achète quelques-uns ? offrit-il sans prendre la peine de manifester la moindre opposition.

— Pourquoi pas ! répondit-elle dans un élan de bonheur. Allez, entrons !

Les deux amoureux pénétrèrent dans le minuscule magasin regorgeant de clients au visage rougi par le froid. Victor et Maeva attendirent patiemment dans la file de clients en choisissant à l'avance les chocolats qu'ils allaient acheter.

— Je tiens absolument à en offrir quelques-uns à Annika, dit la jeune femme d'un air résolu. Je ne pourrai jamais la remercier assez ! Je vais prendre une seconde boîte, juste pour elle.

Nika avait aidé Maeva à se trouver un appartement, à trois rues de chez Victor. Pendant une semaine, Victor, Nika et Clémentine avaient hébergé Maeva, le temps qu'elle se trouve un logis. Bien qu'ils soient maintenant un couple, les deux amoureux auraient bien aimé avoir leur propre chez-soi, même s'ils étaient presque toujours ensemble. Une chose à la fois, se disait Victor.

— C'est aussi ma maison, intervint Victor d'un air amusé. Je t'ai hébergé aussi bien qu'elle !

Maeva donna quelques coups amicaux dans le ventre du jeune homme.

— Tu sais bien ce que je veux dire ! ajouta-t-elle.

Une fois leur tour arrivé, Maeva s'empressa de pointer du doigt à la vendeuse grassouillette les sucreries qu'elle et Victor avaient choisies. Au même moment, une voix s'éleva dans la foule de clients :

— Monsieur Pelham !

Ne sachant pas à qui répondre, Victor afficha un sourire un peu idiot en regardant autour de lui.

— Comment allez-vous ? répéta la voix alors qu'une main s'était vigoureusement posée sur son épaule.

Le jeune homme pivota sur lui-même et vit monsieur Brown (qu'il ne connaissait que par son nom de famille). C'était un employé travaillant à la gare d'Oxford, en Angleterre.

— Je… je vais bien ! répondit Victor en serrant la main du vieux bonhomme au visage jovial, qui portait une moustache méticuleusement taillée et, déposées sur son nez, de petites lunettes rondes. Et vous, comment allez-vous ? C'est votre épouse ?

Victor posa son regard sur la conjointe de monsieur Brown ; une vieille femme bourrée de maquillage, vêtue d'un manteau de fourrure bombé et portant un chapeau si laid qu'il lui donnait l'air d'un flamant rose. À sa vue, le visage du jeune homme se tordit en un sourire presque moqueur.

— Micheline! la présenta aussitôt Brown. Ma femme!

— Enchantée! lui répondit la vieille femme avec un sourire exagéré par son rouge à lèvres explosif. Mon mari m'a beaucoup parlé de vous!

Mais Brown lâcha aussitôt un rire sec et forcé, comme pour changer le sujet.

— Ah, ah! Et cette gente dame?

Il tendit la main à Maeva, qui affichait son sourire poli habituel.

— Je m'appelle Maeva, répondit-elle joyeusement en enroulant son bras autour de la hanche de Victor.

— Monsieur Brown, que faites-vous à Québec? l'interrogea Victor.

— La retraite! déclara le vieil homme en brandissant son poing en l'air avec vigueur. Enfin! Alors moi et ma coqueluche de Micheline, nous voyageons…

Brown et sa femme lâchèrent un ricanement complice et enfantin, en se dévorant des yeux.

— Wouah! lâcha Victor, souriant. C'est super!

— Nous avons entendu parler du procès qui a eu lieu contre vous, commenta Micheline. Nous sommes navrés pour votre ami.

Trois mois plus tôt, Victor avait été accusé d'un meurtre qu'il n'avait pas commis. Les gens semblaient avoir oublié l'affaire, mais lorsqu'on lui rappelait, c'était malheureusement toujours aussi douloureux.

— Je… Merci, balbutia le jeune homme, ne sachant pas trop quoi dire.

— Ravie de vous avoir rencontrés, dit poliment Maeva en venant à la rescousse de Victor, une boîte de chocolats sous l'autre bras, mais nous devons vraiment y aller.

— Bien sûr, bien sûr, répondit Brown avec un geste nonchalant.

Le jeune couple se faufila ensuite à travers les clients et quitta le magasin.

— Ça va aller ? demanda Maeva d'un air soucieux.

— Oui, répondit le jeune homme.

Elle lui offrit un sourire chaleureux, serra son bras contre le sien, et tous deux partirent en direction du domicile de Victor. Le chemin du retour fut beaucoup plus plaisant. L'ambiance du temps des fêtes, surtout dans la ville décorée, avait cette drôle de façon de remonter le moral en un rien de temps. Lorsque Victor et Maeva arrivèrent à la maison, ils furent accueillis par Clémentine. Elle portait une jupe et des bas de nylon, et ses cheveux bruns étaient soigneusement coiffés. Tandis qu'ils retiraient leur manteau et leurs bottes, la gobeline dit :

— Maeva, tu veux que je tienne la boîte de chocolats pour toi ?

— N'en profite pas pour en voler un ou deux, l'avertit Victor d'un ton amusé, on va les manger après le souper.

Clémentine lui tira la langue avec un sourire complice et alla porter la boîte sur le buffet du salon.

— Bonsoir vous deux ! dit Nika, dont la tête blonde et bouclée dépassait de l'angle de la cuisine. Vous êtes les premiers arrivés !

— Les premiers pour quoi ? s'étonna le jeune homme.

— Tu n'as quand même pas oublié que nous faisons un souper pour le temps des fêtes et que Nika attend ses invités ? lui demanda Maeva d'un air sérieux.

Victor haussa les sourcils. Il avait complètement oublié que Nika avait organisé, comme la tradition le voulait en cette période de l'année, un souper qui lui avait sans doute pris toute la journée à cuisiner. Absorbé par les cours de piano qu'il avait donnés durant toute la journée, le jeune homme n'y avait même pas pensé. L'odeur qui émanait de la cuisine indiquait d'ailleurs qu'un délicieux plat cuisait dans le four.

— Il a complètement oublié ! lança Clémentine de sa voix moqueuse, depuis le salon.

D'un ton montrant une déception amusée, Maeva soupira :

— Victor...

— Je n'ai pas oublié ! mentit-il aussitôt pour se défendre.

— Menteur, l'accusa Maeva en ricanant.

— C'est pour cette raison que j'ai acheté les chocolats! ajouta sa copine à voix basse. On a prévu un échange de cadeaux! Tu étais censé faire un cadeau à Nathan.

Victor, qui déroulait son écharpe, s'arrêta en plein mouvement. Puis, il remit son écharpe rapidement et saisit son manteau et sa canne.

— Je vais aller faire un tour, dit-il d'une voix assez forte pour que Nika l'entende. Je reviens dans quelques minutes!

— Ne tarde pas trop, répondit la voix de Nika, toujours dans la cuisine, sinon tu vas être en retard!

— Va chercher une bouteille de vin, lui murmura Maeva. Dépêche-toi!

Après avoir embrassé son amoureuse à la vitesse de l'éclair, le jeune homme fila à l'extérieur. Victor traversa les rues pavées et enneigées de Québec, tandis que le ciel s'assombrissait de plus en plus. Tout en se dirigeant vers la meilleure boutique de vin de la ville, le jeune homme sombra dans ses pensées. Qu'était-il advenu de Caleb? Ce dernier était censé lui écrire une lettre, chose qu'il n'avait jamais faite. Peut-être avait-il jugé un peu enfantin de lui écrire? Peut-être était-il trop occupé? C'était probablement le cas. Victor se remémora alors que Liam venait souper ce soir. Il n'aurait qu'à lui demander des nouvelles de Caleb, puisque les deux travaillaient pour la même compagnie. Cette idée lui rendit sa bonne humeur. Soudain, le jeune homme fut tiré de ses pensées par une voix amicale qui lui lança :

— Hé, Hector!

C'était Rauk, de son vrai nom Radvek Kraut, un homme grand et musclé, quoiqu'un peu bedonnant, chauve et barbu. Sa barbe hirsute avait pris une teinte encore plus grisâtre durant les derniers mois. Sa jambe droite était remplacée par une tige de bois. Avec son gros manteau rouge et sa démarche claudicante, on aurait dit un vieux pirate. Une pipe fumante était coincée entre ses dents, et il avait un paquet sous le bras. Rauk aimait particulièrement appeler le jeune homme Hector, pour le taquiner. Malgré son apparence douteuse et intimidante, c'était quelqu'un que Victor appréciait grandement.

— Salut Rauk ! lui répondit Victor alors que l'homme traversait la rue en sa direction. Ah, Nika t'a invité ?

— Bah ouais ! rétorqua Rauk d'un air jovial. J'ai même apporté un cadeau pour l'échange !

Il montra le paquet emballé dans un papier d'un violet intense, déchiré à plusieurs endroits, avec un ruban qui ne faisait pas une jolie boucle, mais plutôt un nœud qui avait visiblement été serré avec force. À son 21e anniversaire, le 22 octobre dernier, Victor avait reçu un cadeau de la part de Rauk, emballé avec la même délicatesse. Cependant, son contenu s'était avéré bien plus précieux que ce que son emballage laissait présager, puisque Rauk lui avait offert une belle montre de poche.

— C'est pour Clémentine, dit-il fièrement.

Victor hocha la tête en espérant, tout comme à son anniversaire, que le contenu soit de meilleure qualité que son emballage.

— Et toi, continua l'homme barbu et chauve, où vas-tu ?

— J'ai complètement oublié d'acheter un cadeau, avoua Victor en riant. C'est bête, non ? J'allais justement acheter quelque chose.

Rauk lâcha un petit rire.

— Ben mon gars, tu devrais te dépêcher ! Les magasins ferment bientôt !

— Oui, tu as raison, lui dit Victor en le dépassant, puis en lui lançant par-dessus son épaule :

— On se revoit à la maison tout à l'heure !

— Ouais, et fais attention aux plaques de glace !

Victor ne se retourna pas, mais leva le pouce en l'air en guise de réponse. Le jeune homme poussa la porte de la boutique de vin quelques minutes plus tard. Étant donné que la boutique fermait ses portes, le jeune homme acheta une bouteille de bonne qualité, sans vraiment prendre le temps de choisir, la fit emballer et remercia l'employé avant de reprendre la route vers chez lui.

Arrivé au coin de sa rue, Victor vit une étrange silhouette se diriger vers la porte de sa maison, sous la neige tombante. Plissant les yeux, le jeune homme remarqua que la silhouette portait un énorme chapeau couvert de neige, ainsi qu'un manteau trop long qui tombait presque sur le sol, laissant dépasser une grosse queue touffue. Un énorme paquet se trouvait dans ses bras. C'était Pakarel, un pakamu — une race de petits humanoïdes ressemblant énormément aux ratons laveurs. D'ailleurs, Victor lui-même le considérait parfois comme un raton laveur, par taquinerie.

— Pakarel! s'exclama Victor avec joie.

La silhouette fit volte-face avant même d'avoir cogné à la porte. Son visage était masqué, comme celui d'un voleur, et son petit museau affichait un grand sourire.

— Victor! répondit Pakarel avec énergie.

Ce dernier courut à la rencontre du jeune homme, la tête inclinée sur le côté, le paquet entre les mains.

— Fais attention, l'avertit Victor d'un air jovial, c'est gliss...

Trop tard. Les petits pieds de Pakarel venaient de glisser et son cadeau fit un vol plané avant d'atterrir dans les bras du jeune homme, qui tenait déjà sa canne et sa bouteille de vin emballée.

— Pakarel, mon vieux, ça va? demanda Victor en avançant prudemment vers son ami.

— Ouais! Ça va! répondit le pakamu en se levant d'un bond. Chouette, tu as rattrapé mon cadeau! Enfin, ton cadeau.

— C'est à moi que revient ton cadeau? s'étonna Victor en lui rendant son paquet.

— Oui, répondit le pakamu.

— Alors, comment ça va? Et puis, ton domicile à Ludénome, ça te plaît toujours?

Le jeune homme avait aidé Pakarel à se trouver un logement dans l'une des villes souterraines, Ludénome, en septembre dernier. Depuis deux mois, il n'avait pas eu de nouvelles de son ami centenaire (ce que ne laissait pas deviner son apparence enfantine).

— C'est super! Monsieur Fislek m'a engagé comme assistant.

— Le père de Caleb, le cordonnier? ajouta Victor en se rappelant qu'il avait promis au vieux gobelin de venir jouer du piano dans sa ville. Ah oui? Et que fais-tu?

— Je l'aide pour les tâches plus exigeantes pour un gobelin de son âge. Par exemple, c'est moi qui m'occupe des clients !

Une fierté non dissimulée habitait le regard du raton laveur.

— Wouah, s'étonna Victor, c'est super ! Il fait froid, que dirais-tu d'entrer et de rejoindre les autres ? Tout le monde sera ravi de te voir !

Les deux amis entrèrent dans la maison et, tout comme Victor l'avait prévu, Clémentine, Maeva et Nika sautèrent sur le petit Pakarel pour lui arracher des nouvelles, en tentant de se l'approprier comme une peluche.

— Comme tu es adorable ! fit Clémentine tandis qu'elle le serrait contre elle.

Comme d'habitude, les filles craquaient devant le raton laveur.

— Tu as vu son habit d'hiver ? gloussa Nika en direction de Maeva. Il est tellement mignon !

Quant à Victor, il parvint à retirer son manteau et ses bottes et se faufila discrètement dans le salon, où il déposa la bouteille de vin emballée qu'il venait d'acheter. Puis, il alla s'asseoir à côté de Rauk, qui regardait la scène que les filles offraient pour Pakarel d'un œil déprimé.

— On ne m'accueille pas comme ça, moi, grommela-t-il à Victor.

— Moi non plus, ricana le jeune homme. Pakarel à ce genre d'effet auprès des filles.

Lorsque Pakarel fut libéré, il alla déposer le cadeau de Victor près du buffet, sur le sol. Le pakamu portait une salopette, ainsi que de gros bas de laine.

— Je peux déposer mon chapeau près du feu pour le faire sécher ? demanda-t-il à Victor.

— Bien sûr, l'autorisa Victor.

Pakarel sourit et déposa son énorme chapeau près du foyer dans lequel crépitait un feu chaleureux. Victor avait toujours trouvé que, sans son chapeau, le raton laveur paraissait deux fois moins grand. Maeva s'approcha du sofa et s'installa près du jeune homme avant de lui souffler à l'oreille :

— Tu as trouvé une bouteille ?

— Sur le buffet, lui murmura Victor.

Elle jeta un coup d'œil, puis leva le pouce en lui offrant un clin d'œil. Maeva s'installa sur l'accoudoir du sofa, près du jeune homme, avant de replacer une mèche dans les cheveux de son amoureux. Victor et Rauk s'engagèrent alors dans une discussion qui avait pour sujet le succès récent dans les affaires du magasin d'armes du bonhomme barbu.

— Hé! s'exclama Pakarel en regardant Victor et Maeva, les yeux ronds, les pointant du doigt.

Victor et Maeva l'observèrent, sans un mot. Pakarel se tenait devant eux, dans le salon, et n'avait pas bougé depuis plusieurs minutes.

— Vous êtes des *namoureux*! leur lança-t-il d'un air joyeux. Il était temps!

Le jeune homme et sa copine éclatèrent de rire, tous deux ayant un peu rougi.

— La chaleur de la jungle ne vous a pas quittés! leur lança Rauk d'un ton moqueur.

Victor lui adressa un regard qui lui suggérait fortement de se taire.

— Bah quoi? protesta Rauk. Je rigole, je rigole…

Clémentine apparut au pied de l'escalier menant à l'étage et cria :

— Pakarel, j'ai quelque chose à te montrer, tu veux venir voir?

— J'arrive! déclara le pakamu en trottant vers l'escalier.

On entendit alors un vacarme dans la cuisine; des chaudrons venaient de tomber et Nika poussa quelques jurons. Victor s'apprêtait à se lever pour rejoindre son amie lorsque Maeva lui fit signe de ne pas bouger.

— J'y vais, dit-elle à voix basse. Comme tu le sais, Liam vient ce soir et elle ne l'a pas vu depuis des mois. Elle est stressée et ça se comprend. Un peu de compagnie féminine ne lui fera pas de tort.

Puis, elle se leva et disparut dans la cuisine, laissant Victor et Rauk seuls dans le salon.

— Et toi, mon bonhomme, demanda Rauk, comment vont les affaires avec l'orphelinat?

— Très bien, répondit Victor, ravi d'en parler. Je suis allé à Londres leur rendre visite il y a deux semaines. Et aussi pour m'occuper de la paperasse, ajouta-t-il en souriant.

Au bout d'une dizaine de minutes de discussion sur l'orphelinat, Rauk changea de sujet et demanda :

— Hé, Hector, comment trouves-tu la montre que je t'ai offerte ?

— Comme je te l'ai dit mille fois, répondit Victor en riant, je l'adore.

Il la sortit de la poche de son débardeur et la contempla. Elle était en argent et dotée d'un cadran dont les aiguilles, finement taillées, éclairaient même dans le noir.

— En parlant de cadeau d'anniversaire, ajouta Rauk d'un air incertain, je me suis toujours posé une question au sujet de ta fête…

Victor l'interrogea du regard en rangeant sa montre dans sa poche.

— Comment as-tu fait pour connaître ta date de fête ? demanda Rauk avec retenue. J'veux dire…

— Ah, lâcha Victor.

Il comprenait où Rauk voulait en venir. Victor n'avait jamais réellement su sa date d'anniversaire, il savait juste qu'elle se situait quelque part dans le mois d'octobre, jusqu'à ce qu'il achète l'orphelinat.

— Lorsque j'ai acheté l'orphelinat, expliqua-t-il, j'ai pu mettre la main sur les vieux dossiers des enfants, le mien y compris. Ma date d'anniversaire était inscrite : le 22e jour d'octobre.

Rauk hocha la tête.

— Et qu'as-tu fait avec les sentinelles qui s'y trouvaient ?

— Les forces de l'ordre de la ville les ont désactivées et détruites avant que j'achète l'établissement. Les médias ont dénoncé les mauvais agissements de l'Institut de Saint-John quelques semaines avant que je l'achète et le rebaptise.

Encore une fois, Rauk hocha la tête et posa ses énormes mains sur son ventre dodu.

— Ça m'avait toujours trotté dans la tête, dit-il.

Quelques instants plus tard, quelqu'un cogna à la porte. Victor entendit Nika balbutier sur un ton énervé :

— Oh mon Dieu, oh mon Dieu ! Je ne suis pas prête !

Maeva passa la tête par la porte du salon et fit signe à Victor d'aller répondre. En ricanant silencieusement, le jeune homme s'appuya sur sa canne pour se lever, puis se dirigea vers la porte, qu'il ouvrit. Un homme au visage jovial, mais fortement cicatrisé, et portant comme coiffure un mohawk blond, se tenait bien droit. Une barbe entourait sa mâchoire et se finissait en un long bouc.

— Hé, Victor ! s'écria Nathan en souriant. Mon vieux, ça va ?

— Très bien ! répondit Victor en serrant brièvement son ami contre lui. Entre, entre !

Liam et Marcus, que le jeune homme n'avait pas remarqués, se tenaient derrière Nathan. Liam avait attaché son élégante chevelure noire, et son visage de charmeur n'avait pas changé. L'homme sourit à Victor et le serra contre lui.

— Heureux de te revoir, Victor, lui dit Liam.

Le jeune homme lui sourit et le laissa entrer dans la maison. Marcus, un grand Noir musculeux aux larges épaules qui avait mauvais caractère, accorda un grand sourire à Victor.

— Déjà sorti de prison ? lui lança-t-il en guise de bonjour, tout en serrant fortement la main du jeune homme.

— Tu n'as pas changé, hein Marcus ? lui répondit Victor en souriant.

Après que Marcus fut entré dans la demeure, Victor resta devant la porte ouverte de sa maison, contemplant la rue enneigée baignant dans l'obscurité trouée par le halo lumineux des réverbères. Pendant un court instant, il s'était attendu à voir Caleb. Ce ne fut pas le cas.

— Victor, la porte ! lui lança Rauk. On gèle !

Le jeune homme ferma la porte et alla accueillir les invités. Les trois hommes avaient tous amené un cadeau, qu'ils avaient probablement acheté ensemble, puisque les trois paquets avaient le même emballage bleuté. Lorsque Nika arriva devant Liam, son teint vira au rose.

— Pourquoi n'irions-nous pas dans le salon ? déclara Maeva d'une voix forte.

— Bonne idée, ajouta Victor en comprenant l'astuce de Maeva pour laisser Nika et Liam seuls.

Tout le monde passa donc dans le salon, à l'exception de Nika et de Liam. Pakarel et Clémentine vinrent les rejoindre aussitôt, tous deux bien heureux de revoir leurs amis. Victor offrit un verre de vin à ses invités et personne ne refusa son offre. Il prit sa canne et alla chercher une bouteille dans l'ancien atelier de Balter, là où Nika avait fait installer une étagère à vin. Victor saisit la bouteille qu'il jugea la meilleure pour l'occasion, malgré ses maigres connaissances en boissons alcoolisées, et revint à la cuisine. À peine y avait-il mis les pieds qu'il s'immobilisa. Il venait d'interrompre une discussion visiblement mouvementée entre Nika et Liam.

— Désolé, dit Victor.

— Non, ça va, répondit brusquement Nika, dont le maquillage avait coulé sur ses joues. Nous avions terminé.

Liam, une main posée sur la table, baissa la tête et passa la main sur son visage. Nika sortit de la cuisine et se rua à l'étage. Victor vit Maeva monter sur ses talons.

— Ah, les femmes, lâcha Liam en tirant une chaise et en s'y asseyant.

— Qu'est-ce qui s'est passé ? se risqua Victor, même s'il ne voulait pas vraiment s'en mêler.

— Je lui avais dit que j'allais trouver un nouvel emploi, dit Liam. Eh bien…

— Tu restes au Consortium ? acheva Victor.

Liam hocha la tête positivement. Victor, qui avait toujours la bouteille à la main, alla chercher un tire-bouchon pour l'ouvrir.

— Je ne peux pas lui en vouloir, dit Liam tandis que Victor tirait quelques coupes d'une armoire.

Ne sachant pas trop quoi dire, Victor émit un grognement qui ne l'engageait à rien, tout en remplissant les coupes. Maeva arriva alors dans la cuisine.

— Liam, tu devrais aller la retrouver, lui dit-elle d'un air sérieux. Elle a besoin de toi.

L'homme hocha la tête et se leva, puis se dirigea vers l'escalier. Maeva rejoignit Victor et se blottit contre lui.

— Pauvre Nika, dit-elle, son visage contre la poitrine du jeune homme. Elle est attristée.

— Je sais, Liam m'a raconté, répondit Victor en embrassant Maeva sur le front.

Lorsque Maeva s'écarta un peu de lui, Victor lui dit jovialement, tout en lui caressant le menton :

— Mais bon, il ne faut pas en faire un drame ! Que dirais-tu de m'aider à distribuer les coupes de vin ?

— À vos ordres, chef ! répondit Maeva en souriant.

Une fois les coupes de vin distribuées, Victor et Maeva se joignirent aux discussions qui avaient lieu dans le salon. Une demi-heure plus tard, Liam et Nika redescendirent, se tenant la main, l'air serein. Au même moment, le four émit une petite sonnerie indiquant que le souper pouvait finalement être servi.

— Enfin ! lâcha Rauk. Je meurs de faim !

Chapitre 3

Le mystère du demi-gobelin

Victor et ses invités s'étaient tout juste installés à la table qu'on sonna à la porte. Le cœur du jeune homme se contracta. Était-ce Caleb? Le jeune homme se sentait un peu bête, il n'avait même pas encore demandé à Liam si son ami était censé venir et encore moins à Nika qui elle avait invité!

— Ça doit être monsieur Leafburrow et madame Alice! dit Nika en sortant une impressionnante tourtière du four, ses mains recouvertes de mitaines protectrices.

— Je vais aller ouvrir, répondit Victor.

Bien qu'il fût heureux d'apprendre qu'Edward et madame Alice venaient, Victor n'en ressentit pas moins une petite déception. Laissant sa canne près de sa chaise, le jeune homme marcha avec prudence jusqu'à la porte, qu'il ouvrit. Une grande silhouette se tenait devant lui et ses deux yeux verts et lumineux l'observaient. Un long chapeau haut de forme et couvert de neige lui coiffait la tête, et la silhouette s'inclina légèrement vers Victor. C'était Ichabod, la plante excentrique qui avait pris vie dans le corps d'un épouvantail. Derrière lui se tenait madame Alice, une diseuse de bonne aventure. Elle tenait le bras d'Edward Leafburrow, un vieil homme à la posture droite et au pas énergique, qui menait toujours un groupe de résistance d'hommes et de femmes qui assuraient la protection de Londres. Tous avaient un paquet à la main.

— Bonsoir! dit Ichabod d'un air jovial.

— Bonsoir, comment allez-vous? répondit Victor aux trois invités. C'est un plaisir de vous voir! Entrez, il fait froid!

Une fois à l'intérieur, madame Alice l'embrassa sur les deux joues en lui disant:

— Comme tu es beau ! Surtout lorsque tu es rasé ! Tu me rappelles mon Edward, à ton âge.

Victor passa ses mains sur ses joues pour une fois bien lisses, d'un air gêné, tentant d'enlever discrètement le rouge à lèvres. À vrai dire, il négligeait de se raser, ne le faisant généralement qu'une ou deux fois par semaine. Edward serra la main du jeune homme en lui envoyant un clin d'œil par-dessus ses petites lunettes rectangulaires.

— Comment a été le voyage ? demanda Victor alors qu'il prenait leurs manteaux.

— Oh, très bien ! répondit madame Alice, qui était vêtue de son habituelle tenue de gitane, composée d'une longue robe, de colliers de perles et d'un long châle.

— Nous avons pris le dirigeable, continua Edward qui, lui, était vêtu d'un petit veston et d'une chemise propre. Évidemment, avec une telle température, le trajet a été plus long. Pardonne-nous notre retard.

Victor lâcha un petit rire.

— Vous n'êtes pas en retard, leur dit-il, vous arrivez au bon moment, nous allions passer à table ! Ichabod, veux-tu que je prenne ton manteau ?

L'épouvantail, qui donnait l'impression de somnoler sur place, se réveilla aussitôt.

— Hein ? Euh, oui, balbutia-t-il. Oui, oui, désolé…

Victor savait qu'Ichabod, étant une plante, avait besoin de soleil pour rester en pleine forme. Étant donné la saison, il était normal pour l'épouvantail de montrer des signes de fatigue très tôt dans la soirée. Ce dernier tendit son manteau à Victor.

— Allez à la cuisine, leur dit le jeune homme en souriant, tenant les manteaux de ses invités dans les bras. Je vous rejoins. Oh, j'oubliais ! Déposez vos cadeaux sur le buffet du salon, avec les autres !

Edward lui sourit et, la main sur l'épaule de sa femme, suivit Ichabod jusqu'au salon. Victor ouvrit le placard et plaça les manteaux sur les cintres restants, avant de faire demi-tour et de rejoindre la table entourée de ses amis. Une fois les invités installés, Nika et Maeva distribuèrent les assiettes remplies de tourtière. La table, regorgeant de nourriture, avait été ajustée pour pouvoir accueillir tout le monde, et le chandelier qui pendait au-dessus des têtes de Victor et de ses amis répandait une lueur chaleureuse dans toute la salle à manger. Ichabod était le seul à ne pas manger, puisque la nourriture lui était inutile. Il sirotait plutôt un grand verre d'eau avec une paille. Au milieu du souper, alors que tout le monde parlait de divers sujets, Victor jugea bon d'interroger Liam avec une certaine subtilité.

— Liam ? Je me demandais, as-tu eu des nouvelles de Caleb ?

L'homme au visage charmeur, qui buvait une gorgée de vin, émit un grognement tout en avalant.

— Pas depuis un mois, répondit-il. Je crois qu'il n'a pas envie d'être payé.

Victor fronça les sourcils.

— Comment ça ?

— Caleb n'est pas rentré au quartier général du Consortium, continua Liam en mâchant une bouchée de pain.

Voyant l'air surpris sur le visage de Victor, Liam ajouta :

— Je croyais que tu aurais pu m'en dire plus à son sujet, puisque vous êtes amis.

Victor parut encore plus confus. Puis, tout en jouant inconsciemment avec sa fourchette dans son assiette, il dit :

— Non, enfin… je lui avais demandé de m'écrire avant son départ pour la France, en septembre dernier. Ce qu'il n'a jamais fait.

Le jeune homme leva les yeux vers Liam.

— Que s'est-il passé, en France ?

— Nous avons eu plusieurs cas de loups-garous, dit Liam après avoir pris une bouchée de son assiette. Nathan avait été envoyé à Luxembourg, Marcus à Paris et Caleb à Ribeauvillé, en Alsace. Moi, je suis resté à Alexandrie, au quartier général du Consortium, pour faire de la paperasse.

Réalisant que Nika jetait un regard noir en direction de Liam, Victor envoya un bref sourire à ce dernier avant de manger une bouchée.

— Avait-il mené à bien son travail en France ? demanda Victor la bouche pleine.

— Oui, répondit Liam après avoir bu une gorgée de vin. Il a capturé un loup-garou et l'a guéri de sa maladie avec une chaîne d'onyxide. Tout seul.

— Avec une chaîne d'onyxide ? répéta Victor. Les loups-garous peuvent être guéris ?

— Bien sûr, répondit Nathan en prenant part à la conversation.

Il pointa sa fourchette (qui avait piqué un morceau de bœuf) vers Victor, puis ajouta :

— Grâce à l'onyxide. Une fois appliqué sur la chair vive, l'onyxide détruit les tissus infectés dans tout le corps. C'est un traitement un peu douloureux, mais ça fonctionne.

Victor prit une autre bouchée de son repas et croisa le regard de Maeva, qui était en pleine conversation avec madame Alice. Le jeune homme lui sourit et elle le lui rendit avant d'éclater de rire à la suite d'un commentaire de madame Alice.

— Ce n'est pas tout, dit Liam. J'ai envoyé Caleb à Paris le soir où il a capturé le loup-garou d'Alsace.

Victor l'interrogea du regard.

— Eh bien, dit Liam, nous ne parvenions plus à joindre Marcus sur sa radio, donc j'ai envoyé quelqu'un vérifier s'il était toujours en vie.

— On croyait qu'il s'était fait tuer, ajouta Nathan.

— Moi, me faire tuer ? s'opposa Marcus, que Victor suspectait d'avoir suivi leur conversation depuis le début. J'avais coincé le loup-garou avant même que Caleb n'arrive.

— Toi et une armée entière de paysans, fit remarquer Nathan.

— On s'en fout, lui renvoya sèchement Marcus avec un regard sévère.

— En fait, continua Nathan, qui avait l'air de s'amuser, Marcus ne répondait plus à sa radio parce qu'il l'avait balancée dans la Seine par inadvertance. Super habile, le gars, hein ?

Marcus croisa les bras et afficha un air renfrogné qui prouvait sa culpabilité.

— Mais Marcus, intervint aussitôt Victor tandis que le grand homme noir tournait son regard vers lui, tu as vu Caleb ?

— Ouais, répondit-il. Pendant toute une journée.

Le jeune homme remarqua que Liam suivait toujours leur conversation attentivement. Victor hocha la tête et enchaîna :

— Et après ta mission, où devais-tu te rendre ?

Marcus prit une énorme bouchée de tourtière et mastiqua lentement, tout en observant Victor d'un regard intimidant, mais le jeune homme n'était aucunement affecté.

— Alexandrie, répondit Marcus après avoir avalé sa bouchée. Je suis retourné à Alexandrie.

— Et Caleb ?

— Caleb quoi ?

— Il est resté à Paris, répondit Nathan à la place de Marcus, avec un brin d'impatience dans la voix.

— Vous ne m'avez jamais dit ça ! lança Liam en regardant Nathan et Marcus d'un air sévère.

— Tu ne l'as jamais demandé, répondit Marcus en haussant les épaules.

— Non mais quel genre de crétin es-tu ? lui rétorqua Liam, haussant le ton.

Cette réplique mit fin à toutes les autres discussions autour de la table, et tout le monde sembla écouter. Marcus se mordit la lèvre et son regard devint sombre.

— Caleb travaille pour moi ! continua Liam. Lorsque je t'ai demandé où il était, tu ne m'as jamais dit qu'il était resté à Paris !

— Pourquoi ? demanda Victor en tournant son attention vers Nathan. Pourquoi n'avez-vous rien dit ?

Nathan se passa la main sur la nuque et dit :

— Eh bien… tu connais Caleb. Il aime bien qu'on le laisse à ses affaires. Il nous avait déjà dit qu'il ne ferait plus le boulot pour bien longtemps… donc…

— … donc vous avez supposé qu'il avait démissionné, conclut Liam d'un air grave. Sans rien nous dire ! Comme ça !

Nathan grimaça, comme honteux de sa propre bêtise.

— C'est un peu ça, répondit-il avec lenteur.

Victor se prit la tête à deux mains pendant un moment, puis demanda :

— Marcus, tu as dit que Caleb était resté à Paris. Pour quelle raison ?

— Il ne me l'a pas dit, répondit le grand homme, qui commençait à montrer des signes d'irritation. La veille du départ, il m'a simplement mentionné qu'il resterait à Paris pour terminer un truc.

— Et tu ne t'es pas demandé ce que c'était ? demanda Maeva en volant les mots de la bouche de Victor.

Marcus lâcha un rire bref, mais sonore.

— Bien sûr que je lui ai demandé, répondit-il. Il m'a dit qu'il n'avait pas besoin de mon aide. Je suis donc rentré à ma chambre et je suis reparti le lendemain matin.

— Excusez-moi, dit Liam d'un air sombre en retirant la serviette de ses genoux et en se levant de table. Je reviens.

Il se dirigea vers la salle de bain, tandis que tous les regards le suivaient. Nika se leva et alla le rejoindre. Ce n'était pas difficile de deviner pourquoi Liam venait de se lever, songea Victor. Il devait être furieux contre Nathan et Marcus. Un silence morne s'installa et plus personne n'osa ajouter un mot. Si les gens semblaient rigoler autour de la table un instant plus tôt, maintenant, personne ne souriait et Victor se sentait profondément responsable. Mal à l'aise, il replongea sa fourchette dans sa nourriture, sans oser lever les yeux de son assiette. Edward Leafburrow s'éclaircit alors la gorge pour briser le silence.

— Alors, Radvek, comment vont les affaires de ta boutique ?

— Très bien ! répondit le gros homme barbu d'un air joyeux.

Tandis que les deux hommes discutaient, Pakarel lança à Ichabod :

— As-tu composé une autre pièce ?

L'épouvantail bâilla longuement et répondit, tout en souriant :

— Oui, quelques-unes.

— Et pourquoi tu ne nous en parlerais pas ? demanda Maeva d'un air enjoué. J'adore le piano. Pakarel aussi ! N'est-ce pas, Pakarel ?

— Oui ! répondit le pakamu avec énergie.

Grâce aux efforts des amis de Victor, l'atmosphère du souper redevint chaleureuse et amicale. Victor aurait bien aimé s'adonner à une longue réflexion au sujet de la disparition de Caleb, mais il y renonça rapidement, se disant qu'il y songerait plus tard. Pour le moment, le jeune homme était très reconnaissant que le souper n'eut pas viré à la catastrophe, et il décida de faire sa part. Il entreprit une longue discussion, quoique légère et ponctuée de rires partagés, avec madame Alice, au sujet de ses pratiques de divination. Liam et Nika revinrent entre-temps et tous deux se joignirent aux différents sujets de conversation qui planaient dans l'air. Même Marcus et Nathan se laissèrent inviter à discuter de tout et de rien. Plus tard dans la soirée, une fois que les nombreux desserts qu'avait préparés Nika furent tous dévorés, tout le monde passa dans le salon pour l'échange de cadeaux.

Chacun offrait son cadeau à tour de rôle à son destinataire, sous les yeux de tous. Lorsque vint le tour de Victor de déballer son cadeau, il s'interrogea sur sa nature. Qu'est-ce que quelqu'un comme Pakarel avait bien pu lui offrir ? S'attendant au pire, le jeune homme essaya de garder le sourire, espérant masquer ses réelles impressions. Ouvrant le gros paquet, Victor y découvrit, à sa grande surprise, un très beau foulard.

— Je l'ai tricoté moi-même ! spécifia Pakarel, qui avait récupéré son énorme chapeau.

— Tu as appris le tricot ? s'étonna Maeva.

Victor n'était visiblement pas le seul à être surpris. Tout le monde l'était. Le pakamu s'approcha du jeune homme et lui dit :

— Oui, oui, regarde Victor, j'ai même cousu ton nom dessus…

La petite main du raton laveur déplia un recoin du foulard sur lequel se trouvait le nom de Victor, brodé en lettres dorées.

— Pakarel, dit Victor en hochant la tête avec conviction, tu m'épateras toujours.

Le cadeau que Rauk avait offert à Edward (tout comme l'avait prédit Victor) s'avéra être, malgré son emballage médiocre, une fine chaîne en or qui servait à retenir une montre de poche. Nathan, lui, sembla très heureux lorsque Victor lui remit sa bouteille de vin.

— C'est mon vin préféré! dit-il au jeune homme en dévorant la bouteille des yeux. Qui te l'a dit?

Victor ricana et dit d'un air modeste :

— En fait, Nath, je l'ai choisi au hasard.

— Sans blague? s'étonna l'homme au mohawk blond. Ben dis donc…

L'échange de cadeaux se poursuivit et Victor, qui était installé au fond du sofa, n'y prêta plus attention. En fait, le regard dans le vide, il laissa libre cours à ses pensées au sujet de ce que Liam et les autres lui avaient appris. Caleb s'était donc rendu à Paris et avait dit à Marcus de ne pas l'attendre, car il avait quelque chose à faire… mais quoi? Avait-il de la famille sur place? C'était peu probable, jugea Victor, puisque le cercle familial du demi-gobelin n'était pas très grand. Et si Caleb n'avait pas disparu? Et s'il avait simplement choisi de changer de vocation, sans en faire part à quiconque? Peut-être ne considérait-il pas Victor comme un ami digne d'avoir de ses nouvelles…

— Victor? dit Maeva.

Les pensées du jeune homme éclatèrent comme une bulle et il tourna rapidement les yeux vers son amoureuse, qui venait de s'asseoir près de lui.

— Qu'est-ce qu'il y a? demanda-t-il.

Madame Alice était debout, dos à Victor, discutant avec Nathan, tandis qu'Ichabod était installé au piano avec Clémentine. Les autres invités s'étaient visiblement dispersés dans la maison.

— L'échange de cadeaux est terminé, lui dit Maeva avec un sourire moqueur. Tu avais sincèrement l'air de t'ennuyer…

— Oh! non, s'empressa Victor en se frottant le visage. Je suis désolé, j'étais perdu dans mes pensées...

Maeva le regardait d'un air compréhensif.

— Tu t'inquiètes pour Caleb, n'est-ce pas? lui demanda-t-elle en passant la main dans les cheveux de Victor.

— Un peu, avoua-t-il.

— À ta place, je ne m'en ferais pas trop. Si Caleb peut coincer un loup-garou à lui seul, il sait probablement prendre soin de lui.

Les lèvres de Victor s'étirèrent en un sourire.

— Tu as raison.

— Allons nous occuper un peu des invités, suggéra Maeva en tapotant l'épaule de Victor.

Pour finir la soirée, tout le monde se regroupa dans le salon, à la demande de Maeva et de Nika. Plus tard, madame Alice demanda, en insistant, que Victor leur joue une pièce de piano. Évidemment, le jeune homme tenta de décliner l'offre en riant, mais il finit par céder. Même Ichabod, que Victor soupçonnait d'avoir dormi subtilement pendant une bonne heure, semblait totalement réveillé et insistait lui aussi pour entendre le talent musical du jeune homme. Cela n'étonnait pas Victor, puisqu'Ichabod était lui aussi un pianiste de grande renommée œuvrant sous le pseudonyme d'Hajek Drahokoupil. Cette petite rivalité entre Ichabod et lui n'avait heureusement jamais affecté leurs relations amicales. En remontant les manches de sa chemise, Victor soupira :

— Bon d'accord, juste une...

Pakarel éclata de joie et Nathan siffla un bon coup pour encourager le jeune homme. Victor leva les yeux et regarda à travers la fenêtre située devant son piano, qui laissait entrevoir la ville de Québec éclairée par les réverbères et ensevelie sous une fine neige tombante. Malgré la discussion assez amère qui avait eu lieu durant le souper, Victor se motiva à penser à autre chose et à s'amuser un peu. Quelques secondes plus tard, le jeune homme prit une bonne respiration et posa les doigts sur le clavier du piano. Il joua une pièce qu'il avait créée l'année précédente, un peu en l'honneur du temps des fêtes. C'était une pièce plutôt festive et joviale, mais très complexe. Se laissant porter dans l'atmosphère de sa musique, Victor se mit à se dandiner sur son siège, puis il tourna la tête et envoya une belle grimace à son petit auditoire, et tout le monde ricana un peu.

— Ce n'est pas si mal, d'accord, dit l'épouvantail à mi-voix, les bras croisés et bien enfoncé dans le fond du sofa, mais ce n'est rien de... de très difficile.

— Hé! Pakarel, lâcha Victor en ignorant Ichabod, ça te dit de m'accompagner avec tes talents de danseur?

Sans hésiter, le pakamu bondit devant la cheminée et se mit à danser d'une manière si ridicule que tout le monde éclata de rire. Victor et ses amis passèrent ainsi la soirée à s'amuser, avant de finalement céder à la fatigue et d'aller se coucher.

Le jeune homme se réveilla assez tôt le lendemain matin, ankylosé par un sommeil inconfortable sur le sofa. Nika avait invité tout le monde à dormir à la maison et Victor avait laissé son lit à Edward et à madame Alice, leur assurant que le sofa lui conviendrait pour la nuit. Toujours couché sur le dos, les couvertures remontées jusqu'à ses épaules, le jeune homme balaya du regard le salon silencieux du matin. Marcus et Nathan étaient installés sur le sol, sur d'épaisses couvertures, et tous deux ronflaient fortement, apparemment bien endormis.

Se massant les yeux de la main droite, Victor se redressa en grognant. Il repoussa ses couvertures et prit soin de se lever doucement, car le matin, sa jambe gauche était plus sensible. S'étant endormi tout habillé, il défroissa sa chemise, attrapa sa canne, qui était appuyée contre le sofa, et se leva.

Apparemment, il était le seul à être levé, puisque personne n'avait préparé de café dans la cuisine inondée par la lumière du jour. Il se fit un bon café tout en analysant le contenu du garde-manger. Victor trouva des croissants qu'il avait achetés deux jours auparavant et s'assit à la table de la cuisine pour déjeuner. Le jeune homme entendit alors le grincement de la boîte aux lettres, ce qui indiquait que le facteur venait de passer. Traînant son croissant avec lui, Victor alla ouvrir la porte d'entrée et prit les trois lettres de la boîte, ainsi que le journal.

Une fois retourné à la table, Victor prit une bonne gorgée de café avant de s'attaquer au courrier. Réalisant que les lettres ne lui étaient pas destinées, il porta plutôt son attention sur le journal. En le feuilletant, il tomba sur un article qu'il avait pour titre :

Le nucléaire : une nouvelle forme d'énergie ?

Le jeune homme, vite intrigué, lut l'article en diagonale, mais ne parvint pas à en comprendre le sens et dut donc recommencer depuis le début.

« Le nucléaire sera bientôt une source d'énergie communément utilisée ! » nous a confié Atlus Lobitelle, scientifique et professeur d'université au Maroc. En effet, nous avons récemment rencontré le gobelin dans ses quartiers privés, lors d'une chaleureuse entrevue. « Le charbon ? La vapeur ? L'électricité ? Du passé, je vous dis ! » a-t-il déclaré en vantant les plus récentes découvertes de son équipe. Bien installé dans un luxueux fauteuil en cuir italien, le professeur Lobitelle nous a brièvement expliqué avec passion…

Victor parcourut une page complète de vantardise, durant laquelle Lobitelle s'attribuait, à lui et à quelques personnes dont le jeune homme n'avait jamais entendu parler, la découverte de la fusion nucléaire. Sans même que la découverte ne soit expliquée, le sujet dérivait rapidement sur les chats d'Atlus Lobitelle. Puis, la dernière phrase citait :

« Le nucléaire, c'est l'avenir », a fièrement déclaré Lobitelle, pour conclure l'entretien.

Victor avait refermé le journal sur l'image d'un gobelin grassouillet, Atlus Lobitelle, confortablement installé sur un fauteuil rose, avec ses trois chats sur ses genoux. Le jeune homme se sentait un peu frustré et dégoûté. Les découvertes faites par Balter et par Leif, le père de Maeva, ne leur étaient plus attribuées. Pire encore, un menteur se faisait passer pour le cerveau principal à l'origine de cette découverte. Si ce savoir avait refait surface sur Terre, se rappela Victor, c'était sa faute, car, après tout, il avait désactivé la dernière Fleur… Mais, à quoi bon se blâmer ? se dit-il aussitôt.

— Ridicule petit diable, soupira Victor en repensant à la photo de Lobitelle.

— Qui ça, un ridicule petit diable ? intervint Pakarel, qui venait d'entrer dans la cuisine, vêtu d'un des pyjamas que Victor n'avait jamais portés.

Les manches et le chandail de Pakarel traînaient sur le sol. On aurait dit une robe. En le voyant, Victor ne put s'empêcher de sourire.

— De qui parlais-tu ? répéta Pakarel en se hissant sur une chaise.

— D'un scientifique qui s'attribue la découverte du nucléaire… tu sais, la particule d'Ixzaluoh ? lui dit Victor en lui poussant le journal. Lis en page trois. Bien dormi ?

— Oui, le lit de Clémentine est confortable ! déclara Pakarel en souriant.

Victor se souvint que la gobeline, qu'il considérait comme sa petite sœur, avait partagé sa chambre avec Pakarel.

— Tu veux un croissant ? lui offrit le jeune homme. Je n'ai plus faim.

— Ça serait super gentil ! répondit Pakarel en prenant l'assiette contenant le croissant que Victor lui offrait. Merci.

— Et du café ? offrit Victor en se levant.

— Oui, s'il te plaît, répondit le raton laveur, plongé dans l'article. Avec beaucoup de sucre.

Victor fit couler une tasse de café pour son ami et la posa sur la table, avant d'y déposer le sucre.

— C'est un menteur ! s'exclama Pakarel en ajoutant, sans même regarder, une quantité considérable de sucre à sa tasse de café. Il n'a rien à voir avec tout ça !

— Je sais, dit le jeune homme en se rasseyant.

Tout comme Victor, le pakamu referma le journal après avoir lu l'article, l'air légèrement frustré. Puis, Pakarel prit une gorgée de son café sucré et hocha la tête en guise d'appréciation.

— Tu crois qu'on devrait le montrer à Clémentine et à Maeva? demanda le raton laveur à voix basse.

Victor fit signe que non.

— Pas une bonne idée, dit-il simplement. Maeva serait frustrée et Clémentine... c'est encore trop récent pour elle.

En effet, Balter était mort deux mois plus tôt, assassiné par un tueur maya venu des trois royaumes d'Orion. Au même moment, Nathan entra dans la cuisine, la mâchoire figée dans un long bâillement.

— Ben dites donc, dit-il en regardant le jeune homme et le pakamu, vous en faites une tête, les gars. Vous allez bien?

Victor et Pakarel échangèrent un regard et lui sourirent brièvement.

— On va bien, lui dit Victor d'un air un peu morose. Café?

— S'il te plaît, répondit Nathan en s'installant à la table, tandis que Pakarel mangeait son croissant en silence.

L'homme au mohawk blond tendit la main vers le journal et demanda à Pakarel:

— Je peux le lire?

Masquant sa bouche pleine de son croissant, Pakarel dit tout en envoyant un regard inquiet à Victor:

— Euh... oui, vas-y.

Étant donné que Nathan allait sans doute tomber sur l'article, le jeune homme préféra l'avertir aussitôt.

— Lis en page trois, lui dit Victor en lui donnant son café. On s'approprie la découverte de Balter et du père de Maeva.

— Quoi? s'exclama Nathan après avoir bu une gorgée de café qu'il faillit recracher. Tu veux rire?

— Pas du tout, répondit Victor.

Le jeune homme vit les yeux de Nathan — maintenant entièrement réveillé — parcourir l'article sur la fusion nucléaire et ses traits se durcir au fur et à mesure.

— J'aimerais bien lui rendre une visite, à ce crétin, dit Nathan en refermant lui aussi le pauvre journal qui était tristement rejeté par tous.

— Pakarel et moi croyons qu'il serait préférable de ne pas en parler, intervint aussitôt Victor. Surtout pour Maeva et Clémentine.

— C'est sûr, acquiesça Nathan.

— Pas un mot, d'accord ? proposa Victor, qui avait roulé le journal et le pointait vers ses deux amis, et tous deux hochèrent la tête.

Avec un certain soulagement, Victor jeta le journal à la poubelle. Une heure plus tard, tout le monde était levé et certains invités s'apprêtaient déjà à partir. Au grand mécontentement de Nika, qui ne voulait pas voir son amoureux s'en aller, Liam et Marcus partirent les premiers, tandis que Nathan, qui ne travaillait pas le lendemain, décida de rester encore un peu et de prendre le prochain dirigeable, le même qu'Edward, madame Alice et Ichabod, plus tard en soirée. Quant à Rauk, il remercia tout le monde et partit directement vers sa boutique pour son ouverture.

— Ça te dérange, si j'invite Pakarel pour quelques jours ? demanda discrètement Nika à Victor lorsqu'il sortit de la salle de bain, une serviette autour de la taille et les cheveux mouillés.

— Bien sûr que non ! répondit Victor.

— Parfait, dit Nika en souriant. Clémentine sera ravie.

Puis, la jeune femme poursuivit son chemin vers l'escalier.

— Et Nathan ? demanda Victor. Il soupe avec nous ?

— Je ne crois pas, répondit Nika en se retournant. Je lui demanderai.

Retournant dans sa chambre, Victor se sécha les cheveux avec sa serviette et enfila des vêtements propres. Tout en boutonnant sa chemise devant son miroir, il s'analysa de son regard vert émeraude. Il faudrait qu'il trouve le temps d'aller se faire couper les pointes de ses cheveux, jugea-t-il. Alors qu'il allait boutonner le tout dernier bouton de sa chemise, il entendit cogner à la porte. Pas quelques coups, comme le ferait normalement quelqu'un, mais un seul et unique impact, d'une bonne force. Intrigué, il arrêta son mouvement et tendit l'oreille. Puis, il entendit Nika crier d'une voix terrifiée :

— Venez m'aider !

Le jeune homme prit aussitôt sa canne et s'élança au rez-de-chaussée, ignorant la douleur de sa jambe gauche, qu'il avait négligée. En bas de l'escalier, un coup de vent vint lui geler le visage. Il vit alors Nika, à genoux sur le sol et tenant quelqu'un, tandis que des rafales de neige entrait dans la maison. Le jeune homme remarqua un gros oiseau mauve couché dans la neige devant la porte, à l'extérieur, l'air exténué. Tout le monde se rua vers la porte d'entrée, depuis toutes les pièces de la maison. S'approchant de Nika, Victor lâcha sa canne et tomba sur un genou. La personne que Nika tenait sur les genoux n'était nul autre que Caleb, du sang séché au coin de sa bouche et les yeux révulsés.

— Mon Dieu! laissa échapper Maeva, par-dessus l'épaule du jeune homme.

Chapitre 4

L'infection

— Caleb! s'exclama Victor en soulevant le dos du demi-gobelin. Mon vieux, dis quelque chose!

Sa mâchoire bougea faiblement et il poussa un grognement. Victor lui tapota doucement le visage pour ranimer son ami, mais Caleb ne réagit pas.

— Emmenons-le dans ma chambre, déclara Victor sur un ton inflexible, soulevant Caleb et passant son bras par-dessus sa propre épaule, et grimaçant à cause de la souffrance qu'il éprouvait à la jambe.

Nathan tendit les mains, comme pour aider Victor, mais le jeune homme refusa son aide et s'engagea dans l'escalier, montant les marches une à une, son ami pesant sur ses bras. Il savait que Nathan avait simplement voulu lui donner un coup de main, mais sa volonté d'aider son ami décuplait ses forces.

— Je… je vais aller m'occuper de Hol, dit Maeva depuis le pied de l'escalier, enfilant rapidement son manteau, d'un ton qui laissait paraître une forte inquiétude.

Victor tourna la tête et la remercia d'un hochement de tête.

— Laisse-moi t'accompagner, dit Nika à Maeva.

Finalement arrivé en haut de l'escalier, Victor traîna Caleb jusqu'à sa propre chambre, suivie par madame Alice, Edward et Nathan qui arrivèrent au moment où Victor montait les jambes de son ami sur le lit.

— Qu'est-ce qu'il lui est arrivé? demanda madame Alice, ses mains cachant le bas de son visage, l'air outrée.

Au même instant, Caleb se mit à gémir et à pousser des grognements inquiétants, avant qu'une gerbe de sang jaillisse de sa bouche. Madame Alice poussa un petit cri et Edward l'emmena à l'extérieur de la pièce.

— Va me chercher une serviette d'eau froide, ordonna Victor d'un ton froid à Nathan. Dépêche !

L'homme au mohawk blond hocha la tête et quitta la pièce, suivi du coin de l'œil par Victor. Le jeune homme se mit alors à déboutonner le haut de la chemise de Caleb pour faciliter sa respiration, qui devenait de plus en plus saccadée. En voyant son ami dans un tel état, Victor ressentait une telle fureur à l'égard de Nathan et de Marcus qu'il en avait des sueurs froides. Pourquoi ces idiots avaient-ils laissé Caleb ainsi, sans s'inquiéter de ce qui lui était arrivé ?

— Qu'est-ce qu'il a à la main ? fit la voix de Pakarel, qui venait d'entrer dans la pièce.

Portant son attention sur les mains de son ami, Victor répondit :

— Quelle main ? Je ne vois… Oh !

La main droite de Caleb n'était pas du même beige blême que le reste de sa peau, mais plutôt bleutée.

— Ce n'est pas normal, continua le pakamu en s'approchant de la main de Caleb.

Victor recula et fit quelques pas en cercle, se passant la main dans les cheveux d'un geste désespéré. Nathan revint ensuite avec une serviette trempée et la déposa délicatement sur le front de Caleb.

— Je retourne en bas, dit Nathan à Victor en affichant un air désolé. Je vais voir si l'on peut joindre un docteur…

Victor émit un grognement en guise de réponse, et l'homme au mohawk quitta la pièce.

— Victor ! dit Pakarel d'une voix soucieuse. Regarde sa main !

— Je sais, répondit Victor d'un air agacé, elle est bleutée !

— Non ! continua le raton laveur en levant la main de Caleb pour la montrer au jeune homme. Il y a une empreinte de morsure !

Fronçant les sourcils, Victor retourna auprès du demi-gobelin et analysa l'endroit que pointait Pakarel. En effet, il pouvait voir quatre ou cinq marques de dents sur sa peau, à travers du sang séché.

— Tu… tu as raison, dit Victor en observant la main de son ami avec un regard abasourdi. Qu'est-ce qui aurait pu le mordre ?

— Je ne sais pas, répondit Pakarel.

Le jeune homme analysa la morsure d'un œil attentif et suggéra :

— On dirait… on dirait la dentition d'un humain. Je pourrais avoir tort, car il y a certaines dents qui sont étrangement positionnées…

Les deux amis regardèrent Caleb d'un air impuissant pendant un court silence, jusqu'à ce que Pakarel le brise :

— Tu ne devrais pas en vouloir à Nathan. Ni à Marcus.

Victor laissa tomber la tête vers l'avant et ferma les yeux, les poings sur les hanches.

— Je sais, dit-il simplement. Je ne leur en veux pas vraiment. C'est juste que…

Ne trouvant pas les mots parce qu'il se sentait mal d'avoir été froid envers Nathan, Victor ne répondit rien. Pakarel posa la main sur la jambe du jeune homme en guise de compréhension.

— Je vais aller m'excuser, se décida Victor. Garde un œil sur lui, d'accord ? Je reviens.

Pakarel hocha la tête et son énorme chapeau manqua de tomber, mais il le retint de ses petites mains. En sortant de sa chambre, Victor tomba nez à nez avec Maeva. Elle tenait sa canne à la main.

— Il va bien ? demanda-t-elle en donnant sa canne à Victor.

— Je ne sais pas. Il a craché du sang et sa main présente une marque de morsure assez sérieuse.

Les traits de Maeva se durcirent.

— Une morsure ? Je vais aller y jeter un œil.

— Bonne idée.

— Et toi, où allais-tu ? ajouta Maeva en passant la main sur la joue de son amoureux.

— Voir Nathan et m'excuser de mon comportement enfantin, répondit Victor en lui souriant tristement.

Maeva lui sourit en retour et l'embrassa.

— Au fait, dit-elle, Hol se trouve dans l'atelier et repose sur le même tas de foin que Caleb avait disposé il y a quelques mois.

— Il est blessé ? demanda rapidement Victor.

— Non, non, le rassura Maeva, il va bien. Il est seulement exténué. Pauvre bête. Hol a probablement traversé l'océan pour venir jusqu'ici. Il faudra demander à Caleb à son réveil.

Le jeune homme hocha la tête positivement et Maeva enchaîna :

— Bon, je vais aller voir cette morsure…

— Et moi, je vais aller voir Nathan et les autres pour les mettre au courant.

Le jeune homme poursuivit son chemin jusqu'au rez-de-chaussée, où il trouva tout le monde installé dans le salon. Tous semblaient tendus et tournèrent la tête vers Victor.

— Et puis ? demanda Nika en se levant.

— Il a craché du sang, leur déclara Victor, et Pakarel a découvert une importante morsure sur la main de Caleb.

— Nous devrions appeler un docteur, suggéra madame Alice d'un air inquiet, en se mordant le bas de la lèvre.

— C'est vrai, admit Nika en se levant, l'air résolue. Je vais aller à la clinique du docteur Miron, il pourra nous aider.

Soudain, un bruit sourd provint de l'étage, comme si quelque chose était lourdement tombé sur le sol. Nathan s'y précipita en montant les marches quatre à quatre, suivi d'Edward, de Nika et de Victor, qui monta l'escalier le plus rapidement possible. Victor vit Nathan s'arrêter devant la chambre et s'écrier :

— Oh, merde !

Puis, l'homme au mohawk se rua dans la chambre, suivi de Nika et d'Edward.

— Qu'est-ce qui se passe ? vociféra Victor en rejoignant ses amis.

Mettant finalement le pied dans sa propre chambre, Victor vit Caleb allongé sur le sol, le torse bombé et appuyé sur l'arrière de sa tête, tandis que Maeva et Pakarel tentaient sans succès de le maintenir en place.

— Qu'est-ce qui se passe ? répéta Victor en s'approchant de son amoureuse.

— Je ne sais pas! répondit-elle en grognant. J'ai voulu regarder sa main, mais il est… il est tombé au sol et il s'est mis à convulser.

Nathan et Edward, qui s'étaient accroupis près de Caleb et de Maeva, analysaient le demi-gobelin d'un œil soucieux. Les convulsions de Caleb stoppèrent brusquement et ce dernier parut perdre connaissance.

— Son état est horrible, dit Pakarel d'un air inquiet. Je ne veux pas qu'il meure!

— Ne dis pas de telles choses! le gronda Maeva.

— Peut-être devrions-nous tenter de le réveiller? suggéra Nika, qui n'avait pas l'air sûre de sa propre idée.

— Non, déclara Edward d'un ton résolu. Son état est trop instable.

— Il faut stabiliser son état et stopper ses convulsions, déclara Maeva. Ses vêtements sont trempés et son front est brûlant, il faut lui faire couler un bain tiède pour stabiliser sa température.

— Voilà une excellente idée, admit Edward. Nathan, aide-moi à le soulever.

— Monsieur Leafburrow, intervint Victor d'un ton ferme, laissez-moi faire.

Avec Nathan, Victor hissa Caleb debout et ils le traînèrent jusqu'à la salle de bain. Déposant Caleb sur le siège des toilettes, le jeune homme fit couler un bain et passa la main sous l'eau pour s'assurer de sa tiédeur.

— Je suis désolé, dit Nathan à Victor. Si j'avais su…

— C'est moi qui suis désolé, lui répondit Victor. Je ne t'en veux pas. Caleb n'est pas la plus simple des personnes. Je ne voulais pas être froid avec toi tout à l'heure.

Nathan s'étonna, mais son visage cicatrisé s'adoucit en un sourire.

— Faut vraiment le… déshabiller? demanda-t-il, l'air mal à l'aise.

— Ça ne me plaît pas plus qu'à toi, lui répondit Victor en grimaçant avec amusement.

Avec un courage surhumain, Nathan et Victor retirèrent les vêtements de Caleb les yeux fermés, lui laissant ses sous-vêtements, avec une expression dégoûtée figée sur leur visage, leurs yeux fuyant la scène.

— Aide-moi, dit Victor en soulevant Caleb par un bras. On doit le mettre dans le bain.

Nathan hocha la tête et s'exécuta. Les deux amis parvinrent à glisser le demi-gobelin dans le bain (que Victor avait rempli de mousse pour éviter de voir à travers l'eau) sans trop de problèmes. Leur tâche accomplie, les deux hommes soufflèrent un bon coup.

— Seigneur, se plaignit Nathan en contemplant Caleb. Il a l'air mal en point.

En effet, les cheveux de Caleb lui collaient au front et ce dernier respirait avec difficulté. Soudain, une idée traversa la tête de Victor.

— Nathan, tu as déjà vu la morsure d'un loup-garou ? lui demanda-t-il sans quitter Caleb des yeux.

— Ouais, répondit-il en regardant Victor et comprenant aussitôt où il venait en venir.

S'agenouillant près du bain, Nathan roula la manche de sa chemise et tira de l'eau la main mordue du demi-gobelin. En fronçant les sourcils, il ajouta :

— Je ne peux pas te le confirmer à cent pour cent, mais… ce n'est pas la forme de la dentition d'un loup-garou.

— Ah non ? s'étonna le jeune homme.

Au même moment, Maeva entra timidement dans la salle de bain.

— Vous l'avez installé dans le bain ? demanda-t-elle.

Les deux hommes s'écartèrent pour que Maeva le voie de ses propres yeux.

— Parfait, dit-elle en regardant le demi-gobelin d'un air triste. Je vais prendre ses vêtements mouillés et ses ceintures d'armes.

— Maeva, dit Victor avant qu'elle parte. Les autres sont-ils partis chercher un docteur ?

— Nika et Alice sont en route, répondit-elle.

Une demi-heure plus tard, elles revinrent à la maison en compagnie du docteur Miron, un graboglin au teint foncé. Les graboglins avaient des traits similaires à ceux des gobelins, mais étaient de taille normale et de carrure impressionnante. Le docteur Miron avait une barbe hirsute sans moustache, et souffrait d'un fort strabisme qui lui donnait un air un peu fou. Par contre, c'était le meilleur docteur de Québec et le plus dévoué à la science médicale. Lorsqu'il entra dans la salle de bain, il envoya un faible hochement de tête à Victor et à Nathan, en guise de salutations, avant de déposer sa mallette près du bain. Retirant son veston et son chapeau melon, il souleva ses manches et prit le pouls du patient. Il plaqua ensuite sa paume contre le front de Caleb.

— Sa température me semble actuellement stable, déclara-t-il de sa voix bien articulée, qui lui donnait un air de haute société. Il faut le sortir du bain et l'allonger sur un lit. Vous, désigna-t-il en pointant Nathan, aidez-moi.

Ce dernier obéit et donna un coup de main au docteur. Après avoir enroulé le demi-gobelin dans d'épaisses serviettes données par Victor, Nathan et le docteur Miron sortirent Caleb du bain, tandis que Victor et les autres qui s'étaient regroupés près de la salle de bain s'écartèrent pour leur laisser la voie libre. Le jeune homme leur indiqua d'utiliser sa chambre et Caleb y fut emmené. Ayant placé son patient sous les couvertures et redressé son dos au moyen de quelques oreillers, le docteur sortit de sa mallette un thermomètre qu'il glissa dans la bouche du demi-gobelin, sous les yeux inquiets de Victor, de Pakarel, de Maeva, de Clémentine et de Nathan.

— Je confirme, dit-il en portant l'objet sous ses yeux déviants. Sa température est stable. Quant à sa main, il me faudra faire un prélèvement sanguin pour déterminer exactement ce qui l'a mordu. Mais à première vue, il me semble qu'il a été infecté par le virus de la *noctemortem*.

Il se retourna vers Victor et ses amis, qui étaient attroupés autour du lit. Tous affichaient un air misérable.

— Mis à part les convulsions, les saignements de la bouche et les grognements, dit-il au groupe, a-t-il présenté d'autres symptômes ?

Tout le monde échangea un regard, et c'est finalement Pakarel qui répondit :

— Non, monsieur le docteur. Pas d'autres symptômes.

Le docteur Miron hocha la tête et sortit de sa mallette une petite fiole ainsi qu'une seringue.

— Je… je crois que vais aller attendre en bas, dit Clémentine, dont le teint était livide.

— Viens, je t'accompagne, lui dit alors Maeva en la prenant par les épaules.

Puis, elles quittèrent la chambre et Victor put les entendre descendre l'escalier. Le docteur Miron fit son prélèvement sanguin un instant plus tard.

— Je vais faire analyser l'échantillon et reviendrai vous donner les résultats avant la nuit, dit-il à l'intention de Victor, de Pakarel et de Nathan. Espérons que ce ne soit qu'une bien vilaine fièvre.

Le jeune homme reconduisit ensuite le docteur à la porte et le remercia pour ses services en lui tendant un billet. Lorsqu'il retourna dans le salon, seul Nathan s'y trouvait, installé sur le sofa, l'air songeur.

— Pour en revenir à notre conversation, lui dit Nathan, je crois qu'il a été mordu par un humain.

— Je n'ai jamais vu pareille dentition, avoua Victor en s'installant à côté de lui.

— *Noctemortem*, marmonna Nathan en se frottant le menton. Espérons que ce ne soit pas le cas.

— On pourra toujours utiliser de l'onyxide, suggéra Victor. Non ? Nathan hocha la tête.

— Ouais, mais ça sera très douloureux pour lui. Pauvre mec.

Nika arriva alors dans le salon, l'air un peu perdue.

— Victor…, tu crois qu'on devrait l'emmener directement à l'hôpital ?

— Je crois qu'on ferait mieux d'attendre les résultats du docteur, lui dit Victor en levant les yeux vers elle.

— Bon…, je vais aller au marché chercher quelque chose pour le souper, dit-elle d'un air abattu. Ça va me changer les idées.

— Je vais y aller avec toi, dit Maeva, qui entrait dans le salon à son tour. De toute manière, je dois passer chez moi pour prendre quelques affaires.

— Soyez prudentes, leur dit Victor en souriant faiblement.

Le soir venu, un peu avant l'heure prévue du départ de madame Alice, d'Edward et d'Ichabod, le docteur Miron revint cogner à la porte, son visage affichant un air grave. Sur le seuil de la porte, il retira son chapeau melon et tendit une feuille au jeune homme.

— Tout comme je l'avais prédit, votre ami souffre malheureusement d'une infection au virus de la *noctemortem*, déclara-t-il à Victor tandis qu'un seul de ses yeux le regardait et que l'autre avait roulé vers le haut. Pire, nous sommes incapables, étant donné sa nature, de préciser les ravages que fera l'infection.

Victor s'attendait à la première partie de la déclaration du docteur, mais pas à la seconde. Pris de surprise, il répéta :

— Étant donné sa nature ? Que voulez-vous dire ?

— Caleb Fislek est un hybride entre l'humain et le gobelin, expliqua le graboglin d'une voix articulée. Les hybrides ne réagissent malheureusement pas comme les races pures aux traitements offerts contre les infections de la *noctemortem*.

Le jeune homme hocha la tête d'un air absent, tout en contemplant la feuille contenant les résultats des tests sanguins du demi-gobelin.

— Que proposez-vous ? demanda-t-il en soupirant.

— Il me revient de le dénoncer aux autorités de l'hôpital de la ville, pour qu'ils prennent toutes les mesures requises pour s'assurer qu'il soit mis en quarantaine… jusqu'à son décès.

Frappé par les paroles du docteur, Victor le dévisagea d'un air stupéfait.

— Monsieur Fislek a-t-il de la famille ? continua le docteur.

— Oui, répondit Victor. Il a un père.

— Il faudra l'aviser de l'état de son fils.

— Ce sera fait, l'assura Victor.

— Je vais revenir dans deux jours avec une équipe pour emmener monsieur Fislek à l'hôpital, continua le docteur en remettant son chapeau melon sur sa tête. Si vous avez des questions d'ici là, je vous laisse ma fréquence radio d'urgence.

Il tendit au jeune homme une petite carte.

— Merci, docteur, lui dit Victor d'un air découragé.

Le docteur s'inclina légèrement et repartit vers la cité, surplombée d'un ciel gris et maussade. Victor referma la porte d'un geste lent. Il était démoli.

— Qu'est-ce qu'il a dit ? demanda la voix de Pakarel.

— Rassemble tout le monde dans le salon, lui demanda Victor d'un air détruit.

Deux minutes plus tard, Victor était assis sur le banc de son piano, dos à celui-ci, faisant face à tout le monde. Le jeune homme les observa. Madame Alice avait l'air anxieuse, Edward le regardait d'un air sage, Ichabod somnolait, Nathan jouait avec ses doigts d'un air absent, Pakarel et Maeva attendaient visiblement que Victor parle, tandis que Nika et Clémentine venaient tout juste de s'installer sur le tapis, inquiètes.

— Je n'irai pas par quatre chemins, débuta Victor en dépliant la feuille du docteur Miron. Les choses ne vont pas bien pour Caleb. Le docteur est passé il y a quelques minutes et m'a donné cette feuille.

Victor se leva et la passa à madame Alice, qui se mit à lire avant de la passer à son voisin.

— Caleb est infecté par le virus de la *noctemortem*, dit Victor en se réinstallant sur le banc de piano. Selon le docteur Miron, on ne peut rien faire pour lui.

— Comment ça ? lança furieusement Pakarel.

— Il nous faut de l'onyxide ! intervint aussitôt Nathan d'une voix.

— C'est ce que je crois aussi, l'appuya Victor, mais le docteur Miron n'a pas mentionné l'onyxide tout à l'heure, et je ne pense pas que ce soit par simple oubli.

— Tu as tout à fait raison, jeune homme, dit Edward en le regardant par-dessus ses petites lunettes rectangulaires. Il y a en effet une raison.

Il y eut un court silence durant lequel Victor interrogea Edward Leafburrow du regard. Le regard flamboyant du vieil homme reflétait toujours la même force de caractère, malgré son âge avancé.

— L'onyxide n'est pas un matériau utilisé pour les pratiques médicales, expliqua finalement Edward.

— Pourquoi, monsieur Leafburrow? demanda Nika.

— Comme notre ami Victor le sait très bien, continua Edward, l'onyxide est extraite des fonds marins par un seul groupe d'individus.

— Les horizoniers, réalisa Victor.

— Tout juste. Les horizoniers vendent l'onyxide à un prix raisonnablement élevé, puisqu'ils en ont le monopole. Malheureusement pour Caleb et les gens qui partagent son sort, les hôpitaux estiment qu'en raison du coût de l'onyxide, cela ne vaut pas la peine qu'ils y investissent.

— Que font-ils avec les gens comme Caleb? demanda Pakarel d'un air lourd, comme s'il avait peur de sa propre question.

Edward soupira.

— Ils les placent en quarantaine et finissent par les tuer avant qu'ils deviennent dangereux, répondit-il.

Sur ces mots, quelques petits cris aigus furent lâchés et Nathan marmonna un juron. Victor, quant à lui, avait gardé le silence, mais n'en était pas moins affecté.

— Et dire qu'on utilise des chaînes d'onyxide contre les loups-garous, s'indigna Nathan.

— Que vous payez un bon prix, ajouta Edward.

— Mais la vie des gens n'a pas de prix! rétorqua Nathan.

Leafburrow hocha la tête en guise d'acquiescement et dit :

— Et remercions le ciel d'avoir des gens comme vous qui s'occupent plus convenablement des êtres infectés par la *noctemortem* avant qu'ils soient attrapés et tués par les autorités.

Timidement, Clémentine dit :

— Mais, Victor…

— Oui, Clémentine?

Elle le regarda de ses grands yeux incertains et poursuivit :

— Si… si Caleb est… infecté (elle prononça le mot avec une grimace), cela veut-il dire qu'il va lui aussi devenir un… un monstre ?

Le regard de Victor s'attendrit avec une certaine tristesse. Il aurait voulu l'assurer du contraire, mais il ne pouvait pas lui mentir.

— Oui, Clémentine, Caleb va lui aussi devenir un monstre.

Les regards de Nika, de madame Alice et de Clémentine devinrent encore plus horrifiés.

— Il ne faut pas oublier un détail, intervint aussitôt Edward. Caleb est un hybride.

— Et je déteste vous voir employer ce mot pour qualifier Caleb ! lui lança Nika, dont les yeux étaient rougis par les larmes. Il est quelqu'un comme nous tous !

— Je n'ai pas dit l'inverse, continua Edward de sa même voix sage. Cependant, c'est ce qu'il est. Et son origine mixte pourra peut-être lui nuire… ou lui servir. Il faudra rester vigilant aux signes de sa maladie.

Victor vit sur le visage de Nika qu'elle regrettait de s'être emportée aussi vite. Elle cacha son visage dans ses mains et essuya ses larmes. Il y eut un silence durant lequel les engrenages du cerveau de Victor s'activèrent rapidement et formulèrent une idée bien évidente. Sans dire un mot, le jeune homme se leva.

— Où vas-tu ? lui demanda Maeva.

— À la radio, dit Victor en indiquant l'étage du haut. Il nous faut entrer en contact avec le prince des horizoniers, Zackarias.

Maeva afficha un air interloqué.

— Monsieur Leafburrow, lorsque vous serez de retour chez vous, pourrez-vous m'aider à trouver leur fréquence et à les joindre ? continua Victor en regardant le vieil homme.

— C'était déjà dans mes plans, lui répondit Edward en souriant.

Edward et madame Alice quittèrent la maison de Victor en compagnie d'Ichabod dans l'heure qui suivit. Leafburrow avait cependant assuré au jeune homme qu'il l'appellerait dès son arrivée, le lendemain matin. Nathan, qui devait partir avec eux, décida de prolonger son séjour et de contacter Liam pour l'aviser de la situation. Victor le soupçonnait fortement de se sentir coupable et lui en fit part :

— Écoute, Nathan, dit-il alors qu'ils étaient assis dans la cuisine. Ce n'est pas ta faute.

Mais l'homme au mohawk leva la main comme pour indiquer qu'il ne voulait rien entendre. Puis, il pencha la tête par-dessus la table et regarda autour de lui pour s'assurer que personne ne les écoutait.

— Victor, lui dit-il, tu sais comme moi que c'est dangereux de garder Caleb ici. Tu as vu le visage des filles ? Nika et Clémentine ? Elles sont pétrifiées à l'idée de le garder ici.

— Peut-être faudrait-il l'emmener ailleurs, songea Victor, le regard vide.

— C'est aussi ce que je crois, confirma Nathan en s'adossant à sa chaise.

D'une voix désolée, Victor poursuivit :

— Mais tu n'as pas à rester pour autant…

— Le Consortium travaille pour protéger les gens, le coupa Nathan. Tu te rappelles ?

Victor hocha la tête d'un geste lent et acquiesça :

— Ouais…

— Alors, j'aviserai Liam plus tard dans la soirée et j'en ferai mon contrat actuel. Et avant que tu m'offres de me payer, je ne veux rien savoir.

— C'est ridicule, s'opposa Victor. Je ne vais quand même pas te laisser nous aider sans te payer pour tes services…

— Mes parents étaient riches, rit Nathan. Je n'ai pas besoin d'argent. Comment crois-tu que nous soyons si bien équipés au Consortium ? Certes, on gagne pas mal d'argent, mais quand même…

Chapitre 5

Un jeu de cartes et du café

Peu emballé par l'idée d'utiliser les services de Nathan sans lui verser de salaire, le jeune homme le regardait d'un air songeur, bien installé sur sa chaise, dans la cuisine, tandis que le ciel s'assombrissait rapidement, annonçant ainsi la soirée.

— Et puis, continua Nathan d'un air complice, sans douter de tes capacités, mon cher Victor, une paire de bras supplémentaire te sera bien utile, si jamais l'infection de Caleb le transforme en loup-garou ou en je-ne-sais-quoi.

— Alors, laisse-moi au moins te fournir le logis et te permettre de dormir ici, se résigna le jeune homme.

— Ça marche, répondit Nathan d'un air satisfait.

Un peu plus tard, le jeune homme avertit Nika et Clémentine que Nathan prolongerait son séjour pour garder un œil sur Caleb. Bien que leurs visages aient laissé entrevoir une certaine anxiété, les deux filles acceptèrent sans contestation que Nathan reste plus longtemps. Le souper préparé par Victor et Nika fut mangé dans une atmosphère un peu lourde et silencieuse, et les sourires mécaniques que les convives s'envoyaient, lorsque leurs regards se croisaient, n'aidèrent certainement pas. De temps en temps, quelqu'un montait à l'étage pour vérifier l'état de Caleb. Au grand soulagement de Victor et de ses amis, le demi-gobelin, qui s'était endormi en fin d'après-midi, resta dans son sommeil durant toute la soirée.

Étant donné que Victor travaillait au cabaret en fin de soirée, le jeune homme monta à sa chambre pour se préparer.

— Tu vas rentrer tard ? vint lui demander Clémentine.

— Je ne sais pas trop, lui avoua le jeune homme, qui ajustait le col de sa chemise devant le miroir. Je ne crois pas.

— Ah… d'accord, répondit la gobeline, qui voulait visiblement en venir à un autre point, se balançant sur ses talons.

— Clémentine, qu'est-ce qui ne va pas ? lui demanda Victor d'une voix plus douce.

Il avait posé la question même s'il était persuadé de connaître la réponse. Clémentine, elle, ne répondit pas clairement, mais sembla plutôt chercher ses mots :

— Bah, euh… je…

Satisfait de son apparence, Victor prit son veston et sa canne, et se retourna vers Clémentine.

— C'est Caleb ?

Encore une fois, la jeune gobeline ne répondit pas. Victor s'avança donc vers elle et s'abaissa à son niveau en grimaçant légèrement, prenant soin de masquer cette expression avec un sourire.

— Clémentine, si jamais la présence de Caleb te dérange, je veux que tu me le dises et que tu sois franche avec moi. Car si c'était le cas, je ne le garderais pas ici.

La gobeline le regarda de ses grands yeux bleus et battit de ses longs cils.

— Vraiment ? hésita-t-elle.

— Oui, répondit Victor d'un air résolu. Ton bonheur et ta sécurité m'importent plus.

Le visage de la gobeline afficha aussitôt un sourire et elle enlaça Victor, qu'elle considérait comme son grand frère.

— J'aime t'entendre dire ce genre de choses, lui dit-elle à l'oreille.

— Je les pense, tu sais, lui assura Victor en lui tapotant le dos.

Clémentine se libéra de l'étreinte de Victor et dit :

— Mais… ce n'est pas ce que je veux.

Victor haussa un sourcil.

— Que veux-tu dire ?

— Je ne veux pas que Caleb s'en aille, rectifia-t-elle d'une voix ferme. Je veux qu'il reste ici.

Le jeune homme afficha un air interloqué et cligna des yeux. Confus, il balbutia :

— Mais… tu viens de…

La gobeline l'interrompit :

— Ce que je suis venu te dire, c'est que je veux que Caleb retrouve la santé. Je veux qu'il s'en sorte. Même si Nika est effrayée par sa maladie, moi, je ne le suis pas.

Victor desserra la mâchoire comme pour parler, mais resta sans voix.

— Je ne veux pas qu'il meure, continua Clémentine. Et je veux que tu le sauves.

— Tu veux que je le sauve ?

Clémentine hocha la tête avec conviction.

— Clémentine, dit Victor en souriant avec gêne, je ne suis pas médecin...

— Mais tu es toi, l'interrompit la gobeline en le pointant du doigt. Tu es Victor. Et s'il y a bien quelqu'un qui peut changer les choses, c'est toi.

À la suite de ces paroles, Victor sentit ses joues rougir.

— Clémentine...

— Promets-moi que tu feras tout pour sauver Caleb, le coupa-t-elle d'un air féroce, comme si elle le menaçait. Promets-le-moi !

Victor hocha lentement la tête et répondit :

— Je te le promets.

Ils s'enlacèrent une autre fois avant de se sourire mutuellement.

— Tu as terminé tes devoirs ? lui demanda alors Victor.

Elle le regarda d'un air amusé.

— Victor, je suis en vacances du temps des fêtes !

— Ah ! c'est vrai, avoua bêtement le jeune homme.

— Pourquoi n'es-tu pas allé à l'école, toi ? enchaîna Clémentine d'un air accusateur.

Victor sourit.

— J'ai appris par moi-même en m'achetant des livres scolaires durant quatre années, tu ne t'en souviens pas ?

Clémentine hocha la tête d'un air mécontent.

— Ce n'est pas juste, dit-elle d'une voix amusée.

Nika apparut dans le cadre de porte. En voyant Victor et Clémentine, elle sourit.

— Tu vas être en retard, lança-t-elle à Victor.

— Oui, maman ! la taquina le jeune homme.

Au pied de l'escalier, Victor croisa Nathan qui s'apprêtait à monter, un café à la main.

— Je vais attendre devant la radio, dit-il en montrant sa tasse. Dès qu'Edward entrera en contact avec nous, je serai là pour répondre.

— Parfait, répondit Victor d'un air ravi.

Tandis que le jeune homme enfilait son manteau et sa toute nouvelle écharpe, Maeva vint le voir.

— Tu rentres chez toi à quelle heure ? l'interrogea Victor d'un air absent, s'appliquant à sortir ses cheveux de l'étreinte de son foulard.

— Je comptais rester pour un moment, lui dit-elle.

Victor tourna la tête vers elle.

— Pour un moment ? répéta-t-il. C'est combien de temps, exactement ?

Maeva lui sourit.

— Le temps que Caleb aille mieux, lui répondit-elle en attachant les boutons du manteau du jeune homme. En vérité, ajouta-t-elle d'un air plus soucieux, je ne voudrais pas qu'Annika et Clémentine se retrouvent seules avec lui s'il… Enfin, s'il advenait que la maladie s'aggrave et le transforme d'une manière ou d'une autre.

Le jeune homme hocha la tête en guise d'acquiescement.

— C'est gentil de ta part.

— Tu es certain que ça ne te dérange pas, tout ce monde chez toi ? lui demanda Maeva.

— Voyons ! ricana le jeune homme. J'adore vous avoir chez moi, toi et les autres.

Rassurée, Maeva sourit et déposa un baiser sur ses lèvres. Victor hocha la tête et prit les mains de son amoureuse. D'un air amusé, il haussa les épaules et lui dit :

— Moi, si je réussis à te faire rester ici deux soirs par semaine, c'est un exploit, mais Caleb, lui, il peut te faire rester ici pour une période indéterminée ? Il faudra que je lui demande un truc ou deux.

— Bla, bla, bla ! rétorqua Maeva en grimaçant. Sois prudent et ne tombe pas sous le charme des jeunes femmes aux courbes généreuses qui viendront te voir jouer.

En ouvrant la porte, Victor lança par-dessus son épaule :

— On verra bien !

Le jeune homme se dirigea vers son lieu de travail, le Cabaret de la Nuit, où il était engagé comme pianiste. À quelques exceptions près, Victor travaillait à cet endroit principalement les soirs. Ses pas écrasant la neige humide, le jeune homme prit son chemin habituel, sillonnant dans les allées enneigées de la cité de Québec, réverbère après réverbère.

Son esprit divaguait, mais toutes ses pensées pointaient vers Caleb. Que lui était-il arrivé ? C'était probablement l'attaque d'un loup-garou... Dans tous les cas, allait-il survivre ?

« La soirée va être longue, se dit Victor en jetant un coup d'œil au ciel noir parsemé d'étoiles. Surtout si je n'arrive pas à cesser de penser à Caleb... »

Le jeune homme laissa passer deux carrosses motorisés et traversa la rue pavée avec précaution, craignant les plaques de glace qui avaient tendance à se trouver sous ses pieds lorsqu'il s'y attendait le moins. Arrivé en face du cabaret, il préféra le contourner et passer par la porte des artistes qui donnait dans une ruelle.

— Bonsoir ! lui lança une voix, lorsque le jeune homme entra dans la loge réservée aux artistes.

C'était Béatrice Duval, une violoniste et chanteuse blonde au nez retroussé, qui était l'une des bonnes amies de Victor.

— Ça va ? lui demanda Victor en souriant.

— Oui, lui répondit-elle avec un large sourire qui indiquait visiblement qu'elle avait quelque chose en tête.

— Qu'est-ce que c'est que ce vacarme ? s'étonna Victor en remarquant les bruits sourds provenant de la salle de spectacle. Ah ! c'est vrai, c'est le spectacle de casseroles de cette troupe de graboglins dont je ne me rappelle pas le nom...

Il envoya un regard à Béatrice et vit qu'elle souriait toujours avidement.

— Et je parie que tu meurs d'envie de me dire pourquoi tu souris autant, avança le jeune homme en retirant son manteau et son foulard.

— J'ai eu une augmentation ! déclara-t-elle en haussant fortement la voix, comme si elle avait attendu ce moment avec impatience depuis trop longtemps.

Victor ne réagit pas tout de suite, puisqu'il n'avait écouté son amie que d'une oreille ; ses pensées étaient encore absorbées par le mystère qui planait autour de Caleb. Réalisant au bout de quelques secondes qu'il devait répondre quelque chose, il dit du ton le plus convaincant possible :

— Oh... wouah ! C'est super !

— Vraiment, hein ? ajouta Béatrice d'un visage rayonnant, visiblement pas dérangée par le temps de réaction de Victor.

Levant les yeux, comme si elle était perdue dans ses rêves, Béatrice continua d'un air radieux :

— C'est monsieur Martin, il me l'a proposé lui-même ce matin parce que mes prestations attirent beaucoup de clients. Il m'a dit combien il me trouve excellente et talentueuse !

Raymond Martin, le propriétaire du cabaret, était un gros bonhomme avec une moustache de morse. Il y a quelques mois, il avait proposé à Victor de venir jouer au cabaret tous les soirs, mais le jeune homme avait fini par refuser, débordé par ses autres emplois, les cours particuliers de piano et la direction de son orphelinat.

— C'est une bonne nouvelle, lui dit Victor en souriant.

Au même moment, Raymond arriva dans la loge des artistes. De son visage rond et rouge, il ouvra les bras et déclara :

— Ah ! Victor ! Mon artiste préféré !

Le jeune homme vit le visage de Béatrice perdre un peu de son enthousiasme. En guise de salutations, Victor envoya un bref sourire à Raymond. La soirée ne se déroula finalement pas comme Victor l'avait redouté ; au lieu d'être préoccupé par le cas malheureux de Caleb, il parvint à se concentrer uniquement sur ses pièces musicales. Lors de ses prestations, Victor avait l'habitude de faire une ou deux pièces supplémentaires, mais ce soir il remercia la foule et disparut derrière les rideaux avant 23 h. S'il avait été capable de ne se consacrer qu'à sa musique durant le spectacle, Victor ne pensait maintenant plus qu'au mystère tournant autour de Caleb.

Sur le chemin du retour, Victor était si pressé d'arriver chez lui qu'il manqua plusieurs fois de chuter sur les plaques de glace. Lorsqu'il vit finalement sa maison, toujours bien éclairée malgré l'heure tardive, ses oreilles commençaient tout juste à succomber à la morsure du froid. Une fois qu'il fut entré, Maeva vint l'accueillir en bâillant, vêtue d'un chandail de laine, de bas de laine, d'une épaisse couverture et un café à la main.

— Comment s'est déroulée ta soirée ? lui demanda-t-elle.

— Bien, lui répondit Victor en jetant un coup d'œil à l'escalier qui menait à l'étage.

— Monsieur Leafburrow nous a appelés il y a une heure, dit-elle en lisant dans les pensées de Victor.

Au même moment, Nathan dévala quelques marches et s'arrêta au milieu de l'escalier.

— Je parle avec un opérateur horizonier, déclara-t-il. Viens vite me rejoindre en haut !

— J'arrive ! lui répondit Victor avec hâte, tentant d'accrocher son manteau sur un cintre qui ne se montrait pas coopératif.

Il reporta son attention vers son amoureuse et lui demanda précipitamment :

— Et toi ? Ta soirée, elle s'est bien passée ?

— J'ai nourri Hol et j'ai joué aux cartes avec les filles et Pakarel.

— Ils dorment ? l'interrogea Victor en jetant un regard rapide aux pièces jouxtant le salon.

Maeva bâilla fortement, masquant sa bouche de sa main libre, et répondit en clignant des yeux :

— Depuis une demi-heure.

— Et Caleb ? continua le jeune homme d'un air soucieux. Il dort toujours ?

Maeva hocha la tête.

— Comme un vrai bébé.

— C'est bien. Tu devrais aller dormir aussi, lui suggéra Victor en l'embrassant sur le front. Tu as l'air fatiguée.

— Je surveillais Caleb. Je vais retourner le voir avant d'aller au lit.

— J'irai le voir de temps à autre, lui assura Victor.

— Je sais. Tu veux finir ma tasse de café ?

— Merci, accepta Victor en lui prenant sa tasse.

Sa canne à la main et la tasse dans l'autre, Victor monta à l'étage et retrouva Nathan dans l'ancienne chambre de Balter, qui avait été transformée en pièce de travail. Le jeune homme y passait de nombreuses heures, dessinant ou travaillant sur la paperasse de son orphelinat, joignant ses employés au moyen de sa radio. Installé derrière un bureau en bois, le front dans le creux de sa main, comme s'il était désespéré, Nathan parlait dans le micro et affichait un air concentré :

— Oui, c'est ça. Non, non, je vous ai dit trois fois que je voulais parler à votre prince… Je sais, je me fiche qu'il soit occupé, c'est une urgence du Consortium…

Victor, qui s'était installé sur une chaise près de la porte, lui fit un signe de la tête que Nathan lui renvoya :

— Je sais bien que ce n'est pas la ligne d'Alexandrie ! protesta-t-il à l'intention de son interlocuteur. Je vous l'ai dit il y a trente secondes ! Quoi ? Comment ça, me mettre en attente ? Hé !

Il poussa un juron de frustration, ôta son écouteur et releva la tête pour regarder Victor. Son expression frustrée disparut aussitôt et laissa place à un sourire.

— On m'a mis en attente, dit-il.

— J'ai cru comprendre ça, répondit Victor en rigolant. Tu as parlé à Edward ?

— Ouais, répondit Nathan en s'étirant sur le fauteuil confortable que Victor avait acheté quelques mois auparavant. Comme il nous l'avait promis, il nous a mis en contact avec les horizoniers, et ça fait cinq personnes qu'on me recommande sans que je sois mis en contact direct avec Zackarias… Hé !

Nathan venait de se redresser sur sa chaise et replaça l'écouteur sur son oreille.

— Vous êtes là ? dit-il en portant le micro devant sa bouche. Oui, oui. C'est bien une urgence… oui. Écoutez, vous pouvez joindre le quartier général du Consortium à Alexandrie pour confirmer, ça m'est complètement égal.

Sur ces mots, Nathan leva les yeux au ciel en soupirant.

— Quoi ? lui demanda Victor, qui finissait sa tasse de café.

— Encore en attente, fulmina l'homme d'un air exaspéré.

— Va te faire un café, lui suggéra Victor en se levant, je vais prendre ta place.

— Ce n'est pas de refus.

Avant de sortir de la pièce, Nathan se retourna et dit à Victor :

— Je vais aussi en profiter pour jeter un coup d'œil à Caleb, pour voir s'il va bien.

Occupé à installer l'écouteur contre son oreille, Victor lui répondit d'un hochement de tête. Aussitôt, une voix familière, mais austère sortit du micro :

— Ici le prince Zackarias. Qu'est-ce que le Consortium nous veut ?

Le cœur de Victor fit un bond. Voilà bien des années qu'il n'avait plus entendu cette voix. Excité, il répondit :

— Zackarias, je me nomme Victor Pelham. Vous… souvenez-vous de moi ?

Paraissant insulté, le prince s'impatienta :

— Je n'ai que faire de vos…

Puis, il y eut un court silence.

— Victor ? reprit la voix de Zackarias d'un ton incrédule. Le garçon à la canne ?

— C'est bien moi.

— Je… Comment être certain que ce n'est pas une manigance du Consortium ?

Victor déduisit que Zackarias ne lisait probablement pas les journaux et qu'il croyait toujours que le Consortium était dirigé par un dément avide de pouvoir. Il ne pouvait pas le blâmer.

— Prince Zackarias, répondit le jeune homme. Vous m'avez sauvé la vie en permettant qu'on m'installe un régulateur. Il y a aussi une jeune femme du nom de Chantico, qui m'a soigné à la suite de mes blessures dues à l'un de ces horribles poissons-lanternes, et un vieil homme du nom de Huemac, qui...

Victor se fit interrompre par Zackarias, qui venait de pousser un juron d'étonnement.

— Victor ? C'est... c'est incroyable ! Tu es toujours en vie !

Le jeune homme laissa tomber la tête en guise de soulagement et la releva avec un sourire aux lèvres.

— Oui, je suis toujours en vie, confirma-t-il. Content de voir que vous êtes toujours prince, Zackarias.

Ce dernier lâcha un petit rire. Poliment, Victor continua :

— Je suis navré de changer de sujet si précipitamment, prince Zackarias, mais si je vous ai appelé, c'est pour une raison très importante.

— Qu'y a-t-il ?

— Un ami à moi est gravement malade. Nous ne savons pas comment le guérir, mais nous sommes persuadés que l'onyxide pourrait l'aider.

— De l'onyxide ? s'étonna Zackarias. Qu'est-ce qui est arrivé à ton ami ?

— Il est infecté par le virus de la *noctemortem*, lui avoua Victor.

D'un air grave, le prince dit simplement :

— Oh.

Il y eut un court silence durant lequel Victor hésita plusieurs fois à dire quelque chose. Finalement, Zackarias reprit la parole :

— Quelle quantité te faudrait-il ?

— Je ne sais pas, admit Victor.

— Ça ne fait rien. Je vais voir ce que je peux faire. Victor, peux-tu me donner une heure ? Je te rappellerai sur la même fréquence que tu as utilisée pour nous appeler, c'est d'accord ?

— Oui, c'est d'accord, répondit fébrilement Victor.

Puis, le contact se rompit, ne laissant que des grésillements dans la radio. Le jeune homme laissa échapper un soupir de soulagement.

Il avait pu joindre Zackarias, et celui-ci semblait disposé à lui fournir de l'onyxide. Même si la guerre était loin d'être gagnée, le jeune homme avait l'impression d'avoir avancé dans sa quête pour soigner son ami. Nathan fit alors irruption dans la pièce, une tasse de café à la main.

— J'ai parlé au prince, lui dit Victor.

Nathan faillit recracher sa gorgée de café.

— Il va nous rappeler dans une heure pour nous confirmer s'il peut nous laisser un peu d'onyxide, ajouta le jeune homme.

— Sans blague ? rétorqua Nathan d'un air jovial.

Victor confirma d'un hochement de tête.

— Woohoo ! s'écria Nathan qui, dans le feu de l'action, projeta du café sur le mur. Oh, merde !

L'air endormi, Pakarel entra dans la pièce, vêtu d'un pyjama trop grand pour lui. Grattant sa petite tête orpheline de son habituel chapeau, il marmonna d'une voix pâteuse :

— Parlez un peu fort… trouvez pas ?

Une demi-heure plus tard, Victor, Pakarel et Nathan jouaient aux cartes, tous trois jetant des coups d'œil à la radio et s'assurant de temps à autre qu'elle fonctionnait toujours. Régulièrement, ils se levaient pour consulter l'état de Caleb, qui ne faisait que dormir paisiblement. Soudain, quelqu'un cogna à la porte tandis que Victor venait de remporter la partie de cartes pour une quatrième fois de suite. Alertés, les trois amis échangèrent un regard.

— C'est normal de cogner à cette heure-ci, dans votre ville ? demanda Nathan d'un air incrédule.

— Non, lui assura Victor.

Le jeune homme agrippa sa canne, puis tous trois descendirent au rez-de-chaussée et se dirigèrent vers la porte. Une voix étouffée leur parvint depuis l'extérieur.

— Victor ? Nika ? Vous êtes toujours debout ?

C'était la voix de Rauk. Nathan, Pakarel et Victor échangèrent un regard, tous soulagés, avant que le jeune homme ouvre la porte. Rauk se tenait devant eux, vêtu d'un lourd manteau rouge à boutons. Sa barbe et ses épaules étaient parsemées de neige.

— Désolé de venir vous voir à cette heure-ci, s'excusa Rauk.

— Pas de problème, lui assura le jeune homme. Qu'est-ce qui ne va pas, Rauk ?

— Ben… hum, débuta-t-il, cherchant ses mots. Je voulais m'assurer que… euh… Je ne me souviens plus vraiment de son nom… Enfin, le demi-gobelin. Je voulais m'assurer qu'il va bien… que tout aille bien, quoi.

Victor sourit.

— Il va bien, lui répondit-il. Allez, entre, je vais te préparer une tasse de café.

Rauk protesta faiblement :

— Oh, je ne voudrais pas te déranger…

— Cesse tes bêtises et entre, le coupa Victor avec amusement.

Lorsque la radio de Victor sonna, il était presque 3 h du matin. Rauk, Pakarel, Victor et Nathan jouaient aux cartes en ingurgitant tasse de café après tasse de café. Tous sursautèrent, et les cartes voltigèrent.

— Vite ! souffla Pakarel à Victor, qui s'empressa de contourner son bureau pour saisir la radio.

L'écouteur à l'oreille, le jeune homme n'entendait pour l'instant que des grésillements.

— Attendez… attendez, dit-il dans le micro tandis qu'il ajustait la fréquence à l'aide d'un petit bouton rotatif. Vous m'entendez ?

— Victor, dit clairement la voix de Zackarias. Toi, m'entends-tu ?

— Très bien, oui ! lui répondit précipitamment le jeune homme.

— Pardonne-moi la mauvaise qualité de la ligne, dit la voix du prince, je suis en route vers Québec.

— Quoi ? s'étonna Victor. En route vers ici ? Vers Québec ? Comment savez-vous...

— Nous avons retracé ton appel, dit simplement Zackarias. Je ne peux pas te parler plus longtemps, si tu désires nous voir un peu après l'aube.

— Nous ? répéta Victor, un peu confus. Attendez, vous venez vous-même ?

— Je pense apporter suffisamment d'onyxide pour aider ton ami, affirma Zackarias, ignorant la remarque de Victor. Sois au port de la ville vers 8 h du matin, d'accord ?

— C'est… c'est d'accord ! répondit le jeune homme en levant le pouce à ses amis. Nathan et Pakarel dansaient de joie devant lui, malgré les cernes qui trônaient sous leurs yeux.

La transmission fut alors coupée et Victor éteignit sa radio. L'air triomphant, il leva le poing et dit :

— Il sera là avec l'onyxide vers 8 h !

Chapitre 6

La bonne et la mauvaise surprise

Bien avant 8 h du matin, Victor était déjà assis sur une caisse du port de la ville faisant face au fleuve. Les nuages qui avaient assombri le ciel la veille laissaient tranquillement place à un soleil timide. Sa canne posée sur les genoux, Victor frottait ses mains camouflées dans ses gants de cuir noir et rentrait la tête dans son foulard. D'un œil absent, il contemplait le fleuve qui ne s'était pas encore résigné au gel. De temps à autre, des ouvriers du port, des hommes et des femmes de toutes races, passaient devant lui en discutant jovialement. Pour eux, c'était une autre journée de travail. Au fond de lui, Victor aurait bien aimé avoir une vie aussi simple. Il appréciait la vie qu'il était parvenu à construire, mais il enviait les gens qui menaient une existence tranquille. Peut-être que s'il avait choisi une autre voie, les choses auraient été différentes… ou peut-être pas.

Sentant son visage s'engourdir à cause de la douce morsure du froid, il enfonça son menton un peu plus bas dans son foulard. Inconsciemment, il ne cessait de rouler sa canne entre ses mains et, lorsqu'il réalisa son action, il s'arrêta et contempla l'objet qui l'aidait à marcher. C'était une canne qu'il avait façonnée lui-même avec l'aide d'un forgeron et d'un menuisier. Sa tête était faite d'argent et représentait le visage d'une wyverne. Malgré les aventures que Victor avait traversées, sa canne était toujours aussi belle.

Soudain, Victor vit Pakarel arriver vers lui, vêtu de son habit d'hiver trop grand pour lui et de son chapeau énorme, qui pendait vers l'arrière. Il tenait dans ses petites mains deux gobelets de café en métal.

— Tu es déjà réveillé ? demanda Victor à son ami en prenant la tasse qu'il lui tendait.

— Oui… Caleb s'est mis à tousser il y a une demi-heure et ça m'a réveillé, expliqua Pakarel. Mais il va bien, maintenant, ajouta-t-il en voyant le visage inquiet de Victor. Maeva et Nathan se sont occupés de lui.

Victor hocha la tête, rassuré. Pakarel tenta de se hisser sur la caisse et Victor lui tendit la main pour l'aider.

— Hop! dit le jeune homme.

Pakarel s'installa, sa grosse queue touffue entre les jambes, et prit une gorgée de sa tasse, de laquelle émanait une chaude vapeur.

— Merci pour le café, ajouta Victor en brandissant sa tasse en métal.

— C'était l'idée de Nika, dit Pakarel en souriant. Ça fait long-temps que tu es ici?

Victor consulta sa montre.

— Une heure et… demie, environ.

— Tu dois être fatigué! Peut-être devrais-tu retourner à ta maison pour dormir un peu?

Victor laissa échapper un petit rire.

— Suis-je du genre à prendre des décisions simples et ration-nelles? répondit-il amicalement en se penchant un peu vers Pakarel.

Le raton laveur ricana et fit signe que non. Tranquillement, le jeune homme ajouta:

— Et puis… je ne voudrais pas manquer son arrivée.

— Ton ami, débuta Pakarel, il vient en bateau, hein?

— Je ne sais pas, admit Victor.

Pakarel parut interloqué. Le jeune homme prit une gorgée de son café et, lorsqu'il reposa ses yeux sur le raton laveur, ce dernier le regardait avec la même expression.

— Tu ne connais pas les horizoniers? lui demanda-t-il.

— Je n'en ai jamais rencontré, non, lui répondit Pakarel.

— Alors, tu verras tout à l'heure.

Laissant Pakarel sur cette phrase, qui piquait clairement sa curiosité, Victor opta pour un autre sujet de conversation: l'écharpe que le pakamu lui avait offerte.

— Je n'arrive pas à croire que tu aies été capable de tricoter ça toi-même, dit-il en indiquant le bout de son foulard.

— Au début, dit Pakarel, je voulais te faire une tarte. Mais je me suis dit que tu ne trouverais pas ça original du tout. Dweedle, le père de Caleb, m'a offert de me montrer comment tricoter et au bout de plusieurs essais, je suis parvenu à faire cette écharpe!

À la mention du nom du père de Caleb, Victor se rappela cruellement qu'il devait le joindre, afin de lui expliquer la situation de son fils. Comment avait-il pu oublier un tel détail? Étant donné que le docteur Miron était passé tôt la veille, il ne lui restait plus que deux jours pour avertir le père du demi-gobelin. Même moins, puisque Dweedle allait probablement vouloir venir rendre visite à son fils.

— Victor?

— O… oui, pardon, dit le jeune homme en revenant à lui. J'ai…

Mais Pakarel ne semblait pas l'écouter. Il s'était levé sur la caisse, étant maintenant un peu plus grand que Victor, tout en pointant au loin.

— Qu'est-ce que c'est, là-bas?

Suivant le doigt de son ami, Victor se redressa, le cœur palpitant. Au loin, sur le fleuve, il aperçut plusieurs masses se diriger vers le port. Le jeune homme en compta six. C'étaient les horizoniers, chevauchant leurs bêtes marines à demi enfouies sous l'eau. En tête se trouvait un grand Noir torse nu, les cheveux coiffés en dreadlocks. Sans prêter attention aux passants qui pointaient la scène d'un air stupéfait, Victor s'avança rapidement sur l'un des quais de bois, suivi de son ami Pakarel.

Quelques instants plus tard, le prince Zackarias bondissait sur le quai d'une manière élégante, propulsé par Eriado, son épaulard. Cinq autres horizoniers le rejoignirent aussitôt et le jeune homme reconnut trois d'entre eux comme des gardes, tous armés de carabines à l'onyxide. Victor et Zackarias se serrèrent dans leurs bras, comme deux frères.

— Qu'est-ce que tu as changé! lui lança le prince en ricanant.

Ses yeux verts semblaient avoir gagné en sagesse, pensait Victor tandis que Zackarias le contemplait avec un sourire.

— Bien heureux de vous revoir, mon prince, lui répondit le jeune homme.

— Je t'ai dit des tonnes de fois de ne pas me vouvoyer ! protesta Zackarias en lui lançant un clin d'œil.

— Tu n'as vraiment pas changé. Tu as même rétréci !

— C'est toi qui as grandi, mon vieux ! lui dit le prince en lui donnant une bonne tape sur l'épaule.

En effet, Victor se souvenait que la dernière fois qu'il avait vu Zackarias, avant de partir pour la Norvège, il lui arrivait au milieu de la poitrine.

— Oh là là ! dit la voix d'une femme que Victor n'avait pas encore remarquée. C'est vrai qu'il a changé !

C'était Chantico, le médecin que Victor avait rencontré sur l'immense cité flottante des horizoniers. Elle était nettement plus pâle que les autres horizoniers, et ses cheveux n'étaient plus coiffés en dreadlocks, contrairement à la dernière fois que Victor l'avait vue. Ses longs cheveux étaient maintenant frisés et lui tombaient sur les épaules. Elle portait quelques banderoles lui couvrant le torse ainsi qu'un pantalon simple.

— Victor, c'est bien toi ? lui dit-elle avec un grand sourire.

— C'est bien moi, lui répondit le jeune homme.

Elle enlaça Victor dans ses bras mouillés et posa une bise sur sa joue.

— Zackarias, Chantico, je vous présente Pakarel, dit le jeune homme en indiquant son petit compagnon.

— Enchanté, dit timidement Pakarel, dont le visage était presque entièrement camouflé sous son chapeau.

Chantico et Zackarias le saluèrent.

— Tu es un pakamu, n'est-ce pas ? lui demanda le prince d'un air amical.

— O... oui, monsieur, répondit le raton laveur d'un air intimidé.

— J'ai connu quelques pakamus, lorsque j'étais plus jeune, continua Zackarias d'un air un peu rêveur. De bons amis. Enfin bref, revenons à nos moutons. Victor, nous avons apporté l'onyxide nécessaire pour ton ami.

Chantico avança d'un pas et déclara jovialement :

— Et je me suis proposée pour venir vous donner un coup de main, puisque je m'y connais bien dans les cas d'infection par le virus de la *noctemortem*.

— Arrête tes balivernes, la taquina Zackarias à voix basse, on sait tous que tu voulais simplement revoir Victor...

— Oh ! toi, ne commence pas ! lui rétorqua la jeune femme d'un air sévère. Victor, nous devrions aller voir ton ami. Comment se porte-t-il ?

Victor échangea un regard avec Pakarel avant de le ramener vers Chantico en disant :

— Euh... Aux dernières nouvelles, dit-il avec retenue, il tient toujours le coup.

— Très bien, dit Zackarias. Vous trois, ordonna-t-il à ses gardes, gardez un œil sur les animaux.

Inclinant la tête en guise d'acquiescement, l'un d'eux dit :

— Oui, Votre Majesté.

Victor jeta un coup d'œil rapide à l'eau clapotant contre les poutres submergées du quai, mais ne vit aucun épaulard. Ils s'étaient sans doute éloignés du quai.

— Bon alors, leur dit Victor, suivez-moi.

Guidant ses amis vers chez lui, le jeune homme réalisa bien vite que les gens qu'ils croisaient leur lançaient des regards étonnés. En fait, il les comprenait ; voir un homme et une femme pieds nus, vêtus de vêtements mouillés et exotiques en pleine saison hivernale, c'était quelque chose. Victor remarqua que les deux horizoniers ne portaient pas le même régulateur de température qu'il avait lui aussi possédé, avant de le perdre. Ils avaient un autre gadget collé à la petite plaque réceptrice qui était ancrée à leur corps, beaucoup plus petit. Pour ne pas avoir l'air impoli, le jeune homme n'y accorda pas plus d'attention.

— Comme ça me manque, la ville, déclara Chantico, qui observait la cité de Québec d'un air nostalgique sans porter attention aux regards dévisageants qui étaient dirigés vers elle.

Victor n'osa pas faire la remarque, mais croisa le regard de Pakarel qui, lui, semblait fortement penser la même chose. Une fois arrivés, ils constatèrent que tout le monde était réveillé, sauf Nathan. Victor fit les présentations avant de mener Chantico à l'étage, pour vérifier l'état du demi-gobelin.

— Victor m'a dit que vous connaissez Rauk ? demanda Maeva à Zackarias en montant l'escalier.

Le prince ricana et répondit jovialement :

— Bien sûr que je le connais, ce gros bouffon.

— Vous l'avez manqué de peu, dit Maeva.

Une fois arrivée dans la chambre de Caleb, Chantico s'installa près de lui alors qu'il dormait d'un sommeil plutôt agité.

— Ce n'est pas une morsure de loup-garou, déclara-t-elle après avoir brièvement analysé la main du demi-gobelin.

— Nous nous en doutions, dit Victor en échangeant un regard avec Maeva et Pakarel.

— Ce sera peut-être plus compliqué que prévu, marmonna Chantico.

— Quoi ? Comment ça ? s'étonna Pakarel.

— C'est un demi-gobelin, n'est-ce pas ? leur demanda Chantico d'un air inquiet. C'est un hybride. Leurs réactions aux médicaments sont imprévisibles.

Après avoir pris la température de Caleb, Chantico jeta un coup d'œil par-dessus son épaule et questionna d'un air professionnel :

— A-t-il mangé quelque chose ? Même de la soupe ?

— S'il a mangé ? dit Victor, qui répondit pour ses amis. Non. Il est arrivé hier matin et n'a pas mangé depuis… pour ce qui est d'avant, nous n'en savons rien.

Chantico hocha la tête vigoureusement et se leva.

— Bon, nous verrons bien les résultats, déclara-t-elle d'un air résolu. Et puis, je doute que son état empire. Je vais lui préparer un soluté pour tenter d'éliminer son infection. Pourriez-vous tous… ?

— Ah ! oui, bien sûr, lui répondit Victor, qui comprit que la jeune femme voulait travailler seule.

Maeva semblait un peu réticente à l'idée, mais Victor l'encouragea à sortir de la pièce. Tout le monde se regroupa dans la cuisine. En faisant bien attention à ce que Zackarias ne l'entende pas, le jeune homme dit à Maeva :

— Je lui fais confiance. Elle m'a déjà soigné.

— Ce n'est pas ça qui m'inquiète, murmura Maeva. C'est Caleb. Et si nous ne sommes pas capables de le soigner ?

— Chaque chose en son temps, lui répondit Victor.

Lorsque Zackarias entra dans la cuisine, le jeune homme lui désigna une chaise.

— Assieds-toi, lui offrit-il. Un bon café, ça te dirait, mon prince ?

— S'il te plaît, répondit Zackarias. Et je ne suis pas ton prince, ajouta-t-il en souriant.

— Laisse, dit Nika tandis que Victor se levait de sa chaise. Je m'en occupe. Quelqu'un d'autre en veut ?

Tandis qu'ils prenaient leur café en discutant de leurs précédentes aventures, Clémentine, qui était installée au bout de la table, demanda d'un air froid à Zackarias :

— Vous êtes un prince ?

Il était difficile de ne pas discerner le ton sarcastique de la jeune gobeline. Victor et Nika lui adressèrent un regard sévère.

— Je n'ai pas de château ni de cheval blanc, lui répondit Zackarias en souriant. Décevant, je sais.

Tout le monde éclata de rire, sauf Clémentine, qui se contenta d'étirer un sourire forcé sur son visage.

— Qu'est-ce qui ne va pas ? demanda Nika à Clémentine.

Mais la jeune fille ignora la question.

— Victor nous a parlé de vous, dit Clémentine en fixant son regard glacé vers Zackarias. Vous êtes celui qui l'a envoyé en Norvège pour nous rejoindre, moi et mon oncle.

Un silence glacial s'abattit sur la table et tout le monde se figea, sauf le prince, qui soutenait le regard de la jeune fille.

— Vous l'avez envoyé dans ce village dément alors qu'il avait presque mon âge, continua Clémentine d'un air de reproche.

— Clémentine ! intervint rudement Victor.

La jeune gobeline poussa sa chaise et s'élança vers l'escalier, puis s'enferma dans sa chambre. Les mains lui cachant le visage, Nika dit :

— Je suis terriblement désolée pour son attitude, prince Zackarias. Elle n'est qu'une enfant, elle ne sait pas ce qu'elle…

— Il n'y a pas de problème, l'interrompit Zackarias d'un air modeste. Elle a en partie raison. Je n'aurais pas dû t'envoyer en Norvège, ajouta-t-il en regardant Victor.

Le prince baissa les yeux et poursuivit :

— Je suis navré, Victor. C'est ma faute.

— Ne sois pas ridicule, rétorqua le jeune homme d'un ton solennel. Même si tu ne m'avais pas laissé partir, j'aurais quand même trouvé un moyen pour suivre la piste menant à mes amis.

Le prince ouvrit la bouche pour parler, mais resta muet. Victor lut cependant sur son visage qu'il avait été rassuré.

— Je vais aller la voir, dit Maeva en se levant. J'ai passé un bon moment dans ce village, étant enfant, et sans les événements causés par Victor, je ne serais pas ici aujourd'hui.

— Je vais aller lui parler aussi, dit Pakarel. Je la connais bien et c'est mon amie !

Victor aurait voulu remercier son amoureuse, mais elle et Pakarel avaient déjà quitté la cuisine.

— Elle a de la force dans le bras, cette Clémentine, pour claquer les portes avec tant de volonté, dit Nathan qui venait d'entrer dans la cuisine, l'air endormi.

En remarquant Zackarias, son visage s'éveilla.

— Vous êtes l'ami de Victor ? demanda-t-il au prince.

Le prince hocha la tête en guise de réponse.

— Wouah! s'exclama Nathan en serrant la main de l'homme, c'est bon de vous voir. Hé, Victor, désolé si je… si je ne me suis pas tout à fait réveillé à l'heure.

Victor étira un sourire.

— Pas grave, dit-il.

Puis, l'estomac du jeune homme émit un gargouillis assez audible.

— Pourquoi ne mangeons-nous pas un bon petit déjeuner? suggéra-t-il.

— Bonne idée! approuva Nika.

Un peu avant que Victor ait terminé de disposer les assiettes autour de la table, Maeva et Pakarel revinrent dans la cuisine, tandis que Nathan monta à l'étage pour avertir Chantico du déjeuner.

— Elle ne veut pas descendre, murmura Pakarel à Nika.

— Ce n'est pas grave, lui répondit-elle d'un air un peu triste.

— Oh! s'exclama Zackarias en contemplant l'assiette d'œufs et de bacon que Victor venait de déposer devant lui. Ça alors, Victor, content de voir que tu as découvert la nourriture et la cuisine!

Le prince brisa un morceau de bacon et le mâcha.

— Tu te souviens du jour je t'ai fait goûter au poisson pour la première fois? ajouta-t-il.

— Et comment! lui répondit le jeune homme en s'installant à table.

Peu après, Chantico et Nathan vinrent se joindre à eux. L'air timide, la jeune femme s'installa à la table en remerciant Nika, qui l'avait placée.

— J'ai fait un soluté par intraveineuse pour votre ami, dit Chantico à l'assemblée. Nous devrions voir des résultats d'ici une ou deux heures, le temps que l'onyxide agisse.

— Avez-vous déterminé la nature de la morsure? demanda Maeva, qui venait de s'installer à côté de Victor, lequel mangeait une tranche de pain rôtie.

Buvant une gorgée de café, Chantico fit un signe indécis de la tête.

— Je ne pourrais pas l'affirmer, ajouta-t-elle. Mais j'ai pris l'empreinte de la dentition marquée sur la plaie, et de retour à mon laboratoire, je ferai quelques analyses.

— Ton laboratoire ? répéta Zackarias en piquant un bout d'œuf avec sa fourchette. Tu veux dire…

— Celui de Paris, oui, répondit aussitôt la jeune docteure.

Zackarias haussa les sourcils et mâcha sa bouchée.

— Donc, tu ne rentres pas avec moi ? l'interrogea-t-il à nouveau.

Souriant, Chantico railla :

— Perspicace, le prince.

— Eh bien ! dit Zackarias d'un air amusé. Vous êtes chanceux, car il me semble que Chantico ait bien décidé de placer votre ami en priorité.

La jeune docteure le fusilla du regard.

— En priorité ? répéta Victor en promenant son regard entre les deux horizoniers. Attendez une minute. Que voulez-vous dire ?

— Que Chantico délaisse son poste à notre cité pour se concentrer sur votre cas, enfin, celui de votre ami.

— Je ne délaisse pas mon poste ! rectifia la jeune docteure. Tu sais très bien que je peux…

D'un air décontracté, Zackarias l'interrompit :

— Relaxe… je rigole.

Fronçant les sourcils, Maeva intervint, confuse :

— Je suis désolée, mais je ne suis pas sûre de comprendre votre histoire de laboratoire en France…

— Moi non plus, admit Nika d'une voix polie, en haussant les épaules.

— Je peux ravoir des œufs ? demanda Pakarel en présentant son assiette à Victor.

Celui-ci détourna son attention vers le raton laveur.

— Bien sûr.

Alors que Victor se levait pour refaire deux œufs à son minuscule ami, Chantico entama :

— Je ne délaisse pas mon poste de docteure sur ma ville flottante. Mais avant d'y travailler, j'ai été employée pendant trois ans à Paris, où j'ai fait mes études en médecine. J'y avais un laboratoire et je l'ai toujours.

— Pourquoi te rendre à Paris ? lui demanda Victor en cassant habilement deux œufs dans une poêle. N'as-tu pas un labo bien équipé dans votre ville ?

— Malheureusement, répondit la docteure, je n'ai pas l'équipement nécessaire pour analyser l'empreinte de morsure que j'ai récupérée. Ah ! lâcha-t-elle d'un air exaspéré. Je savais bien qu'un jour j'aurais besoin de cette machine !

Visiblement émue, Nika avança :

— C'est vraiment gentil à vous… Combien vous devons-nous pour l'onyxide utilisé ?

Zackarias lâcha un rire bruyant et répondit :

— Quel genre d'ami serais-je pour vendre de l'onyxide à Victor ? Surtout pour sauver un de ses propres amis… Vous ne nous devez pas un sou.

Le dos tourné à la scène, Victor sourit.

— Tes œufs sont prêts, dit-il en se tournant vers Pakarel pour lui tendre son assiette.

— Parlant d'argent, dit Zackarias en contemplant la cuisine. Victor, quel métier pratiques-tu ?

Même si la question était simple, Victor était toujours un peu mal à l'aise d'expliquer son emploi du temps, car pour lui, ce n'était pas un travail simple et honnête, comme pour la plupart des gens. Un peu gêné, il s'installa à table et bredouilla :

— Je… euh…

— C'est le meilleur pianiste au monde ! déclara Pakarel avec entrain. C'est aussi à lui qu'appartient l'orphelinat de Londres.

Il y eut un court silence et, même s'il contemplait son assiette, Victor sentait les regards de Chantico et de Zackarias posés sur lui. D'une expression satisfaite, le prince dit simplement :

— Wow !

— Veux-tu nous parler de tout ça ? lui demanda Chantico d'un visage souriant.

Après le service que ses amis horizoniers lui avaient rendu, le jeune homme ne pouvait pas refuser. Il leur expliqua donc ses occupations des dernières années. Zackarias comme Chantico furent très surpris et ne cessèrent de féliciter leur ami pour ses succès ainsi que pour ses bonnes actions envers les enfants de Londres. Une vingtaine de minutes plus tard, Victor jeta un coup d'œil à l'horloge de la cuisine et réalisa qu'il allait être en retard. Il devait performer dans une demi-heure.

— Je dois vraiment y aller, dit-il d'un air navré. Je dois me rendre au cabaret.

— Oh non ! s'exclama Maeva, c'est vrai ! Tu vas être en retard !

— Je devrais être revenu dans quelques heures ! s'excusa Victor. Je suis vraiment, vraiment content de vous avoir revus, tous les deux…

Zackarias le coupa :

— On sera toujours ici, Chantico veut voir l'évolution de l'état de votre ami.

Les remerciant encore une fois, Victor laissa son assiette et fila mettre son manteau et ses bottes, avant de partir de chez lui. En arrivant au cabaret, Raymond l'accueillit si précipitamment qu'il était facile de déduire que ce dernier l'attendait.

— Victor ! Victor ! dit le gros monsieur en s'approchant de lui, se frottant les mains vigoureusement. Avant que tu montes sur scène, j'aimerais te parler de quelque chose.

— Oui ? demanda le jeune homme en s'adossant à un fauteuil.

— Comme tu le sais, débuta Raymond avec un visage d'extrême suffisance, je suis un homme d'affaires assez habile, et grâce à tes performances plus que satisfaisantes en Angleterre… le propriétaire du Marmelade, un cabaret très populaire en…

Une étincelle jaillit dans la tête de Victor. Interrompant monsieur Martin, il dit :

— À Paris ?

Celui-ci parut surpris durant un court instant avant de montrer un sourire caché par sa moustache, tout en hochant la tête.

— Oui! C'est exact! déclara-t-il en mettant son bras autour des épaules de Victor, qui était plus grand que lui. J'espérais que tu acceptes d'aller y jouer. Évidemment, j'ai dû inviter Béatrice pour être poli, mais elle manque franchement de…

Paris, songea Victor qui n'écoutait plus le gros bonhomme. C'était le dernier endroit où le mercenaire du Consortium, Marcus, avait aperçu Caleb. Il faudrait être fou pour refuser une telle occasion de jeter un coup d'œil à la ville et de tenter de comprendre ce qui s'était réellement passé.

— Quand? demanda précipitamment Victor.

— La semaine prochaine! déclara Raymond avec joie. N'est-ce pas merveilleux?

— Merveilleux, vous dites? lança le jeune homme. Non, c'est même fantastique. J'accepte d'y aller. Je monte sur scène, souhaitez-moi bonne chance.

— La chance, rétorqua le gros bonhomme d'un air fier, tu n'en as pas besoin!

Victor revint chez lui beaucoup plus tard que prévu, en soirée, à cause de deux artistes qui n'étaient pas montés sur scène à l'heure. Une grande déception l'attendait en rentrant chez lui : Zackarias et Chantico avaient dû partir chacun de leur côté. Dans le salon, écrasé sur le sofa, Victor était réellement déçu, tandis que tout le monde avait l'air heureux de la situation, ce qui l'énervait.

— Ils nous ont promis de revenir dès que possible, lui dit Nika d'un petit sourire qui ne suffit pas à compenser la claque que venait de prendre le moral du jeune homme.

— Ne fais pas cette tête, ajouta Nathan. Cette Chantico, bizarre de nom d'ailleurs, eh bien, elle va nous redonner des nouvelles dès qu'elle en saura plus.

— Elle est en route pour Paris? demanda Victor, qui cherchait plutôt à se faire confirmer la chose.

— Ouais, répondit Nathan, mais surtout, Caleb va mieux.

Chapitre 7

Les effets de l'onyxide

— Caleb va mieux? répéta le jeune homme en bondissant du sofa, retrouvant toute sa bonne humeur. Aïe!

Il avait, pendant cet instant, oublié sa jambe faible sur laquelle il venait de forcer inutilement.

— Fais attention! lui ordonna Maeva d'une voix aiguë, le regardant d'un air soucieux.

— Ça va, mentit Victor de son sourire déformé par une grimace.

Ignorant sa jambe, il demanda à Nathan :

— Qu'est-ce qui a changé dans son état?

— Viens voir par toi-même, lui offrit Nathan d'un air joueur.

Victor échangea un regard avec tous ses amis présents; ils avaient tous l'air ravi. Maintenant, il comprenait pourquoi : Caleb allait mieux. Il remarqua cependant l'absence de Nika.

— Où est Nika? demanda-t-il.

— Elle est partie chercher Dweedle, dit Maeva, le père de Caleb, à la station menant à Ludénome, située en dehors de la ville.

Victor n'en croyait pas ses oreilles. Il avait réussi à oublier le vieux gobelin. Heureusement que Nika, elle, y avait pensé!

— Ça ira, ajouta Maeva en prenant l'expression de Victor (qui était plutôt frappé par son oubli) pour de l'inquiétude.

En montant l'escalier menant à l'étage, Nathan expliqua :

— C'est pour ça que la docteure est partie, ainsi que le prince. L'état de Caleb est bien meilleur que prévu, et elle voulait commencer tout de suite ses travaux. D'ailleurs, le prince t'a fait un cadeau.

— Un cadeau? l'interrogea Victor, s'aidant de la rampe pour monter l'escalier.

— Tu n'auras qu'à aller voir dans la cuisine tout à l'heure, lui répondit Nathan sans se retourner.

Lorsque Victor entra dans sa chambre en compagnie de Nathan, il eut toute une surprise : Caleb était redressé et les regardait tous les deux, l'air faible, mais souriant.

— J'espère que tes couvertures sont propres, murmura le demi-gobelin d'une voix faible. Surtout depuis que tu as une copine…

Nathan accorda un clin d'œil à Victor et quitta la pièce tandis que le jeune homme traînait une chaise jusqu'au chevet de Caleb. Victor contempla son ami pendant un court silence. Caleb était glissé sous les couvertures, torse nu, et sa main blessée avait été pansée. Une seringue était plantée dans son bras, reliée à un tube et à une bouilloire chauffée par un four miniature à l'huile. Le tube reliant la seringue et la bouilloire au bras de Caleb était rempli d'un liquide d'un noir profond. Le bruit de l'eau en ébullition était la seule chose que l'on entendait dans la chambre. Soulagé, Victor se passa la main dans les cheveux et déclara d'un air jovial :

— Tu n'es pas croyable, tu le sais, ça ?

Caleb ricana faiblement.

— Comment vas-tu ? lui demanda Victor.

— En pleine forme, répondit Caleb d'un air convaincant. Toi, par contre, tu m'as l'air fatigué. Tu veux une place à côté de moi ?

Après avoir échangé un rire avec son ami, Victor lui dit :

— Tu en as long à nous raconter, tu sais ?

Caleb baissa les yeux, mais hocha la tête en guise de compréhension.

— Ils ne te l'ont pas dit ?

Victor fronça les sourcils.

— Qui ça, ils ?

— Les autres. Tes amis. Ils ne t'ont pas dit que…

— Il ne se souvient de rien, termina Pakarel, qui venait d'entrer dans la chambre.

— Quoi ? répéta Victor, incrédule. Tu es amnésique ?

— Tu ne dis pas les choses comme il le faut, reprocha Caleb à Pakarel, d'un air agacé. Je me souviens de quelques trucs, mais pas de tout. Ne fais pas cette tête !

En effet, Victor affichait une grimace de déception. Lui qui aurait tant voulu savoir ce qui s'était passé…

— C'est l'onyxide, continua le demi-gobelin. Ça affecte la mémoire.

Si Victor avait tout d'abord été déçu d'entendre cela, il se reprit rapidement. Caleb était en vie et grâce aux efforts de Chantico, il était éveillé et semblait bien se porter.

— Peu importe, dit Victor en haussant les épaules. Tu vas bien, c'est l'important.

— Tu trouves que j'ai l'air d'aller bien? rigola Caleb d'un air amusé, en contemplant son propre état.

On cogna alors sur le mur, près de la porte.

— Je peux entrer? demanda Maeva, qui venait d'apparaître.

— Hé! Je suis à moitié nu, rétorqua Caleb en remontant ses couvertures.

Pakarel lâcha un rire joyeux tandis que Victor hochait la tête, étonné et amusé par le comportement du demi-gobelin.

— Quelle mouche t'a piqué? lui demanda Maeva en posant la main sur l'épaule de Victor.

Le visage de Caleb prit une expression soulagée.

— Je suis simplement content d'être en vie, dit-il à voix basse.

— Nous aussi, lui répondit Victor.

Le regard de Caleb passa des yeux de Victor à la main de Maeva, sur l'épaule du jeune homme. Caleb fronça les sourcils d'un air songeur et demanda :

— Depuis quand êtes-vous ensemble?

Victor et Maeva échangèrent un doux regard et la jeune femme répondit :

— Quelques mois.

— Ben, ça alors! lâcha Caleb. Ce n'était pas trop tôt, hein? Et toi, boule de poils, tu as trouvé une peluche en guise de compagne?

Pakarel lui tira la langue amicalement. Caleb toussota, ce qui fit raidir tout le monde.

— Ça va, leur lança le demi-gobelin d'un air amusé, ne faites pas cette tête. J'ai simplement froid. Qui a eu l'idée de me déshabiller en plein hiver ? Euh… pendant que j'y pense… qui m'a déshabillé ?

Vers 20 h, Nika servit le souper pour tout le monde. Pour accompagner Caleb, Victor alla manger son assiette de bœuf et de patates chaudes avec lui.

— Tu devrais me faire manger, dit Caleb en mangeant férocement le contenu de son assiette.

— Tu peux bien rêver, lui lança Victor.

— Hol se porte bien ?

— Je ne sais pas trop, avoua le jeune homme en mâchant une bouchée.

Caleb parut inquiet.

— Je ne connais pas le langage des oiseaux, continua Victor en souriant. Mais il est nourri et il passe son temps à dormir dans l'atelier.

— Ne me fais pas de telles peurs ! lui lança Caleb, visiblement soulagé.

Lorsque les deux amis eurent terminé leur repas, le demi-gobelin leva sa main pansée devant lui et l'analysa d'un œil intrigué.

— Je me demande ce qui m'a mordu.

— Tu as eu le temps de jeter un coup d'œil à ta blessure ? lui demanda Victor en désignant sa main blessée du menton.

— Ouais, répondit Caleb sans quitter des yeux sa main blessée.

Un peu hésitant, Victor demanda tout de même :

— Tu ne te souviens vraiment de rien ?

Le front du demi-gobelin se plissa, comme s'il pensait fortement.

— Je… je me souviens… d'un village dans une région française assez rurale…

— Paris ? proposa Victor, étonné par la réponse de Caleb.

— Non. C'est… au nord de la France, quelque part. Je me souviens… je me souviens aussi d'avoir longuement volé sur le dos de Hol. Et qu'il faisait vraiment froid. Puis… je me suis réveillé ici.

Victor hocha la tête comme s'il comprenait. Caleb ne lui avait pas révélé grand-chose, mais il ne voulait pas forcer son ami à se remémorer les événements passés alors qu'il était peut-être encore fragile.

— Une chose est certaine, dit le jeune homme en finissant son souper, c'est que Hol t'apprécie beaucoup pour t'avoir amené jusqu'ici.

Caleb lui envoya un regard intrigué.

— Marcus t'a croisé à Paris, en France. Tu aurais préféré rester là-bas pour des raisons qui nous sont inconnues. Puis, hier matin, tu débarques à ma porte, inconscient.

Le demi-gobelin fixait le fond de son assiette, le regard vide. Puis, il marmonna :

— Et dire que je croyais m'en aller régler un cas de loup-garou en France…

Victor haussa un sourcil. En pesant ses mots, il précisa :

— Ça s'est produit, Caleb.

Celui-ci tourna son regard vers Victor, surpris.

— Quoi ?

L'air inquiet, Victor continua :

— Tu as capturé un loup-garou il y a plusieurs mois et tu as fait ton rapport au Consortium.

Caleb paraissait plus perdu que jamais. Il passa la main sur son visage blême et resta muet, l'air absent.

— Écoute, dit Victor, qui se sentait un peu coupable, oublions ça pour ce soir.

Caleb ne parut pas vraiment convaincu, mais hocha la tête en guise d'acquiescement. Voulant changer de discussion, Victor s'enquit :

— Comment as-tu su pour Maeva et moi ? Tout à l'heure, avant même que je te l'annonce, tu as fait un commentaire à propos de mes couvertures…

— Ah ! s'exclama Caleb d'un air satisfait. C'est boule de poils qui me l'a dit. Qui d'autre ? Je crois que c'est la deuxième ou troisième chose qu'il m'a annoncée.

Victor étouffa un petit rire.

— Bien sûr, admit-il en prenant l'assiette vide des mains de Caleb. Je vais porter ça en bas. Tu veux quelque chose d'autre ?

— Non merci, lui répondit le demi-gobelin en ajustant ses couvertures.

Soudain, une pensée revint à Victor. Il avait complètement oublié d'annoncer une nouvelle assez déplaisante à Caleb. S'arrêtant sur le seuil de la porte, le jeune homme pivota sur lui-même.

— À en juger par ton visage, dit le demi-gobelin en le regardant de sa tête inclinée vers la droite, tu as quelque chose de désagréable à m'annoncer.

Victor aurait bien voulu démentir, mais il était inutile de tourner autour du pot.

— Avant ton réveil, débuta-t-il, nous avons fait venir un docteur pour voir ton état. Tu n'allais vraiment pas bien et nous avions peur pour ta vie. Il t'a fait un test sanguin et il…

Caleb continua à sa place d'une voix rapide et agacée :

— … a vu que je suis infecté par le virus de la *noctemortem*, je sais. J'ai remarqué le dispositif médical qui est planté dans mon bras et relié à une bouilloire pleine d'onyxide.

Victor ouvrit la bouche pour dire quelque chose, mais la referma aussitôt. Finalement, il annonça :

— Ils veulent venir te chercher pour te placer en quarantaine demain.

— Charmant, répondit sarcastiquement Caleb.

— Ton… père est aussi en route pour venir te rendre visite, ajouta Victor.

Le regard de Caleb afficha un mélange d'inquiétude et de crainte.

— Mon père ? Il vient ici ? N… non, il est bien trop fragile, son état…

Le demi-gobelin se tut et réfugia son visage dans ses paumes.

— Il ne vient pas tout seul, j'espère ? ajouta-t-il.

— Nika est partie le prendre à la station en dehors de la ville.

Caleb resta silencieux et se retourna dans son lit, dos à Victor. Celui-ci préféra ne rien ajouter et quitta la pièce pour ramener les assiettes sales à la cuisine. Tandis qu'il faisait la vaisselle, Maeva vint le rejoindre.

— Comment il va ? demanda-t-elle en souriant.

— Il allait bien, dit Victor en essuyant une assiette. Jusqu'à ce qu'il réalise qu'il a des trous de mémoire. Je crois que je l'ai rendu maussade.

Essayant d'avoir l'air rassurante, elle répliqua :

— Oh, Victor… ne dis pas de telles choses. Nous étions au courant pour sa mémoire, continua Maeva d'un air plus sérieux en aidant Victor à faire la vaisselle. Chantico nous avait avertis que l'onyxide pouvait l'affecter ainsi.

— Vous étiez au courant qu'il ne se souvenait même plus d'avoir accompli son travail en Alsace ?

— Il ne s'en souvient pas ? s'étonna Maeva. Mon Dieu, les effets de l'onyxide sont plus forts que prévu…

— Ce n'est pas ça qui l'a rendu maussade.

— Quoi, alors ?

Victor soupira.

— Il n'est pas très chaud à l'idée que son père vienne ici.

— On m'a dit qu'il n'est pas vraiment… Je veux dire… il est limité. Ça ne doit pas être facile…

— Il est en fauteuil roulant, oui, confirma Victor. Mais il a du cœur au ventre et je doute qu'il se plaigne de son voyage.

— Que veux-tu dire ? l'interrogea Maeva en posant son linge à vaisselle sur son épaule.

— Je l'ai déjà rencontré, lui expliqua Victor en se remémorant l'histoire racontée par Dweedle. C'est un brave homme. Et puis, voyager… je ne crois pas qu'il ait refusé l'occasion de le faire…

— Tu as jeté un coup d'œil au paquet que t'a laissé Zackarias ? lui demanda ensuite Maeva.

— Non, pas encore, répondit Victor en s'essuyant les mains.

Le jeune homme repéra facilement le paquet, posé au bout de la table. Un peu intrigué, il s'installa sur une chaise et déballa le paquet enrobé de papier kraft et maintenu par une ficelle brune. Une petite plaque métallique se trouvait à l'intérieur, sur laquelle était ancrée une fiole de liquide rougeâtre. Quatre petites ampoules étaient situées tout autour.

— Qu'est-ce que c'est ? s'interrogea Maeva, qui regardait l'objet par-dessus l'épaule de Victor.

Le jeune homme savait pertinemment ce qui se trouvait entre ses mains.

— C'est un régulateur de température corporelle, dit-il à Maeva. Comme celui que j'ai perdu.

Elle lui envoya un regard un peu désapprobateur.

— Seulement, dit Victor, celui-ci m'a l'air d'être une version améliorée de celui que l'on m'avait donné auparavant.

Il poussa sa chaise, se leva, puis souleva sa chemise. L'air inquiète, Maeva hésita :

— Tu ne vas quand même pas…

Mais Victor avait déjà placé le régulateur contre la petite plaque qui se trouvait dans le bas de son dos. Tel un aimant, le régulateur se glissa par lui-même sur la plaque et Victor sentit aussitôt son corps jouir d'un confort absolu ; sa température était idéalement régulée.

— Ça ressemble à quoi ? demanda Victor en lui présentant son dos.

— Quatre lumières se sont allumées, dit Maeva. Victor, tu ne devrais pas porter cette chose, tu sais comme moi que je n'aime pas ces…

— Ne t'inquiète pas, l'interrompit-il en retirant le régulateur, qui se décrocha sans difficulté. Je ne faisais que l'essayer. Joli cadeau, en tout cas !

Plus tard dans la soirée, Nika franchit le seuil de la double porte de l'atelier en compagnie de Dweedle. Installé sur son fauteuil roulant à vapeur (qui était la raison pour laquelle ils étaient entrés par l'atelier), qu'il éteignit avant d'entrer dans la demeure, le vieux gobelin portait une casquette en tissu qui masquait son crâne chauve. Sa longue barbe tombait entre ses jambes — courtes, mais qui se terminaient par deux grands pieds. Ses yeux lançaient cependant une lueur bien chaleureuse.

— Voilà des années que je n'avais plus vu de la neige! déclara le vieux gobelin d'un air enjoué. Ah! Victor, jeune homme!

Il venait d'apercevoir Victor qui s'avançait vers lui pour le saluer.

— Comment allez-vous? demanda Victor en lui serrant la main. Le voyage s'est bien passé?

— Très bien, très bien! répondit le vieux gobelin.

— Monsieur Fislek! lança Pakarel en courant vers lui pour lui sauter au cou.

— Doucement, doucement, ricana le père de Caleb en tapotant le dos de Pakarel.

— C'est moi qui vais rentrer à Ludénome avec vous! déclara fièrement le raton laveur.

— Vous pouvez l'emmener dans la maison, dit poliment Nika à l'intention de Dweedle Fislek.

— Oh, je ne vais pas souiller une si belle demeure avec ma vieille chaise aux roues crasseuses! s'opposa vivement le gobelin.

— Ce n'est pas grave, insista Nika.

— Non, non! refusa le vieux Dweedle. Ma chaise restera dans cet atelier. Si quelqu'un veut bien m'aider à me rendre jusqu'à mon fils...

— Bien sûr, se proposa cordialement Nathan. Voulez-vous voir votre fils maintenant?

— Si possible, si possible, répondit le vieux Dweedle.

Nathan souleva le gobelin et l'emmena dans ses bras jusqu'à l'étage. Victor ne préféra pas les suivre, il jugeait bon de laisser Caleb et son père dans l'intimité. D'ailleurs, Nathan redescendit un instant plus tard. Tandis qu'il regardait, d'un œil absent, la neige tomber à travers la fenêtre, Victor sentit une main se poser sur son épaule.

— Je vais aller faire un tour chez moi, dit Maeva, qui avait revêtu son manteau d'hiver et son bonnet. Étant donné que tu n'as plus de lit, tu peux venir y passer la nuit, si tu veux.

— Je... je ne sais pas, se précipita Victor, l'air contrarié. Je ne peux pas vraiment laisser Nika avec tous les gens qui sont ici...

— Tu n'as pas bien dormi depuis deux jours, insista Maeva. Une soirée ne te tuera pas. Et puis, Caleb se porte mieux, non ?

Victor ne trouva pas de quoi argumenter.

— Bon… d'accord, se résigna-t-il.

Après avoir informé ses amis de son départ, Victor fut rassuré de savoir que Nika approuvait l'idée, puisqu'elle aussi trouvait que le jeune homme avait besoin d'une bonne nuit de sommeil. Étant donné que Clémentine ne s'était pas vraiment présentée aux autres durant la soirée et restait enfermée dans sa chambre, Victor opta pour aller lui faire la conversation. Arrivé devant la porte de bois qui donnait accès à la chambre de sa petite sœur, il cogna deux coups avec le pommeau de sa canne.

— Je peux entrer ? dit-il à travers la porte.

Pendant un moment, il n'y eut pas de réponse. Finalement, de sa petite voix, Clémentine demanda :

— Tu es seul ?

— Oui, je suis seul, Clémentine.

Le loquet de la porte se déverrouilla et celle-ci s'ouvrit, dévoilant une Clémentine qui retournait déjà à son lit. Victor ferma la porte derrière lui et rejoignit la gobeline en s'asseyant sur son lit.

— Qu'est-ce qu'il y a ? demanda-t-elle, les genoux entre les bras, recroquevillée au fond de son lit.

Ses paroles avaient été prononcées sur un ton lourd qui ne semblait pas naturel. Victor savait que quelque chose n'allait pas, et Clémentine n'était visiblement pas très douée pour le cacher. Victor l'observa d'un regard doux et avec son index, il toucha rapidement le bout du nez de la gobeline, ce qui eut pour effet de la faire sourire.

— Ah ! s'exclama-t-il, maintenant je te reconnais.

Mais le visage de Clémentine se renfrogna un peu ; Victor savait qu'elle le faisait par orgueil, car son regard indiquait une parcelle de bonne humeur.

— Qu'est-ce qui ne va pas ? lui demanda-t-il.

Clémentine haussa les épaules, mais le regard du jeune homme percevait qu'elle le savait très bien.

— Tu n'as pas décidé comme ça d'être froide avec Zackarias, tout de même, lui fit remarquer Victor. Il y a forcément quelque chose.

La jeune gobeline se mordit la lèvre, le regard contrarié. Victor laissa tomber la tête de côté et lui lança un regard bienveillant.

— C'est Balter, n'est-ce pas ? essaya-t-il en sachant qu'il avait raison.

La jeune gobeline hocha la tête, puis fut prise de sanglots. Elle masqua son visage sur lequel coulaient maintenant des larmes silencieuses.

— Allez, viens, lui dit Victor en écartant ses bras.

Il la prit dans ses bras et lui caressa les cheveux.

— Il me manquera toujours, à moi aussi.

— J'essaie d'être forte. D'être comme toi, gémit Clémentine. Mais parfois, c'est vraiment difficile.

Victor l'écarta un peu de façon à croiser son regard.

— Oh, et tu crois que je suis toujours fort comme un lion ?

Clémentine sourit et haussa les épaules.

— C'est entièrement normal de laisser ressortir nos émotions, lui dit Victor. Ça m'arrive aussi, comme tout le monde.

— Je... Merci d'être venu me voir. J'aimerais cependant aller... aller dormir un peu.

— Pas de problème, lui dit Victor en glissant son index sur sa joue. Si jamais tu ne vas pas bien, n'oublie pas de venir m'en parler, d'accord ?

— Promis.

Alors que Victor s'apprêtait à rejoindre Maeva qui l'attendait dans l'entrée, Nika le croisa au pied de l'escalier et lui demanda :

— Tu t'en vas ?

— Je préférerais rester, lui avoua-t-il en songeant à Clémentine.

— Ne t'inquiète pas pour nous, d'accord ? Tout ira bien. Et puis, tu peux faire comme tu veux, c'est toi qui paies la maison et qui nous laisses vivre avec toi. En fin de compte, c'est nous qui devrions te demander la permission pour tout, ici.

— Tu sais bien que votre présence, à toi et à Clémentine, ne me dérangera jamais ! rétorqua Victor, un peu surpris.

— Je le sais très bien, mon petit Victor, lui répondit tendrement Nika. Mais un jour ou l'autre, nous allons tous devoir suivre notre propre chemin.

Victor ne répondit rien. Il savait bien que vivre en compagnie de ses amis ne durerait pas éternellement. Il ne repoussait pas une telle éventualité, mais il n'avait pas hâte non plus.

— S'il y a quelque chose, appelez-nous, d'accord ? dit-il finalement.

Nika lui sourit et lui souhaita encore une fois de passer une bonne fin de soirée.

Sillonnant les rues de la cité recouverte de neige, Victor jeta un coup d'œil au ciel endormi et parsemé d'étoiles. Orion, sa constellation préférée, était parfaitement visible. Durant ce bref instant, il se demanda ce qu'il était advenu de son grand-père.

— De quoi parliez-vous ? demanda Maeva, qui tenait Victor par le bras.

— Hein ? lâcha le jeune homme, arraché de ses pensées. Ah, Nika m'a laissé savoir qu'elle ne comptait pas rester chez moi indéfiniment.

— Ça t'a choqué ? lui dit-elle après une brève pause.

Le jeune homme haussa les épaules et répondit :

— Pas vraiment. C'était à prévoir.

— Surtout qu'elle a un amoureux, fit remarquer Maeva. Et les amoureux sont censés vivre ensemble.

Victor cessa de bouger et leva les sourcils. Quant à Maeva, elle sourit devant la réaction du jeune homme.

— Qu'est-ce que tu as en tête, toi ? lui demanda-t-il d'un air amusé.

— Oh ! rien, dit-elle d'un ton dégagé, je me disais simplement que… éventuellement… nous pourrions peut-être… Enfin, peut-être est-il trop tôt pour discuter de ce genre de choses…

— Non, non ! enchaîna Victor avec maladresse. Je trouve que c'est un sujet, euh… très actuel. Je veux dire… je ne pense pas que… Il n'est pas trop tôt pour…

Empêtrés dans leurs réponses maladroites, les deux amoureux éclatèrent de rire et s'enlacèrent, avant de reprendre leur chemin vers l'appartement de Maeva.

Chapitre 8

La lettre

Le lendemain matin, lorsque Victor se réveilla, il prit un court moment pour déduire l'heure par rapport à la position du soleil, qui lui fusillait les yeux à travers une fenêtre. Il devait être au moins neuf heures du matin. Maeva dormait sur le côté, près de lui, les cheveux en cascade sur ses épaules. Assis sur le lit, le jeune homme se rappela que c'était aujourd'hui que le docteur Miron était censé se présenter avec une équipe pour emmener Caleb à l'hôpital dans l'aile de quarantaine, avant qu'il devienne contagieux. Comment avait-il pu venir chez Maeva alors que son ami était peut-être déjà en train d'être emmené ailleurs ? Victor devait faire quelque chose, surtout que son ami allait mieux. Mais… que faire de plus, en réalité ? Il lui avait procuré une bonne dose d'onyxide, qui avait pour but de le remettre sur pied. Le docteur Miron allait bien le voir par lui-même, s'il ne l'avait pas déjà vu. Même si les dernières pensées du jeune homme étaient plutôt positives, il n'arrivait pas à se débarrasser de l'impression que quelque chose allait aller de travers.

— Bon matin, dit son amoureuse d'une voix endormie, se redressant doucement.

— Bien dormi ? lui demanda Victor en souriant.

Elle s'étira et hocha la tête positivement.

— Quelle heure est-il ?

— Neuf heures, répondit Victor, qui venait de confirmer en jetant un coup d'œil sur sa montre posée sur la table de chevet, près du lit.

— Zut ! marmonna Maeva en se levant du lit. Je dois malheureusement aller rencontrer une cliente.

Maeva avait trouvé un poste de menuisière grâce à son habileté manuelle naturelle, mais après un mois de travail à peine, son patron avait été victime d'un accident malheureux. Le pauvre homme avait été fauché par un cheval au galop, monté par un jeune écervelé qui avait trop bu. Fort heureusement, le patron de Maeva avait survécu, mais était actuellement en congé de maladie pour la prochaine année. La jeune femme avait donc, étant donné ses capacités plus qu'excellentes, hérité du poste de patron, au grand désappointement des autres menuisiers de la compagnie.

— C'est pour quoi? demanda Victor.

— Une histoire de portes extérieures et intérieures, répondit Maeva depuis la salle de bain.

— Et moi, je donne un cours à 11 h, dit Victor en sortant du lit.

— Pas à une jeune bourgeoise aux gros avantages, j'espère? rétorqua la jeune femme sur le ton de l'humour.

Victor éclata de rire.

— Non, non, ne t'inquiète pas. La leçon, c'est pour Gustave.

L'appartement de Maeva, situé juste au-dessus de l'échoppe du forgeron de la ville, se trouvait en plein cœur de la cité de Québec. Depuis l'extérieur, il n'avait rien d'extraordinaire, mais à l'intérieur, tout était très coquet; il était vrai que Maeva avait du goût pour la décoration, à l'inverse de Victor. Après s'être souhaité une bonne journée et donné rendez-vous chez Victor en soirée, les deux amoureux se séparèrent à une intersection, partant chacun de leur côté. Le jeune homme préféra rentrer directement chez lui, il avait grandement le temps de passer jeter un coup d'œil sur Caleb. D'ailleurs, la pensée qu'il soit déjà en route pour l'hôpital le dérangeait. Tandis que les minutes passaient, Victor sentait son moral descendre de plus en plus, se laissant ronger par l'inquiétude.

— Comment ai-je pu partir comme ça, hier soir? se maudit-il à voix basse.

Lorsqu'il ouvrit la porte de sa maison — ce qu'il fit d'ailleurs avec une force un peu trop brute –, Victor tomba nez à nez avec une Nika en robe de chambre, qui sursauta.

— Mon Dieu! lâcha-t-elle en se tenant le cœur. Qu'est-ce qui te prend?

À voir sa réaction, les craintes de Victor commencèrent à s'évaporer. Nika était trop calme pour que quelque chose se soit passé.

— Je... Caleb, il est toujours là? balbutia Victor en cherchant un peu ses mots.

— Bien sûr, répondit Nika, dont les traits venaient de s'adoucir, comme si elle avait compris ce qui tracassait son ami. Le docteur Miron est passé tôt ce matin, c'est Pakarel et Nathan qu'ils l'ont accueilli, car je dormais.

Le cœur de Victor eut un sursaut, comme lorsqu'on manque une marche dans l'escalier.

— Ne fais pas cette tête, le rassura aussitôt Nika. Miron autorise Caleb à rester ici, étant donné qu'il paraît stable.

Victor lâcha un soupir bruyant. Nika ajouta cependant :

— Mais...

— Mais quoi? s'inquiéta aussitôt le jeune homme.

— Mais, puisque Caleb est un... hybride, prononça Nika avec difficulté, visiblement écœurée par le mot qu'elle employait, et qu'il pourrait réagir différemment au traitement de l'onyxide, le docteur Miron a signalé qu'il allait venir s'assurer de son rétablissement.

— À quelle fréquence?

— Toutes les semaines. Mais s'il advient que l'état de Caleb empire, il est de notre devoir de le signaler immédiatement au docteur. Il nous a laissé sa fréquence radio.

Victor pouvait très bien vivre avec cette condition, qui était d'ailleurs logique.

— Je suis vraiment soulagé.

— Comme nous tous, ajouta-t-elle. Ne travaillais-tu pas, ce matin?

— Oui, je dois d'ailleurs y aller, confirma-t-il en jetant un coup d'œil à sa montre de poche.

— Attends au moins que je te remplisse un gobelet de café bien chaud, dit Nika en se dirigeant vers la cuisine.

Son café fumant à la main, Victor reprit la route vers la demeure de Gustave Lefrançois. Ce dernier vivait avec son père et était, de loin, le meilleur élève qu'il ait jamais eu. Ces graboglins étaient de riches marchands avec certaines manières. En leur compagnie, il se sentait souvent rabaissé par leur regard, qui frôlait le mépris, et par leur tenue vestimentaire d'une richesse inégalée, qui était à la mesure de leur maison luxueuse. Quoi qu'il en soit, Victor avait eu une complicité particulière avec Gustave dès leur toute première leçon. Malgré les différences, les deux jeunes hommes s'étaient liés d'amitié.

Lorsque Victor arriva devant la demeure des Lefrançois, il avala rapidement la dernière gorgée de son gobelet et escalada prudemment les petites marches en marbre qui menaient à la porte d'entrée. Saisissant le heurtoir en forme de lion, il cogna trois bons coups à la porte. Un instant plus tard, il entendit le loquet se déverrouiller et la porte s'ouvrit. Gustave se tenait debout, le torse légèrement bombé, vêtu d'un costume traditionnel de haute couture. Son visage de graboglin aux traits de brute et son crâne rasé étaient bien à l'opposé de ses manières et de sa façon de parler.

— Ah! Victor Pelham, mon ami! déclara-t-il d'un air fraternel en enlaçant le jeune homme. Comment vas-tu?

— Très bien, merci, répondit le jeune homme en serrant la main de son élève. Prêt pour la leçon d'aujourd'hui?

— Comme toujours! répondit Gustave. Entre, il fait un froid glacial!

Victor ne trouvait pas qu'il faisait si froid, mais il sourit poliment à la remarque et pénétra dans la luxueuse demeure des Lefrançois. Comme à l'habitude, la maison, que l'on pouvait presque qualifier de manoir, était resplendissante, mais l'atmosphère qui y régnait n'avait rien de chaleureux.

La leçon dura près de quatre heures, durant lesquelles Victor fit passer à son élève un examen pour évaluer ses compétences au piano. Comme il s'y attendait, Gustave démontrait un grand talent, ainsi qu'une passion inébranlable pour son art. De temps à autre, Victor interrompait son élève pour lui donner quelques conseils et un ou deux trucs pour enchaîner les notes d'une manière plus naturelle. Gustave n'avait jamais fait preuve de découragement ni d'irritation, même durant les phases les plus complexes que Victor tentait de lui montrer. C'était l'une des raisons pour lesquelles il aimait particulièrement partager son art avec Gustave.

Victor quitta les lieux vers 15 h, après qu'ils se furent entendus sur leur prochain rendez-vous, deux semaines plus tard. La température s'était adoucie et de l'humidité planait dans l'air en une faible brume, sous le ciel gris. En arrivant devant chez lui, le regard du jeune homme s'arrêta sur la double porte menant à l'atelier qui servait autrefois à Balter. Cette vue fit aussitôt naître une question dans la tête de Victor : pourquoi Caleb s'était-il retrouvé chez lui ? Dans quelles circonstances avait-il débarqué directement devant sa porte, après avoir été blessé ? Avait-il choisi cette destination lui-même et, si oui, pourquoi ? Pourquoi n'était-il pas directement allé à l'hôpital, ou au quartier général du Consortium, qui possédait sans doute de l'onyxide, étant donné la nature de leurs contrats ?

Victor entra chez lui avec la ferme intention d'interroger son ami sur ses questions, même s'il savait pertinemment que Caleb ne pourrait pas lui répondre. Mais peut-être que le simple fait de lui demander évoquerait une réponse, tapie bien au fond de sa mémoire.

— Comment c'était ? demanda Nika, qui préparait le souper dans la cuisine.

— Très bien, répondit Victor. Caleb est éveillé ?

— Plus qu'éveillé, répondit Nika d'un air sévère et même froid. Clémentine a eu la brillante idée de lui donner une clochette, qu'il n'hésite pas à…

Aussitôt, ils entendirent le tintement agressif et aigu d'une clochette provenant de l'étage. Nika, qui avait jeté un coup d'œil au contenu du four, venait de refermer sa portière d'un geste brusque.

— J'y vais, j'y vais, ricana Victor.

— Et arrache-la-lui des mains, tu veux ? lui rétorqua Nika, visiblement à bout de nerfs.

Victor escalada l'escalier, prenant soin de ne pas forcer sa jambe faible. Pour être poli, il cogna deux coups près de la porte ouverte qui donnait sur sa chambre, et y pénétra. Caleb était dans son lit, en compagnie de Clémentine, et tous deux semblaient ricaner ensemble.

— Que puis-je pour vous, princesse Caleb? demanda Victor d'un air théâtral en faisait une petite révérence.

— J'aimerais avoir des gâteaux avec du glaçage rose, dit Caleb d'une voix flûtée. Et vous, ambassadrice Clémentine?

— Je voudrais simplement un verre de vin, déclara-t-elle d'un air suffisant.

— Toi, tu es trop à ton aise pour exiger quoi que ce soit, répondit Victor avec amusement, en pointant Caleb. Et toi, dit-il en tournant son doigt vers Clémentine, tu es trop jeune pour boire du vin. D'ailleurs, j'aimerais parler à Votre Majesté en privé.

Caleb fit un clin d'œil à Clémentine et la gobeline gloussa de rire avant de quitter la chambre de Victor. Refermant la porte derrière lui, le jeune homme s'installa sur la chaise libre, près du lit dans lequel se trouvait son ami.

— Ça tombe bien, dit Caleb, car moi aussi, j'avais à te parler.

Victor leva un sourcil.

— Je t'écoute, dit-il.

— Vas-y d'abord, insista Caleb en croisant les bras. Que puis-je?

— Nika voudrait que tu arrêtes de l'embêter avec cette clochette, ricana le jeune homme. D'ailleurs, où se trouve-t-elle?

Caleb la sortit de nulle part et la fit tinter rapidement, l'air espiègle. Grimaçant, Victor se boucha les oreilles, ce qui eut pour effet de faire pouffer Caleb de rire. Ils entendirent alors Nika pousser un cri qui vibra dans toute la maison.

— Celle-là? rit Caleb en montrant la cloche d'un air triomphant.

— C'est ça, confirma Victor en souriant. Utilise-la avec modération, d'accord?

Caleb répondit par un hochement de tête énergique, et Victor savait qu'il était totalement sarcastique.

— Il y a autre chose dont je veux te faire part, dit Victor sur un ton plus sérieux.

— Je t'écoute, lui répondit Caleb sur le même ton.

Le jeune homme chercha ses mots durant quelques secondes, avant de changer de posture sur sa chaise. Il remarqua que la main gauche de Caleb était fermée, comme si elle contenait quelque chose. Sans y porter plus d'attention, il se lança :

— Aux dernières nouvelles, tu … étais en France, c'est bien ça ?

— C'est ce qu'on dit, confirma Caleb d'un air nonchalant.

— Alors… comment t'es-tu retrouvé ici ? Chez moi ?

Caleb le regarda durant un moment, puis baissa les yeux.

— Je ne me souviens de rien, Victor, avoua-t-il d'un ton lent. Si ce que vous me dites est vrai, je suis affecté par l'onyxide et, tant et aussi longtemps que ce produit parcourra mes veines, je ne pourrai pas vous être utile.

Victor profita du silence qui suivit pour réfléchir à la chose. L'air songeur, les bras croisés, il leva un doigt devant lui, puis reprit :

— Si tu es revenu ici, c'est parce que tu as jugé que c'était la meilleure chose à faire. Forcément. Donc, soit tu es vraiment irresponsable et même fou d'avoir traversé l'océan dans ces conditions hivernales, sans protection contre le froid, soit tu l'as fait car tu as jugé que c'était exactement ce que tu devais faire.

— J'aimerais opter pour la deuxième solution, dit Caleb d'un air amusé. Quoique la première me représente bien…

Victor lui lança un regard sévère.

— Je rigole, je rigole. Mais pourquoi es-tu venu me poser cette question, alors que tu sais tout comme moi que je ne peux pas te répondre convenablement ?

— Parce que je voulais t'en faire part, lui dit simplement le jeune homme.

Caleb hocha la tête.

— Où est ton père ? demanda Victor.

— Pakarel et lui sont allés à la pâtisserie du coin pour acheter tout le nécessaire pour faire des tartes.

Le jeune homme pouffa de rire.

— C'est vrai, ton père fait supposément de bonnes tartes ! Enfin, selon Pakarel. Enfin bon. Ça t'a plu de le revoir ?

— Ouais. C'était bien. Mais il est censé retourner à Ludénome ce soir.

— Déjà ?

Caleb répondit d'un hochement de tête positif et ajouta :

— Pakarel va l'accompagner.

— C'est ce qu'il avait dit.

— Mon père voulait te voir. Avant qu'il parte.

Victor lui envoya un regard surpris.

— Vraiment ? Quelque chose en particulier ?

— Je ne sais pas, répondit Caleb en haussant les épaules. Mais ça avait l'air important.

Victor, vaguement intrigué par cette déclaration, acquiesça d'un signe de tête.

— Tu voulais me dire quelque chose ? lui demanda-t-il aussitôt.

Caleb sourit en silence, puis, sans quitter Victor des yeux, ouvrit la paume de sa main. Le jeune homme y vit deux bagues, celles laissées par Mila, la jeune femme maya qui avait tenté de l'assassiner.

— Je n'ai pas l'habitude de fouiller dans les affaires des autres, dit Caleb d'une voix pesée, mais le tiroir de ta table de chevet était entrouvert et je les ai vues. Pourquoi les as-tu gardées ?

— À vrai dire, je ne savais pas vraiment quoi faire avec.

— Tu n'as pas peur que l'on te retrouve et que cette mésaventure recommence ? l'accusa Caleb avec un air de reproche.

— Préférerais-tu que je les laisse à qui les veut ? Tu sais comme moi ce que ces bagues, ces armes peuvent faire, rectifia-t-il en les pointant. Si je pouvais m'en départir, je le ferais.

Caleb se contenta de le regarder, puis hocha la tête.

— Au moins, cette folle est morte, dit-il.

Victor comprit que le demi-gobelin parlait de l'assassin maya.

— Ils ne peuvent plus venir sur notre monde, dit le jeune homme d'un air sincère.

— Je l'espère, lui répondit Caleb en laissant tomber les bagues dans leur tiroir, qu'il referma aussitôt.

Sur un ton plus léger, le demi-gobelin déclara :

— Peu importe. Que mange-t-on, ce soir ?

En début de soirée, Pakarel revint à la maison en compagnie de Dweedle qui, étant invité chez Victor, avait insisté pour faire un dessert en guise de remerciement. Pour l'occasion, une petite table avait été montée dans la chambre de Victor, histoire que tout le monde soupe avec Caleb, qui s'en montra bien heureux. Dweedle, quant à lui, fut le centre d'attraction du repas.

Au début, Clémentine le regardait d'un air mêlant le mépris et l'intérêt, mais après quelques minutes à table, le vieux Dweedle faisait déjà rire tout le monde avec des blagues astucieuses. Malgré son infirmité, le père de Caleb débordait d'énergie. La tarte préparée par Dweedle Fislek, assisté de Pakarel, était succulente. Le jeune homme dut admettre que durant la compétition annuelle de tartes de Ludénome, il aurait de fortes chances de l'emporter. Plus tard, lorsque le souper dans la chambre de Victor fut terminé, Dweedle demanda à voir Victor en privé. Ils se retrouvèrent donc dans la chambre de Clémentine.

Lorsqu'il arriva dans la pièce, le jeune homme remarqua que Dweedle tenait entre ses mains une vieille enveloppe rongée par l'usure, comme si elle avait été souvent manipulée.

— Merci pour le dessert, lui dit poliment Victor en guise de salutations, lorsqu'il s'installa sur le lit de la jeune gobeline.

— C'est moi qui dois vous remercier pour votre accueil! répondit le vieux gobelin, installé sur une petite chaise. Vous n'êtes toujours pas venu démontrer vos talents dans notre belle cité!

Il avait dit cette phrase sur un ton amical, mais Victor en ressentait quand même un peu de honte. Il avait promis d'aller y jouer, et en toute vérité, cette promesse était presque tombée dans l'oubli.

— Je… je suis désolé, s'excusa Victor en souriant.

Mais Dweedle éclata de rire.

— Qu'importe! déclara-t-il. Vous faites beaucoup de bien autour de vous, jeune homme. Votre travail à Londres est remarquable. De plus, vous avez permis à Pakarel de faire la paix avec les démons de son passé et vous avez sauvé la vie de mon fils!

Sous cette pluie de commentaires, Victor afficha un sourire gêné.

— Je… Enfin, monsieur Fislek, je n'ai pas littéralement sauvé Caleb, c'est Chantico et…

— Vous devriez apprendre à accepter les compliments, l'interrompit Dweedle d'un air sérieux.

Victor n'ajouta rien, surpris par sa réaction. Mais le visage du vieux gobelin s'étira bientôt en un large sourire, tandis qu'il le regardait d'un air sage. Dweedle leva l'enveloppe qu'il tenait à la main pour la mettre en évidence et déclara :

— Caleb a perdu la mémoire. Fort heureusement pour nous tous, il n'a oublié que les derniers mois.

— Oui, confirma Victor, vous avez raison, nous sommes chanceux.

— Il faut cependant que je vous explique quelque chose, monsieur Pelham.

Poliment, Victor se glissa dans les paroles du vieux gobelin et dit en souriant :

— Tutoyez-moi, je vous prie.

— Alors, tu feras de même ! lui répondit Dweedle d'un air complice. Je disais donc, avant même d'avoir décidé de t'accompagner dans ton périple vers le Bélize, Caleb avait prévu un voyage vers Paris.

— Que veux-tu dire, Dweedle ? l'interrogea le jeune homme, qui lui portait toute son attention.

— Sais-tu lire la langue des gobelins ?

— La langue des gobelins ? Ils ont une langue ?

Dweedle acquiesça et continua :

— Aussi connue sous un autre nom : le latin.

— Je ne connais pas cette langue, avoua Victor. Et j'ignorais qu'elle avait été inventée par les gobelins !

Dweedle rit avec fierté.

— Eh oui ! Puisque tu ne peux pas lire la lettre, je vais te raconter son contenu.

Le vieux gobelin croisa les doigts sur ses jambes rigides, puis débuta :

— La mère de Caleb avait été infectée par la même souche du virus qui circule aujourd'hui dans les veines de son fils.

— Abigail, mentionna Victor à demi-voix en se remémorant la dame qu'il avait rencontrée quelques années auparavant.

Étrangement, il ne se souvenait plus vraiment des traits de son visage.

— C'est exact. Cependant, elle n'était pas la seule à avoir été infectée par ce virus. Son frère aussi était atteint par cette maladie, alors qu'il tentait de la guérir.

— Son frère ? répéta Victor, les sourcils froncés. Un oncle de Caleb ?

— Oui, confirma le gobelin. Il a contracté le virus en tentant de la soigner.

— Caleb va se transformer en striga ? déduisit le jeune homme, le visage horrifié.

— J'en doute. Comme tu le sais, le virus de la *noctemortem* se développe de plusieurs façons. Caleb ne présente pas du tout les signes d'une striga. Sinon, il aurait grandement besoin de se nourrir de sang pour se maintenir en vie, ce qui n'est pas le cas.

Victor fut un peu rassuré, mais il restait cependant inquiet.

— Continue, lui demanda-t-il.

Le vieux gobelin prit une inspiration et enchaîna :

— Mon fils m'a expliqué dans sa lettre, écrite peu après la mort de sa mère, qu'il souhaitait retrouver son oncle et mettre un terme à sa vie.

— Il voulait le tuer ? Pourquoi donc ?

Le visage du gobelin devint sérieux et un voile de tristesse passa sur son visage.

— Par désir de vengeance, évidemment. Car, vois-tu, son oncle avait trouvé le moyen de soigner sa sœur, Abigail, mais il ne l'a pas fait pour une raison qui m'échappera toujours.

L'air songeur, Victor marmonna :

— Caleb l'a donc blâmé pour le décès de sa mère... Et il se trouvait à Paris ?

— C'est exact, confirma Dweedle.

— Et toi, ajouta le jeune homme sur un ton prudent. Tu lui en veux, à cet homme ?

Dweedle sourit tristement.

— Je n'ai plus l'âge d'en vouloir aux gens.

Victor hocha la tête en guise de compréhension.

— Attends une minute, dit-il d'un air sévère, frappé par une révélation. Pourquoi Caleb ne me l'a-t-il pas dit ? Il doit s'en souvenir !

— Oh, pour ça, oui, admit le gobelin. Il s'en souvient même très bien. S'il ne te l'a pas dit, c'est par honte.

Victor baissa les yeux. Il n'en voulait pas du tout à Caleb, mais il ne voyait pas pourquoi il avait évité de lui révéler des détails aussi cruciaux. L'air songeur, le jeune homme releva les yeux vers Dweedle et lui demanda :

— C'est son oncle qui l'a infecté ? Caleb aurait essayé de l'abattre et il se serait retrouvé… malade ?

— Je l'ignore, admit Dweedle avec tristesse. Il est important de noter que dans sa lettre, Caleb spécifie simplement ses intentions. Peut-être n'est-il jamais allé retrouver son oncle, et tout cela n'est-il qu'une pure coïncidence ? Il faudrait vérifier.

— Je le ferai, déclara fermement Victor. Ça tombe bien, je dois aller à Paris la semaine prochaine.

Le regard de Dweedle s'illumina pendant un bref instant, avant de retomber dans l'inquiétude.

— Je ne voudrais pas que tu te mettes en danger pour ça, dit-il. Caleb est en vie et avec un peu de chance, il s'en sortira.

— Je sais ce que je fais, lui assura poliment Victor. Ce que tu m'as révélé est trop important pour n'être qu'une simple coïncidence. J'irai vérifier.

Le visage du vieux gobelin perdit un peu de son inquiétude.

Le lendemain matin, Pakarel quitta la maison assez tôt, après avoir dit au revoir à ses amis, en compagnie du père de Caleb. Même s'il avait eu envie de confronter son ami au sujet de la discussion qu'il avait eue avec son père la veille, Victor avait évité de le faire. Le docteur Miron se présenta tôt dans l'avant-midi, avec une équipe de deux stagiaires gobelins, tous deux portant de grosses lunettes et arborant un air sévère et intellectuel.

— Mes étudiants ne sont là que pour observer, précisa-t-il alors que Victor les faisait entrer chez lui à contrecœur.

Contrairement à ce qu'il craignait, le jeune homme fut étonné d'entendre Miron annoncer que Caleb semblait se porter à merveille et qu'il pourrait être envisageable de lui retirer son intraveineuse d'onyxide. Ravi, Caleb insista pour procéder ainsi. Alors qu'il se trouvait en compagnie de Nathan, du docteur et de ses stagiaires autour du lit du demi-gobelin, Victor tenta de s'opposer à la suggestion de Miron. L'air contrarié, il proposa à Caleb :

— Écoute, mon vieux, je sais que tu as vraiment hâte d'en finir, mais n'aimerais-tu pas mieux attendre les résultats de…

Il s'arrêta au milieu de sa phrase, n'osant pas évoquer devant le graboglin et ses étudiants qu'un autre médecin travaillait sur le cas de Caleb.

— … Enfin, reprit-il rapidement, c'est comme tu veux, mais…

— Monsieur Pelham, dit le graboglin en le regardant de ses yeux atteints de strabisme, je comprends votre inquiétude, mais votre ami est définitivement rétabli. De plus, une intraveineuse d'onyxide sur une durée prolongée pourrait s'avérer dangereuse…

Victor n'en croyait pas ses oreilles. Quelque chose clochait dans les paroles du docteur Miron. Il ne le connaissait pas personnellement, mais sa hâte de retirer à Caleb son traitement était… plus qu'étrange.

— Je ne vois pas de mal à me libérer de cette intraveineuse, dit Caleb d'un air convaincu. Je vais bien, Victor, tu le vois par toi-même !

— Victor n'a pas tort, dit Nathan d'un air inquiet. Je ne suis pas certain que…

— Le docteur Miron sait ce qu'il fait, dit un des gobelins étudiants d'un air absent, griffonnant fébrilement dans son cahier de notes sans même quitter Caleb des yeux.

— Ne pourrions-nous pas attendre quelques jours supplémentaires ? supplia Victor, l'air accablé, voulant gagner du temps pour attendre le verdict de Chantico. Il n'y a aucune hâte à…

Caleb le coupa :

— Je comprends tes inquiétudes, Victor, mais je vais bien. Vraiment.

Impuissant, le jeune homme échangea un regard lourd avec Nathan, qui hocha la tête en signe de découragement.

Chapitre 9

41, rue de l'Archiviste

Lorsque Victor revint du cabaret, le soir même, après une soirée assez déprimante durant laquelle il avait dû rester sur scène plus longtemps pour compenser l'absence d'un groupe de saxophonistes, il vit une vive lumière émaner de l'entrebâillement de la porte menant à l'atelier de sa maison. Intrigué, le jeune homme s'y rendit et se glissa à travers la porte. Caleb se tenait près de son oiseau, qu'il gratouillait au niveau du cou.

— Hé, Victor! le salua le demi-gobelin, vêtu d'un gros chandail en laine et d'un pantalon que Victor reconnut comme étant l'un des siens.

— Qu'est-ce que tu fais là? s'étonna le jeune homme sur un ton plus sévère qu'il ne l'aurait voulu.

— Je venais voir mon gros oiseau, dit-il fièrement en regardant Hol.

— Comment te sens-tu?

— Bien, répondit Caleb, qui avait plutôt l'air d'être encore plus pâle qu'à l'habitude. Le docteur Miron m'a enlevé cette intraveineuse peu après ton départ.

— Je vois ça, répondit Victor d'un air désapprobateur. Et la mémoire?

— Je ne me souviens toujours de rien, soupira Caleb. Je crois qu'avec le temps, ça va me…

Le demi-gobelin s'interrompit et porta la main à son visage. Comme s'il était pris d'étourdissements, il vacilla sur le côté, mais parvint à garder son équilibre.

— Qu'est-ce que je disais, déjà? grogna-t-il.

— Tu ne devrais pas être debout comme ça, lui dit Victor d'un air accablé. Tu es malade, Caleb!

— Oh, arrête ! On croirait ma mère. Lorsqu'elle était présente dans ma vie, évidemment.

— En parlant de ta mère, tu ne m'as pas fait mention d'un détail assez important.

Le visage de Caleb prit soudainement un air sombre.

— De quoi parles-tu ?

— De ton oncle. C'est ton père qui m'a montré la lettre...

Caleb le coupa aussitôt d'un ton sec :

— Ah ! cette satanée lettre, je n'aurais jamais dû l'écrire !

Voyant l'irritation de son ami, Victor comprit qu'il venait de toucher une corde sensible. Il se hissa sur une table dégarnie, qui avait jadis servi à Balter. Déposant sa canne sur ses cuisses, il demanda :

— Pourquoi ne me dirais-tu pas la vérité ?

— Oh, parce que maintenant, tu crois que je te mens ? vociféra Caleb d'un geste furieux.

— Hé, ho ! intervint Victor d'un ton impératif. Calme-toi, je ne te traite pas de menteur !

Victor aurait juré que Caleb se préparait à lui envoyer une réplique cinglante, mais il ne répondit étonnamment rien. Il expira et s'installa sur le nid de paille de son oiseau. D'une voix calme, il commença :

— Je voulais aller à Paris. Pour... pour savoir pourquoi ce vieil idiot n'avait pas guéri ma mère.

Victor l'observa pendant un court moment.

— Quelles étaient tes intentions ?

— Je voulais...

Caleb soupira bruyamment.

— Je ne sais pas, lâcha-t-il.

— Le tuer ?

— Bien sûr que non ! répondit précipitamment le demi-gobelin.

Victor était persuadé que Caleb avait, en réalité, bel et bien eu l'intention d'en finir avec son oncle, mais il garda ses pensées pour lui-même.

— Écoute, mon vieux, dit le jeune homme. La lettre que m'a montrée ton père expliquait tes intentions d'aller à Paris…

— Je sais, répliqua rapidement le demi-gobelin. Je sais.

— Tu ne trouves pas ça étrange, que tu te sois retrouvé là-bas ? Que tu aies décidé de rester pour accomplir une tâche personnelle ? C'est une coïncidence ?

Caleb abaissa la tête, l'air honteux.

— Je vais t'avouer, ç'a effectivement l'air louche. Ce n'est peut-être pas une coïncidence.

— Crois-tu l'avoir tué ?

— Lorsque je suis arrivé à ta porte, avais-je mes armes ?

Victor se remémora la scène et répondit presque aussitôt :

— Non... non, tu ne les avais pas. Tu étais bien sans arme.

Caleb sourit.

— M'as-tu déjà vu sans arme ?

— Pas que je me souvienne, répondit Victor les sourcils froncés, fouillant dans ses pensées.

— Alors, il est probable que mon oncle m'ait désarmé et qu'il m'ait laissé m'enfuir avec ce foutu virus.

— Ou peut-être étais-tu allé le voir sans être armé ?

— Peut-être, admit Caleb.

— Dans tous les cas, conclut Victor, je vais aller voir ton oncle dans quelques… Hé, Caleb !

Le demi-gobelin venait de s'écrouler sur le sol et était pris de violentes convulsions. Victor se pencha au-dessus de son ami, sa canne roulant sur le sol.

— Venez m'aider ! vociféra-t-il aussi fort qu'il le pouvait, espérant qu'on l'entende.

Une demi-heure plus tard, Caleb était de retour dans son lit, pris de délire et marmonnant des phrases insensées tandis qu'il gardait les yeux fermés avec force. Nika avait fait venir le docteur Miron, qui était arrivé avec une vitesse surprenante, et celui-ci reconnectait maintenant l'intraveineuse de Caleb. Les deux stagiaires étaient aussi présents, vêtus de robes de chambre sous leur manteau. Ils griffonnaient fébrilement dans leur cahier de notes, le regard stupéfait, comme s'ils avaient devant eux une véritable mine d'or. Le docteur Miron consulta sa montre et marmonna :

— Il est retombé sous l'emprise du virus... avant qu'il soit trop tard.

C'est à ce moment qu'une lumière se fit dans la tête de Victor. L'air grave, il pointa Miron et ses acolytes et dit lentement :

— Vous... vous saviez qu'il allait réagir ainsi, n'est-ce pas ?

De son français bien articulé, le docteur entreprit sa réponse :

— Il était effectivement probable que...

Victor l'interrompit aussitôt :

— Et vous êtes arrivé drôlement vite, pour un docteur qui vit à cinq pâtés de maisons d'ici.

Clémentine, qui était aussi dans la pièce, demanda au docteur, en le fixant d'un regard accusateur :

— Vous avez insisté pour retirer l'intraveineuse de Caleb. Pourquoi ?

Ayant finalement réinstallé l'intraveineuse, le docteur Miron s'épongea le front, puis débuta :

— Je n'ai pas...

— Ça ne vous a pris que cinq minutes pour arriver ici ! lança Victor sur un ton plus fort qu'il ne l'avait cru. Ne jouez pas aux imbéciles avec moi, docteur Miron !

Un des gobelins stagiaires dit d'un air studieux :

— Le docteur Miron n'est pas un...

Mais avant qu'il ait pu finir sa phrase, le regard foudroyant de Victor l'avait convaincu de se taire.

Le docteur Miron se redressa et se tourna vers Victor.

— Savez-vous combien il est rare de tomber sur un hybride atteint de cette maladie ?

Victor, qui fronçait déjà des sourcils, sentit son visage bouillonner de rage.

— Vous devez comprendre, monsieur Pelham, continua le docteur d'un air d'extrême suffisance, que la science exige parfois que l'on casse quelques œufs pour faire une omelette...

En tentant de contrôler le ton de sa voix, Victor chuchota froidement :

— Vous vous êtes servi de Caleb pour étudier ses réactions, en sachant très bien qu'il était encore malade ?

Le docteur Miron sembla moins hautain et afficha plutôt un air contrarié. Il tenta de sourire sans grande conviction.

— Monsieur Pelham…

— Répondez ! hurla Victor avec férocité.

Le graboglin, qui venait de sursauter, sembla soudain désarmé. Lui qui savait pourtant si bien parler ne trouvait pas les mots pour s'expliquer. Ses stagiaires échangeaient d'ailleurs des regards inquiets.

— Je… hum, balbutia Miron en retirant son chapeau melon pour coiffer les quelques cheveux qui restaient sur son crâne. En effet, nous… nous avions des doutes sur son rétablissement. Pour bien comprendre de quelle manière le virus s'attaque au corps d'un hybride, j'ai décidé de…

Le graboglin à la barbe hirsute et au fort strabisme ne trouva pas le moyen de finir sa phrase ; il se mit à rougir, visiblement honteux. Au même moment, Nika et Nathan arrivèrent dans la chambre, tous deux arborant des visages inquiets.

— Qu'est-ce qui se passe, ici ? demanda Nika d'une petite voix. Victor, pourquoi cries-tu ?

— Pourquoi ne répondriez-vous pas vous-même, monsieur Miron ? dit Victor d'un ton sarcastique en redirigeant la question vers le docteur. Pourquoi ne leur diriez-vous pas que vos réelles intentions étaient de laisser Caleb retomber sous l'emprise du virus pour étudier ses réactions ?

Soudain, irrité à l'extrême, Victor arracha violemment les cahiers de notes des deux stagiaires, qui n'avaient pas cessé d'écrire fébrilement. De toutes ses forces, il les jeta à la poubelle.

— Fichez le camp de ma maison ! leur lança-t-il, à bout de nerfs. Dehors !

— Allez m'attendre dehors, suggéra Miron à ses stagiaires. Je vous rejoindrai dès que possible.

Sous le regard rageur de Victor, les deux gobelins quittèrent la maison d'un pas rapide. Le docteur Miron ajusta sa chemise et s'éclaircit la gorge.

— Étant donné la rechute de votre ami, dit-il de son français bien articulé, je vais devoir avertir le conseil de l'hôpital. Je ne vois, hélas, pas d'autres solutions.

— Quoi ? lâcha Clémentine. Vous êtes un vil personnage ! Un sale menteur ! Vous deviez aider Caleb, pas empirer son état !

Victor, bouillonnant de fureur, restait immobile, le regard figé devant lui, silencieux.

— Monsieur Miron, commença Nika, qui ne comprenait visiblement pas ce qui se passait, il doit s'agir d'une erreur, l'onyxide est un remède particulièrement efficace, même pour…

— Je vous remercie de vos impressions, la coupa Miron en levant la main, mais l'état de monsieur Fislek ici présent démontre que l'onyxide n'est pas suffisant pour le guérir.

— Mais c'est vous qui avez insisté pour qu'on le débranche ! protesta Nathan en fronçant les sourcils.

— C'est monsieur Fislek lui-même qui m'a autorisé à lui retirer l'intraveineuse, rectifia Miron d'une voix forte. Je reviendrai demain matin avec une équipe et votre ami sera placé en quarantaine.

— Vous n'avez pas de cœur, gémit Nika. Comment osez-vous ?

— Si je n'avais pas de cœur, précisa Miron, je vous ferais mettre en quarantaine pour contact direct avec un hybride infecté. Sur ce, bonne soirée.

Victor laissa Miron s'en aller, sans même bouger un muscle. Nika, Clémentine et Nathan restèrent avec lui dans la chambre et, lorsqu'on entendit la porte d'entrée se refermer, le jeune homme avança près de la fenêtre. Il vit dans la rue assombrie par la nuit le docteur et ses acolytes marcher le long de la rue.

— Qu'est-ce que nous allons faire, maintenant ? demanda Nathan, l'air abattu.

— Je hais cet homme, grogna Clémentine. Il va nous enlever Caleb et il se fera tuer après avoir servi de cobaye ! C'est pour ça qu'ils l'ont débranché! Ils voulaient voir son état empirer et noter les résultats!

— Clémentine, dit Nika d'un ton rassurant. S'il te plaît, ne t'en fais pas...

Victor n'écoutait plus ses amis, qui sombraient dans le pessimisme. À force de regarder sa ville endormie sous la neige à travers la fenêtre de sa chambre, il ne retrouva pas seulement une certaine sérénité, mais aussi un moyen de garder Caleb chez lui.

— Si seulement nous pouvions joindre Chantico, lâcha Nika d'un air exaspéré. Elle ne nous a pas laissé sa fréquence radio?

— Non, répondit Nathan, je ne crois même pas qu'elle en ait une, sinon elle en aurait fait mention. Nous allons devoir l'attendre et...

— J'ai une idée, dit Victor, émergeant de ses pensées.

Puis, il se retourna en direction de ses amis, qui venaient d'arrêter de parler et le regardaient, étonnés.

— Je vais aller au poste de police, continua Victor, et tenter de parler à l'officier Dujardin.

— Thomas Dujardin? répéta Nika.

Victor confirma d'un hochement de tête.

— Je vais lui raconter ce qui s'est passé avec Caleb et Miron, puis, s'il accepte, l'amener ici.

— Crois-tu réellement qu'il puisse faire quelque chose? demanda Nathan, qui n'avait pas du tout l'air convaincu. Allez, Victor, cette fois, c'est hors de nos moyens. Nous ne pouvons pas... Victor!

Le jeune homme quitta la chambre, ignorant Nathan, et s'apprêtait déjà à descendre l'escalier.

— Victor, écoute-moi! s'exclama Nathan, qui le suivait. Victor!

Arrivé au pied de l'escalier, le jeune homme enfila rapidement son manteau et se tourna vers Nathan.

— Je ne crois pas que Dujardin ait les moyens de tout arranger, lui dit Victor. Surtout pas face au conseil de l'hôpital. Par contre, je suis persuadé qu'il peut retarder les choses.

Nathan, qui avait auparavant l'air inquiet, prit une expression confuse.

— Que… Quoi? balbutia-t-il en clignant des yeux. Retarder les choses? Que veux-tu dire?

— La venue du prince des horizoniers à Québec n'est pas passée inaperçue, surtout lorsqu'il se promenait à moitié nu en plein hiver, expliqua Victor. Tout le monde l'a vu. D'ailleurs…

Victor prit un journal qui traînait sur le comptoir.

— … si tu jettes un coup d'œil là-dedans, continua-t-il en tendant le journal à Nathan, tu verras des tonnes de photos de Zackarias, Chantico, Pakarel et moi, en route pour ma maison. On voit très clairement le matériel médical de Chantico.

Nathan, qui n'eut qu'à regarder la page de couverture pour voir une belle photo en noir et blanc de Victor et ses amis, resta tout aussi perdu.

— Je vais expliquer la situation à Thomas, clarifia Victor en remarquant la confusion de son ami. En voyant ces photos, il verra bien que j'ai fait venir un docteur spécialisé pour soigner Caleb. De ce fait, je vais essayer de le convaincre que Miron n'avait pas à débrancher l'intraveineuse d'onyxide de Caleb.

— De cette manière, conclut Nathan, tu veux faire passer la responsabilité des événements sur le dos de Miron?

— Exactement, répondit Victor, qui venait d'enfiler ses bottes.

— Même si tu réussis, dit Nathan, qui comprenait visiblement la situation, ils vont quand même interner Caleb… Ils verront bien qu'il est malade…

— Pas si Chantico en décide autrement. C'est elle, la responsable de Caleb.

— Comment veux-tu qu'ils croient cela? s'opposa Nathan qui répondit par la suite à sa propre question. Ah… l'hôpital de Québec ne possède pas d'onyxide… il est donc improbable que Miron ait installé l'intraveineuse.

— Tout juste, admit Victor. Explique la situation aux filles, s'il te plaît. Je dois y aller.

— Je vais essayer, dit Nathan tandis que Victor refermait la porte derrière lui et s'engageait dans les rues enneigées de Québec.

À demi plongé dans ses pensées, la canne à la main et le visage à moitié caché dans son foulard, le jeune homme marchait sur l'allée principale de la ville, croisant quelques passants de temps à autre. Victor ne pensait pas vraiment à la façon dont il allait aborder Dujardin, puisqu'il s'était résolu à improviser. Ses pensées divaguaient sur des sujets sans rapport avec la situation actuelle, jusqu'à ce qu'elles s'arrêtent étrangement sur Marguerite, la femme qui avait donné sa vie pour l'aider à se sauver de l'Institut. Victor s'était toujours senti un peu coupable de la tournure des événements, c'est pourquoi il se jura que la prochaine fois qu'il irait à Londres, il lui rendrait visite, au cimetière. Puis, il se rappela que Maeva était probablement en route pour sa maison, puisqu'ils s'y étaient donné rendez-vous, la veille.

Victor arriva au poste de police une dizaine de minutes plus tard. C'était un grand et sinistre bâtiment de pierre aux larges portes de bois. Après avoir monté avec précaution les trois marches glacées qui menaient aux portes, le jeune homme entra, impatient de rencontrer Dujardin.

Le jeune homme mit les pieds dans un vaste hall d'entrée, entouré de portes et de couloirs qui menaient dans tous les recoins du poste de police. Un grand chandelier pendait au plafond, illuminant le comptoir d'accueil situé en plein milieu du hall, derrière lequel se trouvait une secrétaire à l'air désagréable qui ne leva même pas les yeux pour le regarder. Le silence était uniquement brisé par les pas de Victor ainsi que le faible tapotement de sa canne.

Sentant ses oreilles décongeler et ses joues picoter, Victor se posta devant le comptoir.

— Bonsoir, dit-il.

Comme si ce simple geste lui était considérablement difficile, la secrétaire posa les yeux sur Victor avec lenteur et dédain.

— Ouais ? dit-elle de sa voix grincheuse, qui allait parfaitement bien avec ses lunettes en amande lui donnant un air désagréable.

Victor ne voyait plus la nécessité d'être courtois.

— Je veux voir Dujardin, dit-il en effaçant son sourire.

— Pas là, répondit-elle simplement.

Victor leva les yeux et balaya l'endroit du regard. Il repéra une affiche indiquant « *bureaux des officiers* » sous un large escalier qui menait à l'étage supérieur. Dujardin était-il plus haut ? Il allait devoir vérifier. Sans remercier la secrétaire qui ne prêtait déjà plus attention à lui, Victor s'écarta du comptoir et monta l'escalier.

Le jeune homme arriva dans un long couloir qui donnait sur une série de portes. Quelques lampes à huile étaient accrochées aux murs, éclairant l'endroit avec une vive intensité. Soudain, un homme fit irruption dans le couloir, les yeux plongés dans un document. Victor se figea, mal à l'aise, mais l'homme passa à côté de lui sans même se rendre compte de sa présence, trop absorbé par sa lecture.

— Je peux vous aider ? dit une petite voix derrière lui.

Sursautant, Victor fit volte-face et vit qu'un gobelin, vêtu du traditionnel habit noir des officiers, le regardait d'un air intrigué. Le gobelin avait les cheveux bruns hirsutes, une barbe bien entretenue et son nez, drôlement long, pendait un peu en son extrémité.

— Je… hum, oui, balbitua le jeune homme en tentant de se reprendre. Je cherche l'officier Dujardin.

— Que faites-vous ici ? lança le gobelin d'un œil méfiant. Vous ne pouvez pas monter…

Le gobelin s'interrompit, plissa les yeux avant de les rouvrir grandement.

— Attendez une minute, reprit le gobelin. Nom de nom ! Vous êtes Victor Pelham ! Le pianiste !

Le visage de Victor, meurtri d'inquiétude, s'étira en une grimace maladroite.

— Euh, oui, c'est ça. C'est bien moi.

Le gobelin se mit à sourire, visiblement fier de sa découverte.

— Je viens vous voir deux fois par semaine ! lança le gobelin d'une voix forte. Vous êtes un excellent pianiste ! Comme il ne s'en fait plus !

Victor lâcha un petit rire forcé.

— N'exagérons rien, dit-il d'une petite voix, mal à l'aise.

— Et on ne vous a pas répondu à la réception ? demanda le gobelin d'un air étonné.

— Pas… vraiment, répondit Victor qui n'osait pas mentir ni totalement dire la vérité.

Le gobelin grogna, comme si la réponse du jeune homme ne l'étonnait pas.

— Évidemment. Cette jeune femme est complètement inutile. C'est la fille du commissaire, et il est persuadé qu'elle fait de l'excellent travail, ajouta-t-il sur un ton sarcastique. Peu importe, je radote. Vous vouliez voir Dujardin ? Eh bien, il travaille chez lui depuis une semaine.

Victor leva un sourcil. Pourquoi Thomas restait-il donc chez lui ?

— C'est important ?

— Assez, admit Victor.

Le gobelin le regarda d'un air rusé.

— Et c'est urgent ?

— Très, répondit le jeune homme en hochant la tête avec insistance.

— Je vois. Bon. Si vous voulez, je peux vous donner son adresse.

— Vous pouvez divulguer ça ? s'étonna Victor.

— Un officier doit être disponible lorsqu'on le demande, même chez lui, répondit le gobelin. Venez, que je vous donne son adresse.

Le jeune homme suivit le gobelin dans une pièce qui s'avéra sans aucun doute être son bureau. L'endroit était bien décoré et immaculé, un chandelier pendait au plafond et quelques classeurs étaient entassés au fond, derrière un bureau en bois. Victor y vit le nom de famille du gobelin inscrit sur une plaque, Merleau, ainsi que son grade, officier en chef. Il était semble-t-il tombé sur la bonne personne.

Le gobelin s'installa sur sa chaise, qui grinça, et se fit glisser jusqu'aux classeurs, qu'il ouvrit. Victor ne voyait pas ce qu'il faisait, mais il était facile de déduire qu'il feuilletait des dossiers. Puis, il repoussa le tiroir du classeur et glissa vers son bureau, une feuille de papier en main.

— Je l'ai juste ici, déclara le gobelin en cherchant quelque chose du regard sur son bureau. Attendez que je vous la transcrive sur un papier... Ah, voilà.

Il repéra un bout de papier et y griffonna quelque chose avec une plume, qu'il venait de tirer de son encrier.

— Bonne soirée et faites attention à l'escalier, monsieur Pelham! déclara amicalement Merleau en tendant le bout de papier à Victor.

Le jeune homme jeta un coup d'œil au bout de papier.

41, *rue de l'Archiviste*
Ville de Québec

Victor connaissait cette rue. Il passait devant plusieurs fois par semaine, lorsqu'il se rendait, à pied, au cabaret. Il ignorait cependant que Dujardin y vivait!

— Merci, dit le jeune homme en saluant le gobelin de sa main qui tenait l'adresse de Dujardin.

En retournant au hall d'entrée, Victor remercia mentalement sa chance, car sa pseudo-célébrité l'avait sauvé d'un bien mauvais pas. Il ne prit pas la peine de saluer la réceptionniste qui semblait occupée à se contempler les ongles. Une fois dehors, Victor reprit son chemin vers la rue qu'il connaissait si bien, tout en pensant à Thomas Dujardin. Comment allait-il réagir à sa visite? Les deux hommes ne s'étaient pas revus depuis son procès. Peu importe, conclut le jeune homme, il allait bien voir sa réaction.

Histoire de ne pas se tromper d'adresse, Victor jeta un coup d'œil à son papier plus d'une fois, s'assurant chaque fois qu'il n'allait pas cogner à la mauvaise porte. Il arriva au numéro 41, situé au fond d'une allée brumeuse, à peine cinq minutes plus tard. La porte de bois, faiblement éclairée par une lanterne, menait probablement à l'appartement du haut. Victor saisit le heurtoir et cogna trois coups.

Il jeta un coup d'œil à sa montre ; il serait bientôt 23 h. Victor regretta alors de se présenter chez quelqu'un aussi tardivement. Les gens normaux dormaient généralement, à cette heure-ci ! Alors que sa motivation à rencontrer Dujardin dégonflait rapidement, il entendit le loquet de la porte se déverrouiller. Son cœur se crispa tandis que la porte s'ouvrait. Dujardin se tenait devant la porte, qu'il tenait de son bras musculeux. Il n'avait pas changé : toujours aussi large d'épaules, et son crâne rasé luisait faiblement à la lueur de la lanterne. Il portait une chemise noire retroussée sur ses avant-bras ainsi qu'un pantalon de bonne facture. Malgré l'heure tardive, il avait l'air parfaitement éveillé.

— Monsieur Pelham, dit-il de sa voix lente, caverneuse et posée. Que me vaut votre visite ?

— Bonsoir, officier Dujardin, dit Victor en tentant d'avoir l'air calme et décontracté. J'ai grandement besoin de vous.

— Ah bon ?

Il y eut un court silence. Victor était planté là, devant Thomas, qui le regardait d'un visage neutre, mais qui laissait presque paraître de la moquerie. Puis, l'officier s'écarta.

— Entrez, dit-il.

Victor hocha la tête et entra. Il se retrouva devant un étroit escalier de bois qui montait vers une autre pièce. Dujardin, qui venait de verrouiller la porte, passa devant lui et monta l'escalier. Le jeune homme suivit en silence l'officier qui venait déjà de disparaître dans la pièce, tout en haut de l'escalier.

Lorsqu'il mit les pieds dans la pièce, Victor observa les lieux. Il se trouvait dans un grand salon ouvert, meublé de nombreuses bibliothèques regorgeant de reliures sombres. Un fauteuil en cuir était placé devant le manteau d'un foyer dont le feu craquelait et éclairait doucement la pièce. Le plafond était haut et se terminait en pointe, soutenu par de nombreuses poutres de bois. Les murs, faits de briques foncées, étaient presque entièrement recouverts par d'énormes peintures originales.

— Venez, lui dit Thomas en marchant vers un bureau de bois, situé devant une large fenêtre.

Détournant son regard de la décoration plus qu'impressionnante de l'officier, Victor rejoignit Dujardin, qui venait de s'asseoir à son bureau. De toute évidence, il avait vu Victor venir cogner à sa porte, puisque la fenêtre offrait une grande vue sur l'allée. L'officier ferma un gros livre qui reposait sur son bureau et fit signe à Victor de s'asseoir en face de lui, ce qu'il fit.

— Vous avez dit avoir besoin de moi ? dit-il en fixant le jeune homme de son regard froid. Comment puis-je vous être utile, monsieur Pelham ?

Chapitre 10

Laura

— Premièrement, débuta Victor en déroulant son écharpe et en retirant ses gants, je tiens à m'excuser pour cette visite tardive.

Voyant que Dujardin ne répondait pas, le jeune homme continua :

— Vous vous souvenez de Caleb ? Le demi-gobelin aux cheveux bleutés, qui...

Victor interrompit sa phrase lorsqu'il vit Dujardin hocher la tête.

— Bon, eh bien, dit le jeune homme, il est dans un état...

— Quel genre d'état ? demanda Dujardin avec sa rigidité habituelle.

Victor raconta à l'officier ce qui s'était passé depuis l'arrivée de Caleb, jusqu'à la tournure des événements orchestrés par Miron et ses deux stagiaires. Une fois que les faits eurent été exposés, Dujardin, qui avait écouté Victor d'une oreille attentive, demanda :

— Et qu'attendez-vous de moi, monsieur Pelham ?

Le jeune homme crut déceler une once de sarcasme dans la voix de l'officier, mais il n'en était pas certain.

— Vous avez le pouvoir de m'aider à sauver Caleb, dit Victor d'un ton sérieux.

— Je ne peux pas arrêter Miron et je ne le ferai pas, trancha rapidement Dujardin.

— Je ne vous demande pas de l'arrêter. Je vous demande de l'empêcher de mettre Caleb en quarantaine. Cela signifierait sa mort !

Dujardin observa le jeune homme d'un regard si froid et intimidant que Victor détourna les yeux par deux fois.

— Je sais ce que vous avez en tête, monsieur Pelham, et cette idée ne me plaît pas du tout.

Surpris, Victor leva un sourcil.

— Vous voulez que j'empêche Miron de prendre votre ami, sous prétexte qu'un autre médecin en a la charge, ce qui est faux.

— Ce n'est pas tout à fait faux. Chantico est bien venue…

— Je sais, le coupa Dujardin. Mais le fait est que vous avez appelé Miron pour qu'il soigne votre ami, et ce, avant de demander de l'aide à cette femme. Et, avant que vous ajoutiez quoi que ce soit, sachez que toute la ville a lu le journal de ce matin qui indiquait clairement que les horizoniers sont arrivés hier, tandis que Miron a assurément créé un dossier pour Caleb dès que vous l'avez appelé. Vous comprenez?

— Je comprends, dit Victor en baissant les yeux, sentant tous ses plans s'écrouler.

— Je suis désolé, monsieur Pelham, dit Dujardin sans même sembler le penser, mais je ne peux rien pour vous. Vous ne pouvez pas sauver tout le monde. On arrive toujours devant un mur infranchissable, un jour ou l'autre.

Le jeune homme remarqua un changement dans la voix de Dujardin, lorsqu'il prononça cette dernière phrase. Un changement qui indiquait une sorte de regret, ou de tristesse.

— Quand avez-vous frappé ce mur? demanda Victor.

— Je vous demande pardon?

— Vous m'avez bien compris, monsieur Dujardin, dit le jeune homme en soutenant son regard.

Les deux hommes s'observèrent et Victor crut sentir la tension monter entre eux. Venait-il de ruiner ses chances d'avoir son aide, si ce n'était déjà fait?

— Il y a trois ans, répondit Dujardin de sa voix lente et froide. J'ai perdu ma femme. Nous nous étions rencontrés 15 ans plus tôt. Elle avait une malformation au cœur. Elle est morte d'une crise cardiaque à 32 ans. J'ai passé près de quatre années à parcourir tous les hôpitaux les plus qualifiés du monde et je l'ai quand même perdue. C'est ce jour-là que j'ai atteint le mur, monsieur Pelham.

Victor avait la bouche sèche. Malgré la froideur dégagée par Dujardin, il pouvait lire la peine dans ses yeux. Il avait devant lui un homme déchiré par la tragédie. Victor s'imagina perdre Maeva et sentit le coin de ses yeux s'humidifier.

— Je… je suis désolé, dit Victor en changeant de position sur sa chaise, passant les doigts sur ses yeux. C'est horrible.

— Papa? dit une petite voix.

Victor pivota sur sa chaise et vit une fillette installée dans un fauteuil roulant, à l'entrée d'une chambre plongée dans l'obscurité. La fillette ne devait pas avoir plus d'une dizaine d'années. Elle avait de longs cheveux blonds, le teint blême, portait des lunettes et dégageait une très grande fragilité, tout l'inverse de son père.

— Il faut savoir être reconnaissant des choses que nous sommes parvenus à sauver, dit Dujardin à voix basse, tout en se levant. Qu'y a-t-il, Laura, ma chérie?

Dujardin avait pris un tout autre ton, beaucoup plus doux et amical, ce qui étonna Victor.

— J'ai... mal, dit-elle d'une voix faible, visiblement gênée par la présence de Victor.

— Je vais y aller, dit Victor en se sentant définitivement de trop.

Alors qu'il se levait de sa chaise, l'officier lui fit signe de ne pas bouger, tandis qu'il se dirigeait vers sa fille. Il la saisit délicatement et la souleva de son fauteuil, avant de l'emmener dans la chambre. Peu après, une lumière vacillante éclaira la pièce, sans doute une chandelle. Victor se sentait désemparé. Il avait toujours ressenti une profonde compassion envers les gens diminués physiquement ou intellectuellement, parce qu'il pouvait comprendre ce que c'était, d'être bien différent des autres. Une dizaine de minutes plus tard, durant lesquelles Victor s'était senti de plus en plus mal, la lueur de la chambre s'éteignit et Dujardin revint s'installer à son bureau.

— Laura est née avec une malformation de la colonne, dit-il en lisant dans les pensées de Victor. Elle ne peut pas marcher. Elle est aussi très, très fragile. Je dois souvent la masser et m'assurer que tout va bien.

Victor hocha la tête, plein de compassion.

— C'est pour cela que vous êtes absent du poste de police? demanda-t-il à voix basse.

Dujardin hocha la tête.

— Elle est comme sa mère, avoua Dujardin d'un air un peu rêveur, mais triste. Fragile. C'est tout ce qui me reste d'elle. Vous savez qu'elle me demande souvent que je l'emmène au cabaret, pour vous voir ?

Victor sentit ses entrailles se contracter.

— Je... Ah oui ? balbutia-t-il, le cœur serré.

— Mais Laura est trop faible pour que je la sorte dans un milieu aussi fréquenté. Elle est amoureuse de la musique. Elle joue un peu de piano, même si elle se fatigue trop facilement. D'ailleurs, elle vous a reconnu.

— Si vous voulez, s'offrit Victor, je pourrais venir jouer pour elle. Lui enseigner, même.

Dujardin fronça les sourcils.

— Monsieur Pelham, je sais que vous tentez de marchander...

Cette fois, ce fut Victor qui l'interrompit froidement, insulté :

— Marchander ? Pour quel genre de monstre me prenez-vous ? Que vous refusiez ou non de m'aider ne change en rien mon offre.

Pour la première fois, Dujardin baissa les yeux.

— Vous feriez ça pour elle ?

Victor hocha la tête en souriant.

— Bien sûr.

— Quel est votre tarif ?

Victor lâcha un petit rire.

— Ai-je l'air de quelqu'un qui se soucie de l'argent ?

Dujardin ne répondit rien, visiblement désemparé.

— Je viendrai jouer pour elle, demain soir. Ça vous va ?

L'officier hocha la tête et un petit sourire apparut sur son visage froid.

— Je dois aller à Paris dans deux jours, continua Victor en se levant, pour y jouer du piano, mais principalement pour tenter d'élucider le mystère qui entoure Caleb. Par contre, je vous promets qu'à mon retour, je reviendrai la voir chaque semaine.

Le jeune homme enfila ses gants et son foulard. Poliment, il conclut :

— Je vous remercie de m'avoir accordé de votre temps, officier.

Dujardin hocha la tête et lui souhaita une bonne nuit. La canne à la main, Victor traversa l'allée avec l'impression que l'officier le regardait depuis sa grande fenêtre. Sans se retourner pour vérifier, le jeune homme tourna au coin d'une rue et retourna en direction de chez lui. Il était déçu. Il avait vraiment espéré que Thomas l'appuierait, comme il l'avait fait lors de son procès. Dujardin lui avait clairement expliqué les raisons pour lesquelles il ne pouvait pas l'aider, et tout cela se comprenait. Cependant, Victor ne pouvait pas se résigner à laisser Miron revenir avec son équipe pour enfermer Caleb dans une chambre de quarantaine. Il ne pouvait s'y résigner, mais peut-être frapperait-il tout de même ce mur de l'impuissance, tout comme Dujardin.

En entrant chez lui, Victor fut accueilli par Maeva.

— Ils m'ont raconté, au sujet de Miron et de Caleb, dit Maeva. Comment les choses se sont-elles déroulées ?

Il aurait bien voulu lui sourire ou encore lui répondre, mais le poids de l'échec pesait sur ses épaules et lui bloquait la parole. Maeva avança alors vers lui, les bras tendus, tandis qu'il la regardait d'un air triste. Maeva se blottit dans ses bras, chaleureuse, comme toujours. Le jeune homme ne dit rien, mais savait que Maeva avait compris qu'il n'était pas parvenu à convaincre Dujardin. C'était l'un de ses étranges dons, lire dans les yeux du jeune homme.

— Ce n'est pas grave, lui murmura-t-elle à l'oreille en jouant dans ses longs cheveux châtains. Tu as fait ce que tu as pu, et même plus.

Victor lâcha un profond soupir, qui était un curieux mélange de soulagement et de résignation. Nathan arriva au moment où Victor et Maeva se décollaient l'un de l'autre.

— Alors ?

Victor fit un signe négatif de la tête.

— Merde, murmura l'homme en se passant la main sur son menton au long bouc blond. J'y avais vraiment cru.

— Écoutez, dit Maeva à l'intention de Nathan et de Victor. Vous devriez aller voir Caleb et passer… un bon moment ensemble. Vous êtes ses amis… Il en aura besoin.

— Il est déjà réveillé ? s'étonna Victor.

— Oui, dit doucement Maeva avec une expression soucieuse. Mais il… Caleb ne va pas bien. Il réagit différemment au traitement.

— Il est fiévreux et sa respiration est souvent saccadée, ajouta Nathan. Son état empire.

— Merde, soupira Victor. Que devons-nous lui dire ?

— Il est au courant de tout ce qui s'est passé avec Miron, dit Maeva. Il voudra savoir ce qu'il en est avec Dujardin. Je crois qu'il serait préférable de lui dire la vérité et… vous êtes les mieux placés pour lui annoncer.

Une fois son manteau, son foulard et ses gants retirés, le jeune homme monta tranquillement, avec Nathan, dans la chambre où Caleb se trouvait, emmitouflé sous les couvertures du lit de Victor. La chambre était éclairée par plusieurs chandelles et on n'entendait que le faible bouillonnement de l'onyxide injecté par intraveineuse dans le bras de Caleb.

— Pas de bol, hein ? lâcha le demi-gobelin, qui les regardait de ses yeux cernés.

Sa voix était rauque et faible. Victor ne dit rien et Nathan se passa la main sur la nuque, mal à l'aise.

— Dujardin ne peut pas nous aider, lui dit Victor en s'installant sur la chaise près du lit.

Caleb lâcha un rire dénué d'énergie.

— On fait quoi, maintenant ?

Incapable de répondre, Victor avait comme une boule dans la gorge. Nathan, lui, fixait le plafond.

— La quarantaine, hein ? dit Caleb. Ça ne m'intéresse pas.

— Tu veux qu'on t'emmène ailleurs ? proposa Victor, même s'il ne voyait pas comment ils pourraient tous s'y prendre.

Caleb fit un signe négatif de la tête.

— Si vous faisiez ça, dit-il en s'adressant à Victor, vous seriez traqués, toi et tes amis, par les forces de l'ordre. Et vous savez comme moi qu'ils vous retrouveraient tous.

Nathan prit alors la parole :

— On pourrait toujours faire venir un vaisseau du Consortium et…

— Arrête, lâcha Caleb, ne dis pas de bêtises. Vous faites tout ce qui est en votre pouvoir pour laver la réputation de l'organisation que ma mère voulait sauver. N'allez pas foutre ces efforts aux poubelles pour moi.

— Tu préfères rester ici et attendre ton heure ? répondit tristement Nathan avec effroi.

Encore une fois, Caleb fit un signe négatif de la tête.

— Je n'irai pas en quarantaine, dit-il fermement. Et je ne me sauverai pas non plus. Vous savez tous les deux que, si ce virus se développe entièrement en moi, je deviendrai quelque chose de dangereux.

Victor croyait savoir où Caleb voulait en venir.

— Non ! protesta-t-il d'une voix forte. Non, tu es fou. Je ne le ferai pas !

Nathan regarda Victor avec surprise, comme s'il n'en croyait pas ses oreilles, puis il posa son regard sur Caleb, qui ne disait rien et semblait calme.

— Quoi ? dit l'homme au mohawk. De quoi parles-tu, Caleb ? Victor, de quoi parle-t-il, ajouta-t-il en se tournant vers lui, puisque le demi-gobelin ne semblait pas vouloir répondre.

— Il veut qu'on le tue.

Il y eut un silence assez désagréable.

— Attends, tu es sérieux ? demanda Nathan à Caleb.

— Je ne veux pas devenir un monstre, lâcha Caleb entre ses dents. Alors, finissons-en.

— Tu es cinglé ! lâcha Nathan.

— Je confirme, dit Victor en regardant Caleb avec un mélange de dégoût et de tristesse.

— Alors, amenez-moi un pistolet, grogna le demi-gobelin. Je sais que tu en as un, Nathan !

— C'est hors de question ! protesta l'homme en reculant d'un pas. C'est l'onyxide qui te bousille la cervelle ?

Caleb lâcha un juron et arracha l'intraveineuse de son bras, qui se mit à saigner, puis il tenta de sortir du lit, mais ne parvint qu'à s'écrouler sur ses genoux, rapidement retenu par Victor et Nathan. Les deux hommes n'eurent pas de problème à le remettre au lit. Caleb semblait sans forces, à bout de souffle, les yeux fermés et crispés dans une expression de douleur. Après avoir réinséré l'intraveineuse dans le bras de Caleb, les deux hommes réalisèrent que le demi-gobelin s'était endormi.

Une fois dans le couloir, Nathan demanda à Victor :

— Il ne faut pas le laisser seul, il est dingue !

— Ce qui lui a traversé la tête est horrible, confirma Victor, mais je ne crois pas qu'il soit fou pour autant. Il… il ne veut simplement pas nous causer de mal.

— Tu penches pour son option, alors ?

Victor lui répondit par un regard féroce, outré. Nathan soupira fortement et changea de sujet :

— Et maintenant, que fait-on ?

— On le surveille et on attend, répondit Victor, bien que cette idée ne lui plût guère.

Soudain, la voix de Nika retentit :

— Les garçons ? Où êtes-vous ? Ah !

Elle venait de sortir de la pièce de travail de Victor, l'air enjouée.

— Chantico vient tout juste de nous appeler ! Je lui ai expliqué la situation, et elle dit qu'elle est actuellement en route !

Victor et Nathan avaient tous deux reculé la tête, frappés par la nouvelle.

— Quoi ? lancèrent-ils en même temps.

— Qu'est-ce qui se passe, ici ? demanda Clémentine, qui avait ouvert la porte de sa chambre, vêtue d'un pyjama, mais parfaitement éveillée.

— J'aimerais bien comprendre, moi aussi ! ajouta Maeva, qui apparut en haut de l'escalier.

Essoufflée, Nika raconta la nouvelle à tout le monde. Elle leur expliqua ce que Chantico lui avait dit. Apparemment, les résultats des tests sanguins de Caleb avaient révélé que l'onyxide ne suffirait pas à son rétablissement.

— Elle a dit que Caleb développait une sorte de résistance à l'onyxide, qui progresserait jusqu'à l'immunité. Ne faites pas ces têtes, ajouta-t-elle en voyant l'expression mortifiée des autres. Elle croit avoir trouvé quelque chose pour empêcher cette résistance.

— Quand sera-t-elle là ? demanda Victor, qui semblait avoir attendu la fin des explications de Nika pour pouvoir enfin parler.

Nika, qui avait parlé avec une certaine excitation dans la voix, afficha alors une expression moins rassurante.

— Demain midi, avoua-t-elle au bout d'un soupir.

Nathan lâcha un juron.

— Je vais prendre un café et veiller sur Caleb, grommela-t-il en descendant l'escalier menant au rez-de-chaussée.

— Peut-être pourrions-nous parvenir à retarder l'arrivée de Miron et de ses médecins, suggéra Nika. Ou encore les convaincre d'attendre un peu, le temps que…

Elle venait de croiser le regard de Victor qui, lui, semblait finalement accepter qu'ils aient bel et bien atteint le mur de l'impuissance.

— Nika, dit-il en posant la main sur son épaule d'une manière chaleureuse. Nous ne pouvons plus rien pour lui. Nous devons simplement attendre.

Elle le regarda d'un air sombre.

— Tu abandonnes ? siffla-t-elle entre ses dents.

— Pas du tout, mais je suis bien forcé d'admettre que nous sommes à bout de ressources.

Nika resta sans voix. Elle regardait le jeune homme d'un air embêté.

— Victor a raison, lui dit Maeva d'un air doux. Nous avons tout fait pour Caleb. Nous devons seulement espérer que les choses se déroulent le mieux possible pour nous tous.

Nika, qui semblait mal digérer les paroles de Victor et de Maeva, disparut pour le reste de la soirée dans sa chambre. Quant à Victor, il passa la nuit à surveiller Caleb en compagnie de Nathan et de Maeva, qui partagèrent la garde du demi-gobelin au lieu de changer à tour de rôle. Passé 3 h du matin, le jeune homme était le seul à ne pas s'être endormi, assis par terre, contre le mur. Maeva et Nathan s'étaient endormis, l'une appuyée sur Victor, l'autre sur la chaise. Caleb dormait aussi, malgré sa respiration parfois saccadée et rauque.

En le regardant, le jeune homme se mit à penser à ce qui lui arriverait au matin. Il se sentait anéanti, complètement désarmé devant la situation. Pourtant, le demi-gobelin était là, allongé sur le dos dans son lit. Caleb aurait préféré mourir, mais Victor, incapable d'accéder à sa demande, allait devoir le livrer à l'hôpital, ce qui allait, au final, se terminer de la même manière. Incapable de trouver le sommeil, le jeune homme passa la plus longue nuit de toute sa vie, une nuit où il contempla un mur qu'il ne pourrait jamais franchir. C'était la première fois qu'il se sentait aussi inutile et surtout, impuissant.

Ayant finalement sombré dans un sommeil difficile, Victor se réveilla presque aussitôt en sursaut. Il avait cru entendre quelque chose. Le jeune homme cligna des yeux et regarda autour de lui. Il n'entendait à présent que le faible bouillonnement de l'intraveineuse d'onyxide, et pourtant, il était persuadé d'avoir entendu autre chose. Quelque chose comme...

Soudain, quelqu'un cogna à la porte. C'était ça! Victor poussa doucement Maeva, saisit sa canne et se leva. Apparemment, il était le seul à avoir entendu cogner, puisque personne ne s'était levé pour le rejoindre. Son cœur battait à toute allure tandis qu'il descendait l'escalier, car il savait qu'il allait tomber nez à nez avec Miron.

En ouvrant la porte, Victor resta figé.

— Voici une note du juge interdisant à Miron et à son équipe d'emmener votre ami, dit Dujardin en tendant une enveloppe à Victor.

Le jeune homme, bouche bée, tendit lentement la main pour la prendre.

— Arrangez-vous pour avoir une visite de votre autre docteur d'ici deux jours et veillez à ce qu'elle reste ici, le temps que je mène une enquête, dit fermement Dujardin.

L'officier semblait fatigué, mais sa voix n'avait pas perdu de sa froide vivacité.

— Vous… mènerez une enquête? demanda Victor, encore sous le choc. Mais comment… comment avez-vous eu cette note du juge?

L'officier jeta un coup d'œil par-dessus son épaule et dit :

— Je me suis arrangé pour qu'on récupère les documents de Miron avant l'aube. C'était la seule façon de faire passer votre docteur pour celui de Caleb. Vous devrez jouer le jeu et faire en sorte que cette situation reste sous notre contrôle. Maintenant, j'ai à faire. Bonne journée.

Victor resta planté là, observant Dujardin, qui s'éloignait d'un bon pas. L'homme n'avait pas répondu à ses questions, mais Victor ne désirait pas non plus trop en demander. En réalisant l'étrange luminosité, Victor jeta un coup d'œil à sa montre; il était 5 h du matin. Miron n'arriverait pas avant quelques heures. Une fois de retour à l'intérieur, Victor finit par admettre que tout cela n'était pas un rêve lorsqu'il ouvrit l'enveloppe scellée de cire rouge et qu'il lut la note. Celle-ci interdisait effectivement à l'hôpital et à ses membres de déranger Caleb pour les deux prochains jours.

Excité, fou de joie, mais mort de fatigue, le jeune homme lut et relut la note du juge, comme pour s'assurer que les mots n'indiqueraient pas un autre message à chaque fois.

— Bon matin, dit Maeva d'une voix pâteuse, bâillant fortement.

Remarquant l'expression ravie du visage de Victor, elle ajouta :

— Mon Dieu, qu'est-ce qui te rend si souriant?

— On est venu cogner à la porte il y a une demi-heure.

— C'était ça, le bruit! Les gens de l'hôpital? C'était eux?

Victor hocha la tête négativement et tendit à son amoureuse la note du juge amenée par Dujardin.

— C'était Dujardin, dit-il d'un air satisfait, contenant sa joie. Il a décidé de nous aider.

Maeva lui arracha la note des mains. Son visage, qui auparavant montrait une grande fatigue, était maintenant complètement éveillé. Victor la vit parcourir les lignes de la note à une vitesse folle. La bouche grande ouverte, elle s'exclama sans quitter la lettre des yeux :

— Oh... mon... Dieu !

Puis, elle lâcha un cri de joie trop aigu pour les pauvres oreilles de Victor.

— Aïe ! se plaignit-il en riant. Pas si fort...

Maeva lui sauta dans les bras, folle de joie. Victor lui expliqua alors ce que Dujardin lui avait dit.

— Tu te rends compte ? lui lança-t-elle avec joie. On pourra peut-être sauver Caleb !

— Ça m'en a bien l'air, dit Victor en lui souriant.

Le cri de Maeva avait réveillé toute la maison, sauf Caleb. L'air morose, Nika et Nathan descendirent rejoindre Victor et Maeva à la cuisine. Leur visage changea d'expression lorsqu'ils virent les deux amoureux rayonner de joie.

— Qu'est-ce que vous avez à crier ainsi ? marmonna Nika, surprise, alors que ses cheveux frisés et blonds s'étaient hérissés durant la nuit.

Nathan, qui avait l'air ravagé par la mauvaise humeur et la fatigue, s'effondra sur une chaise de la cuisine.

— Nous avons quelque chose à vous dire, lança Victor, qui avait du mal à se contenir. Caleb... ne sera pas emmené par l'hôpital.

— Quoi ? lança aussitôt Nika, l'air surprise.

— Vous vous foutez de nous ? répondit Nathan avec la mâchoire grande ouverte.

— Regardez ! fit Maeva, fébrile, en leur tendant la note du juge.

Tout en parcourant la lettre des yeux, Nathan poussa une série de jurons bien enchaînés en guise d'étonnement.

— Pourquoi tu nous as fait croire que Dujardin ne t'aiderait pas ? lança-t-il ensuite à Victor en tendant la note à Nika.

— Parce qu'hier, il ne voulait pas ! répondit le jeune homme.

— Mais qu'est-ce qui a bien pu le faire changer d'avis ? s'étonna Nathan.

— Dieu du Ciel, s'exclama Nika en cachant sa bouche de sa main. C'est… c'est incroyable !

— Oh, oh ! rit Nathan, j'ai bien hâte de voir la tête de cet idiot de Miron, lorsqu'il lira la note du juge !

À la suite de cette bonne nouvelle, Victor et ses amis décidèrent de cuisiner un bon petit déjeuner, histoire de passer le temps jusqu'à l'arrivée de Miron. Dans le brouhaha ambiant, Clémentine les rejoint, l'air blême et livide. Elle non plus n'avait pas dormi. Nika et Maeva se chargèrent presque aussitôt de lui remonter le moral avec la bonne nouvelle, ce qui fonctionna à merveille.

— Victor, suggéra Maeva en déposant des tranches de pain rôties sur la table, peut-être devrais-tu aller te coucher ? Tu n'as pas fermé l'œil de la nuit, je te connais.

— Pas avant que Miron soit venu et reparti, lui répondit-il en buvant une gorgée de jus d'orange.

Maeva lui envoya un sourire.

— Après, continua-t-elle, telle une mère soucieuse, je veux que tu ailles au lit. Promets-le-moi.

— C'est promis !

On cogna alors brusquement à la porte. Puis, ils entendirent une voix étouffée.

— Monsieur Pelham ? Veuillez nous ouvrir !

Chapitre 11

L'avertissement de l'officier

Lorsqu'il ouvrit la porte, Victor vit sur le seuil un Miron au visage sombre accompagné de trois ou quatre personnes vêtues de manteaux, que le jeune homme reconnut comme du personnel de l'hôpital. Une diligence attendait derrière eux, et les chevaux qui y étaient attelés semblaient agités, claquant leurs sabots sur le sol glacé de la fin décembre.

— Voilà comment nous procéderons, débuta Miron. Moi et mon équipe allons… Quoi ?

Il venait de s'interrompre, puisque le jeune homme avait levé la main pour lui indiquer d'arrêter de parler. Victor tendit la note du juge, que le graboglin saisit de sa main trapue. Intrigué, celui-ci marmonna :

— Mais qu'est-ce que…

Il tira une paire de lunettes de la poche avant de son veston et lut la note d'un œil attentif. Au fur et à mesure qu'il lisait, son humeur semblait chuter. Pendant ce temps, Victor observait les pauvres types qui accompagnaient Miron : de simples travailleurs de l'hôpital qui gelaient dehors, le nez rougi par la froideur du temps. Ils avaient tous l'air d'avoir été tirés du lit bien trop tôt. Quand ils apprendraient qu'ils allaient devoir retourner en direction de l'hôpital les mains vides…

— Sacrilège ! vociféra Miron, qui dévisageait Victor. Qu'avez-vous fait, mon garçon ? Comment osez-vous ?

Devant sa réaction, Victor n'eut pas du tout envie de rire. Miron était un graboglin, et leur stature était… imposante. Cependant, il ne manqua pas de soutenir son regard avec dureté.

— Fislek n'a pas d'autre docteur que moi ! rugit le docteur.

— Qui a installé l'intraveineuse d'onyxide, selon vous ? répondit Victor d'un air sarcastique.

— Vous voulez jouer à ce petit jeu, hein, Pelham ? dit Miron d'un air menaçant, la voix basse. Très bien, très bien. Je vais aller voir le juge avec mes dossiers. Estimez-vous chanceux si vous ne payez qu'une simple amende pour nous avoir fait perdre notre temps ! Je reviendrai dès que possible, soyez-en certain !

L'air furieux, Miron fit volte-face en faisant signe au personnel de l'hôpital de le suivre dans la diligence. Lorsqu'il referma la porte, Victor retourna dans le salon. Nathan fixait la rue depuis la fenêtre du salon.

— Tu aurais dû l'envoyer manger son propre…

— Ne sois pas grossier, le coupa rapidement Maeva.

— En tout cas, dit Victor, lorsqu'il va réaliser que le dossier de Caleb n'est plus là, il va redoubler de rage.

Nathan émit un rire moqueur.

— Maintenant, dit Nika, nous n'avons plus qu'à attendre Chantico ! Allez, retournons manger !

— Bonne idée, confirma Maeva en faisant un clin d'œil à Victor. Qu'il puisse aller se coucher sur le sofa.

Maintenant que le stress était retombé, Victor sentit la fatigue le frapper de plein fouet. Après avoir rapidement terminé son déjeuner, Maeva accompagna le jeune homme qui, à peine avait-il enlevé sa chemise, tomba comme une pierre sur le sofa, dans un sommeil profond.

Lorsqu'il se réveilla, Victor vit une petite silhouette devant lui, portant un grand chapeau.

— Salut ! lança Pakarel.

— Que… qu'est-ce que tu fais là ? s'étonna Victor en se frottant les yeux.

— Oh… tu… tu veux que je m'en aille ? répondit Pakarel d'un air timide.

— Pas du tout, reprit Victor en se redressant. Mais je croyais que tu étais retourné travailler à la cordonnerie.

— Monsieur Fislek m'a demandé de venir prendre soin de Caleb. On m'a raconté ce qui s'est passé ce matin. Tu parles d'une histoire ! Si j'avais su, je serais revenu plus tôt... On a failli le perdre !

— On peut dire ça, acquiesça Victor.

Il jeta un coup d'œil à la fenêtre du salon ; l'obscurité commençait à tomber. Il avait donc dormi toute la journée. Heureusement qu'il ne travaillait pas aujourd'hui, mis à part sa visite prévue chez Dujardin en soirée.

— Au fait, s'inquiéta-t-il, le docteur Miron est-il revenu ? Chantico est-elle arrivée ?

— Chantico n'est pas encore revenue, répondit Pakarel avec déception. Mais le docteur est repassé ! Et, euh... c'est... Nathan qui a répondu. Trente secondes plus tard, Miron était reparti.

Victor pouvait aisément s'imaginer la rudesse de l'échange verbal entre Miron et Nathan.

— Il n'avait pas ses dossiers ? s'assura le jeune homme en enfilant sa chemise.

Pakarel fit signe que non.

— J'ai toujours su que Thomas Dujardin t'appréciait beaucoup, dit-il.

Victor doutait de ce que le pakamu venait d'affirmer, mais il n'émit qu'un grognement qui ne l'engageait à rien. Maeva vint les rejoindre et serra Victor contre elle.

— Ah, tu m'as l'air en bien meilleure forme ! déclara-t-elle en souriant.

— Oui, approuva Victor en souriant. Et maintenant, je vais aller prendre une douche. J'ai une visite à rendre, ce soir.

— Une visite ? s'étonna Maeva. Qui vas-tu voir ?

— La fille de Thomas Dujardin.

Il expliqua alors à Pakarel et à son amoureuse la promesse qu'il avait faite à Dujardin. Tous deux semblèrent touchés, mais arrivèrent à la même conclusion.

— C'est définitivement ça qui a fait changer Dujardin d'avis, dit Maeva d'un air songeur.

— Moi, je trouve que c'est très gentil, dit Pakarel d'un air radieux.

— Oh, pour la gentillesse, répondit-elle en regardant Victor d'un air adorable, on ne peut pas trouver mieux !

— Bien sûr que oui ! répondit le jeune homme, pris au dépourvu. Je veux dire… J'ai quand même un certain caractère…

Maeva et Pakarel échangèrent un regard et éclatèrent de rire. Une heure plus tard, Victor, douché et préparé, descendait manger le souper préparé par Nika. Ce soir, elle leur faisait l'honneur de son fameux pâté au poulet, particulièrement apprécié par Clémentine, qui mangea avec voracité. Quant à Victor, il dut s'essuyer la bouche et se lever de table avant même que le souper soit terminé.

— Je dois y aller, dit-il en prenant son assiette. Merci énormément pour le repas, Nika.

— Laisse, répondit-elle, souriante, en faisant un signe de menton vers son assiette.

— Sois prudent, lui dit Maeva en l'embrassant rapidement.

Pointant son index vers le plafond pour indiquer Caleb, encore endormi, il dit :

— Vous vous occuperez de…

— C'est pour ça que je suis ici ! lui rétorqua aussitôt Pakarel.

Coupé au milieu de sa phrase, le jeune homme referma la bouche, puis sourit à tout le monde. Sa maison était devenue très fréquentée depuis les dernières journées, mais voir tous ses amis réunis sous son toit ne le dérangeait pas du tout, bien au contraire, il en était heureux.

— À bientôt ! leur lança-t-il.

Laissant son assiette sur la table, Victor enfila son manteau d'hiver, ses bottes, ses gants et son foulard avant de quitter sa maison. Il était 20 h lorsqu'il s'apprêta à cogner le heurtoir de la porte de Dujardin. À sa grande surprise, la porte s'ouvrit brusquement et Miron apparut devant lui. Le graboglin le défigura pendant un court instant, avant de plisser les yeux (qui regardaient dans deux sens opposés) d'un air mauvais et de tonner :

— Vous !

— Je vous prie de quitter ces lieux! dit la voix de Dujardin, en arrière.

Le visage de Miron fut comme illuminé d'une idée. Il se retourna subitement.

— C'est Pelham qui vous a demandé de l'aide, hein? lança-t-il à Dujardin, que Victor ne pouvait pas voir. Pourquoi est-il ici?

— Ce que monsieur Pelham fait devant ma porte ne vous regarde pas, lui répondit Thomas de sa voix froide.

Victor, encore stupéfait de la situation, n'osa rien dire. D'un geste vif, Miron tourna la tête vers Pelham et pointa son doigt vers lui d'un air menaçant.

— Vous le paierez cher, Pelham!

— Si vous ne voulez pas que je vous arrête pour avoir proféré des menaces, l'avertit Dujardin, qui descendait l'escalier, allez-vous-en sur-le-champ!

Même Miron, qui était un graboglin, sembla se dégonfler en voyant la carrure de l'officier, qui lui ordonnait très clairement de s'en aller. Sans dire un mot, Miron quitta les lieux d'un pas pressé, marmonnant des phrases inaudibles que Victor supposa dirigées contre lui.

— Veuillez me pardonner pour ce petit imprévu, dit Dujardin à Victor, qui cligna plusieurs fois des yeux avant de réaliser que l'officier lui tendait la main.

— Oh! s'exclama le jeune homme en serrant tardivement la main de Thomas. Il n'y a aucun problème.

— Et lui? demanda Dujardin à mi-voix en faisant un signe de tête vers Miron, qui venait de tourner au coin de l'allée. Il s'est présenté chez vous?

— Deux fois. Il n'est pas de très bonne humeur. Que faisait-il ici?

Ignorant la question de Victor, Dujardin pivota sur lui-même et monta l'escalier.

— Laura vous attend, dit-il au milieu de l'escalier, sans même prendre la peine de se retourner.

Lâchant un court soupir, non pas en raison de l'attitude de Dujardin, mais plutôt par soulagement de voir Miron partir, Victor passa le seuil de la porte et la referma derrière lui. Tout en montant l'escalier, le jeune homme songea que Miron allait probablement leur créer d'autres ennuis. Encore une fois, il s'était mis dans de beaux draps. Si jamais quelqu'un découvrait ce que Dujardin avait trafiqué, pour lui, les choses ne s'annonceraient pas bien.

— Votre manteau, dit Dujardin, la main levée vers Victor, qui arrivait en haut de l'escalier, sa jambe gauche bourdonnant un peu.

— Euh… oui, merci, répondit Victor en souriant maladroitement.

Dujardin prit les affaires du jeune homme et alla les déposer sur l'unique fauteuil, devant la cheminée. Ne sachant pas s'il devait lui-même se rendre dans la chambre de la fillette, Victor resta là, mal à l'aise.

— Laura vous attend dans sa chambre, dit Dujardin sans même lui porter un regard.

— D'accord.

Il n'appréciait pas vraiment le manque de sympathie dont Dujardin faisait preuve, ni le fait d'être traité avec aussi peu de courtoisie, mais il lui était reconnaissant de ses actes. Le jeune homme s'abstint donc de tout commentaire. En le regardant se diriger vers son bureau, Victor se dit que Thomas était quelqu'un de bien, malgré sa façon d'être.

— Bonsoir, fit la voix d'une fillette.

Tournant la tête, Victor vit la jeune Laura, assise dans son fauteuil, blonde et blême, juste devant sa chambre. Elle avait l'air timide, mais elle le regardait avec un grand sourire.

— Bonsoir, lui répondit le jeune homme en lui rendant son sourire.

Il s'avança vers elle alors que la fillette faisait pivoter son fauteuil roulant et se dirigeait dans sa chambre. Une fois à l'intérieur, Victor découvrit un énorme lit aux couvertures de soie bordées de dentelle, tandis que de vastes rideaux pendaient de chaque côté. De nombreux portraits, sans doute dessinés par Laura, étaient disposés sur les murs. Quelques toiles à moitié peintes étaient éparpillées sur le sol. Sans aucun doute, la fillette était une artiste de talent. Dans un coin de la chambre se trouvait un piano qui avait l'air assez récent, contrairement à celui de Victor. Le banc du piano était poussé contre le mur ; il était très probable qu'il n'ait jamais servi, étant donné la condition de Laura.

Lorsque le jeune homme posa son regard sur la fillette, celle-ci baissa les yeux et ses joues s'empourprèrent.

— Tu t'appelles Laura, c'est bien ça ? lui dit Victor d'une voix doucereuse, qui avait pour but de dissiper sa gêne.

Elle leva les yeux vers lui. Ses joues rosées trahissaient son air neutre.

— Oui, répondit-elle. Et vous êtes monsieur Pelham.

Laura avait prononcé cette phrase en le regardant avec une lueur dans les yeux, qui contrastait d'ailleurs avec son visage sans expression, plutôt froid, qu'elle tenait de son père.

— C'est juste.

Laura détourna le regard et se mit à jouer avec ses pouces. Histoire d'éviter de la rendre encore plus mal à l'aise, Victor se frotta les mains et demanda jovialement :

— Alors, tu aimerais que je joue pour toi ?

— J'aimerais beaucoup, répondit-elle sans sourire.

Le jeune homme lui accorda un clin d'œil puis fit glisser le banc devant le piano.

— Voyons voir…

D'une manière presque nonchalante, Victor posa les doigts sur le clavier de l'instrument et se mit à jouer un air amusant, qui était la pièce qu'on lui demandait le plus souvent au cabaret.

— Ah, non ! dit le jeune homme d'un air joyeux. Il manque quelque chose. Tu n'aurais pas une idée de ce que c'est ?

La jeune fille sembla perdue. Victor se leva et souffla d'un air complice :

— Pourquoi ne jouerais-tu pas avec moi ?

— Moi ? Mais… je…

Son regard s'était momentanément arrêté sur le siège de piano. Victor savait que l'idée d'avoir besoin d'aide pour s'y installer la gênait.

— Je vais te donner un coup de main, lui proposa-t-il d'un air plus que rassurant.

— Je… D'accord.

Le jeune homme la souleva doucement de son siège et réalisa qu'elle était légère comme une plume.

— Et hop !

En prenant tout son temps, il la déposa doucement sur le banc, avant de s'y installer lui-même.

— Comme ça, c'est mieux, lui assura Victor avec un clin d'œil.

Pendant les deux heures suivantes, le jeune homme et Laura jouèrent ensemble des pièces assez simples tandis qu'il la bombardait de compliments sur sa façon de jouer. Étant jovial et souriant, Victor était parvenu à rendre Laura à l'aise et même à la faire sourire. À un moment, Victor réalisa que Dujardin était appuyé au cadre de la porte.

— Papa ! déclara Laura d'une voix joyeuse. Tu es là depuis longtemps ?

— Cinq minutes, dit Dujardin en souriant à sa fille. Tu es très talentueuse, bientôt tu pourras remplacer monsieur Pelham. Mais maintenant, il est temps d'aller au lit, ma chérie.

Déçue, Laura répondit d'une petite voix :

— Oh… déjà…

— Je reviendrai te voir, lui assura aussitôt Victor, si ton père le veut bien.

Le regard plein d'espoir, la fillette se tourna vers son père.

— Bien sûr, acquiesça-t-il en souriant.

— Merveilleux ! s'exclama Laura, rayonnante. C'est très gentil d'avoir accepté de me rendre visite, monsieur Pelham.

— Tout le plaisir était pour moi. Et appelle-moi Victor, d'accord ?

Lorsqu'il enfila son manteau devant le foyer, Victor eut la nette impression que Dujardin, qui s'occupait maintenant à mettre sa fille au lit, voulait lui dire quelque chose. En effet, tout en enroulant son foulard autour de son cou, le jeune homme vit l'officier s'approcher de lui.

— Merci d'être venu. Vous reviendrez la semaine prochaine, c'est bien ça ?

— Si vous n'y voyez pas d'inconvénients, répondit le jeune homme qui, au fond, ne voulait pas risquer de déranger qui que ce soit, surtout pas Dujardin.

— Vous devrez faire attention, lui dit alors l'officier. Nous marchons sur des œufs.

Victor savait ce que Dujardin voulait dire. Il parlait de Miron.

— Le docteur vous aura à l'œil. Et puisque vous allez venir ici pour Laura, il aura de bonnes raisons de soupçonner que nous avons manigancé quelque chose contre lui.

— Serait-ce moins risqué que je ne vienne simplement pas ?

Dujardin hocha la tête en signe de négation.

— Comportez-vous normalement. Si Miron engage quelqu'un pour vous observer, comme je le suspecte, vous devrez garder une attitude très normale. Vous venez ici pour donner des cours à ma fille, et je vous paie. Ainsi, je ne serai qu'un client comme un autre, aux yeux des accusateurs.

— Me payer ? répéta Victor. Mais je n'ai…

L'officier lui tendait déjà une petite bourse.

— Pour éviter tout soupçon, dit-il alors, vous allez devoir accepter cet argent, ou désappointer ma fille et ne plus revenir.

À contrecœur, le jeune homme prit la bourse et y jeta un coup d'œil rapide. Il devait y avoir plus de vingt pièces, ce qui était près du double du montant chargé pour le temps passé avec un client.

— Comme vous voulez. Je voulais vous remercier d'avoir décidé de…

Le jeune homme s'interrompit, comme lui suggérait Dujardin d'un signe de main.

— Ne mentionnez pas ces choses ici, dit-il. Ni nulle part ailleurs. Soyez vigilant, monsieur Pelham. Cette cité a bien des oreilles, tâchez de ne pas l'oublier, sinon ce sera notre perte. Je ne vous pardonnerais surtout pas que l'on m'éloigne de ma fille pour me mettre en prison. C'est bien compris ?

Victor hocha la tête. Dujardin avait raison, ils s'étaient tous deux mis dans une position assez délicate et il allait devoir jouer son rôle.

Persuadé que Dujardin n'avait rien à ajouter, Victor enclencha le pas vers l'escalier qui descendait à la rue.

— Faites attention, le prévint l'officier.

Une fois de retour à sa maison, qui était la seule encore éclairée à cette heure-ci, Victor vit Chantico installée dans le salon, depuis la fenêtre. Elle était souriante et semblait parler avec énergie. Le jeune homme s'empressa d'entrer.

— Comment va Caleb ? lança-t-il en direction de l'assemblée.

— Mieux, répondit Maeva. Chantico a trouvé quelque chose pour le stabiliser.

— On verra, nuança Chantico, qui apparut à son tour dans le hall d'entrée. Je ne suis pas certaine que le produit fera effet sur une longue durée, alors nous ne devrions pas sauter hâtivement aux conclusions.

Victor réalisa alors que la docteure n'était pas vêtue de ses légers habits, mais bien d'un pantalon et d'un chandail.

— Tu as changé d'accoutrement ? fit-il remarquer.

Jetant un coup d'œil à ses vêtements, Chantico répondit :

— Je reviens de Paris, ne l'oublie pas. Il ne serait pas très décent de ne pas être habillée convenablement. Enfin, pas sur une longue période.

— Merci infiniment de prendre tout ce mal pour nous aider, lui dit Victor d'un ton humble et sincère. Sans tes efforts…

— Allons, répondit Chantico d'un air modeste. Ce n'est rien.

Victor lui sourit. Il lui était grandement reconnaissant de s'être déplacée jusqu'à Paris et d'être revenue pour Caleb.

— Passons dans le salon, suggéra-t-il. J'aimerais que tu m'expliques ce que tu as trouvé pour aider Caleb.

Chantico sourit et hocha la tête.

Une fois dans le salon, Chantico expliqua à Victor qu'en analysant le sang de Caleb, elle était parvenue à comprendre que l'onyxide ne pourrait pas guérir le demi-gobelin et, encore pire, qu'il développait petit à petit une résistance à la substance. Or, elle avait découvert que s'il advenait que le sang de Caleb soit mis en contact avec un faible poison, ce dernier détruirait progressivement les anticorps du demi-gobelin, rétablissant ainsi les propriétés guérissantes de l'onyxide.

— Tout à l'heure, dit Victor en fronçant les sourcils, tu as dit que tu n'étais pas certaine des effets à longue durée. Que voulais-tu dire ? Que Caleb pourrait aussi développer des anticorps contre le poison ?

— Je crains que ce soit une forte possibilité, dit Chantico d'un air grave.

— Et si nous trouvions un poison plus fort ? suggéra Nathan, qui s'était joint à eux un peu plus tôt.

L'horizonière fit signe que non.

— Ce serait trop risqué pour la santé de Caleb. Il pourrait en mourir.

Victor se mit à réfléchir.

— Alors… il faut un poison assez fort, mais qui ne tuera pas Caleb. C'est bien ça ?

Chantico confirma lentement d'un hochement de tête.

— Si jamais le poison que j'ai administré à Caleb ne fonctionne pas… alors oui, il faudra trouver autre chose.

— Et Caleb, demanda Victor, il est réveillé ?

— Oui, mais il vaudrait mieux le laisser se reposer, expliqua Chantico.

Le lendemain matin, Victor se redressa du sofa sur lequel il s'était couché. Jetant un coup d'œil à la fenêtre, il vit des bourrasques de vent et de neige ; une tempête s'était levée. Massant son cou douloureux dû à une autre nuit inconfortable, Victor passa à la cuisine.

— Bon matin, dit Nathan sans lever les yeux de son journal, qui cachait tout son visage à l'exception de son mohawk blond, toujours aussi inexplicablement hérissé.

— Bien dormi ? lui demanda Victor, qui se doutait de la réponse, puisque l'homme avait dormi sur un tas de couvertures, sur le tapis du salon.

— Je n'ai pas à me plaindre. J'ai déjà passé deux mois à dormir sur un plancher en béton.

— Deux mois ? Comment ça ?

— Longue histoire, répondit simplement Nathan, qui avait l'air absorbé par son journal. J'ai fait de la prison, il y a quelques années. On s'était fait coincer à marchander avec un vendeur d'armes illégales.

Même s'il était intrigué par les dires de l'homme, Victor ne lui demanda pas plus d'information, car il avait l'air vraiment absorbé par son journal, et lui-même n'avait pas la tête à converser. Un bon café ainsi que deux tranches de pain rôties allaient passer en premier.

— Ça alors, dit Nathan au bout de trois minutes, tandis que Victor mâchait lentement sa bouchée de pain grillé.

Levant les yeux vers Nathan, Victor le vit, toujours plongé dans son journal, les sourcils froncés dans une expression d'intérêt élevé.

— Tu pars toujours pour Paris ce soir ? lui demanda Nathan.

Victor hocha la tête lentement, encore endormi et la bouche trop pleine pour parler.

— Deux autres cas identiques à celui de Caleb ont été rapportés aux autorités, lui dit Nathan d'un air lugubre.

— Quoi ? s'exclama Victor après avoir avalé sa bouchée.

— Écoute, dit Nathan en concentrant son regard sur un article de son journal.

Puis, il lut à voix haute :

— « Deux hommes ont été retrouvés hier soir par une dame, qui préfère garder l'anonymat, sous le pont Notre-Dame. Elle aurait tout de suite pris contact avec les forces de l'ordre, qui sont arrivées sur les lieux dans les minutes suivantes. Tous deux fiévreux et pris de convulsions, les deux hommes d'une quarantaine d'années ont aussitôt été conduits à l'hôpital. Malheureusement, le personnel hospitalier n'est pas parvenu à les stabiliser et ceux-ci sont morts dans la nuit. Il est à noter que les victimes ont toutes deux été mordues, l'une au torse, l'autre à l'épaule, mais les experts n'ont pas été en mesure de déterminer par quoi. »

Nathan s'arrêta et leva les yeux vers Victor.

— C'est tout ? demanda le jeune homme.

— C'est tout, confirma Nathan en tournant le journal vers Victor, qui repéra assez facilement l'article et y plongea son regard.

— Qu'est-ce que tout cela peut bien signifier ? pensa Victor à voix haute, d'un air songeur, en retombant sur le dossier de sa chaise.

— Je crois que j'ai une idée, répondit Nathan.

Victor l'interrogea du regard.

— « Sous le pont Notre-Dame », précisa Nathan. Tu sais ce qui ce trouve, sous ce pont ?

— Pas la moindre idée, avoua Victor. Je n'ai jamais mis les pieds à Paris.

Nathan, un sourire en coin, expliqua :

— Une entrée menant aux égouts. Je suis prêt à parier que ce qui a mordu Caleb et ces deux pauvres gars se terre dans les égouts de la ville. En tout cas, cet article nous confirme que d'autres personnes ont été tuées ainsi.

— Comment sait-on que cette « chose », dit Victor en mimant les guillemets avec ses doigts, est une créature ? Ça pourrait être un graboglin, un gobelin ou encore l'un de ces humanoïdes reptiliens que j'ai vus sur le continent africain.

Nathan pencha la tête sur le côté et fixa Victor d'un air amusé.

— Quoi ? s'impatienta Victor, qui ne comprenait pas la réaction de Nathan.

— Ça vaut la peine d'aller y jeter un œil, n'est-ce pas ?

— J'irai voir. Enfin, peut-être pas dans les égouts, mais je ferai ma petite enquête.

En effet, le jeune homme doutait que les égouts de Paris soient désaffectés comme ceux de Londres, dans lesquels travaillait jadis Nika, lorsqu'il l'avait rencontrée, adolescent.

— Je viens avec toi, annonça Nathan. Une paire de bras supplémentaire ne sera pas de trop.

Victor eut un sourire en coin.

— Bienvenue à bord !

Chapitre 12

La milice des sept lames

Une fois revenu à la maison, après une longue journée à donner des leçons de piano (à une jeune femme rouquine qui n'avait cessé de rire stupidement à ses moindres remarques et de l'observer d'un regard plein d'espoir), Victor se laissa tomber sur le sofa, les cheveux ébouriffés et le bas de son pantalon mouillé par la tempête de neige qui n'en finissait plus.

— Mon Dieu ! lâcha Nika d'un air amusé en remarquant son ami, qui s'était encore plus enfoncé dans le sofa. Qu'est-ce qui te prend ?

— Je ne comprends pas pourquoi ces pères et mères continuent de m'employer, répondit-il d'un air sombre, presque sur un ton plaintif.

Nika le regarda d'un air interrogateur.

— Ces filles ! s'exclama Victor. Elles n'en ont rien à faire de mes leçons !

Nika pouffa de rire.

— Et tu te demandes pourquoi ces parents continuent de t'employer pour instruire leurs belles et jeunes filles, qui viennent tout juste d'entrer dans l'âge adulte ?

Victor lui envoya un regard perdu, presque naïf.

— Deux solutions s'offrent à toi, mon petit charmeur. Si ces parents ne cherchent tout simplement pas à trouver un partenaire à leurs filles, ce sont peut-être celles-ci qui insistent pour que tu reviennes.

Le jeune homme lâcha un soupir mélangé avec un grognement et s'enfonça encore plus dans le sofa.

— Comment va Caleb ? demanda-t-il en tournant la tête vers la cuisine.

— Il dort toujours. Chantico est en train de faire quelques tests pour s'assurer de son état de santé. Tu as bien fait de lui parler de ce que tu as vu dans le journal. Elle était un peu déçue d'avoir manqué la mort des deux hommes, lorsqu'elle était à Paris.

— Elle voulait les analyser ?

— Probablement. Oh, en parlant de Caleb. Chantico a dit qu'elle allait le réveiller un peu après le souper, pour tenter de le faire manger et boire. Elle dit qu'elle ne pourra pas savoir comment il se sent, tant qu'il ne se réveille pas.

En regardant la neige dehors, Victor se sentait léthargique, épuisé. La raison de cet état, il était assis dessus : encore une mauvaise nuit de sommeil ailleurs que dans son propre lit.

— Quand est-ce que tu pars ? lui demanda Nika, qui avait disparu à la cuisine.

Victor jeta un coup d'œil à sa montre de poche.

— À 22 h.

— Vous ne prendrez quand même pas le dirigeable par ce temps-là ?

— Sais pas.

Ce qui n'était pas faux. Son amie Béatrice Duval devait venir le chercher chez lui et l'emmener au quai des dirigeables, mais Nika n'avait pas tort, le temps était loin d'être propice à un vol intercontinental avec un dirigeable. Soudain, la crainte de ne pas aller à Paris monta en lui et Victor s'en sentit aussitôt contrarié. Son voyage vers la Ville lumière n'était même pas motivé par le fait de jouer devant un auditoire parisien, mais bien par le mystère de l'oncle de Caleb ainsi que de son infection.

— Maeva devrait arriver d'une minute à l'autre, dit Nika. Tu veux bien m'aider à mettre la table ?

— J'arrive, dit Victor, qui ne se plaignait pas d'avoir enfin quelque chose de constructif à faire de sa journée.

Tandis que Victor s'apprêtait à installer les assiettes sur la table, Pakarel et Nathan vinrent les rejoindre pour attendre le souper qui cuisait dans le four. Il ne fallut pas très longtemps pour que le jeune homme remarque l'attitude boudeuse de Pakarel.

— Qu'est-ce que tu as, Pakarel ? lui demanda Victor en déposant les ustensiles près des assiettes.

— Rien, lui répondit simplement le raton laveur, qui avait visiblement quelque chose à dire.

En observant son petit visage, Victor avait bien du mal à le prendre au sérieux puisque, avec ses petits bras croisés et son énorme chapeau, Pakarel n'avait pas l'air grognon, mais plutôt mignon !

— Allez, dit Victor en souriant. Dis-moi.

— Vous allez à Paris et pas moi.

Victor ne fut pas surpris de la réponse. Son sourire s'élargit.

— C'est donc pour ça que tu boudes.

— Je ne boude pas, répondit Pakarel en détournant le regard.

— Pakarel, lui dit Victor d'un air plus sérieux, Paris n'a rien d'extraordinaire, tu sais ?

— Non, mais vous allez vivre une autre aventure, et moi, je n'en ferai pas partie !

Victor le fixa avec un certain amusement.

— Et qui a dit que tu ne pouvais pas venir ? dit-il d'une voix complice en levant les yeux au plafond.

Soudain, Pakarel changea complètement d'expression.

— Tu… tu veux que je t'accompagne ?

— Si ça te fait plaisir, répondit Victor en haussant les épaules, pourquoi pas.

— Mais je ne peux pas, dit Pakarel en perdant sa joie soudaine. Je dois… prendre soin de Caleb.

— Tu sais bien que Maeva et moi prendrons soin de lui, dit Nika en ouvrant la porte du four, la main munie d'une grosse mitaine de cuisine.

— Vous feriez ça ? s'enthousiasma Pakarel, des étoiles dans les yeux. Toi et Maeva ?

Nika soupira.

— Ce n'est pas comme si mes journées étaient bien occupées. Je ne fais que m'occuper de la maison pour rendre service à Victor pendant qu'il travaille.

Cette situation gênait d'ailleurs le jeune homme. Il ne voulait pas que Nika se sente comme une mère au foyer, qui reste à la maison.

— Tu sais très bien que je n'ai jamais exigé que tu fasses quoi que ce soit dans cette maison, qui était d'ailleurs la tienne avant que…

— … que je perde mon emploi, le coupa Nika. Et je sais que tu n'exiges rien de moi. Si je le fais, c'est pour rembourser mon loyer, ici.

Pris au dépourvu, Victor voulut répliquer :

— Mais je…

— Ne discute pas, l'interrompit aussitôt Nika sur un ton autoritaire.

Plus tard, après le souper, Victor se retrouva dans le salon en compagnie des autres, tandis que Chantico était montée à l'étage dans l'espoir de réveiller Caleb.

— Il est coriace, dit Nathan.

— Caleb ? demanda Victor.

— Ouais. Les deux Parisiens qui ont été mordus n'ont pas eu sa chance.

Cette phrase fit naître une révélation dans la tête de Victor.

— Ils sont morts, répéta-t-il, les yeux plissés. Sans même avoir montré de signes de transformation…

Tout le monde échangea un regard.

— Je n'avais même pas réalisé ça, avoua Maeva, l'air stupéfaite.

— Comme Miron l'a dit, continua le jeune homme, les hybrides, comme Caleb, réagissent différemment au virus. Cela veut dire…

— Que le virus serait mortel pour nous ? conclut Pakarel, inter-loqué. Je veux dire, nous, les gens… qui ne sont pas des hybrides ?

— Je ne sais pas, mais c'est une bonne question, répondit Nathan.

— Je ne compte pas vérifier cette affirmation par moi-même, ajouta Nika d'un air sarcastique.

— Je commence à regretter que ce ne soit pas un simple cas de loup-garou, soupira Nathan.

— Tu préfères que ces hommes se transforment et qu'ils se mettent à tuer des gens innocents ? lança Maeva d'un air un peu révolté.

— Au moins, répondit Nathan, si on arrive à temps, on peut éviter ce genre de chose.

— Je ne suis pas certaine d'apprécier ta manière de penser, marmonna Maeva d'un air noir.

On entendit alors des pas descendre l'escalier.

— Victor, dit Chantico, qui venait d'apparaître, Caleb est réveillé et il aimerait te voir.

Le jeune homme lui fit un signe de tête et se leva. Tout en montant l'escalier, il entendit Chantico demander :

— Annika, je peux monter le souper de Caleb ?

— Oh ! Bien sûr ! répondit la voix de la jeune femme. Attends, je vais t'aider…

Victor poussa la porte qui menait à sa chambre et entra. Une forte odeur y régnait, rappelant celle des champignons mélangée à la pourriture, et Victor réprima un haut-le-cœur. Il entendit alors le très faible ricanement de Caleb.

— Il paraît que ça ne sent pas très bon, dit-il.

Quelque chose de lumineux attira rapidement l'attention de Victor, lorsqu'il posa les yeux sur le demi-gobelin ; un petit champignon cramoisi était posé dans une assiette, enfermé dans un bulbe de verre. Le champignon dégageait une épaisse fumée verdâtre qui se dispersait dans le bulbe, ainsi que dans un minuscule tuyau qui se rendait jusqu'à une intraveineuse plongée dans l'autre bras de Caleb.

— Ferme la porte, murmura Caleb. Ça va couper l'odeur.

— Seigneur ! se plaignit Victor en fermant la porte.

Il pouvait même sentir ses yeux s'humecter, tellement l'odeur était nauséabonde. La main sur son visage, tant pour tenter (en vain) de masquer l'odeur que pour s'empêcher de vomir, Victor s'installa sur une chaise. Pour une raison qui lui échappait, il n'avait pas vraiment envie d'engager la conversation avec Caleb. Pas parce qu'il était fâché contre lui, mais plutôt… parce qu'il était déçu de son attitude. Mais à sa place, aurait-il fait mieux ?

— Je ne sens pas l'odeur, dit Caleb. Chantico m'a fait avaler un médicament qui m'empêche de sentir quoi que ce soit.

— Une chance, répondit Victor, dont la voix était obstruée par ses mains. Sincèrement, c'est immonde.

Caleb sourit faiblement. En observant son ami, le jeune homme vit à quel point il semblait affaibli. Ses yeux étaient lourdement cernés et partiellement ouverts, ses cheveux étaient sales et pleins de nœuds. Son teint était si blême qu'il semblait presque tirer sur le verdâtre.

— Merci de ne pas m'avoir écouté, confia Caleb.

Victor comprit aussitôt ce à quoi le demi-gobelin faisait allusion : son souhait d'en finir. Il émit un simple grognement en guise de réponse. Inconsciemment, il s'était mis à jouer avec ses doigts et regardait le plancher.

— Je pars pour Paris, dit subitement le jeune homme, qui ne savait pas trop quoi dire. Ce soir.

Les yeux de Caleb dérivèrent de Victor jusqu'au mur. Il ne répondit rien.

— Je vais tenter de trouver ton oncle.

— Je sais, répondit Caleb. Sois prudent.

Apparemment, Caleb aussi n'avait guère envie de parler, ce qui était presque une bonne chose. Au même moment, la porte s'ouvrit. Chantico et Nika entrèrent dans la pièce avec un cabaret contenant le souper de Caleb.

— Dieu du Ciel! se plaignit Nika en grimaçant. Cette odeur est infernale!

N'ayant étrangement rien d'autre à dire à Caleb, Victor lui tapota amicalement l'épaule et sortit de la chambre. Dans l'heure qui suivit, Victor, Pakarel et Nathan se préparèrent pour partir vers Paris. Même s'il était censé n'y passer qu'une seule nuit, Victor décida d'emporter des vêtements de rechange, juste au cas où les choses ne tourneraient pas comme prévu. Il alla donc à la chambre de Clémentine, où il avait déposé sa pile de vêtements pour ne pas avoir à déranger Caleb, qui occupait en permanence son lit. Assis sur le lit de la gobeline, Victor fourra dans son sac des bas, des sous-vêtements, une chemise et un pantalon de soirée pour sa prestation au Marmelade. Puis, il passa à la salle de bain.

— Je devrais me raser, soupira-t-il en observant son reflet dans le miroir.

En effet, une barbe naissante commençait à garnir son menton et ses joues. Alors qu'il ouvrait le robinet pour se mouiller le visage avant son rasage, quelqu'un cogna à la porte.

— Victor ? dit la voix étouffée de Pakarel. Je dois aller aux toilettes !

— Ça urge ? demanda le jeune homme.

— Oui, je n'en peux plus ! rétorqua le pakamu, en proie au supplice.

Victor referma le robinet, prit son sac et ouvrit la porte de la salle de bain. Pakarel, qui se tenait le ventre, le bouscula presque et s'enferma dans la salle de bain, claquant la porte au visage de Victor.

— On s'en va... euh... bientôt, dit le jeune homme d'un air incertain.

Laissant Pakarel à ses affaires, Victor descendit dans le salon. Nathan était installé sur un sofa, l'air agité, comme s'il attendait quelque chose.

— Ah ! te voilà, dit-il en voyant le jeune homme. Victor, comment allons-nous nous rendre à Paris ?

— Une amie à moi devrait venir nous chercher d'ici une demi-heure.

— Pour nous rendre où ? répondit aussitôt Nathan d'un air contrarié. Les dirigeables sont coincés ici jusqu'à nouvel ordre. J'ai entendu l'annonce en écoutant la radio.

C'était effectivement fort probable, songea Victor.

— Par Ludénome, alors, suggéra-t-il.

Nathan lui fit signe que non, de la tête.

— La station de Québec est hors service pendant la tempête.

Le jeune homme se retrouva aussitôt à court d'idées. Haussant les épaules, il se résigna :

— Bon, alors… nous n'aurons qu'à attendre un temps plus favorable.

Nathan regarda rapidement de gauche à droite, comme s'il ne voulait être entendu que par Victor, avant d'avancer son visage vers lui et de dire entre ses dents :

— Nous ne pouvons pas attendre !

Le jeune homme haussa les sourcils.

— De quoi parles-tu ?

Nathan paraissait irrité par la situation.

— Écoute, dit-il en baissant le ton, j'ai mené mon enquête, moi aussi. On va à Paris pour voir l'oncle de Caleb, vrai ?

— Euh… vrai, répondit Victor sans trop savoir où Nathan voulait en venir.

— Eh bien, il s'en va demain soir vers l'Islande !

— Comment sais-tu cela ?

— Je te l'ai dit, répondit Nathan avec un brin d'agacement, j'ai mené ma petite enquête !

Voyant que la réponse ne satisfaisait pas Victor, l'homme poursuivit :

— J'ai mis quelques gars du Consortium sur notre cas. Ils étaient à Paris pour régler un problème d'enlèvements d'enfants par une tribu souterraine de Kobolds. Je leur ai donc demandé de se renseigner au sujet de l'oncle de Caleb.

— Et comment tu as eu son adresse ?

Nathan leva les yeux au plafond et répondit en gesticulant avec lassitude :

— J'ai demandé au père de Caleb, un peu avant son départ.

— Comment ? s'étonna Victor, interloqué.

Nathan soupira.

— J'ai… entendu votre conversation.

— Tu nous as espionnés, lorsque nous étions dans la chambre de Clémentine ? accusa Victor, le regard sombre.

— Je… je passais par là ! protesta Nathan en guise d'excuse.

Victor ne le croyait pas, puisqu'il montrait tous les signes de quelqu'un qui vient d'inventer un mensonge. Nathan était tendu, sur la défensive et avait cherché ses mots. Cependant, le jeune homme décida de passer l'éponge.

— Bon, dit-il d'un ton ferme. Alors, cet oncle, il s'en va demain soir? Pourquoi?

— Je n'en sais rien, avoua Nathan après un soupir.

Il était probablement soulagé que Victor ait gobé son mensonge — du moins le croyait-il. Le jeune homme hocha la tête en guise d'acquiescement.

— Je vois. Nous devons donc à tout prix partir ce soir, au risque de le rater?

— C'est à peu près ça, ouais.

Soudain, quelqu'un cogna à la porte. Victor ouvrit et vit une jeune femme emmitouflée dans un manteau, un épais foulard et un chapeau en laine. C'était Béatrice. Derrière elle, un carrosse motorisé vibrait au rythme du ronronnement féroce de son moteur, tandis que d'énormes tuyaux d'échappement crachaient une épaisse fumée à travers la neige tombante.

— Victor! dit-elle. Comment vas-tu?

— Bien, merci. Et toi?

— Ça va.

— Veux-tu entrer?

— Non, non, refusa poliment Béatrice. Nous devons partir maintenant, si c'est possible pour toi…

— Maintenant? Je croyais qu'avec un temps pareil, les dirigeables seraient hors service.

— C'est le cas, confirma Béatrice. Mais monsieur Martin ne veut rien savoir. Tu le connais, il parle sans cesse de cet événement depuis des mois. Il m'a donc chargée de… Enfin, de trouver un moyen de transport…

— Tu en as un? demanda Victor, qui venait de prendre une bourrasque de vent en plein visage, tandis qu'un peu de neige poudreuse lui passait entre les jambes. Béatrice, dit-il d'un ton plus autoritaire, je t'en prie, entre, il fait bien trop froid !

— Oh ! je n'avais pas pensé à … D'accord, oui, j'entre, dit maladroitement la jeune femme en faisant signe au chauffeur du carrosse motorisé de l'attendre.

Une fois au chaud dans le hall d'entrée, Victor lui redemanda :

— Alors, tu as trouvé un moyen de transport ?

— J'avais pensé aux voies de Ludénome…

— Fermées, la coupa Victor d'un air désolé.

— Oh. Bon…

— Et Raymond, lui, vient-il avec nous ? demanda Victor. Pourquoi te demande-t-il de trouver un moyen de transport, je croyais que c'était lui qui voulait absolument y aller ?

— Il… il ne vient pas, dit Béatrice d'une petite voix. Mais il m'a donné l'adresse. Regarde.

Victor fronça les sourcils en observant le bout de papier que lui tendait son amie.

— Et te voilà avec la tâche de trouver un moyen de transport en pleine tempête de neige, dit-il en lui rendant l'adresse. Ce Raymond est vraiment…

— Victor, dit la jeune femme d'un air important, c'est primordial pour moi d'aller à Paris. Je veux élargir mes possibilités en tant que chanteuse et violoniste. Tu sais comme moi que je ne veux pas rester coincée au cabaret toute ma vie…

— Je comprends.

— Et toi, tu veux toujours m'accompagner ? demanda Béatrice d'une petite voix.

— Bien sûr.

— Oh, tu es un ange ! répondit Béatrice, visiblement enchantée par la réponse du jeune homme.

Même si, au fond, ses raisons étaient bien différentes de celles de son amie. Victor n'avait aucune envie d'élargir son auditoire. Il était bien dans sa petite ville, avec sa petite vie. Il ne voulait pas finir comme Ichabod, qui était en fait un pianiste de renommée mondiale à ses heures. Frottant son menton garni d'une barbe naissante, Victor avança :

— Bon, je crois avoir une idée. Peux-tu dire à ton chauffeur d'attendre cinq minutes de plus ? Je lui paierai le temps passé à attendre dehors.

— Oui, acquiesça Béatrice en ouvrant la porte. Un instant.

Tandis que la jeune femme retournait à l'extérieur, Victor fut rejoint par Maeva, Nathan et Pakarel (qui se tenait toujours le ventre, l'air souffrant). D'une voix décidée, le jeune homme se lança :

— Pakarel et Nathan, vos bagages sont prêts ?

— Depuis une heure, répondit l'homme au mohawk blond en jouant nonchalamment avec son bouc.

— Moi aussi ! répondit fébrilement Pakarel, qui grimaça aussitôt en se courbant vers l'avant.

— Vous n'allez quand même pas partir en pleine tempête ? s'indigna Nika, immobilisée au milieu de l'escalier, les mains sur les hanches avec un sérieux regard de désapprobation.

Elle avait le teint livide, assurément causé par la mauvaise odeur du champignon pourri.

— Pakarel, si tu ne te sens pas bien, tu ne devrais pas y aller ! fit remarquer Clémentine, l'air inquiète.

Au même moment, la porte d'entrée s'ouvrit. Béatrice entra timidement, visiblement un peu gênée d'être entrée sans cogner.

— Je… je peux attendre dehors, si vous…

— Viens nous rejoindre, la coupa Victor d'un signe de main.

— Mais je suis recouverte de neige ! protesta-t-elle avec gêne.

— Alors, enlève simplement tes bottes.

Nika descendit l'escalier et marcha vers Victor.

— Ne pourrais-tu pas attendre demain ? lui demanda-t-elle.

— Je voudrais bien, Nika, mais c'est impossible.

— Et pourquoi ? ajouta Nika, l'air sévère.

Victor envoya un regard à Nathan. Ce dernier se leva, tandis que Béatrice s'immobilisa près du mur, ayant l'air de vouloir disparaître.

Pour une chanteuse et violoniste habituée à la scène, se dit Victor, elle était drôlement gênée.

— Comme je l'ai dit à Victor un peu plus tôt, débuta Nathan en s'adressant à tout le monde, j'ai demandé main-forte à quelques collègues qui se trouvent en ce moment à Paris. Ils ont accepté de garder un œil sur l'oncle de Caleb pour moi. De ce fait, ils m'ont informé que celui-ci allait quitter Paris demain soir.

Béatrice paraissait complètement perdue, tandis que les autres affichaient des sentiments partagés entre l'inquiétude et la confusion.

— Bah! dit Pakarel. Un peu d'aide en plus ne sera pas de refus. Hein, Victor?

— Victor, dit Béatrice d'une petite voix timide. Je ne... N'allons-nous pas au Marmelade pour... Je ne suis pas certaine de comprendre... et le carrosse qui nous...

— Oui, oui, lui répondit-il aussitôt. Je t'expliquerai plus tard et, je sais, nous devons faire vite.

Le jeune homme se retourna vers ses compagnons.

— Dans tous les cas, nous devons partir ce soir. Étant donné que les dirigeables et la station de Ludénome ne sont pas en usage, j'ai pensé à utiliser le sous-marin de Rauk.

— Je ne pense pas que cela fonctionne, dit Nathan. Rauk l'a vendu pour se concentrer sur ses activités de marchand d'armes.

— Je sais, dit Victor. Mais son sous-marin est toujours amarré au port de Québec! Il y était encore plus tôt, dans la journée! Ce que je veux dire, c'est que nous pourrions demander à Rauk de nous aider à joindre les nouveaux propriétaires et leur demander de...

— Non plus, coupa Nathan.

Victor referma la bouche, coupé au beau milieu de sa phrase.

— Tu sais qui a récupéré son sous-marin? ajouta Nathan d'un air patient, comme lorsqu'on s'apprête à dire une vérité amère.

Victor fit signe que non.

— La milice des sept lames.

Ce nom évoquait quelque chose pour Victor. En fouillant pendant une demi-seconde dans sa mémoire, le nom lui revint en tête ; c'était une unité de mercenaires mentionnée par Baobab, l'immense centaure qu'il avait rencontré en Amérique centrale.

— Et où est le problème ? demanda le jeune homme avec un brin d'impatience ; il savait que le chauffeur à l'extérieur risquait de se décommander et de partir.

D'ailleurs, Béatrice ne cessait de lancer des regards inquiets vers la fenêtre du salon.

— Ben, tu vois, dit Nathan, ces types ne sont pas très... euh... sympathiques.

Victor poussa un bruit de mépris.

— On va voir si la sympathie leur revient, avec quelques pièces sous le nez, dit-il. Allons voir ces mercenaires. Ils ont un pub plus bas près du port, non ? Si jamais ça ne marche pas, nous trouverons autre chose. Allez, on se prépare.

Chapitre 13

Le pub sous l'abattoir

Avant de partir, Nathan avait programmé sa radio portative avec la fréquence de la maison de Victor, histoire de rester en contact, ce qui rassura grandement Nika, Clémentine et Maeva. Le jeune homme voulut dire au revoir à Caleb, mais lorsqu'il s'était approché de sa chambre, Chantico en était sortie et lui avait annoncé que Caleb s'était endormi, assommé par les effets du poison et de l'onyxide.

— Je te remercie infiniment pour tout le travail que tu as fait, lui chuchota Victor. Du fond du cœur.

Chantico avait répondu par un geste nonchalant de la main.

— Ce n'est rien. Après ce que tu as fait pour notre peuple… en convainquant Zackarias de prendre ses responsabilités, tu as permis à des milliers d'horizoniers de dormir l'esprit tranquille.

— Je dois y aller, répliqua Victor. Mais nous resterons en contact. Je tenterai de voir ce que je peux trouver au sujet de son oncle, ajouta-t-il en faisant un signe de tête vers la porte de la chambre dans laquelle se reposait Caleb.

Chantico le serra contre elle et frotta amicalement ses épaules avant de lui souhaiter bon voyage.

Tandis que Pakarel, Béatrice et Nathan quittaient la maison pour aller s'installer dans le carrosse, Victor prit son temps pour avoir un moment avec Maeva.

— J'aurais bien aimé t'accompagner, lui dit-elle en se blottissant dans ses bras.

— Tu peux venir, lui dit Victor en lui jouant dans les cheveux.

Maeva recula la tête et le regarda d'un air envieux.

— Tu sais bien que je travaille demain matin…

— Je suis certain que ton patron pourrait te laisser une journée, insista Victor.

Mais Maeva hocha la tête de gauche à droite.

— Tu oublies que c'est moi, le patron, désormais.

— Ah, c'est vrai, se souvint Victor avec un peu de déception.

Maeva pointa son doigt vers la poitrine du jeune homme et dit d'un air autoritaire :

— Promets-moi d'être prudent et de revenir dès que tu auras terminé tes investigations, d'accord ?

— Je te le promets. Je ne compte pas rester là-bas longtemps.

— Mmmh, lâcha Maeva, incrédule et amusée.

— Je t'assure ! insista Victor.

— Tiens, dit-elle en tendant un objet au jeune homme. Au cas où.

C'était le régulateur que lui avait donné Zackarias. Étonné, Victor haussa les sourcils.

— Je croyais que tu ne voulais pas que…

Maeva fit un signe de tête indécis et précisa sur un ton théâtral :

— En cas d'urgence, seulement. Avec toi, on ne sait jamais ce qui va arriver ni où tu vas te retrouver. Donc, si jamais ta quête vers le cabaret de Paris te mène dans un océan gelé à affronter des créatures marines avec ta canne et ton rasoir, au moins, tu pourras survivre assez longtemps pour te faire dévorer.

Victor pouffa de rire, bientôt imité par Maeva.

— Quoi que tu fasses, reprit la jeune femme d'une voix douce-reuse, ne prends pas de risques idiots et ne t'attire pas d'ennuis. Je ne veux pas te perdre.

L'expression du jeune homme s'adoucit tandis qu'il fourrait son régulateur dans son sac. D'un regard doux, il caressa la joue de Maeva et l'embrassa.

— Je serai bientôt revenu.

Son sac sur l'épaule, la canne à la main, Victor se dirigea vers la porte. Dans son dos, Maeva dit d'un air mesquin :

— Et je te fais confiance avec cette Béatrice…

Le jeune homme se retourna et envoya un clin d'œil à la jeune femme qu'il aimait plus que tout au monde.

— Prends soin de Caleb, d'accord?

Maeva croisa les bras et leva le pouce. Une fois la porte de sa maison refermée, Victor prit une vive bouffée d'air frais. La nuit était froide, le ciel, parsemé d'étoiles gouvernées par la majestueuse ceinture d'Orion, tandis que le vent déplaçait sans cesse la neige poudrant du ciel et des toits des maisons.

— Hé, ho! grogna une voix. Il y a des gens qui essaient de gagner leur vie, ici!

Un grand et maigre bonhomme, forcément le chauffeur du carrosse, arracha le sac des mains de Victor. Il avait un visage grincheux recouvert de favoris grisonnants et touffus qui descendaient jusqu'au bas de sa mâchoire, tandis qu'un chapeau haut de forme était enfoncé sur sa tête.

— Je suis désolé pour le retard, lui dit poliment Victor.

— Entrez dans ce foutu carrosse! tonitrua le chauffeur en fourrant le sac du jeune homme dans le compartiment à bagages.

N'osant pas ajouter un mot, Victor se glissa à toute vitesse dans le carrosse. Il se retrouva à côté de Béatrice, devant lui se trouvaient Pakarel et Nathan.

— Un vrai rayon de soleil, ce type, marmonna Victor.

Étant donné les conditions hivernales, le chauffeur du carrosse n'était pas assis à l'extérieur, comme sur une diligence normale. Histoire de le protéger du froid, le siège du chauffeur était recouvert d'un petit habitacle chauffé. Ils entendirent la porte du chauffeur claquer à l'avant. Une large fente séparait l'habitacle du chauffeur de celui des passagers. L'air grognon, le chauffeur, maintenant installé à l'avant, approcha son visage.

— C'est où? lança-t-il.

— Pardon? dit Pakarel, qui regardait derrière lui pour apercevoir le chauffeur.

— La destination! répondit le chauffeur avec des yeux exorbités.

Victor essuya avec dégoût le postillon qu'il venait de recevoir sur le menton.

— Vous savez où trouver la milice des sept lames, à Québec? demanda Nathan.

— Hein ? grommela le chauffeur. La quoi ? Ah ! ouais, eux. Ils ont un pub près du port, si je ne m'abuse.

— C'est ça, oui, confirma Victor. Vous pouvez nous y emmener ?

— Ça fera cinq pièces, plus quatre pour m'avoir fait perdre mon temps, répondit le chauffeur.

Victor ouvrit son portefeuille et le paya.

— Et maintenant ? dit-il.

— En route ! déclara le chauffeur de sa voix grincheuse, avant de refermer d'un coup sec une palette de bois sur la fente qui séparait son habitacle de celui de Victor.

Le carrosse se mit brusquement en marche dans un nuage noir. Étant donné que l'intérieur du carrosse n'était pas très bien réchauffé, Victor et ses amis gardèrent leurs gants et écharpes.

— Oh, les présentations, marmonna le jeune homme. Béatrice, je te présente Pakarel et Nathan.

— Bonjour madame ! déclara vivement le raton laveur avec une salutation militaire complètement inutile.

— Enchanté, dit poliment Nathan en hochant la tête.

Béatrice leur fit un petit geste de la main accompagné d'un sourire anxieux.

— Depuis quand ils sont stationnés à Québec ? demanda Pakarel à Nathan.

— La milice ? s'assura l'homme au mohawk blond.

— Ouais, confirma Pakarel. Il me semble qu'ils n'étaient même pas ici l'an dernier.

— En effet. On les voit ici depuis quelques mois seulement. Depuis notre retour du Belize, pour être précis.

— Et comment tu as fait pour savoir que le sous-marin de Rauk est entre les mains de l'un de ces mercenaires ?

— C'est lui qui me l'a dit.

— Ah, dit Pakarel en hochant la tête, comme s'il venait de réaliser que sa question était idiote. Rauk est ami avec ces gens ? Ceux de la milice ?

— En fait, non, il avait initialement vendu son sous-marin à un de ses amis, et c'est lui qui l'a revendu à l'un des miliciens des sept lames.

Victor, Pakarel et Nathan échangèrent sur divers sujets pendant un moment, tandis que Béatrice restait mystérieusement silencieuse. Préoccupé, le jeune homme finit par lui demander :

— Béatrice, tout va bien ?

— Mmmh, mmmh ! répondit-elle d'une manière brusque, qui la trahissait un peu.

— Tu es certaine ? insista Victor. Tu n'as pas l'air dans ton assiette...

Béatrice hésita un moment et, finalement, jouant nerveusement avec ses mains, elle avoua :

— Je ne sais simplement... pas vraiment ce qui se passe. Mais c'est... c'est parfait ! Du moment que nous nous rendons à Paris.

— Victor ne t'a pas expliqué ? s'étonna Nathan.

— En fait, il... Non, répondit maladroitement la jeune femme. Il ne m'a pas expliqué.

— Oh, je t'avais dit que je t'expliquerais, se souvint Victor. Je suis navré, cette situation doit être un peu confuse.

Béatrice lâcha un petit rire agité et répondit en souriant :

— Oui... oui, un peu.

— Comme tu l'as sûrement compris, débuta Victor, je ne vais pas à Paris simplement pour jouer au Marmelade.

La jeune femme hocha lentement la tête.

— L'un de mes amis est très malade. Il réside chez moi en ce moment et son état est grave.

Victor marqua une pause pour voir si Béatrice allait dire quelque chose, mais ce ne fut pas le cas. La jeune femme se contenta de l'observer en se mordillant les lèvres. Il reprit donc :

— Nous avons de bonnes chances de croire que son oncle, qui vit à Paris, pourra nous aider à le soigner.

— Vous vous êtes rendus à l'hôpital ? demanda-t-elle. Oh, qu'est-ce que je suis bête ! Probablement, oui, sinon vous ne chercheriez pas ailleurs... n'est-ce pas ?

— C'est ça, oui, confirma Victor.

Béatrice hocha la tête et continua de jouer avec ses mains. Elle était visiblement tendue.

— Qu'est-ce qui t'inquiète ? lui demanda Victor.

— Ces gens que nous allons voir, avoua-t-elle. Ce sont des bandits, non ?

— Pas nécessairement, dit Nathan sur un ton peu convaincant, mais très enjoué. Ce sont des mercenaires. J'en suis un, moi aussi. Ai-je l'air d'un bandit ?

Avec son mohawk blond, son long bouc au menton, ses oreilles percées et ses bras masqués par tous les tatouages qui s'y trouvaient, Nathan avait l'air de tout sauf de quelqu'un de sympathique.

— Euh… je suppose que non, répondit Béatrice sans aucune espèce de certitude.

— Tu vois ? dit Nathan, le visage souriant. Rien à craindre. Tout ira bien.

Béatrice ne parut pas rassurée pour autant.

— Dis, Victor ? demanda Pakarel. Tu es certain que c'est une bonne idée de voyager en sous-marin ?

— Eh bien, oui, pourquoi ?

— Je me souviens que…

Pakarel sembla mal assuré.

— … que lorsque tu nous avais raconté ton histoire… tu sais, celle quand tu étais adolescent ?

— Oui ? dit Victor qui comprit aussitôt ce dont Pakarel voulait parler.

— Ben voilà, continua Pakarel, je me souviens que tu avais mentionné que le voyage depuis Alexandrie jusqu'au port de Québec t'avait pris quatre semaines en sous-marin.

— Ah ! dit Victor en souriant. Oui, je me souviens.

— Quatre semaines ? répéta Nathan, les yeux grands ouverts. Bon Dieu ! qu'est-ce que vous aviez fait ?

— On a eu quelques problèmes en route, et Rauk avait dû s'arrêter à plusieurs endroits, expliqua Victor. Et en plus, j'étais blessé. On m'avait tiré dessus. Mais l'équipage de Rauk m'avait bien soigné ! Enfin bon, je ne me plains pas, ricana-t-il. Vous imaginez la tête de Nika, me voir débarquer en fauteuil roulant, fraîchement blessé par balle ?

— Vu comme ça, admit Nathan d'un hochement de tête convaincant.

Victor et ses amis se cognèrent la tête au plafond ; le carrosse venait de prendre une bosse. Nathan lâcha un juron assez audible.

— Bon sang ! se plaignit-il en se massant la tête d'un air furieux. Ce vieux fou conduit comme un dément !

— Aïe ! gémit Béatrice.

En considérant la vitesse à laquelle le décor nocturne défilait à travers les fenêtres de l'habitacle, Victor conclut que le chauffeur devait rouler à toute allure.

— Tu peux bien rire, face de rongeur ! grommela Nathan en direction du pakamu.

Pakarel riait derrière sa main.

— Moi, je n'ai rien senti ! ricana-t-il.

— Avec un tel chapeau, constata Victor, tu ne dois pas avoir senti grand-chose.

— Pour en venir aux faits, reprit Victor à l'intention de Pakarel, dans les mains d'un conducteur habile qui ne nous fera pas faire de détours, le voyage ne devrait pas prendre plus d'une dizaine d'heures.

— Tant que ça ? s'étonna Nathan, alarmé. Bon sang, je croyais qu'il avait un sous-marin, pas une chaloupe !

— Son sous-marin n'est pas très récent, fit remarquer Victor. Par contre, il est vraiment spécial.

— Ah bon ? s'étonna Béatrice, qui osait finalement s'introduire dans leur conversation. Spécial comment ?

Victor tourna la tête vers elle.

— Comme un calmar, dit-il en souriant.

— Un calmar ? répéta-t-elle, haussant les sourcils.

— Tu ne l'as jamais vu, le sous-marin ? lui demanda Pakarel. Il est toujours accosté au port.

— À vrai dire, avoua Béatrice d'un petit sourire, je ne vais jamais au port. En fait, il y a beaucoup d'endroits où je ne vais pas…

— Ah bon, dit Pakarel en haussant les épaules. Eh bien, en tout cas, sache que le sous-marin de monsieur Rauk ressemble à un gros calmar !

Il s'étira et enfonça par inadvertance son doigt dans la narine de Nathan, qui le repoussa aussitôt.

— Non mais ! protesta l'homme sous les regards amusés de tout le monde.

— Tu verras, dit Victor à Béatrice, qui lui sourit en guise de réponse.

Peu de temps après, le carrosse ralentit et se gara au coin d'une rue, face au port, apparemment désert, mis à part un dôme sombre qui dépassait de la surface de l'eau. C'était le sous-marin englouti.

— On est arrivés ! grommela le chauffeur, qui venait de claquer sa portière.

Victor et les autres descendirent du véhicule dont les phares projetaient une lueur jaunâtre, qui illuminait chaque flocon de neige qui tombait devant.

Le chauffeur marcha dans la neige creuse et retira avec mauvaise humeur les bagages de leurs compartiments respectifs. Un moment plus tard, lorsque les trois grosses valises de Béatrice (sans compter l'étui de son violon) furent déposées sur le sol enneigé, le chauffeur retourna à son véhicule et démarra, laissant les trois amis au coin d'une rue déserte.

— Vous… vous n'avez pas de valises ? s'étonna Béatrice avec un petit rire nerveux.

— On avait l'intention de ne rester qu'un soir ou deux, avoua Nathan, dont le visage semblait moqueur. Pas… une semaine.

— Je ne comptais pas rester une semaine, protesta Béatrice, qui commençait à reprendre des couleurs.

— Où allons-nous ? demanda Pakarel. Je ne vois pas de pub, par ici. Il y en a un plus bas, près des quais.

— Je sais, dit Victor. Ce n'est pas celui-là dont il s'agit.

— Il est juste là, dit Nathan en pointa son doigt.

De l'autre côté de la rue, un grand bâtiment de brique était entièrement plongé dans l'obscurité. Pour accentuer son allure sinistre, ses vitres étaient soit défoncées, soit barricadées. Au-dessus de la porte d'entrée, il y avait un écriteau en bois, couvert de neige, qui représentait une tête de lézard sectionnée. À première vue, la bâtisse n'avait l'air ni d'une taverne ni d'un pub.

— C'est là que nous devons aller ? dit Béatrice d'un air méfiant. Mais… ce n'est pas un pub… c'était un abattoir.

Nathan se tourna vers la jeune femme et lui sourit.

— Plus maintenant, répondit-il. Allons-y.

Tandis que Victor, Pakarel et Nathan traversaient la rue enneigée, ils réalisèrent bien vite que Béatrice ne les suivait pas. Elle était restée plantée là, près de ses valises.

— Qu'est-ce qui ne va pas ? demanda Victor, qui s'était retourné, en plein milieu de la rue déserte.

— Je ne peux pas emporter tout ça avec moi, dit-elle avec désespoir. C'est bien trop lourd !

Pendant un instant, Victor hésita. Il songeait fortement à la renvoyer chez elle, mais Béatrice était sa plus proche amie du cabaret. Et même, la seule. S'il la laissait tomber, le temps qu'il passait au cabaret serait beaucoup plus morne et froid.

— Bon, décida-t-il. Nous allons t'aider. Nathan ? Viens m'aider !

L'homme traversa la rue en trottinant et saisit la valise que lui pointait Victor.

— Tu peux tirer la dernière, n'est-ce pas ? demanda le jeune homme à Béatrice d'un air plutôt comique.

— Euh… oui, répondit-elle en prenant quelques couleurs. Merci… vraiment…

Tirant chacun une valise, ils rejoignirent le pakamu de l'autre côté de la rue.

— Attendez, dit Victor en arrivant à quelques mètres de la porte du pub assez particulier. On n'entre pas là-dedans avec ces valises.

Béatrice lui envoya un regard inquiet.

— Comment ça ? Ils ont sûrement un service de vestiaire, comme tous les pubs…

Nathan lâcha un rire sarcastique.

— Tu es déjà sortie de cette ville ? lui demanda-t-il sur un ton moqueur.

— Bien sûr, répondit-elle d'un visage plus dur. Je suis allée dans un manoir, plus au nord, chez un oncle.

— Un manoir, répéta Nathan en regardant Pakarel, et tous deux gloussèrent de rire.

— Ça suffit, vous deux ! intervint Victor, pour ne pas créer de conflit. Béatrice, ce pub, comme tu peux le voir, n'est pas vraiment chaleureux. Pour la sécurité de tes affaires, il faudrait mieux que nous les laissions ici.

— Pas question ! s'emporta-t-elle, horrifiée. Je ne laisserai pas mes affaires ni mon violon, dehors, comme ça !

— C'est justement où je veux en venir, rétorqua Victor. Pakarel restera dehors pour les garder. N'est-ce pas, mon vieux ?

Le pakamu répondit aussitôt avec un salut militaire.

— Mais… tu crois qu'il peut les garder ? s'inquiéta Béatrice, qui n'était visiblement pas convaincue des talents de garde du raton laveur. Je veux dire… il n'est pas très grand…

— C'est ce qui me confère un accès direct aux parties sensibles de mes victimes ! répondit Pakarel avec vivacité.

Victor et Nathan pouffèrent de rire, mais pas Béatrice, qui resta muette.

— Mademoiselle Béatrice, reprit poliment Pakarel, le violon, tu devrais le laisser ici.

— Ah ! ça, non ! protesta la jeune femme en serrant contre elle l'étui de son instrument de musique. Je ne laisserai mon violon à personne d'autre que moi-même !

— Pakarel a raison, intervint Nathan en fronçant les sourcils. C'est un endroit dur, ici. Les violons, continua-t-il en hochant la tête d'un air désapprobateur, c'est une mauvaise idée.

— Fais-moi confiance, lui dit Victor, souriant, tentant de la rassurer. Pakarel fera l'affaire. Je lui confierais le plus gros diamant qui soit.

Il envoya un clin d'œil au raton laveur, qui détourna la tête.

— Peut-être préférerais-tu garder tes propres valises toi-même ? demanda Nathan à la jeune femme. De cette manière…

Béatrice répondit aussitôt :

— Non, non, ça ira. Je lui fais confiance…

Elle observa Pakarel de la tête aux pieds et se mordit la lèvre, avant de lui tendre à contrecœur son violon avec une expression déchirée, comme si elle lui confiait une partie de son âme. Les trois amis laissèrent le pakamu — qui s'était installé sur la valise et balançait ses petites jambes aux bottes démesurées –, et entrèrent dans le pub. Ils débouchèrent dans un vaste endroit, comme un entrepôt, baignant dans l'obscurité seulement percée par quelques rayons de lune, provenant d'immenses fenêtres au plafond, qui quadrillaient le sol.

— Tiens, c'est étrange, fit remarquer Victor en observant les lieux.

— Sommes-nous au bon endroit ? demanda Béatrice.

— Assurément, dit Nathan, qui s'était écarté du groupe. C'est par là, regardez.

Il pointa un escalier qui s'enfonçait dans le sol, derrière de grosses caisses.

— Faites attention, dit-il en s'engageant dans l'escalier, c'est glissant.

Les trois amis descendirent l'escalier sur près de trois paliers, dans une pénombre quasi totale, n'entendant que leurs pas sur les marches humides.

— J'entends quelque chose, murmura soudain Nathan.

— Moi aussi, confirma Victor.

En effet, des rires masculins ainsi qu'un air de flûte de pan et de tambours se faisaient faiblement entendre.

— Nous y sommes presque, dit Victor. Continuons !

Finalement, au bout de trois paliers de plus, ils virent une vive lumière éclairer le bas de l'escalier. Nathan, qui se trouvait en tête du groupe, s'arrêta et regarda Victor et Béatrice.

— Soyons prudents, murmura-t-il d'un air sérieux, tandis que les rires et vacarmes habituels d'une taverne étaient parfaitement audibles.

Victor et Béatrice hochèrent la tête, et tous trois entrèrent finalement dans le pub. Faite de murs de pierre crasseux, la pièce était petite, voire étouffante. Elle était éclairée par de nombreuses lampes à huile, déposées sur les quelques tables en bois rond disposées un peu partout. Au fond de la pièce, un barman se trouvait derrière le comptoir. Victor reconnut, installés autour des tables, des métacurseurs, des Kobolds, des gnolls, des Skrahs, quelques graboglins et même un satyre, mais à part le barman, pas un seul humain. Tous avaient levé l'œil pour visualiser les nouveaux venus avant de replonger dans leurs discussions bruyantes.

— Ça, dit Nathan d'un air satisfait, c'est mon genre d'endroit.

Puis, il se fraya un chemin jusqu'au barman.

— Viens, dit Victor à Béatrice en l'incitant à suivre les pas de Nathan avec lui.

Il n'appréciait pas plus que Béatrice d'être dans ce pub, puisque la dernière fois qu'il en avait visité une — cherchant un moyen de transport dans une situation similaire à celle d'aujourd'hui –, il s'était retrouvé inconscient et à son réveil, avec une vilaine bosse sur la tête.

— Bienvenue! déclara amicalement le barman en saluant Victor et ses deux amis d'un hochement de tête. Qu'est-ce que je peux vous servir?

C'était un vieux bonhomme à la dentition trouée, au visage couvert de sueur et aux joues envahies par une grosse barbe hirsute. Ses oreilles étaient percées de deux gros anneaux d'argent. Il avait l'air d'un vieux pirate étrangement jovial.

— Rien, merci, s'excusa poliment Nathan. Nous sommes venus chercher des renseignements.

— Que puis-je faire pour vous? rétorqua le barman de son air toujours aussi enjoué.

Il se tourna vers l'un des barils se trouvant derrière lui pour verser une bière dans un verre.

— Nous voudrions parler au propriétaire du sous-marin amarré au quai, dit Nathan.

Le barman porta son verre de bière à ses lèvres et en prit une grande gorgée, qu'il laissa mijoter quelques instants dans sa bouche avant de l'avaler dans un bruit de satisfaction.

— Pas ici, dit-il.

— Comment ça, pas ici ? répéta Nathan.

— Vous cherchez le propriétaire du sous-marin en forme de calmar ?

— Oui, confirma Nathan avec une lueur d'espoir dans les yeux.

— Eh bien, voilà, ajouta le barman en buvant une nouvelle gorgée de son verre de bière. Il n'est pas en ville !

Nathan lâcha un grognement d'insatisfaction et se tourna vers Victor, l'air désemparé.

Chapitre 14

Les trois fouineurs et le gros lézard

— À voir vos têtes, lâcha le barman en essuyant du revers de son bras la bière qui dégoulinait sur sa barbe, ça devait être important !

Nathan, Victor et Béatrice échangèrent un regard désespéré. Puis, Victor soupira et dit :

— En fait, on espérait s'acheter un voyage vers Paris ce soir même.

— Pas possible, ça, mon gars, dit le barman. Avec ce temps, il ne faut pas chercher le danger. Vous devriez tous rester chez vous.

Ne sachant pas trop quoi faire, les trois amis finirent par s'installer au comptoir, l'air vaincu.

Le barman remit sa tasse sous le bec du baril et se servit un autre verre.

— Vous êtes certains de ne rien vouloir boire ?

— Sans façon pour moi, répondit Victor.

Béatrice fit signe que non, mais Nathan leva le doigt et dit :

— Une bière de racine.

L'air satisfait, le barman prit un verre propre sur son comptoir et le remplit pour Nathan.

— Demain, dit le barman en servant la bière à Nathan avec un sous-verre, je parie que les dirigeables seront remis en service, dès midi. Pourquoi ne pas attendre ?

Nathan tira une pièce de sa poche et paya avant d'avaler à grandes gorgées le contenu de son verre.

— Où est le propriétaire du sous-marin, exactement ? demanda Nathan, qui venait de finir son verre. Il travaille bien pour la milice des sept lames ?

— Oh, ouais, acquiesça le barman. C'est d'ailleurs son poste, dans la milice, d'être pilote. Mais il est en vacances depuis quelques semaines, chez sa mère, au nord de la ville.

— Ah! réalisa Victor, c'est donc pour ça que son sous-marin n'a pas bougé du port.

— Tout juste, confirma le barman.

Béatrice se tourna vers Victor, tandis que le barman et Nathan continuaient leur conversation.

— Que fait-on? chuchota-t-elle.

— Je ne sais réellement pas, avoua franchement Victor.

— Nous aurons essayé, dit la jeune femme sur un ton résigné.

Soudain, une voix aiguë et stridente lança :

— Hello!

Victor, Béatrice et Nathan jetèrent tous en même temps un coup d'œil par-dessus leur épaule. Trois créatures, mesurant environ un mètre de haut et ayant le dos voûté, un long museau rappelant celui d'un rat ainsi que de petits yeux mesquins, se tenaient devant eux. Les trois Kobolds s'inclinèrent. Ils étaient vêtus d'habits déchirés, maintenus par des bouts de corde et recousus en patchwork. Ils portaient d'énormes sacs à dos, et chacun d'eux était muni d'une ceinture retenant de nombreux outils de mineur, comme des pics, des marteaux et des pistolets à vis.

— Je me nomme Ribère, se présenta le premier.

Il était légèrement plus grand que ses deux complices et portait un étrange chapeau de mineur surmonté d'une chandelle éteinte.

— Moi, c'est Po! se présenta le second.

Le Kobold se différenciait des autres de par sa dentition avant proéminente, comme celle d'un rongeur. Un gros chapeau surmonté d'une lampe à huile se trouvait sur sa tête.

— Moi, je m'appelle Luboo, annonça l'autre.

Un énorme monocle était disposé devant son œil gauche, le rendant disproportionné, lui aussi portait un chapeau surmonté d'une lanterne.

À la vue des trois personnages, Victor eut une expression mêlant amusement et surprise.

— Que pouvons-nous faire pour vous ? leur demanda-t-il poliment.

— Vous avez besoin d'aller à Paris, répondit le dénommé Po.

— Et vous n'avez pas de moyen de transport, continua Ribère.

— Mais nous avons un moyen de vous y emmener, ajouta presque aussitôt le Kobold du nom de Luboo, levant brusquement son index maigre, long et griffu.

— Et comment comptez-vous nous conduire à Paris, Kobolds ? demanda Nathan sur un ton méprisant.

Les trois Kobolds le regardèrent et se mirent à chuchoter. Puis, Po reprit la parole :

— Nous voulons l'équivalent de quatre-vingt-dix pièces divisé en trois parties !

— Attendez, dit Victor en leur faisant un geste avec ses paumes de mains, comme pour ralentir leur conversation, je ne comprends pas. Vous dites pouvoir nous emmener à Paris. Ce soir. C'est bien cela ?

— On peut voir que maître Pelham est vif d'esprit ! rétorqua Luboo.

Les lèvres de Victor s'étirèrent en un sourire. Pas en raison du commentaire de Luboo, mais bien par moquerie à cause de la taille amplifiée de son œil recouvert d'un monocle.

— Et il aime rire de lui-même ! fit remarquer Po en hochant la tête avec conviction. C'est le signe d'une grande ouverture d'esprit !

— Comment connais-tu mon nom ? demanda Victor à Luboo, d'un air intrigué. Je ne te l'ai pas dit.

— Vous êtes le pianiste, fit remarquer Luboo. Nous aimons bien votre musique. Nous venons vous voir, quand nous sommes en ville. Vous êtes le seul artiste de ce cabaret qui vaut la peine d'être entendu, si je peux me permettre.

Béatrice toussota et se glissa d'un ton neutre dans la conversation :

— Tout cela est très bien, mais… comment comptez-vous nous conduire à Paris?

Les trois Kobolds échangèrent un regard et se remirent à chuchoter frénétiquement. Po et Luboo semblaient nerveux, tandis que Ribère s'éclaircit la gorge et dit :

— C'est un secret.

— Un secret? répéta Nathan d'une voix plus forte. Voyez-vous ça…

— À votre place, intervint le barman, je leur ferais confiance.

Victor se tourna vers lui et l'interrogea du regard.

— Ils ne sont pas malhonnêtes, ajouta l'homme derrière le comptoir. S'ils ont quelque chose à vous offrir pour votre voyage, je prendrais la peine de les écouter.

— Complètement dignes de confiance! confirma le dénommé Po.

Victor fit signe à Nathan de se taire avant qu'il lance une réplique cinglante.

— Admettons que nous acceptions votre offre, débuta-t-il en soutenant le regard de Nathan, avant de le tourner vers les Kobolds. Qu'est-ce qui se passera, ensuite?

— Vous n'aurez qu'à nous suivre jusqu'à notre moyen de transport, répondit Ribère.

— Et quel est ce moyen de transport? demanda Béatrice avec inquiétude.

— C'est un secret, dit Luboo. Nous vous l'avons déjà dit.

Nathan lâcha un bruit de moquerie.

— Non. Nous ne marchandons pas avec des créatures de votre genre.

— J'accepte, leur dit Victor. Je veux bien.

— Quoi? s'étonna Nathan, les yeux grands ouverts.

— Pense à la raison pour laquelle nous sommes ici ce soir, lui dit Victor. Nous devons tenter le coup.

— Moi aussi, je suis d'accord, dit Béatrice d'un air intrigué.

Les trois Kobolds étaient si ravis qu'ils se mirent à applaudir en se balançant sur leurs talons. Nathan les dévisagea, soupira et se résigna.

— Bon, c'est d'accord. Mais nous vous paierons une fois à destination.

— Pas de problème! répondirent les trois créatures en même temps.

— Nous devrions partir vite! dit Luboo.

— Oh oui! très vite, ajouta Po. Maintenant serait l'idéal.

— Vous êtes prêts? demanda Ribère à Victor et à ses amis.

Tous trois hochèrent la tête.

— Très bien, très bien, dit Ribère d'un air satisfait. Suivez-nous.

Les trois Kobolds se mirent l'un derrière l'autre et se dirigèrent vers l'escalier.

— Restez sur vos gardes, chuchota Victor à Béatrice et à Nathan.

— Tu me rassures, répondit l'homme au mohawk.

Victor hocha la tête en guise de confirmation et ajouta :

— Je ne suis pas assez dupe pour croire qu'il n'y a rien qui cloche.

— C'est prudent, dit la voix du barman, mais soyez certains d'une chose : les Kobolds tiennent toujours parole.

Victor ne savait pas vraiment s'il pouvait accorder sa confiance aux dires du barman, mais une certaine franchise émanait de lui. Le jeune homme n'avait pas l'impression qu'il mentait.

— Venez! cria la voix d'un des Kobolds.

— Oui, venez! l'appuya un autre.

Victor et ses amis rejoignirent les trois créatures et tous quittèrent le pub. En montant l'escalier baigné dans l'obscurité, qui parut interminable au jeune homme, il fit un faux mouvement et força sur sa jambe gauche. Une douleur stridente lui parcourut la jambe.

— Ça va? lui demanda précipitamment Béatrice.

Il ne pouvait pas discerner son visage dans l'obscurité, mais Victor savait qu'elle affichait probablement un air inquiet.

— Je vais bien, lui répondit-il. J'ai glissé.

Ce qui était faux. Lorsqu'ils arrivèrent dehors, Victor se remémora un fait : Pakarel détestait les Kobolds, car sa tribu avait été anéantie par ces créatures. Mais avant que le jeune homme ait pu intervenir, il entendit l'un des Kobolds gémir de douleur.

— Sale petit monstre détestable ! cria Pakarel, qui venait de bondir sur le dénommé Luboo, lequel chuta au sol dans un vacarme métallique dû à tout son équipement de mineur.

— Pakarel, non ! s'écria Victor, qui lâcha sa canne pour intervenir.

Le raton laveur se débattait furieusement, mais Victor parvint à le décrocher du Kobold renversé.

— Je vais tous vous… Je vais…

— Du calme ! intervint Nathan en aidant le Kobold à se redresser.

Il fallut quelques moments pour que Victor parvienne à maîtriser le pakamu, qui n'avait que des mauvais regards pour les trois Kobolds.

— Je comprends ta réaction, dit le jeune homme au raton laveur. Mais des Kobolds, il y en a des centaines de milliers. Il ne faut pas que tu t'entêtes à croire qu'ils sont tous mauvais.

— Je sais, répondit machinalement Pakarel. Je m'excuse.

— Maître Pelham ? s'enquit le Kobold nommé Luboo.

Les trois Kobolds, un peu en retrait, avaient tous allumé la chandelle, lanterne ou lampe à huile qui trônait sur leur chapeau de mineur. Ils avaient l'air contrariés, avec raison.

— Ressaisis-toi, d'accord ? demanda rapidement Victor à Pakarel tandis qu'il se relevait. Oui, qu'y a-t-il ?

— Peut-être devrions-nous oublier ce malentendu et poursuivre notre chemin ?

— J'en serais enchanté, lui répondit Victor.

Au même moment, ils entendirent une voix grave, profonde et gutturale :

— Hé, vous !

Une grande silhouette s'approcha du groupe de Victor à pas lents et lourds. C'était un lozrok. Ces créatures étaient issues d'un croisement entre le reptile et l'homme. D'allure fortement musculeuse, ils avaient la peau recouverte d'écailles vert foncé, jaunes et noires. Leur visage était identique à celui d'un lézard, avec un museau allongé, et leurs dents jaunâtres ressortaient de leur gueule, même lorsque celle-ci était refermée. Ils avaient des mains agiles, tandis que leurs pattes étaient arquées vers l'arrière, se terminant par des griffes noires. Malgré leur apparence intimidante, les lozroks étaient de nature plutôt amicale. Enfin, généralement, songea Victor en déglutissant avec difficulté.

Le lozrok qui se tenait devant Victor et ses amis portait une armure en fer décorée d'une gravure représentant une tête de lézard sectionnée. Il tenait sur son épaule une imposante carabine, tandis qu'une longue épée était rangée dans un fourreau maintenu sur son dos.

— Oui ? répondit Victor d'une voix mal assurée, s'imaginant en train de se faire tordre en deux par cette créature.

Pourquoi tombait-il toujours dans des situations telles que celles-ci ?

— Pas vous, monsieur.

Victor sentit sa poitrine se desserrer. Le lozrok leva le doigt et pointa les trois Kobolds.

— Eux.

Victor et ses amis se tournèrent vers Po, Ribère et Luboo. Les trois créatures s'étaient mises à marmonner tandis que le lozrok s'avançait de ses pas lourds, accentués par les grincements de son armure. Une fois que le lozrok fut arrivé à hauteur des Kobolds, Ribère prit la parole d'un air nerveux et faussement courtois :

— Ah ! Capitaine Baroque ! Quel plaisir ! Justement, nous voulions vous voir...

— Ça tombe bien, rétorqua le dénommé Baroque.

Il glissa ses doigts griffus dans l'une des poches de cuir accrochées à sa ceinture et en sortit un parchemin roulé.

— Vos signatures, dit Baroque en le tendant aux Kobolds.

Po étira doucement sa petite main avant de saisir rapidement le parchemin, comme s'il avait peur de contracter une maladie ou d'être mordu par Baroque. Le Kobold le déroula puis se mit à lire tandis que Ribère et Luboo lisaient eux aussi par-dessus ses épaules.

— Déserteurs ? s'indigna Luboo, le Kobold au monocle et à la lanterne. Comment ça, déserteurs ?

— Vous avez abandonné votre poste dans les mines des chemins souterrains, dit Baroque. Je veux vos signatures comme quoi vous renoncez à vos trois dernières paies ainsi qu'à vos insignes de la milice des sept lames.

— Nos trois dernières paies ? s'écria Po avec une expression mortifiée. C'est du vol !

— C'est pour payer les dommages causés par une infestation de mille-pattes géants qui ont détruit l'équipement minier dont vous étiez responsable, répondit le lozrok.

— Vous venez de le dire vous-même, capitaine, fit remarquer Luboo. Dommages causés par des mille-pattes. Pas par nous !

— Et qui a oublié d'enlever les nombreuses carcasses de rats rôties du feu de camp qui se trouvait à proximité ? rétorqua Baroque d'un air accusateur.

Ribère et Luboo échangèrent un regard avant de se tourner vers Po.

— Tu n'as quand même pas fait rôtir tous les rats que nous avions trouvés ? lui demanda lentement Ribère.

— Et moi qui croyais que nous avions été volés, lâcha Luboo.

Po lâcha un petit rire nerveux.

— Je voulais simplement vous faire une surprise, dit-il d'un air un peu idiot.

— C'est à cause de toi que nous avons dû nous sauver des chemins souterrains ! lança Ribère sur un ton de reproche. Cette attaque n'était pas un hasard !

— Du calme, vous trois, intervint Baroque. La question n'est pas de savoir à qui est la faute. Je m'en fiche. Le fait est que vous n'avez pas assumé vos responsabilités. Vous auriez dû revenir vers le campement le plus proche et demander de l'aide. Pas vous sauver à la surface et abandonner vos fonctions pendant plus de trois semaines.

Les trois Kobolds baissèrent la tête, tous ayant l'air honteux, cherchant quelque chose d'autre à regarder que Baroque.

— Mais je savais bien que je vous coincerais dans la taverne ou le pub de la ville la plus proche, continua le lozrok. Vous n'avez jamais été très doués pour la discrétion. Surtout avec vos casques. Signez.

Il leur tendit un crayon noir que Ribère prit d'une main tremblante.

— Je te l'avais bien dit, murmura sèchement Luboo à Ribère. C'était une mauvaise idée !

— Oh, comme si c'était ma faute ! répondit froidement le Kobold à la chandelle.

Le lozrok prit une inspiration bruyante avant d'expirer longuement d'une manière qui rappelait un cheval. Victor se remémora aussitôt le souffle de la tortue-dragon, mais par chance, les lozroks ne crachaient pas de vapeur brûlante. L'effet espéré fut obtenu : les Kobolds se crispèrent en silence. Baroque s'avança et posa son gros doigt griffu sur le parchemin en disant :

— Vos. Signatures.

— Et si nous refusons de signer ? protesta Po d'une voix qui devint presque muette au fur et à mesure qu'il parlait. Car voyez-vous, capitaine, nous avons dépensé nos paies…

Le regard de Baroque, qui faisait presque huit fois la hauteur du Kobold, suffit à anéantir toute forme de protestation provenant de Po. Même sa lampe s'éteignit.

— Vous signez ou je ramène vos têtes.

Dans un silence paroissial, les Kobolds s'empressèrent de signer le parchemin avant de le rendre ainsi que le crayon. Baroque tendit la main à nouveau. Au bout d'un moment, il finit par lâcher d'une voix forte :

— Insignes !

Tout le monde, y compris Victor et ses amis, sursauta à la suite de l'ordre du lozrok. Les trois Kobolds tendirent leur insigne au capitaine, qui fourra le tout dans sa poche.

— Vous avez trois jours pour ramener au barman de cette taverne l'équivalent de vos trois dernières paies, dit-il. Sinon, j'aurai vos têtes. Compris ?

Les trois Kobolds hochèrent la tête en même temps.

— Désolé de vous avoir importuné, s'excusa le lozrok à l'intention de Victor, Pakarel, Béatrice et Nathan.

— Pas de problème, répondit Béatrice.

— Aucun, confirma Nathan avec un sourire forcé.

— Bonne soirée, leur dit Baroque avant de faire volte-face et de disparaître au coin d'une rue.

— Dites-moi, s'intéressa Victor, à combien s'élevait une semaine de paie ?

— Environ dix pièces, répondit Luboo.

— Ah, comprit Victor. Voilà pourquoi vous nous avez demandé ce prix exorbitant de quatre-vingt-dix pièces. Au moins, vous tentez de réparer votre erreur.

— Nous avons assez perdu de temps, dit Nathan. Vous trois, vous voulez bien nous dire comment vous comptez nous emmener à Paris avant demain ? Parce que si vous nous faites marcher…

— Je crois qu'on peut leur dire, décida Po, qui venait de rallumer la lampe sur son casque.

— Leur dire quoi ? protesta Ribère.

Sans réfléchir, le Kobold répondit :

— Que nous comptons utiliser la machine volante entreposée dans notre garage souterrain et… Oups !

Luboo et Ribère plaquèrent leur main sur leur visage.

— Machine volante ? répéta Béatrice avec effroi. Par un temps pareil ? Vous êtes conscients du danger que vous nous faites courir ?

— Ça vaut le coup d'essayer, dit Victor. Qu'en dites-vous, les gars ?

— Je suis d'accord, dit Pakarel.

Avec un sourire confiant, Nathan confirma :

— Menez-nous à votre garage. Victor, prends cette valise, je vais prendre celle-là…

Les trois créatures se mirent en marche, suivies par Victor, Pakarel et Nathan. Béatrice eut un moment d'hésitation avant de rattraper ses amis en marmonnant un juron d'inquiétude, trimbalant son étui à violon. Le groupe sillonna la ville pendant une bonne demi-heure avant de s'arrêter devant une grande bâtisse à l'allure modeste et ordinaire, située au beau milieu d'autres bâtiments identiques. Victor remarqua cependant que la poignée de la porte d'entrée était ridiculement basse, juste assez haute pour un Kobold...

— C'est ici, dit Ribère, qui pointa du doigt la structure, en tête du groupe.

La créature sortit un énorme trousseau de clés de son sac en bandoulière avant d'en choisir une et de l'enfoncer dans la serrure de la porte. Il y eut un léger déclic. Ribère poussa la porte et l'un derrière l'autre, les Kobolds pénétrèrent dans le bâtiment.

— Venez! lancèrent-ils à Victor et à ses amis, qui entrèrent à leur tour.

Le jeune homme réalisa avec stupéfaction que le bâtiment n'était en fait qu'une seule pièce, au plafond haut d'une vingtaine de mètres. Des échafaudages munis d'échelles menaient aux différents paliers de bois qui montaient jusqu'au plafond. En observant en hauteur, le jeune homme vit de grosses lampes électriques suspendues qui éclairaient uniformément la pièce. Encore plus haut, la forme d'une grosse machine volante, retenue par un système de poulies et recouverte de nombreuses toiles et couvertures était discernable.

Au sol, du matériel d'ingénieur, de mineur et d'alchimiste était répandu partout dans un désordre total. On ne pouvait pas faire un pas sans risquer de tomber sur une équerre, un vieux ressort, un moteur miniature ou encore une scie mécanique. Sous une pile de livres et de papiers, Victor aperçut les restants d'un lit. Avec un peu de concentration, il parvint à repérer deux autres lits sous les couches de désordre. Malgré l'insalubrité de l'endroit où il se trouvait, le jeune homme était bien heureux de ne plus être dehors, dans le froid, à recevoir la neige poudrée par le vent en plein visage.

— Vous… vous vivez ici ? demanda Béatrice, embarrassée par le désordre de l'endroit.

Les trois Kobolds, qui avaient éteint leur casque, s'étaient déjà éparpillés dans tous les sens.

— C'est notre chez-nous ! lança Ribère.

— Ça me rappelle ma chambre, quand j'étais plus jeune, dit Nathan d'un air rêveur.

— Quelqu'un veut du café ? lança la voix de Luboo, que Victor mit quelques secondes à localiser, près d'une table. Il y en a un restant, ici.

— Sans façon, merci, répondit Victor.

Voyant que les autres ne répondaient pas, Luboo haussa les épaules et engloutit le liquide dans une série de déglutitions bruyantes.

— Où est l'huile à moteur ? demanda Po, qui était monté au deuxième palier, en train de fouiller dans un compartiment de ferraille.

— Ce n'était pas du café, crétin ! dit Ribère à Luboo en lui tapant dans le dos, ce qui eut pour effet de faire tomber son monocle. C'était de l'huile !

— Ah ? répondit bêtement Luboo en replaçant son monocle sur son œil, qui s'agrandit aussitôt. Tant pis.

— Sans huile, nous ne pouvons pas démarrer le moteur de la machine ! dit Po depuis le deuxième palier.

— Non, tu blagues ? rétorqua Ribère sur un ton ironique.

— Nous n'avons plus d'huile ? demanda tranquillement Luboo. Pourtant, il y en avait un gallon plein, il y a deux jours… Ah… j'ai dû le confondre avec du café…

— Ce n'est pas un monocle qu'il te faut, lui lança Ribère, mais bien deux ! Tu es encore plus myope qu'une taupe !

Les trois Kobolds se lancèrent dans une séance d'arguments bidon et d'insultes bien salées, sous les yeux de Victor et de ses amis.

— Ce sont des idiots, marmonna Pakarel d'un air sombre.

— Je suis entièrement d'accord avec toi, dit Nathan en regardant la scène d'un air méprisant.

Béatrice s'abstint de tout commentaire, mais son visage en disait assez.

— Et si nous allions chercher un peu d'huile ? proposa Pakarel à Victor.

— Inutile, répondit le jeune homme en s'approchant d'un tas d'objets en désordre. De toute façon, les boutiques sont fermées à cette heure-ci.

Il y plongea la main et récupéra ce qu'il croyait avoir aperçu. C'était un petit contenant métallique rempli d'une substance.

— Nathan, dit-il en lui lançant la bouteille.

L'homme au mohawk blond dévissa le bouchon et porta le contenant sous son nez.

— C'est bien de l'huile. Bien vu, Victor.

— Hé ! cria Victor pour attirer l'attention des Kobolds, qui cessèrent leur querelle. Nous avons trouvé de l'huile.

— Fantastique ! lancèrent les trois Kobolds en même temps.

Ribère se dirigea vers Nathan et lui prit le contenant d'huile des mains.

— Allez-y ! lança Ribère à ses confrères.

Po se mit aussitôt à gravir un palier supplémentaire tandis que Luboo allait se poster près d'un levier situé à proximité d'une armoire dangereusement remplie d'objets maintenus en équilibre précaire.

— Luboo ! s'écria Po. Active le levier du rez-de-chaussée !

— C'est toi qui dois tirer le tien en premier ! s'écria Luboo. Je te le rappelle tout le temps !

— Oups ! c'est vrai, répondit le Kobold à l'étage.

Un bruit en hauteur confirma que Po avait tiré sur un levier. Luboo tira ensuite sur le sien et le bruit d'un mécanisme se fit entendre, suivi par le ronronnement sonore d'un moteur. Presque au même moment, le système de poulies qui retenait l'engin au plafond se mit en marche. Les poulies se mirent à grincer tandis que les cordes, tendues, faisaient lentement descendre la machine volante, jusqu'à ce que Ribère puisse tirer sur les couvertures qui la recouvraient.

Chapitre 15

Un voyage plutôt... dangereux

L'engin volant se dévoila; c'était un gyrocoptère possédant une particularité assez unique : il avait une paire d'ailes similaires à celles d'une chauve-souris, mais faites de bois et de toile. Deux hélices étaient fixées à la base des ailes. Même si l'appareil ne ressemblait en rien à celui que Zackarias lui avait donné, Victor ne put s'empêcher de se remémorer son vol vers la Norvège.

— Des ailes sur un gyrocoptère? s'étonna Nathan.

— C'est excellent pour économiser un peu d'essence, répondit Ribère, occupé à vider son contenant d'huile dans le moteur de l'engin.

Le Kobold nommé Po, qui tentait en vain d'ouvrir la portière latérale du gyrocoptère, ajouta :

— On peut même planer pendant un bon moment!

— Ou encore faire battre les ailes de l'appareil comme celles d'un oiseau! fit remarquer Luboo, qui venait d'installer un large boyau dans ce que Victor déduisit comme étant le réservoir à essence du gyrocoptère.

En effet, en suivant le boyau du regard, le jeune homme vit un énorme bidon d'essence dans le coin de la pièce. Du coin de l'œil, Victor vit avec stupéfaction Luboo boire une gorgée d'essence depuis le boyau, avant de le remettre dans l'engin volant. Quant à Pakarel, il observait avec un malin plaisir Po, qui était toujours incapable d'ouvrir la portière. Le pakamu soupira fortement et dit sur un ton de fausse impatience :

— Pousse-toi, je vais le faire.

Sans difficulté apparente, le raton laveur ouvrit la portière dans un léger grincement.

— Il fallait simplement tirer sur la poignée pour désactiver le loquet, dit-il d'un air sombre et sarcastique.

— Merci beaucoup ! dit vivement Po.

— Idiot ! marmonna Pakarel en croisant ses petits bras.

— Mesdames et messieurs, déclara Po d'un air théâtral, veuillez prendre place.

D'un regard encourageant, Victor fit signe à ses amis de le suivre. En prenant bien soin de ne pas forcer sur sa jambe, le jeune homme se hissa dans l'appareil et, tout en étant incliné vers l'avant pour ne pas se heurter la tête, il tendit la main pour aider Béatrice à le rejoindre.

— Merci, lui dit-elle avec un grand sourire.

La jeune femme et lui s'installèrent sur la banquette arrière, qui devait être assez grande pour accueillir encore deux personnes de taille moyenne. Victor remarqua alors un détail amusant : trois sièges étaient installés dans le cockpit.

— Victor, dit Nathan d'une voix étouffée par l'effort. Mon vieux, tu veux bien m'aider à… Les valises… s'il te plaît…

En voyant Nathan qui tentait de hisser une valise à bord, Victor s'empressa de lui donner un coup de main.

— Je l'ai, dit-il, je l'ai… C'est bon.

— Déménagez-vous ? demanda Ribère à Béatrice, tout en allant s'installer sur le siège du conducteur.

— Oh ! non, répondit-elle comme si c'était une question comme toutes les autres. Je ne vais pas vivre à Paris, nous n'y allons que pour une soirée. Enfin, deux, avec ce soir.

— Pourquoi toutes ces valises ? continua Ribère.

— Les femmes, répondit Nathan avec conviction. Ne cherche pas à comprendre, c'est peine perdue.

L'air intrigué, Ribère haussa les épaules et démarra le moteur du gyrocoptère. S'adressant à lui à voix haute, en raison du vacarme causé par les moteurs, Victor s'avança vers l'avant et dit :

— Excusez-moi ? Ribère, c'est ça ?

— Oui, maître Pelham ? répondit le Kobold.

En fronçant les sourcils, Victor demanda :

— C'est probablement une question bête, mais… comment allons-nous sortir de votre bâtiment ?

— Po devrait ouvrir le plafond d'un instant à l'autre, répondit le Kobold, comme si de rien n'était. Regardez.

Ribère pointa son doigt long et fin en désignant un endroit en hauteur.

— Sur le palier, tout en haut, dit-il.

Victor s'avança un peu, baissa la tête pour avoir un meilleur angle de vue à travers la vitre du cockpit et vit la silhouette d'un Kobold activer une manivelle. Dans un grincement métallique infernal, le toit se fendit en deux et s'ouvrit vers l'extérieur.

— C'est bon, dit Luboo en s'installant sur l'un des trois sièges du cockpit. J'ai retiré les câbles qui maintenaient le gyrocoptère et j'ai rempli le réservoir !

— Laisse-moi vérifier, dit Ribère en consultant la jauge d'essence. C'est juste. Bien joué. Beuark ! Ton haleine sent l'essence ! Tu es écœurant !

— Pas vrai, répondit bêtement Luboo en ajustant son monocle. C'est une nouvelle sorte de menthe…

Au même moment, Po vint rejoindre ses deux collègues et s'installa sur le dernier des trois sièges.

— Je voulais celui du centre ! se plaignit-il.

— Ce n'est pas important, rétorqua Ribère. Combien de temps avons-nous avant la fermeture du toit ? Deux minutes, comme d'habitude ? Je dois m'assurer que tous les systèmes de vol sont en bon état et que…

— En fait, j'ai oublié de mettre la minuterie, dit Po d'un air songeur.

Au même moment, ils entendirent le grincement infernal du toit, qui se refermait lentement.

— Espèce de rat écervelé ! lui cria Ribère. Oh, nom de nom ! Attachez-vous, à l'arrière ! Et fermez la portière !

Étant le plus proche de la portière, Nathan la referma dans un claquement sec. Victor passa aveuglément ses mains autour de lui dans l'espoir de saisir de quoi s'attacher, mais il n'y avait rien.

— Avec quoi vous voulez que nous nous attachions ? demanda Nathan.

Soudain, la machine volante se souleva, figeant sur place Victor et ses amis. Un instant plus tard, un impact assourdissant survint et l'appareil bascula dangereusement vers la gauche. Avec Pakarel qui s'agrippait inexplicablement à ses cheveux, Victor fut projeté contre Béatrice et Nathan, tous deux écrasés contre la portière. Le jeune homme pouvait très bien sentir, et surtout voir depuis les fenêtres, que le gyrocoptère prenait de l'altitude à une vitesse fulgurante, tourbillonnant dans le ciel, tandis que la vitre du cockpit se couvrait de buée qui gelait aussitôt. Au bout d'un court moment, tout redevint calme et l'engin volant se stabilisa, laissant derrière lui une traînée de fumée.

— Woohoo ! crièrent les trois Kobolds en avant, leurs petits bras levés au ciel d'un air triomphant.

— On l'a eu ! lâcha Po. Ça va, à l'arrière ?

Personne ne répondit. Victor et ses amis venaient tout juste de se rasseoir, le corps endolori, tous ayant mauvaise mine.

— Vous savez piloter ce truc, au moins ? demanda Nathan d'un air sombre. Vous n'êtes pas parvenus à traverser le blizzard par chance, j'espère ?

— Oh oui ! nous savons piloter, répondit Luboo avec conviction, ne vous inquiétez pas !

— Mais nous ne sommes pas encore en mesure de faire des atterrissages réussis, fit remarquer Po. D'habitude, on s'arrange pour s'écraser dans une rivière ou encore… Aïe !

Ribère venait de lui donner une tape derrière la tête.

— Ne fais pas cette tête, dit Pakarel à Béatrice, qui avait le teint livide et était installée au plus profond de son siège. Nathan est un bon pilote. Il pourra les aider. Pas vrai, Nathan ?

Au bout d'une demi-heure, malgré les bruits inquiétants du moteur qui s'étouffait de temps à autre, et bien qu'ils fussent entassés les uns sur les autres, Victor et ses amis parvinrent à se détendre un peu. Les yeux rivés vers l'extérieur le jeune homme regardait les étoiles qui veillaient, et en dessous, l'océan, visible à travers l'épaisse couche de nuages.

— J'aime bien la ceinture d'Orion, souffla Béatrice. Elle est si jolie.

Victor, qui s'était un peu perdu dans ses pensées, sursauta sous le regard amusé de son amie.

— Oh, hum! Oui, approuva Victor. Elle l'est. Très jolie.

— Je l'ai toujours trouvée bien étrange, cette constellation, continua-t-elle d'un air rêveur.

— Béatrice! dit Pakarel avec énergie. Tu savais que Victor vient d'Orion?

Victor et Nathan lancèrent un regard noir au pakamu, qui venait de comprendre son erreur. Honteux, il plaqua ses petites mains sur sa bouche. Cependant, Béatrice éclata de rire, ce qui eut pour effet de détendre l'atmosphère glaciale, qu'elle ne semblait pas percevoir.

— Comme ça, tu viens des étoiles? demanda-t-elle d'un air moqueur, le sourire aux lèvres.

— Un vrai petit sac à blagues, ce Pakarel, hein? dit Victor en riant jaune, observant toujours Pakarel avec sévérité. Moi, venir des étoiles? Ha! ha! ha!

— Maître Pelham? dit Ribère, qui s'était retourné.

— Oui? répondit le jeune homme, qui remerciait mentalement le fait que le Kobold l'ait interpellé.

L'air de chercher ses mots, Po continua:

— Moi et mes associés nous demandions… hum… Comment comptez-vous nous payer?

— Je vous paierai en pièces. Internationales. C'est bien ce que veut votre capitaine?

— Ex-capitaine, reprit Ribère.

— Ex-capitaine, se corrigea Victor. C'est bien le type de paiement qu'il veut?

— Oui, répondit Po.

Les trois Kobolds se mirent à échanger (ou plutôt à se disputer) au sujet d'une course de carrosses motorisés qui avait eu lieu en Belgique, deux semaines plus tôt.

— Je te dis que c'est McLaggen qui aurait dû l'emporter ! insistait Ribère avec conviction. Son bolide était supérieur à ceux des autres !

— Non, répondit Luboo. Moi, je dis que c'est Jones, la gagnante actuelle. Elle s'est débrouillée comme une vraie professionnelle. Tu as vu son dernier virage ?

— Moi, je pense que c'est Grimsby qui aurait dû gagner, dit Po.

— Grimsby ? répétèrent Luboo et Ribère en même temps, les sourcils froncés.

— Il ne faisait même pas partie de la course ! lâcha Ribère. Il s'est blessé l'an dernier !

— Ah, réalisa Po, qui semblait réfléchir profondément. C'est vrai.

Victor, qui n'écoutait pas la discussion des Kobolds, ferma les yeux. Il pensait à une nouvelle pièce de piano qu'il tentait de créer mentalement ; c'était d'ailleurs ce qu'il faisait lorsqu'il voulait s'évader dans son esprit. Puis, alors qu'il recréait les sons des différentes touches du clavier de son piano, ses pensées divaguèrent vers Maeva... ses cheveux soyeux, ses yeux... son visage...

C'est à ce moment qu'il sentit une pression dans son flanc. Puis une seconde, cette fois plus forte.

— Victor ? fit Béatrice.

Le jeune homme redressa la tête, qui était accotée sur le hublot du gyrocoptère. Il comprit que la jeune femme lui donnait des petits coups de coude dans le flanc.

— Quoi ?

— C'est moi qui veux te parler d'un truc, dit Nathan, la tête inclinée pour le voir.

Victor approcha son visage à son tour. D'un air de conspirateur, lançant des regards furtifs aux Kobolds, l'homme au mohawk dit à voix basse :

— Je ne veux pas que ces trois zigotos nous suivent… ils pourraient mettre en péril notre petite investigation.

— Ils s'en retourneront probablement à Québec, chuchota Béatrice, prise en plein milieu de la conversation.

— C'est aussi ce que je pense, confirma Victor. Ils doivent rembourser leur capitaine.

Nathan hocha la tête.

— Bon, dit-il. En arrivant, nous allons devoir nous mettre aux trousses de l'oncle de Caleb.

— Sais-tu où il se trouve? demanda Pakarel qui s'était inclus dans la conversation.

— Pas exactement, mais j'ai son adresse, répondit Nathan. Nous allons devoir demander à un chauffeur de nous y mener. Cependant…, dit-il en marquant une pause.

Victor et ses amis l'observèrent.

— … nous aurons besoin d'armes.

— Si j'avais su, dit Pakarel, j'aurais amené ma dague.

— Vous allez avoir besoin d'armes? répéta Béatrice d'un air incertain et inquiet. Je… je voudrais comprendre. Que comptez-vous faire avec ces armes?

— Nous défendre, répondit Nathan, quoi d'autre?

— Je croyais que vous alliez chercher de l'aide pour guérir votre ami? demanda Béatrice. C'est ce que vous m'avez dit dans le carrosse, lorsque nous étions en route pour ce pub de mercenaires…

— C'est le cas, s'empressa Victor, qui tentait de formuler rapidement une réponse convaincante, car il ne voulait pas effrayer Béatrice en lui disant qu'un monstre rôdait probablement dans les égouts de Paris. Cependant, nous… nous voulons seulement être prudents.

— Alors, pourquoi ne pas avoir apporté nos propres armes? demanda Pakarel.

— Dois-je te rappeler qu'il est illégal de se promener à Québec avec des armes, sans permis délivré par la Ville? lui dit Nathan d'un air patient. Nous avons assez d'ennuis comme ça, surtout avec le cas de Caleb, Miron et Dujardin.

Pakarel hocha la tête en guise de compréhension.

— Et en France, c'est légal d'être armé ? demanda Béatrice, un peu inquiète.

— Ça dépend, répondit Nathan en souriant. Seulement si nous avons un permis de port d'arme.

— Mais alors, dit Pakarel, je ne comprends pas comment…

— Avant qu'ils partent de Paris, mes hommes nous ont obtenu de vrais permis parisiens, expliqua Nathan. J'avais prévu le coup. Ils nous ont laissé les permis à une adresse que j'ai notée. Elle est dans mon veston.

— Tu m'épates, lui avoua Victor avec un sourire. Vraiment.

— Je dois avouer, dit Béatrice d'un air songeur, que c'est bien pensé.

— Notre séjour dans la Ville lumière sera un peu plus agréable de cette façon, dit Nathan, visiblement ravi des compliments.

— La Ville lumière ? répéta Pakarel, l'air confus.

— Paris, rectifia Victor. C'est un surnom qu'on donne à Paris.

— Ah. Drôle de surnom.

Deux heures plus tard, alors que Victor et ses amis étaient tous endormis, entassés les uns sur les autres, le jeune homme sentit quelque chose lui glisser des doigts. Ouvrant l'œil, il vit qu'une petite paire de mains tirait doucement sur sa canne. Victor crispa sa main et ouvrit les yeux.

— Oh ! murmura Po, vous êtes réveillé ! Je suis désolé, je voulais simplement regarder votre canne, maître Pelham. Je suis navré, je n'aurais pas dû…

— Ça va, l'excusa aussitôt Victor avec un sourire. Tiens.

Il lui tendit sa canne. Le jeune homme remarqua que Ribère manœuvrait toujours l'engin volant, tandis que Luboo dormait et respirait profondément.

— C'est encore à la mode, maître Pelham ? demanda Po en désignant d'un geste la canne.

— Je ne sais pas, répondit franchement Victor.

— Donc, ce n'est pas un accessoire ?

Victor sourit et demanda à son tour :

— Tu n'as pas remarqué que ma jambe gauche a une démarche moins élégante que la droite ?

— À vrai dire, maître Pelham, non, je n'ai pas remarqué. Vous êtes blessé ?

— On peut dire cela, répondit vaguement Victor en hochant la tête.

Po fit un signe de tête compréhensif et observa la canne du jeune homme.

— Ribère et Luboo sont tes frères ? lui demanda Victor.

Po leva les yeux et le regarda d'un air impressionné.

— Comment avez-vous deviné ? Vous êtes doué !

— C'était un peu évident, répondit Victor en s'empêchant de rire. Ça n'a rien à voir avec le fait d'être doué ou non…

— Oui, oui ! le coupa Po. Vous êtes doué ! J'aime vous entendre jouer du piano, maître Pelham !

Mal à l'aise, Victor lâcha un petit rire gêné :

— Ha, ha…

— Mais votre amie n'est pas mauvaise non plus, ajouta Po en regardant Béatrice.

— C'est gentil, lui dit Victor. Elle serait heureuse de l'entendre.

— Menteur ! intervint soudain Pakarel, à voix basse et d'un ton sec.

Il dévisageait Po d'un regard noir. Po, lui, semblait aussi étonné que Victor.

— Pakarel ? s'empressa Victor. Mais de quoi parles-tu ?

— Il veut simplement t'amadouer pour te voler ou… ou quelque chose dans le genre ! répondit le pakamu.

— Moi ? dit Po d'un air outré. Mais non ! Je ne voulais que…

— Menteur ! rugit Pakarel à nouveau.

Cette fois, il fit sursauter Luboo, qui émit un genre de ronflement sec en se réveillant d'un coup.

— Qu'est-ce qui se passe ? grommela Nathan d'une humeur massacrante, en direction de Pakarel. Pourquoi cries-tu ainsi, bon sang ?

— Ces vils petits monstres sont des fouineurs, dit Pakarel d'une voix sombre.

— Pakarel, répliqua Victor d'une voix douce, je croyais que nous avions abordé le sujet et…

— Je ne leur fais pas confiance ! l'interrompit Pakarel d'une voix assez forte pour réveiller Béatrice.

— Que… Quoi ? marmonna-t-elle, les yeux encore fermés.

— Vos accusations commencent à être lourdes à supporter, riposta Ribère d'une voix glaciale, sans même se retourner.

— Ce qui est lourd, rétorqua Pakarel, ce sont vos ridicules chapeaux ! Une chandelle. Ah !

Ribère lâcha un regard par-dessus son épaule et dit calmement :

— Et c'est vous qui traitez nos chapeaux de ridicules ? Regardez d'abord le vôtre. On dirait un vieux sac à ordures !

— Non ! s'écrièrent en cœur Nathan, Victor et Béatrice, en empêchant Pakarel de bondir sur Ribère.

— C'est assez ! lâcha Victor. Pakarel, nous n'avons pas besoin de…

Un bruit à glacer le sang survint tout à coup de l'extérieur de la machine volante. Tout le monde cessa de bouger, les sens aux aguets.

— Qu'est-ce que c'est ? demanda Béatrice d'une petite voix.

Avant même que quelqu'un ait pu lui répondre, une importante secousse fit vaciller le gyrocoptère. Toutes les lumières de l'appareil s'éteignirent pour être aussitôt remplacées par une seule lumière rouge qui provenait d'une ampoule d'urgence située au plafond.

— Qu'est-ce qui se passe ? demanda Victor, plutôt alarmé, à l'intention des Kobolds.

De petits crépitements se firent entendre sur la coque extérieure du vaisseau volant ; il s'était mis à grêler. Puis, le même son horrifiant que Victor et ses amis avaient entendu plus tôt tonna. Le bruit était profond et imprégné de colère.

— C'est un rugissement, dit Pakarel à voix basse. Il y a quelque chose dehors…

Victor pensa alors aux wyvernes qu'il avait eu le malheur de croiser durant son voyage vers la Norvège.

— Wyverne? murmura-t-il.

— Impossible, dit Nathan, qui tentait d'apercevoir quelque chose à travers le hublot. Elles ne volent pas si loin des côtes. Ce doit être… quelque chose d'autre.

— Tu as une idée, pas vrai? demanda Béatrice d'une voix presque éteinte par la peur.

Nathan l'observa par-dessus son épaule pendant un court moment, avant de se concentrer à nouveau sur le hublot.

— C'est un wyrm, dit Nathan d'une voix incrédule.

— C'est quoi? demanda Pakarel.

— Devant! s'écria Luboo.

Tout le monde aperçut la silhouette masquée par le mauvais temps. Un monstre ailé, volant à travers les bourrasques de vent portant grêle, pluie et neige, fonçait droit sur eux. Béatrice lâcha un cri aigu, crispant par inadvertance sa main droite sur le genou gauche de Victor, qui gémit aussitôt de douleur. La créature piqua vers le bas, sa longue queue pâle et écailleuse passant près du gyrocoptère, et disparut du champ de vision de ses occupants.

— Mettez les gaz à fond! cria Pakarel aux Kobolds.

— Nous allons déjà à la vitesse maximale! répondit Luboo d'un air apeuré.

— Cet engin est armé? demanda Nathan sur un ton d'urgence.

— Un seul canon situé derrière votre banquette, répondit Ribère sans quitter des yeux la vitre de son cockpit.

— Bougez-vous! demanda Nathan, mais Victor, Pakarel et Béatrice s'étaient déjà installés sur le sol, coincés dans des positions inconfortables.

Lorsque Nathan eut incliné la banquette, Victor vit un canon rotatif bien ancré dans le gyrocoptère, pointant vers la portière arrière. Le wyrm, que le jeune homme n'avait que brièvement aperçu, poussa un nouveau grognement.

— Ouvrez cette porte! lâcha Nathan, qui se glissa devant l'arme qu'il saisit aussitôt, en position accroupie.

— Nous risquons de perdre de la vitesse, l'avertit Po en manquant fortement de conviction.

— La porte! répéta Nathan.

Po allongea son bras et appuya sur un bouton du tableau de bord. Dans un grincement, la porte s'ouvrit, faisant subitement entrer une violente bourrasque d'air froid, qui fit presque tomber le chapeau de Pakarel. Pendant une dizaine de secondes, on n'entendit plus que le bruit du vent et des moteurs de l'engin. Durant ces dix secondes, Victor et ses amis échangèrent un regard inquiet, même apeuré, tandis que Pakarel retenait son chapeau bien enfoncé sur sa petite tête. Il n'y avait rien... jusqu'à ce que des battements d'ailes lents et lourds se fassent entendre.

— Là-bas! cria Nathan.

Cette fois, le cœur de Victor s'arrêta. Une grosse tête blanche, tirant sur un teint verdâtre, se trouvait au bout d'un coup large et musculeux. La créature possédait deux yeux bleus perçants et une énorme gueule assortie de dents jaunies. Son corps était muni d'une paire d'énormes ailes, dont la membrane violette était trouée et déchirée en plusieurs endroits, ainsi que d'une longue queue. La bête devait faire dans les dix mètres de long, et Victor estimait son poids à deux ou trois tonnes. En voyant le wyrm, le jeune homme ne put s'empêcher de penser aux dragons des contes de fées.

Dans un élan furieux, le monstre fonça sur l'engin volant et tenta d'en prendre une bouchée. Sa gueule se referma à quelques mètres de Nathan, envoyant en même temps un jet de salive gluant sur Victor et ses amis. En lâchant un hurlement, Nathan pressa les gâchettes du canon qui se mit à cracher une rafale de projectiles dans un nuage d'explosion, de feu et de fumée.

Les balles de l'arme atteignirent le wyrm en pleine gueule, mais celui-ci ne broncha pas. Il détournait sans cesse le visage, comme irrité, pourchassant toujours le gyrocoptère de ses grands battements d'ailes. Mis à part les petites éclaboussures de sang étalées sur sa peau, rien n'indiquait que la bête avait été dérangée par les projectiles du canon.

— Prends à gauche! s'écria Nathan de toutes ses forces. À gauche, bon sang!

Avec un léger retard, Ribère fit virer le gyrocoptère vers la gauche, y propulsant aussi tous ses passagers. Profitant du fait que le wyrm n'avait pas encore changé de direction, Nathan continua à le trouer de balles, cette fois-ci dans la membrane des ailes du monstre. Malgré la multitude de trous qui s'y trouvaient, la bête restait inexplicablement en vol. Le wyrm poussa un cri de fureur et vira aussi sur la gauche, frappant le gyrocoptère de plein fouet.

L'une des valises de Béatrice fut projetée hors du gyrocoptère, frappant le monstre dans la gueule. Hurlant de rage, la créature plongea sa gueule sur le vaisseau volant, et celle-ci se referma directement sur le canon de Nathan. Pour éviter l'impact, l'homme s'élança vers l'arrière, tombant contre Pakarel et Béatrice. L'appareil prit alors un angle alarmant, le nez pointé vers le ciel et l'arrière vers le bas, entrainé par le poids du wyrm, qui se laissait apparemment tomber vers l'océan.

— Il va nous faire couler! hurla Ribère. Tuez-le!

À travers les hurlements de terreur de Béatrice et des Kobolds, le vacarme de la tempête et le bruit incessant des moteurs du gyrocoptère, Victor comprit en une fraction de seconde que si le monstre ne les lâchait pas d'ici dix secondes, ils allaient tous y passer. Prenant son courage à deux mains, il saisit sa canne et s'élança vers la gueule du monstre.

Malgré ses cheveux qui lui fouettaient le visage, et ses jambes qui ne trouvaient pas leur équilibre, le jeune homme réussit à envoyer un coup de canne dans l'œil gauche du wyrm, qui lâcha prise du gyrocoptère. Catapultée vers l'avant, la machine volante retrouva violemment une position stable, tandis que Victor s'écrasait la tête contre le plafond avant de retomber sur ses amis. Loin derrière, ils virent le wyrm piquer, la tête la première, vers les vagues de la mer, qu'il transperça dans une éclaboussure stupéfiante.

— Il est mort! s'écria Pakarel. Victor, tu l'as eu!

— Non, rectifia Nathan, le souffle court. Il n'est pas mort. Les… les wyrms vivent sous l'eau, et celui-là… je crois qu'il veut jouer avec nous.

Chapitre 16

Le décret ministériel numéro 109

— Jouer avec nous ? répéta Béatrice, le visage blême.

— Victor, tu veux bien m'aider à refermer ça ? dit Nathan en faisant signe vers l'arrière du gyrocoptère.

— Qu'est-ce que tu veux dire par « jouer avec nous » ? redemanda la jeune femme.

Mais l'homme ne répondit pas, trop concentré sur son ouvrage. Victor et lui parvinrent à refermer la porte arrière, malgré la pression du vent.

— Tire, tire ! grogna Nathan.

— C'est bon ! dit Victor en coinçant le loquet de la portière.

Il y avait encore un fort sifflement d'air au niveau du sol, près de la portière. C'étaient les trous dus à la morsure du wyrm.

— J'ai une idée, dit Pakarel.

Le raton laveur parvint à pousser une des valises restantes de la jeune femme. Comme par magie, les fissures furent aussitôt bouchées dans un bruit de succion.

— Désolé pour ta valise manquante, dit Victor à Béatrice.

— Ce n'est pas grave, dit-elle, semblant tout de même déçue. Nous sommes en vie, c'est le plus important. Et j'ai toujours mon violon.

Après avoir redressé la banquette arrière, Victor et ses amis s'y réinstallèrent.

— Ribère, le vaisseau tiendra le coup ? demanda l'homme au mohawk.

— Ça devrait aller, répondit le Kobold d'un air contrarié. Je vais remettre l'éclairage normal.

Ribère appuya sur un bouton et l'unique ampoule qui inondait l'engin volant d'une lueur rougeâtre s'éteignit, aussitôt remplacée par les lumières normales de l'appareil.

— C'est mieux comme ça, signala Po, d'un air faussement amusé. Ça fait un peu moins «nous allons tous mourir dans un accident aérien».

— Ne dis pas ce genre de choses, le réprimanda Béatrice d'un air sévère. Ce n'est pas drôle.

— Je suis désolé, couina le Kobold.

— Pour répondre à ta question, dit Nathan en s'adressant à Béatrice, les wyrms sont des animaux très espiègles. Ils adorent jouer.

— Tu veux dire que ce gros monstre nous a attaqués simplement par plaisir? dit Po d'une petite voix.

Nathan fit un signe négatif de la tête.

— Il ne nous a pas attaqués. Il veut simplement jouer.

D'un air mal assuré, Pakarel poursuivit :

— Ce qui veut dire…

— … que ce monstre est retourné sous l'eau chercher sa ba-balle et qu'il va probablement revenir nous la lancer, continua Nathan sur un ton neutre.

— Le wyrm va revenir? répéta Luboo, une expression horrifiée sur le visage. Oh…

— Quoi? s'écria Béatrice, s'adressant à Nathan, en gesticulant avec fureur malgré le manque d'espace. Comment diable peux-tu rester aussi calme? Si ce monstre revient nous…

La jeune femme s'interrompit, se mordant les lèvres, envahie par la peur.

— Que veux-tu qu'on y fasse? répondit calmement Nathan. Nous n'avons plus de canon. S'affoler ne changera rien.

— Victor, que fait-on? demanda Pakarel d'une voix pleine d'espoir, qui laissait sous-entendre que son ami trouverait une solution miracle à leur situation.

Le jeune homme observait l'océan déchaîné depuis le hublot du gyrocoptère, l'air contrarié. Il tentait d'apercevoir le wyrm, mais ne voyait rien.

— Nathan a raison, dit Victor en ramenant son regard sur ses amis. Nous affoler ne servirait à rien.

Une expression de crainte et de frustration naquit sur le visage de Béatrice :

— Comment fais-tu pour ne pas être affolé ? N'as-tu pas peur de ce… ce monstre ?

— Oui, répondit Victor dans un calme quasi absolu. J'ai peur. Mais il faut garder la tête bien ancrée, surtout dans ce genre de situation.

Béatrice, qui ne semblait pas rassurée pour autant, hocha la tête de gauche à droite comme signe d'abandon.

— Il revient ! cria Ribère. Regardez, regardez !

— Où ? s'écria Pakarel d'une voix horrifiée.

— Là, dit Victor en pointant vers la vitre avant de l'engin volant. Nathan, ajouta-t-il en tournant la tête vers son ami, tu avais raison. Cette chose a ramené sa balle.

Au loin, par-delà la lueur orangée des phares du gyrocoptère, la silhouette monstrueuse du wyrm venait de réapparaître à travers les bourrasques d'eau et de neige. Le monstre tenait dans sa gueule une masse sombre de la taille d'un four. La bête volante stabilisa son vol dans de grands mouvements d'ailes et lâcha un simple grognement.

— Il ne va quand même pas nous lancer ce truc, dit Pakarel d'une voix éteinte, les yeux grands ouverts.

— Ribère, dit Nathan sans quitter le monstre des yeux, prépare-toi à faire une manœuvre d'esquive vers la droite. Non ! Pas maintenant.

À la suite du commentaire de Nathan, le Kobold, qui s'était apprêté à dévier l'engin volant de la trajectoire du wyrm, lâcha les commandes d'un sursaut. C'était évident, observa Victor, que Ribère était dans un état de stress avancé.

— Tu peux le faire, lui dit le jeune homme d'un air encourageant. Concentre-toi. Notre vie dépend de toi.

Ribère hocha la tête d'un coup sec.

— Mais je ne veux pas que ma vie dépende de lui ! protesta Luboo. Il est cinglé ! Et grognon ! Et…

— Tais-toi ! le coupa aussitôt Pakarel.

Victor et Nathan, qui ne quittaient pas le wyrm des yeux, étaient tous deux avancés sur leur siège, le dos tendu, attendant que la bête se décide à lancer la masse noire qu'elle tenait dans sa gueule... Soudain, la bête pivota sur elle-même pour se donner un élan et...

— Maintenant! crièrent Nathan et Victor.

— Évite-le vers la droite, allez! lança Po.

Ribère tira sur le manche de l'appareil et ce dernier fonça vers la droite, coupant le vent, la neige et l'eau, tandis que l'objet siffla lourdement près d'eux avant de s'effondrer dans l'océan dans une éclaboussure sonore. Apparemment déçu, le wyrm lâcha un grognement espiègle avant de se laisser tomber dans l'océan et d'y disparaître.

— Dites-moi que ce monstre est parti! couina Béatrice, toute blême, enfoncée au fond de son siège, le front ruisselant de sueur.

— On dirait, confirma Pakarel, qui observait l'extérieur depuis son hublot, debout sur la banquette. S'il revient avec une autre pierre ou quelque chose du genre...

— J'en doute, dit Nathan. Nous ne l'avons pas amusé. Il va probablement retourner déchiqueter des baleines ou d'autres créatures marines.

— C'est horrible, marmonna la jeune femme, les yeux fixant le vide. Ces créatures devraient être chassées...

— Ils sont protégés, dit Nathan en riant. Les wyrms des mers, comme celui que tu as vu, sont protégés par une charte pour la sauvegarde de la faune. J'ai connu un type qui a écopé de 15 ans de prison après s'être fait prendre à vendre leurs os...

Avec un soupir de soulagement, Victor se laissa doucement tomber contre la banquette.

— Tu devrais éteindre tes phares, dit-il à Ribère. Je ne sais pas si c'est ce qui a attiré le wyrm, mais avec les wyvernes... ce n'est pas conseillé. Je parle d'expérience, ajouta-t-il avec un sourire en direction de Béatrice.

— Voilà, dit Ribère, qui venait d'éteindre la totalité des lumières du gyrocoptère.

Il n'y avait maintenant plus qu'une faible lueur qui éclairait le visage des trois Kobolds. Po se retourna soudain.

— C'était géant, dit-il à l'intention de Victor.

— Pardon ?

— Un coup de canne en plein dans l'œil ! dit le Kobold en mimant le geste qu'avait accompli Victor. Vous êtes vraiment doué, maître Pelham !

— Gna, gna, gna ! marmonna Pakarel avec un regard sombre dirigé vers le Kobold.

— Oh non ! se plaignit Béatrice, qui était maintenant inclinée par-dessus la banquette.

— Quoi ? lâcha Luboo sur un ton énervé. Le wyrm ?

La jeune femme se laissa retomber sur la banquette, l'air ravagé par la détresse.

— Non, gémit-elle avec les mains lui couvrant le visage. C'est ma valise, j'ai perdu la moitié de mes robes.

Pakarel, Victor et Nathan échangèrent un regard. Puis, sans le vouloir, tout le monde se mit à rire faiblement.

— Ce n'est pas drôle ! protesta la jeune femme. Je voulais avoir l'embarras du choix !

Deux heures plus tard, le gyrocoptère volait par-dessus les paysages recouverts de neige de la France.

— Ce sera l'aube dans une heure, dit Victor, qui venait de consulter sa montre de poche. Nous ferions mieux de trouver une chambre pour y déposer nos affaires.

— Mais Victor, dit Nathan, tu le sais comme moi, nous n'avons pas vraiment le temps de dormir...

— Je sais, lui assura le jeune homme, qui fit ensuite un signe de menton vers la jeune femme à sa gauche. Mais elle, elle en aura bien besoin.

Béatrice, qui avait passé un long moment à guetter nerveusement les hublots de l'engin volant, s'était finalement endormie.

— Vu comme ça, confirma Nathan en observant Béatrice, on pourrait quand même prendre quelques minutes pour manger un peu avant de partir.

— Et ensuite, aller chercher nos permis d'armes ? s'assura Victor.

Nathan hocha la tête.

— Je vais te montrer l'adresse, dit-il en s'étirant vers le petit compartiment à bagages.

L'homme fouilla d'une main aveugle pendant un court instant, avant de perdre patience et de s'y mettre à deux mains, les sourcils froncés.

— Oh non! lâcha-t-il avec une profonde déception. Mon veston n'est plus là. Il s'est sûrement envolé durant notre rencontre avec ce wyrm.

— Et l'adresse de l'oncle de Caleb? demanda Victor sur un ton alarmé.

Nathan fouilla dans sa poche et sortit un bout de papier.

— Ça, je l'ai toujours.

— C'est le plus important, répondit Victor, soulagé.

— Maître Pelham, intervint Ribère, nous arrivons bientôt. Peut-être devriez-vous réveiller votre amie.

— Bonne idée, le remercia Victor d'un signe de tête courtois.

Pakarel, qui observait l'extérieur depuis le hublot, tapota le bras de Nathan.

— Ouais?

— C'est quoi, cette grande chose? demanda-t-il en écrasant son petit doigt sur la vitre.

Nathan s'avança un peu pour mieux voir avant de reprendre sa place.

— C'est la tour Eiffel, dit-il. Tu as vu, Victor?

À son tour, le jeune homme s'approcha du hublot et contempla, au loin, la structure à quatre pieds, énorme, qui montait en une pointe lumineuse surplombant la Ville lumière. D'ailleurs, celle-ci était éclairée de milliers de petits rectangles jaunâtres, tandis que d'énormes projecteurs balayaient le ciel juste au-dessus.

— J'en ai déjà entendu parler, mais je ne l'avais jamais vue en vrai, dit-il, l'air ébahi.

— C'est vraiment gros, s'étonna Pakarel. En tout cas, la ville porte bien son surnom, finalement!

— Béatrice, dit doucement Victor en lui tapotant l'épaule. Béatrice, réveille-toi… nous sommes presque arrivés.

La jeune femme se leva d'un bond, prise de sursauts, et donna au passage un coup de coude sur le nez de Victor.

— Oh! lâcha-t-elle en réalisant sa gaffe. Mon Dieu Victor, je suis désolée!

— Ça va, mentit le jeune homme en se tenant le nez, les yeux humides.

Quelques minutes plus tard, le gyrocoptère passait au-dessus des nombreuses cheminées surplombant les innombrables toits parisiens. Victor eut le temps de voir, dans une allée, des gobelins et des graboglins adossés au mur d'un bâtiment, tandis que des hommes armés les fouillaient d'une manière plutôt brusque.

— Bizarre, murmura-t-il.

— Peut-être sont-ils des voleurs? suggéra Pakarel, qui avait lui aussi vu la scène.

Victor haussa les épaules en hochant la tête. Il n'en savait rien.

— Où comptez-vous atterrir? demanda Nathan à l'intention des Kobolds. Vous n'avez pas de permis d'atterrissage, n'est-ce pas? Parce que vous pouvez toujours vous poser à l'extérieur de la ville.

— Bien sûr que j'en ai un! répondit Ribère en décrochant un bout de papier de la vitre du cockpit. Regardez.

— Ah. Vous êtes déjà venus ici? s'étonna Nathan en consultant le permis des Kobolds. Même trois fois?

L'homme leva la tête et les interrogea :

— En quel honneur?

Po répondit rapidement :

— C'était à l'époque où nous faisions de la contrebande de...

Mais Ribère venait de plaquer la main sur le museau de Po.

— C'est confidentiel, répondit-il en souriant.

D'une voix machinale, Ribère ajouta en observant Po :

— N'est-ce pas?

Po hocha la tête avec conviction.

— Peu importe, dit Nathan en haussant les épaules.

Au même moment, des grésillements se firent entendre en provenance de la radio du gyrocoptère. Puis, une voix masculine annonça :

— Identification et raison du passage ?

Ribère s'apprêtait à répondre, mais Nathan s'avança, lui tapota sur l'épaule et répondit à sa place :

— Nathan Blake, envoyé par le Consortium pour une affaire importante.

Il y eut un silence radiophonique avant que la voix réponde :

— Bienvenue, monsieur Blake. Votre nom est sur la liste. Vous pouvez vous poser sur la plateforme numéro 35.

Victor et Pakarel parurent tous deux surpris, observant Nathan d'un air dubitatif. Nathan était attendu à Paris ?

— Ce sont les gars du Consortium qui m'ont arrangé ça, expliqua-t-il en remarquant l'expression de Victor et de Pakarel. Ils ont prévenu les autorités de mon arrivée pour nous assurer une arrivée dans Paris et non pas à l'extérieur de la ville.

Au sol, de nombreux engins volants étaient installés sur des plateformes éclairées par de petites lumières. Victor nota que plusieurs hommes armés étaient postés un peu partout. Le jeune homme avait la certitude que quelque chose n'allait pas à Paris. De toute manière, il ne tarderait pas à le savoir. La machine volante se posa sans difficulté sur la plateforme que leur avait indiquée l'opérateur radio, tandis que la neige au sol se faisait balayer par les moteurs du gyrocoptère.

— Ça y est, dit Ribère. Vous êtes arrivés.

Il avait prononcé cette phrase avec une expression de satisfaction collée au visage. Ce qui signifiait qu'il voulait être payé à l'instant même.

— Moi, je veux aider maître Pelham, dit Po d'un air convaincant.

— Moi aussi ! enchaîna Luboo.

Ouvrant leur portière, les Kobolds descendirent du gyrocoptère. Tandis que Victor et ses amis récupéraient leurs affaires, ils entendirent la voix d'un homme crier, depuis l'extérieur :

— Vous, là ! Halte !

Intrigué, Victor ouvrit sa portière et sortit, sa canne à la main et son sac sur l'épaule. Contournant le vaisseau, le jeune homme vit deux hommes pointer leur longue carabine vers les Kobolds qui, apeurés, levaient leurs petites mains tremblantes en l'air. D'après leurs habits, ces hommes représentaient sûrement les forces de l'ordre de Paris. Ceux-ci étaient constitués d'un manteau et d'un pantalon gris, ainsi que d'une épaisse ceinture de cuir et d'un chapeau ridicule attaché par une lanière qui passait sous leur menton. Une longue épée pendait sur leur jambe gauche.

— Encore des races inférieures qui se font passer pour des humains pour avoir accès aux plateformes, hein? dit l'un des hommes d'un air satisfait à son complice.

— Hé! intervint Victor. Qu'est-ce qui se passe?

L'un des hommes leva sa carabine vers Victor. Le jeune homme leva sa main libre à hauteur de ses épaules, pour indiquer qu'il n'était pas armé.

— Vous, que faites-vous avec ces Kobolds? demanda l'un des hommes avec un accent presque exagéré.

— Euh… je voyage, leur répondit Victor. Ça pose un problème?

— Oh! mince… c'est encore un touriste, murmura l'autre homme à son collègue, comme s'il prenait Victor pour un idiot qui ne savait rien.

D'un air impatient, l'homme qui menaçait Victor de sa carabine expliqua :

— Depuis l'entrée en vigueur du décret ministériel numéro 109, les races inférieures aux humains, comme ces Kobolds, ajouta-t-il en pointant son arme vers Po et Luboo, n'ont plus accès à Paris. Ils sont tous envoyés en quarantaine pour une évaluation.

— Décret ministériel? dit Nathan en fronçant les sourcils. Depuis quand…

— Halte! hurla l'autre homme en pointant sa carabine sur Pakarel et Ribère, qui se trouvaient de chaque côté de Béatrice.

La jeune femme se figea sur place, une expression horrifiée sur le visage.

— Vous deux! s'écria l'homme en s'approchant de Pakarel et de Ribère. Allez rejoindre vos semblables!

— Semblables ? répéta Pakarel d'un air confus.

— Ne proteste pas ! lui répondit l'homme d'un air tranchant, en les bousculant vers Po et Luboo.

L'homme qui tenait Victor au bout de sa carabine décrocha une radio de sa ceinture.

— Capitaine, dit-il d'un air satisfait, on a récupéré de la vermine.

— Qu'allez-vous faire ? leur demanda Victor.

— Non, mais, il n'écoute pas le mec ? lâcha l'autre homme d'un air méprisant. On te l'a dit plus tôt, ces ratés iront croupir en quarantaine.

— Ils sont avec moi, déclara Nathan d'un air convaincant. Nous sommes du Consortium.

Les deux hommes se mirent à rire.

— C'est ça, dit l'un d'eux. Prenez vos bagages et faites de l'air. Toi aussi, la blondasse.

Soudain, l'un des hommes poussa un hurlement de douleur, avant de se mettre à sautiller sur un pied. Avant même que Victor ne les voie se sauver, Pakarel et les trois Kobolds tournaient déjà à l'angle d'une rue.

— Ce petit monstre m'a écrasé le pied ! se plaignit l'homme en lâchant une série de jurons. Ne reste pas planté là, ce sont des humains, ils sont réglo ! Va rattraper ces bâtards et flingue-les !

L'autre homme hésita un instant avant d'abaisser finalement son arme et de se mettre à la poursuite de Pakarel et des Kobolds, tout en soufflant à plusieurs reprises dans son sifflet qui émit un son strident.

— Oh mon Dieu ! gémit Béatrice, les yeux humides.

— Qu'est-ce que vous attendez ? leur lâcha l'homme qui se tenait le pied avec une grimace de douleur. Foutez-moi le camp, avant que je décide de vous arrêter !

— Venez, dit sombrement Victor à Béatrice et à Nathan, sans quitter du regard l'homme qui venait de tourner à l'angle de la rue.

Une fois qu'ils furent suffisamment éloignés des plateformes d'atterrissage, près d'un pâté de maisons, Nathan dit d'un air alarmé :

— On ne peut pas les laisser comme ça ! Pakarel va se faire tuer !

— Je sais, dit Victor en se passant la main sur le visage, dépassé par la situation. Pakarel n'est pas du genre à se soumettre. Par contre, je suis prêt à parier qu'il ne se fera pas capturer par ces hommes, surtout pas dans la pénombre. Quant aux Kobolds, je suis persuadé qu'ils vont suivre Pakarel et qu'ils parviendront tous à échapper aux griffes des forces de l'ordre de la ville.

— Ouais, admit Nathan, d'un ton qui laissait paraître sa frustration.

— Écoutez, dit Victor, qui concoctait mentalement un plan. Je n'aime pas plus que vous l'idée de ne pas m'élancer sur les traces de nos amis, mais ce serait stupide de le faire. Si nous nous faisons arrêter, Caleb risque de mourir.

— Que suggères-tu ? lui demanda Nathan.

— Nous allons tâcher de trouver une chambre pour y déposer nos affaires, répondit Victor. Pakarel n'est pas idiot. Il est rusé. Il viendra à nous lorsqu'il jugera que le moment est bon.

— Co… comment viendra-t-il à nous, s'il ne sait pas où nous sommes ? balbutia Béatrice, prise de sanglots.

— Pakarel a un odorat très développé, dit Nathan. Un peu comme certaines bêtes.

Victor regarda ses amis d'un air soucieux durant un court instant.

— Bon, je crois que tu as raison, dit Nathan d'un air décidé. C'est la meilleure façon d'agir. Béatrice, tu as besoin d'un moment ?

— N… non, gémit-elle en s'essuyant les yeux. Ça ira. Je ne suis simplement pas habituée à… Je n'aime pas la violence, c'est tout.

— Alors en route, dit Nathan. Il y a forcément une chambre à louer dans le coin.

Le trio arpenta les rues sinistrement vides et silencieuses de Paris tandis que le soleil apparaissait à l'horizon. Malgré le lever de l'aube, la pénombre matinale perdurait. Cependant, les nombreux réverbères étaient tous faiblement allumés et éclairaient toujours les rues, tandis qu'une faible neige s'était mise à tomber. Victor aurait bien aimé découvrir la Ville lumière dans une tout autre situation, mais il devait se consacrer à trouver un endroit où ils pourraient laisser Béatrice. Victor remarqua avec un brin de frustration le nombre d'affiches collées aux murs des bâtisses, rappelant la sévérité du décret ministériel numéro 109.

— C'est dégueulasse! lâcha Nathan d'une mine froide. Qu'est-ce qu'ils leur veulent, aux autres races? Je n'ai jamais vu une telle chose. Nous ne sommes plus dans les temps médiévaux!

— Je sais, admit Victor avec dégoût. C'est horrible.

— Et moi qui croyais que Paris était une ville chaleureuse, dit Béatrice d'une voix éteinte.

— Quelque chose ne tourne pas rond dans cette ville, dit Victor. Et je parie que ça a un rapport avec ce qui s'est passé avec Caleb et ces hommes tués que nous avons vus dans le journal.

Tandis qu'ils montaient une allée, le jeune homme repéra un écriteau de bois, légèrement incliné vers le bas, sur lequel une chope de bière et un lit étaient gravés. C'était une auberge.

— Là, dit-il en la pointant du doigt, il y a peut-être une chambre, là-dedans.

L'auberge était vide, très petite, et ne contenait que trois tables en bois. Une forte odeur d'alcool flottait dans l'air, malgré l'absence totale de clients. Un homme vêtu en barman, sans doute le propriétaire, remontait une chaise qui avait probablement été bousculée par un client insouciant.

— On ferme, dit le barman d'une voix rauque et bourrue.

Il était plutôt petit et grassouillet. Son visage, visiblement celui d'un bon vivant, était cerné et recouvert d'une expression de tristesse.

— Vous avez une chambre? lui demanda Victor.

— Ah... bien sûr, dit-il en retournant derrière son comptoir. Pardonnez-moi mon manque de tact. Vous voulez la plus grande chambre?

— Si possible, répondit Victor.

L'aubergiste tira un gros cahier de l'étagère qui se trouvait derrière lui.

— À quel nom ? demanda-t-il en feuilletant son cahier, puis en débouchant sa plume d'encre.

— Victor Pelham.

L'aubergiste leva les yeux vers lui et leva les sourcils.

— J'croyais que vous étiez mort, dit-il.

Victor se remémora qu'en effet, la nouvelle de sa mort avait déjà été faussement propagée. D'une voix complice, il précisa d'un air convaincant :

— Vous faites erreur sur la personne. Il y a plusieurs Victor Pelham dans le monde, vous savez...

— Avec une canne ? lâcha le propriétaire de l'auberge en l'observant d'un air passif.

Victor regarda sa canne d'un air un peu stupide avant d'afficher un sourire bête.

— Peu importe, soupira le propriétaire. Avec ce qui se passe dans le coin ces derniers temps, on en voit de toutes les couleurs.

— Excusez-moi, dit Béatrice d'un air timide, mais qu'est-ce qui se passe, ici ?

— Ma petite dame, ce n'est pas bien beau à voir, répondit l'aubergiste d'un air triste. Les autorités pourchassent tous les non-humains de Paris pour les mettre en quarantaine. C'est près de la moitié de la population. Comment croyez-vous que les gens le prennent ?

— Mal, comprit Béatrice.

— Mais pourquoi ? demanda Victor. Qu'est-ce qu'ils ont fait ?

— Il y a un fléau dans la ville, dit l'homme d'un air sombre. Les gens meurent mystérieusement. Mordus par des loups-garous, certains diront. D'autres disent que c'est une maladie virale. En tout cas, le gouvernement blâme les non-humains, puisqu'ils représentent la population la moins fortunée et donc la plus susceptible de contracter des maladies. Une chose est certaine, c'est qu'il va y avoir des morts. Dans les deux camps. Les gens ne se laissent pas faire. Ils ne veulent pas dénoncer leurs voisins non humains qui eux, se cachent par tous les moyens.

C'était exactement ce que Victor avait redouté. C'était la pire situation possible. Ces gobelins et graboglins qu'il avait vus depuis le gyrocoptère n'étaient pas des voleurs. Ils se faisaient appréhender par les forces de l'ordre. La maladie de Caleb était donc vraisemblablement liée à la situation actuelle à Paris.

— Depuis combien de temps est-ce ainsi ? demanda Victor.

— Depuis hier, expliqua le propriétaire de sa voix rauque et bourrue. Comme vous pouvez le voir, ça a déjà décimé ma clientèle. Plus personne ne sort et ça se comprend, hein ! J'ignore la raison de votre visite, parce qu'avec votre accent, il est évident que vous n'êtes pas d'ici. Mais retournez d'où vous venez. Dès que possible. Parce que les choses ne vont faire qu'empirer.

Il se mit à griffonner dans son cahier :

— Victor… Pelham… et deux invités. Voilà la clé de la chambre numéro sept. La dernière au fond du couloir, en haut de l'escalier.

L'homme leur pointa l'escalier qui montait sur un palier, derrière son comptoir. Après l'avoir payé et remercié, les trois amis montèrent dans leur chambre.

Chapitre 17

La piste

— **P**ourquoi tu ne m'as pas dit que nous étions attendus? demanda Victor à Nathan.

Installé sur l'un des deux lits de la chambre modeste, il observait l'homme au mohawk, qui se lavait le visage dans le lavabo de la salle de bain.

— Je te l'ai dit, répondit-il en se regardant dans le miroir. J'ai mis quelques gars sur l'affaire, histoire de nous faciliter la tâche. En tant qu'employé du Consortium, je me dois de signaler ma présence dans les villes ainsi que nos activités à venir. C'est comme ça.

— Quelles activités?

— Le fait que nous allons démystifier le problème qui rôde probablement sous la ville.

Victor n'aimait pas ça. Il était loin d'apprécier la manière qu'avait Nathan de faire les choses sans le mettre au courant. Devant la fenêtre de la chambre, Béatrice contemplait l'extérieur, le visage peiné. L'air attristé, elle soupira :

— Mais que se passe-t-il dans cette ville…

Elle entendait, au loin, des coups de feu retentir, des vitres se briser, des chiens aboyer et des hurlements inaudibles.

— Je ne sais pas, dit Nathan en la rejoignant. Mes gars ne m'avaient pas parlé de cette situation. Si on peut croire le bonhomme d'en bas, tout ça a commencé hier. Quelque chose s'est passé après que mes hommes sont rentrés au Consortium.

— Bon, dit Victor en se levant. Nathan, allons chez l'oncle de Caleb.

— Et vos armes? demanda Béatrice, confuse.

— On a perdu l'adresse de notre fournisseur dans l'attaque du wyrm, lui dit Victor. Nous allons nous débrouiller sans armes.

Nathan avança vers lui et lui tendit un bout de papier.

— Tiens, son adresse.

Victor lut ce qui y était écrit :

Antiquaire de la 8ᵉ Avenue
Paris, quartier nord.

L'oncle de Caleb était donc un antiquaire. Cela risquait d'être intéressant.

— Vous n'allez quand même pas fouiller les égouts sans être armés ? protesta Béatrice.

Le jeune homme remonta ses yeux vers elle, fourra le papier dans sa poche et dit :

— À vrai dire, c'est presque mieux comme ça. Je ne crois pas que ce soit prudent, étant donné la situation, de se balader dans les rues et de se faire prendre avec des armes.

La jeune femme hocha la tête en guise d'approbation.

— Tu as raison, dit-elle.

— Reste ici, lui dit Victor, et attends le retour de Pakarel et des Kobolds. Pendant ce temps, tâche de prendre du repos.

— Mais Victor, tu as entendu ce que le propriétaire a dit : les non-humains sont chassés. Il serait stupide pour Pakarel et les trois Kobolds de revenir ici…

— Je sais, dit Victor dans un soupir. Dans un sens, il vaudrait mieux pour eux qu'ils ne viennent pas ici. Espérons qu'ils prennent la bonne décision.

Béatrice baissa le regard et au bout de quelques secondes, avança :

— Victor, nous devions nous rendre au Marmelade pour 20 h, ce soir… Et si nos prestations étaient annulées ? Avec ce qui se passe dehors, je doute que les gens aient envie de sortir.

Victor haussa les épaules.

— Nous irons voir plus tard cet après-midi. Mais pour le moment, nous allons nous concentrer sur notre plan. L'aubergiste a mentionné que des gens mourraient mystérieusement. Il faut trouver pourquoi avant que les choses deviennent irréparables. Nathan, tu es prêt ?

Les deux amis sortirent de l'auberge et se mirent en route dans les rues désertes de Paris tandis que de fins rayons de soleil perçaient la neige tombante. Victor et Nathan croisèrent quelques passants (seulement des humains) qui se rendaient probablement au boulot. Ils avaient tous une mine lourde et fixaient le sol devant eux. D'une voix pleine de compassion, Nathan grommela en les observant :

— Dire que cette ville était, pas plus tard qu'il y a quelques jours, pleine de vie.

Il hocha la tête de gauche à droite.

— Si l'on parvient à trouver l'oncle de Caleb, affirma Victor, nous allons pouvoir aider ces gens à reprendre leur vie normale.

Nathan l'observa en fronçant les sourcils.

— Penses-y, continua le jeune homme. C'est évident. Ce décret ministériel a été mis en place par le gouvernement parce qu'ils croient qu'ils parviendront à contenir cette maladie, celle de Caleb. Elle n'est forcément pas contagieuse, regarde-nous !

Victor étendit ses bras comme pour se montrer.

— Ça fait plusieurs jours que Caleb passe chez moi, ajouta-t-il. Si c'était une maladie contagieuse, nous l'aurions tous attrapée. Chantico et Miron, eux aussi, ils l'auraient bien vu !

— Et le gouvernement ne voudrait probablement pas entendre leur témoignage, fit remarquer Nathan. Il est inutile de penser que Miron ou Chantico pourraient changer quoi que ce soit. Que sont deux étrangers, pour faire changer la situation d'une ville entière, aussi déplorable soit-elle ?

Nathan se tapa du poing dans la main d'un geste motivé et décida :

— Trouvons l'oncle de Caleb. S'il peut le soigner, il pourra mettre fin à cette situation désastreuse.

— Mais une question reste sans réponse, nuança Victor.

Nathan l'observa, interloqué.

— Laquelle ?

— S'il est en mesure de soigner Caleb, pourquoi ne soigne-t-il pas les gens de cette ville ? Pourquoi laisserait-il le chaos envenimer Paris ?

À la suite de cette question, ni Victor ni Nathan ne prononcèrent quoi que ce soit. Pour changer de sujet, Nathan lança sur un ton faussement enthousiaste :

— Il faut… il faut aller dans le quartier nord. Regarde. Si je me fie à ce panneau d'indication, c'est… par là.

Victor regrettait ses dernières paroles, puisqu'il venait de saper son propre moral et, probablement, celui de Nathan aussi. Traversant les rues froides et vides de ce matin parisien, les deux amis restèrent silencieux. Ils croisaient, de temps à autre, des carrosses motorisés qui défilaient les rues à toute allure. En observant les occupants des carrosses, Victor put facilement voir qu'il s'agissait de pères de famille qui emmenaient probablement leur famille en dehors de Paris. Ils n'avaient pas tort.

Passant devant une ruelle, Victor vit quelque chose bouger du coin de l'œil, dans l'ombre des bâtisses. Tapant le bras de Nathan, il lui fit un geste de la tête. D'après son regard, lui aussi l'avait vu. Tous deux intrigués, les deux amis avancèrent côte à côte dans la ruelle, d'une marche prudente.

— Qui est là ? demanda Nathan.

Évidemment, personne ne répondit. Par contre, Victor pouvait très bien entendre des gémissements. En s'avançant tout au fond de la ruelle, derrière une benne à ordures, Victor vit une famille de gobelins entassée dans une crevasse, dans le mur. Le père tenait sa femme et ses deux enfants dans ses bras.

— Pitié ! gémit le père d'une petite voix. Ne nous faites pas de mal !

C'était un gobelin d'une trentaine d'années, avec des cheveux hérissés par la saleté. Son visage était plein de bleus et de lacérations.

— Nous ne vous voulons aucun mal, s'empressa Victor d'un ton bas, mais rassurant. Nous sommes des touristes.

— Qui vous a fait ça ? demanda Nathan, qui venait de s'agenouiller, en montrant du doigt les blessures sur le visage du gobelin.

— Les forces de l'ordre, qui d'autre ? répondit sèchement la mère, qui tenait la tête de ses enfants contre elle.

Victor observa les enfants, une fillette et un garçon. Ils devaient avoir neuf ou dix ans. Leur visage était marqué par la peur et la détresse, et leurs yeux étaient mouillés.

— Vous ne pouvez pas rester ici, leur dit Victor d'un air désemparé. Ils finiront bien par vous trouver !

— Nous n'avons pas d'autre choix, dit le père. Ils nous ont mis à la porte de notre maison et ils allaient nous emmener en quarantaine.

— Mais papa a réussi à les repousser, dit la fillette en se glissant dans la conversation. Il les a retenus, seul contre trois, puis nous nous sommes sauvés.

Victor et Nathan échangèrent un regard entendu. La situation était horrible, et ni l'un ni l'autre ne voulaient laisser cette famille dans la rue, cachée derrière une benne à ordure, par un tel froid. Le jeune homme voulait aider ces gobelins, mais il n'arrivait pas à voir comment. Nathan posa la main sur l'épaule de Victor.

— Trouve cet antiquaire, dit-il d'un air sérieux. Je vais m'occuper d'eux.

— Que vas-tu faire ?

— Je vais trouver un véhicule et les emmener à notre chambre.

— Et l'aubergiste ? demanda le jeune homme à voix basse. Tu crois qu'il ne… Tu sais ce que je veux dire ?

— Il coopérera, dit Nathan d'un ton décidé.

Victor hocha la tête.

— Nous allons vous sortir de là, dit Nathan aux gobelins. Je vais vous emmener à notre chambre, dans une auberge, à une vingtaine de minutes d'ici.

Les deux parents gobelins échangèrent un regard mal assuré.

— C'est vrai ? demanda la fillette.

Mais la mère reprit aussitôt la parole :

— Marie, lui dit-elle en la serrant fortement contre elle, nous ne pouvons pas…

— Il me faut trouver un véhicule, leur demanda Nathan. Vous en avez un ?

Le père fit signe que non de la tête.

— Mais je sais où en trouver un, précisa-t-il aussitôt. Il y a un stationnement à quatre ou cinq rues d'ici.

— Oui, nous l'avons vu, confirma Victor. Mais ces véhicules sont forcément verrouillés…

— Aucune importance, dit Nathan en se levant. Restez ici, je vais revenir d'ici dix minutes. Ne sortez pas avant que je revienne vous chercher, c'est compris ?

Le père hocha la tête, les sourcils froncés.

— Pourquoi est-ce que vous nous aidez ? demanda-t-il dans un mélange de détresse et de confusion.

— Parce que si je ne le fais pas, dit Nathan en indiquant le jeune homme d'un signe de tête, Victor le fera. Et ça retarderait grièvement sa mission.

Les deux hommes se levèrent.

— Sans t'offenser, dit Nathan à voix basse, je vais plus vite que toi. Je vais me déplacer à pleine course. Tiens.

Il tendit à Victor la radio portative et ajouta :

— Si jamais ça tourne mal, eh bien…

Il haussa les épaules en riant faiblement.

— … je ne sais pas, conclut-il. Tu trouveras bien quoi faire. Mais garde cette radio, tu en auras sans doute plus besoin que moi. Vous, dit-il en s'adressant à la famille de gobelins, ne bougez pas et ne faites pas un bruit. Pas un.

Nathan observa Victor et lui fit un signe de tête avant de s'élancer à pleine course et de disparaître du champ de vision du jeune homme. Quant à Victor, il ouvrit son sac et en sortit une barre de chocolat.

— Tenez, leur dit-il en tendant la barre. Mangez et soyez patient. Il reviendra pour vous. Oh, monsieur ! ajouta-t-il précipitamment à l'intention du père de famille. Connaissez-vous le chemin exact pour vous rendre à…

Il sortit le bout de papier contenant l'adresse de l'antiquaire.

— … à cet endroit ? conclut Victor en lui tendant le papier.

Le gobelin le prit, l'observa, puis indiqua à Victor de suivre la rue principale et de tourner à la quatrième intersection, avant de finalement poursuivre sa route jusqu'au pont. La boutique devrait se trouver juste devant. Le jeune homme remercia aussitôt le père.

— Soyez patients, leur rappela Victor en se relevant à l'aide de sa canne. Mon ami reviendra bientôt. Ne faites pas un bruit.

Le jeune homme s'éloigna à grands pas et traversa la ruelle. En tournant au coin de la rue, le cœur de Victor se glaça ; il était nez à nez avec trois hommes des forces de l'ordre. L'un d'entre eux était celui dont Pakarel avait piétiné l'orteil.

— Encore vous ? s'étonna-t-il en dévisageant Victor. Qu'est-ce que vous faites ici ?

— Je me promène, quoi d'autre ? répondit le jeune homme sur un ton défiant.

Victor espérait en son for intérieur que les trois hommes n'iraient pas fouiller la ruelle juste derrière lui. Ceux-ci chuchotaient en l'observant.

— Vous me semblez louche, dit l'un des trois hommes, le plus âgé. Je vous ai déjà vu quelque part... Ah, ça me revient !

Il avait prononcé sa dernière phrase en changeant complètement de ton. Maintenant, il souriait jovialement.

— Le pianiste québécois ! déclara-t-il, les genoux fléchis en pointant Victor d'un air stupide.

— Euh... ouais, répondit Victor en haussant un sourcil.

— Vous venez jouer ici, pas vrai ? ajouta l'homme qui donna un petit coup amical sur l'épaule de Victor.

Le jeune homme aurait voulu le matraquer de coups de canne, mais il se contenta de sourire bêtement.

— Oui ! dit-il d'un large sourire, bien faux. Je joue ce soir même. Au Marmelade. S'il est toujours ouvert, étant donné la situation avec ces... ces non-humains.

Victor avait prononcé ce mot avec le plus de conviction possible, même si cela lui levait le cœur.

— Le Marmelade restera ouvert ! déclara fièrement l'homme plus âgé. Bien sûr ! Et vous aurez l'honneur de performer devant le ministre Beltimbre !

— Le ministre... ? répéta Victor d'un air interrogatif.

— Beltimbre! Ma parole, il est vrai que vous n'êtes pas d'ici. Pardonnez-moi, pardonnez-moi! Beltimbre est la tête dirigeante du ministère parisien. C'est lui qui a créé le tout dernier décret ministériel!

Au bout d'un certain moment, Victor répondit en souriant avec politesse :

— Ah. Oui.

— Sur ce, nous devons continuer notre ronde. Heureux de vous avoir rencontré, monsieur Pelham, dit l'homme âgé en serrant la main de Victor avec énergie.

— Moi de même, mentit le jeune homme, moi de même…

Les trois hommes se dirigèrent alors vers le secteur du stationnement de carrosses. Alarmé, Victor eut une idée.

— Hé! Vous cherchez des non-humains?

Les trois hochèrent la tête.

— Par là, leur dit Victor en pointant en sens inverse. J'en ai vu au moins une vingtaine qui fuyaient dans cette direction.

— À cette heure matinale et à pied? s'étonna l'homme qui avait appréhendé Victor et ses amis à leur sortie du gyrocoptère.

— Ils sont bêtes, leur répondit Victor d'un air complice en haussant les épaules. Que puis-je dire d'autre?

L'homme âgé sourit et fit signe aux deux autres de le suivre dans la direction que Victor avait indiquée. Le jeune homme les regarda s'éloigner d'un œil sombre. D'un pas hâtif, le jeune homme se dirigea en direction du quartier nord, empruntant le chemin que lui avait indiqué le gobelin.

Tout en marchant, Victor s'attardait à ses pensées bouillonnantes. Il n'avait aucune envie de jouer du piano devant des gens comme ce Beltimbre. Décidé à ne pas y aller, il savait qu'il allait décevoir Béatrice et Raymond, mais ça lui était égal. Comment des hommes comme Beltimbre et les agents des forces de l'ordre, des humains tout comme lui, pouvaient-ils être nourris d'une telle haine à l'égard des autres races? C'était dégoûtant et inconcevable. Toutes les races vivaient sur Terre dans un accord de paix et d'égalité. Lorsque la nouvelle du décret ministériel numéro 109 se répandrait à travers le monde, se dit Victor, ils reviendraient des centaines d'années en arrière, à l'époque des guerres motivées par l'intolérance.

Victor traversa finalement le pont que lui avait indiqué le père de famille. Fait de pierre et en arche, par-dessus la Seine, le pont était givré, recouvert d'une fine poussière de neige. Depuis le milieu du pont, Victor aperçut une affiche accrochée en haut d'un petit bâtiment de belle allure, sur laquelle était écrit :

Hansel Hainsworth
Antiquaire

« Hansel Hainsworth », murmura Victor, gravant ce nom dans sa mémoire.

Un carrosse motorisé passa dans la rue pavée près de lui, remontant le pont, traçant sa voie dans la neige poudreuse. Un véhicule des forces de l'ordre. Victor traversa la rue et se rendit devant la boutique. C'était une élégante bâtisse de brique rouge au toit pointu. Trois petites marches menaient à la porte de la boutique. À travers une grande vitre sombre, le jeune homme pouvait apercevoir l'ombre d'objets de toutes formes. De toute évidence, la boutique était fermée. Ce qui n'était pas étonnant, considérant l'état actuel de Paris.

Victor cogna quand même à la porte, sans s'attendre à avoir de réponse. Il inclina son visage, histoire de mieux voir à l'intérieur. Rien. Il tenta même d'ouvrir la porte, sans la forcer, mais sa poignée refusait de tourner. Ne sachant pas quoi faire, Victor recula de quelques pas et observa les alentours. À sa gauche, la boutique de l'antiquaire ; en face, une longue rue blanchie par la neige poudreuse ; à droite, la Seine, qui divisait les quartiers de Paris. Quant au pont que le jeune homme venait de traverser, il se trouvait derrière lui. C'est alors qu'il remarqua quelque chose. Une série de traces de pas qui marquaient la neige jusque sur le côté du bâtiment. Presque effacées par la neige tombante, mais encore visibles, les traces avaient la forme de chaussures assez longues et étroites, nota mentalement Victor. Ce devait être les traces d'un homme de son envergure ou un peu plus grand, déduisit-il en analysant l'espace séparant chacune des traces. Étaient-elles celles de l'antiquaire?

C'était relativement étrange : étant donné les conditions, peu de gens devaient se balader à l'extérieur. En fait, à part ses propres traces et celles du carrosse motorisé, Victor n'en avait pas vu d'autres. Qui pouvait bien avoir quelque chose à faire près d'une boutique d'antiquités fermée? Intrigué, le jeune homme se mit à suivre les traces de pas dans la neige. Tournant au coin de la bâtisse, les traces traversaient la rue et descendaient en bas d'un escalier qui menait sur le trottoir longeant la Seine.

«Quelqu'un est parti marcher, peut-être?» songea Victor.

Le jeune homme suivit les traces et descendit prudemment l'escalier gelé qui menait au bord de la Seine. Les traces de pas suivaient le bord de la Seine, qui tournait légèrement dans un angle qui sortait du champ de vision du jeune homme. Le jeune homme suivit les traces pendant près de dix minutes avant de s'arrêter, fixant un point au loin. À une centaine de mètres, les traces tournaient vers une porte de fer située sous un pont. Un frisson monta dans le dos du jeune homme. Ces pas menaient donc aux égouts.

Le jeune homme passa la main dans ses cheveux pleins de neige, soupirant fortement. Que faire? Devait-il s'y risquer? Il était évident, d'après ce qu'il avait déduit avec ses amis, que quelque chose rôdait dans les égouts. Pourtant, les traces d'un homme, peut-être celles de l'antiquaire, s'y rendaient. Et ce dernier y était vraisemblablement pénétré seul. Victor n'était pas armé et il était seul. C'était d'ailleurs pour cette raison que, initialement, Nathan s'était offert pour l'accompagner.

«Ce serait stupide, se chuchota le jeune homme en tentant de se dissuader d'y aller. Retourne à la chambre de l'auberge. Tu reviendras plus tard.»

Et si plus tard signifiait qu'il serait trop tard?

Soupirant, Victor se mit en marche, fixant la porte de fer. Il maudissait un peu sa curiosité et son manque de prudence.

«J'ouvre la porte, se dit le jeune homme à voix basse, je jette un coup d'œil et je ressors. Si elle s'ouvre, cette porte.»

Victor était décidé. Si la porte ne s'ouvrait pas, il ferait volte-face et retournerait à l'auberge. Le jeune homme marcha jusque sous le pont, avant de s'avancer près de la porte de fer. Elle était large, rouillée et criblée de rivets. Victor tendit la main pour l'ouvrir en retenant sa respiration. Un grincement métallique indiqua que celle-ci s'ouvrait, malgré son poids, dévoilant un long corridor baignant dans une noirceur totale. Mis à part le rectangle formé par la lumière du jour au pied de la porte, seule une lanterne, accrochée au mur, à sa gauche, créait un halo de lumière qui éclairait jusqu'à une certaine distance les murs de pierre luisants d'humidité et de saleté.

De la main droite, Victor décrocha la lanterne du mur. Au même moment, la lumière blanche venant de l'extérieur disparut rapidement, suivie d'un bruit sourd amplifié par l'écho. Le jeune homme se retourna brusquement. La porte de fer venait de se refermer d'elle-même.

« Comme dans les histoires d'horreur », se dit-il à voix basse.

Avec horreur, il réalisa que depuis l'intérieur, la porte n'avait pas de poignée, c'était seulement une plaque de fer couverte de rivets. Victor n'était pas peureux de nature, mais il devait admettre que son moral venait de flancher un peu.

— C'est une mauvaise blague ? lâcha-t-il faiblement.

Se retournant vers l'avant, le jeune homme prit une grande inspiration et leva sa lanterne devant lui. En s'engageant dans le long corridor qui allait sans doute le mener aux conduits d'eau souterrains de Paris, Victor réalisa combien le passage semblait interminable. Seuls les gouttes d'eau, qui dégoulinaient des murs puis tombaient dans des flaques, et les pas du jeune homme, qui glissaient sur le sol de pierre mouillé, brisaient le silence. Plusieurs fois, il mit le pied dans une substance gluante, mais son bon sens le retint d'en vérifier la propriété. L'odeur de renfermé, qui s'accentuait au fur et à mesure de la progression du jeune homme, lui levait le cœur.

À un moment, il vit quelque chose bouger en hauteur. Après avoir levé sa lanterne, il vit la lumière se refléter sur huit petits yeux sombres. Une énorme araignée, grosse comme un chat, était bien accrochée à sa toile, ses crochets dévorant quelque chose que le jeune homme ne put identifier. Dégoûté, Victor se pencha exagérément (au cas où) et traversa la zone d'un pas rapide.

— C'est dégueulasse! grommela Victor en secouant la tête comme pour se débarrasser de la vision. Des horreurs dans ce genre, ça ne devrait pas exister…

Histoire de distancer l'araignée, le jeune homme avança de plusieurs dizaines de mètres d'un bon pas, la lanterne bien levée pour être certain de ne pas en croiser une autre. À ce moment-là, la frustration commençait à monter en lui. Le tunnel semblait s'éterniser et l'idée de tomber sur une autre araignée démesurée démoralisait Victor. L'idée de faire demi-tour le tenta plusieurs fois, mais à quoi bon? Il n'avait de toute façon aucun moyen de sortir. Pas par la porte qu'il venait de franchir, en tout cas. Juste pour s'assurer que la personne qu'il suivait avait bien emprunté ce chemin avant lui, le jeune homme s'inclina vers l'avant, sa lanterne basse, pour observer le sol.

« Voyons voir… »

Le sol, sale et humide, était marqué de traces de pas identiques à celles que Victor avait vues à l'extérieur. Au moins, se dit-il, il ne suivait pas une piste invisible. Enfin, il l'espérait. En continuant sa marche, Victor vit une pièce en forme de dôme, illuminée par les quelques rayons de soleil qui passaient à travers les barreaux d'une bouche d'égout. Quelques flocons de neige tombaient en virevoltant à travers les barreaux pour venir disparaître sur le sol. Par contre, un obstacle qu'il n'avait pas aperçu du premier coup lui bloquait la voie.

Il venait d'arriver en face d'un portail, fait de grands barreaux de fer noir, bien ancrés dans le sol et le plafond de pierre, qui bloquait complètement l'accès à la prochaine partie des tunnels menant aux égouts. Le jeune homme remarqua alors un détail surprenant : le portail était entrouvert. Un gros cadenas rouillé, pendu au bout d'une chaîne enroulée entre les barreaux du portail, avait été déverrouillé et laissé ainsi.

— Je me demande pourquoi on ne t'a pas verrouillé, dit-il en direction du cadenas qu'il observait maintenant entre ses doigts.

C'est alors qu'il sentit une vague d'air provenant de son dos, qui le fit frissonner. Victor pivota sur lui-même dans un mouvement brusque, sa lanterne braquée à hauteur de son visage. Évidemment, il n'y avait rien. Un grattement survint sur le mur à la gauche du jeune homme, et celui-ci se plaqua instinctivement contre le mur opposé. Devant lui, un message se gravait sur le mur, comme si quelqu'un écrivait progressivement d'une écriture rudimentaire et disproportionnée :

Un autre vient… un autre mourra

Dès que le grattement eut cessé, le jeune homme sentit sur son visage un second courant d'air, comme le souffle de son interlocuteur, qui traça un nouveau message sur le mur :

Un autre vient fourrer son petit nez dans mes affaires

Seulement, personne ne se trouvait devant le jeune homme, qui cligna des yeux plusieurs fois. Le cœur battant à toute allure dans sa poitrine, Victor s'élança à grandes enjambées douloureuses dans la pièce en forme de dôme. Avant même qu'il ait pu se retourner pour voir son interlocuteur, un grincement survint, suivi d'un bruit métallique qui claqua derrière lui ; le portail venait de se verrouiller !

— Qui êtes-vous ? lâcha Victor d'une voix qu'il tenta de maîtriser malgré sa peur.

Dans une flaque d'eau, sur le sol, des lettres se tracèrent, comme si elles étaient tracées par un doigt invisible :

Oh, je vais leur montrer, moi, à ces voleurs d'âmes

Sous les yeux étonnés de Victor, la chaîne du portail s'éleva dans les airs comme un serpent, avant de glisser dans le cadenas, qui se referma sur lui-même comme par magie. Reculant de quelques pas, le jeune homme se figea juste sous le rayon de lumière provenant de la bouche d'égout située au-dessus de sa tête.

— Qui est là ? demanda Victor, combattant les tremblements de sa main qui tenait sa lanterne.

En guise de réponse, Victor vit une autre phrase se graver sur le sol, près de la flaque d'eau :

Hi ! hi ! hi !

Les phrases que le jeune homme lisait n'avaient aucun sens, et c'était justement cela qui lui glaçait les os. Sorti de nulle part, quelque chose se matérialisa soudain devant ses yeux. Victor vit un visage apparaître dans les airs ; un front plat et allongé, surmonté de deux longues oreilles pointues. Ses yeux, recouverts d'une sorte de membrane, étaient entièrement noirs, tandis que son nez était exagérément long et pointu. Sa bouche, garnie de dents semblables à celles des humains, souriait dans une expression de folie.

Un corps frêle apparut ensuite, la peau sur les os, suspendu dans les airs au bout de deux longues ailes de chauve-souris. De petites jambes pendaient de son corps, terminées par de gros pieds nus à cinq orteils. Ses bras maigrichons semblaient trop longs, tandis que ses mains se terminaient en de longues griffes.

— Mon Dieu ! marmonna Victor, stupéfait, en baissant inconsciemment sa lanterne.

La créature battit des ailes et s'envola jusqu'au plafond, avant d'y graver de son long index griffu :

Il apprendra de ses erreurs. Oh oui, il apprendra !

Chapitre 18

Le refuge

La créature s'était ensuite mise à flotter vers Victor, qui restait sur ses gardes, la main crispée sur sa canne. Elle tournoya autour du jeune homme avant de se placer dos à l'un des murs et d'y tracer une autre phrase du bout de son ongle, cette fois à l'aveuglette :

Il est étrange, l'humain
Non
Pas comme les autres
Celui-là, il est libre
Parce qu'il n'est pas un vrai humain

Tout en écrivant, la créature volante n'avait pas quitté Victor de ses yeux membraneux. Regardant tour à tour le monstre et les mots grossièrement tracés qu'il écrivait, le jeune homme avait progressivement lu son message.

— Que veux-tu dire ? lui demanda Victor, sur un ton frôlant le défi, une fois que la bestiole eut terminé d'écrire. Je ne suis pas comme les autres ? Je ne suis pas humain ?

Victor n'aimait pas spécialement se faire rappeler qu'il n'était pas, d'un point de vue scientifique, un humain comme les autres. D'ailleurs, sa peur s'était dissipée et avait aussitôt été remplacée par une sorte de frustration. Semblant s'amuser, la créature resta muette et un horrible sourire se plaqua sur son visage.

— Eh bien, tu as raison, lui déclara Victor en écartant les bras, comme pour se montrer. Je ne suis pas un humain comme les autres. Ça te pose un problème ?

Puis, contre toute attente, la créature se tourna vers le mur et griffonna :

> *Je ne dois plus faire d'erreur*
> *Sinon, je serai en colère*

Victor fronça les sourcils, interloqué.

— Tu ne dois plus faire d'erreur ? Écoute, je ne comprends pas ce que tu veux dire. De quelles erreurs parles-tu ?

La créature traça sur le mur :

> *Les humains qui doivent être punis*
> *Ceux de la caste importante*
> *La caste ouvrière ne doit pas être touchée*
> *Je ne referai pas la même erreur*
> *Sinon, je serai en colère*

Victor répéta ces phrases dans sa tête plusieurs fois, mais il n'arrivait pas à y voir le moindre sens. Puis, voyant bien que la créature ne présentait pas le moindre signe d'hostilité, il se risqua à poser une question :

— C'est… c'est toi qui as attaqué ces hommes ? demanda-t-il sur un ton prudent, ne quittant pas le monstre des yeux.

Cette fois-ci, la bête répondit d'un hochement de tête. En analysant la bouche de la créature, Victor observa particulièrement sa dentition. Il était persuadé que cette chose était celle qui avait attaqué Caleb. Il allait cependant s'abstenir de la juger d'un tel crime.

— Que fais-tu ici ? continua Victor.

Le monstre volant cligna de ses yeux membraneux et montra des signes d'hésitation. Puis, sous le regard patient et attentif de Victor, il finit par tracer, cette fois-ci sur le plancher, devant lui :

> *Je protège les Parisiens des humains sans âme*

— Tu protèges les Parisiens… les non-humains ? lui demanda Victor.

La bestiole hocha sa tête au nez pointu en guise de confirmation. Faisant fonctionner ses méninges, en pleine concentration, Victor marmonna :

— Des humains sans âme…

De qui voulait-elle parler ? Des humains qui mettaient en œuvre le décret ministériel numéro 109, ou encore de ses créateurs ?

— Si tu protèges les non-humains, ajouta Victor, où sont-ils ?

La créature traça aussitôt :

Ici

Victor ne comprenait pas pourquoi ce monstre hideux s'avérait aussi peu hostile et, surtout, très bavard, à sa manière. Il ne savait pas non plus pourquoi il avait décidé de lui révéler ces renseignements, quoiqu'un peu confus, alors qu'il n'était qu'un simple intrus comme les autres.

— Tu ne peux pas parler, c'est bien ça ? s'assura Victor, même si la réponse était évidente.

La créature se posa à ses pieds et hocha la tête négativement, avant de se fouiller le nez.

— D'accord, dit Victor en observant la bestiole d'un air étonné.

Puis, une idée vint à la tête du jeune homme. Et si Pakarel et les trois Kobolds faisaient partie des non-humains qui se trouvaient, selon les écrits du monstre, ici même ? Il n'y avait qu'une façon de le vérifier :

— Peux-tu me mener à ces non-humains ? lui demanda gentiment Victor.

La créature se mit alors à jouer avec ses doigts d'un air nerveux. Le jeune homme venait-il de commettre une erreur ?

— Si tu ne veux pas, précisa-t-il aussitôt, ce n'est pas grave.

Mais la créature hocha la tête d'un grand geste et lui fit signe de la suivre. Au lieu de s'envoler, elle se mit à marcher d'une démarche rappelant celle des pingouins, en se balançant de gauche à droite. Trois tunnels étaient connectés au dôme souterrain, dont un qui était verrouillé par le portail. La créature s'engagea dans celui qui se trouvait le plus à gauche de la grille, avant de s'arrêter et de se tourner vers Victor, qui était resté immobile, par prudence. Elle lui fit de grands signes pour lui dire de la suivre.

— Je viens, lui dit Victor en la rattrapant d'un pas lent, toujours sur ses gardes.

Le jeune homme suivit la créature, qui marchait étonnamment lentement, comparativement à sa vitesse de vol, pendant près d'une demi-heure à travers les sinistres tunnels des égouts de Paris. Par deux fois, Victor dut se mouiller les jambes jusqu'aux genoux, traversant des ruisseaux d'eau sale et puante. Malgré la constante irritation de savoir que son pantalon, qui collait à ses jambes, était sali de… ce que l'on retrouve généralement dans les égouts, Victor gardait le moral. L'idée de retrouver Pakarel et les autres non-humains, même si ce n'était qu'un vague espoir, l'avait nourri de motivation, même si son petit confort physique venait de chuter radicalement.

Le jeune homme s'abstint de poser au monstre la fameuse question « C'est encore loin ? », même si l'envie le frôla une trentaine de fois. En tournant au coin d'un tunnel, Victor vit soudain une grosse porte en fer criblée de rivets, identique à celle qu'il avait empruntée pour entrer dans les égouts. Soudain, une vague de déception le parcourut. La créature l'avait-elle simplement mené à une sortie vers la ville ? Le monstre s'arrêta devant la porte et se retourna vers Victor. Le jeune homme remarqua alors qu'encore une fois, la porte n'avait pas de poignée.

— Ça devient embêtant, dit-il en observant la porte. Tu as une idée pour l'ouvrir ?

Sans lui répondre, la bestiole fit battre ses ailes de chauve-souris et s'envola jusqu'au plafond du tunnel. Victor remarqua qu'une petite plaque en fer s'y trouvait. Se retournant, le monstre plaqua les pieds au plafond et plongea ses griffes dans la fente contournant la plaque. Dans un effort silencieux, la créature tira apparemment de toutes ses forces, jusqu'à ce que le couvercle s'ouvre, dévoilant ce que Victor jugea comme étant une simple serrure.

— Une serrure au plafond ? dit le jeune homme, un peu surpris. À quoi bon ?

La créature plongea sa griffe dans la serrure et aussitôt, un déclic survint en provenance de la porte, qui s'ouvrit lentement, comme par magie. Victor recula de quelques pas, pour ne pas se faire frapper par la porte, tandis que la créature vola jusqu'à ses pieds. Un rectangle lumineux se traça progressivement sur le sol, au fur et à mesure que la porte s'ouvrait. C'est à ce moment-là que trois gobelins et un graboglin émergèrent de la porte, armés de couteaux et de pistolets.

Tout le reste se passa en un instant. Le graboglin empoigna Victor par la gorge avant même qu'il ait pu dire quoi que ce soit. Plaqué au mur, sentant avec douleur son cou se contracter sous la force du graboglin, Victor lâcha sa canne et sa lanterne, qui se brisa sur le sol, avant de tenter instinctivement de se dégager du bras musculeux qui le retenait.

— On vient nous espionner ? lança le graboglin avec satisfaction.

Son visage de brute verdâtre souriait, dévoilant ses dents jaunies et inégales.

— Vite, tue-le ! dit l'un des gobelins qui tenaient un pistolet. Il ne doit pas avertir ses amis !

Les yeux de Victor étaient tellement emplis de larmes qu'il ne voyait plus rien, tandis que ses poumons refusaient de se gonfler. Ce n'était pas vraiment un problème, étant donné sa capacité pulmonaire surhumaine, mais la pression exercée sur son cou était si féroce que sa tête devenait de plus en plus engourdie. Il sentait des pulsations dans ses tempes, comme si son visage allait éclater. Incapable de voir autre chose que le plafond du tunnel, Victor entendit un gobelin dire :

— Qu'est-ce que tu veux ? Tu dis que… Hein ? Hé, Hubert, lâche-le ! Lâche-le, je te dis !

— Le lâcher ? répondit la voix du graboglin. Mais c'est un humain, il va…

— Espèce d'andouille! rétorqua la voix d'un gobelin. Laisse-le! L'homoncule dit qu'il n'est pas comme eux!

Victor fut aussitôt lâché et s'écroula sur le sol. Portant ses mains à son cou, il se mit à tousser profondément, avec l'horrible sensation que le sang pompait dans sa nuque jusqu'à son cerveau.

— Ça va l'ami? demanda la voix du graboglin.

Victor était trop occupé à tenter de se reprendre pour répondre. Essuyant ses yeux mouillés, il respirait profondément. Le jeune homme sentit quelque chose lui tapoter l'épaule. C'était la créature qui lui tendait sa canne. D'un geste de tête signifiant sa gratitude, Victor la reprit.

— Tu veux un coup de main? proposa le graboglin.

Victor sentit une grosse main d'ours lui toucher le bras et il s'en dégagea d'un geste froid.

— Oh! bon, d'accord, grogna le graboglin.

Une fois debout, Victor, qui se massait toujours la nuque, observa ses agresseurs. Le graboglin était vêtu de fourrures, comme s'il venait d'un pays nordique, et ses bras étaient couverts de tatouages. De grosses épées barbares rangées dans leur fourreau pendaient à sa large ceinture. Quant aux trois gobelins, l'un d'entre eux était une femme. Elle avait les cheveux courts, noir charbon, et devait avoir un peu plus de trente ans. Elle et les deux autres gobelins mâles étaient vêtus comme des gens normaux, quoique leurs vêtements parussent un peu déchirés et salis.

— Je vous prie de nous excuser, dit la gobeline. Nous ne savions pas que vous étiez un ami de l'antiquaire.

Malgré la douleur, le jeune homme tendit l'oreille. L'antiquaire. Était-il présent dans ces égouts? Les traces de pas que Victor avait suivies étaient-elles les siennes? Avide de tout savoir, le jeune homme tenta de répondre d'une voix étouffée :

— Un ami du… du reli… Il est…

Victor était incapable de terminer sa phrase. Sa gorge bourdonnait de douleur.

— Prenez votre temps, s'empressa la gobeline en saisissant Victor par le coude. Venez, je vais vous préparer quelque chose de bien chaud à boire et vous donner un pansement, vous saignez.

Victor avait une multitude de questions à poser, et même quelques répliques cinglantes à l'égard de l'abruti de graboglin qui avait manqué de lui arracher la tête, mais il était incapable de dire quoi que ce soit. Il se résigna donc, à contrecœur, à accepter l'offre de la gobeline en lui répondant d'un hochement de tête.

— L'homoncule dit qu'ils étaient seuls, dit un gobelin, qui s'était agenouillé pour lire ce que la créature avait gravé en bas du mur. On peut refermer la porte.

— Désolé, mon vieux, dit le graboglin en donnant une solide tape sur l'épaule de Victor, qui le fusilla aussitôt du regard. Je t'ai pris pour l'un d'eux. Sans rancune, hein?

Le graboglin dénommé Hubert souriait fortement à Victor, qui le regarda d'un air sombre en hochant la tête sans conviction.

— Venez, l'invita la gobeline en tirant sur le bras de Victor, qui se laissa traîner à travers le portail.

Le jeune homme arriva, en compagnie des autres, dans un long corridor éclairé par des barils enflammés. Une trentaine de personnes étaient installées le long des murs ; gobelins, graboglins et Skrahs étaient assis par terre sur des couvertures et des matelas. Ils observaient tous Victor avec un intérêt hostile. Même un centaure de sexe féminin, plutôt jolie et aux traits fins, se promenait et distribuait des vivres. Sa tête à la longue chevelure rousse était légèrement inclinée pour ne pas heurter le plafond du tunnel. Lorsque le jeune homme passa près d'elle, la centauresse lui sourit et lui tendit une pomme.

— Merci, grogna Victor, qui se tenait toujours la gorge, avant de fourrer la pomme dans sa poche.

Un lourd claquement métallique annonça que la porte d'entrée venait de se refermer. Regardant par-dessus son épaule, le jeune homme vit trois ou quatre gobelins et Skrahs, qui faisaient visiblement office de gardes, s'installer de chaque côté, leur carabine posée contre le mur, jouant aux cartes. Plus loin, une table éclairée par une chandelle était disposée dans un coin et, assis sur un tabouret, un satyre observait Victor d'un air sombre. Il était vêtu d'une armure et son casque reposait sur la table. Il se leva d'un air offensé.

— Il n'est pas comme les autres, dit aussitôt la gobeline au satyre. C'est un voyageur.

— Et qui te dit qu'il n'est pas comme les autres ? rétorqua le satyre sur un ton coupant. Le gros ? ajouta-t-il en désignant Hubert d'un hochement de tête.

— L'homoncule dit qu'il est réglo, lui répondit l'un des gobelins qui avaient « accueilli » Victor.

Le satyre reprit sa place sans quitter le jeune homme de son regard accusateur, et Victor poursuivit sa route avec les trois gobelins et le graboglin. Il se fit mener à travers une multitude de corridors éclairés par tous les moyens possibles. En plus des barils enflammés, torches et lampes à huile étaient disposées de manière inégale dans les corridors malodorants, dans lesquels s'entassaient les non-humains de Paris. Il était triste de voir autant de familles, de vieillards et d'enfants installés parmi les déchets et la saleté des égouts.

— C'est ici que nous nous cachons, dit la gobeline en désignant d'un geste l'endroit. Ce n'est pas très hygiénique, mais nous sommes en sécurité. Plus loin dans ces tunnels, vous pourrez aussi trouver vos semblables, les humains.

— Les humains ? demanda difficilement Victor. Ici ?

— Oui, répondit la gobeline, qui paraissait un peu étonnée. Des gens comme vous se trouvent aussi ici.

— Les moins fortunés de Paris, peu importe leur race, se cachent aussi dans les égouts, ajouta l'un des gobelins. Tous ceux qui ont refusé de se plier à ce stupide décret ministériel partagent notre sort.

— Mais ils n'ont pas accès aux tunnels occupés par les non-humains comme nous, ajouta Hubert, qui fermait la marche. Non. Il y a de la friction, donc ils restent à l'écart. Pour leur protection.

— Nous voulons éviter les problèmes... vous comprenez ? expliqua la gobeline.

Le jeune homme entendit le bourdonnement d'une perceuse. Dans le tunnel d'égout à sa gauche, il vit des étincelles en provenance du plafond. Deux graboglins étaient occupés à sceller une bouche d'égout depuis l'intérieur.

— Heureusement que l'homoncule était avec toi, dit Hubert à l'intention de Victor. Sinon... Enfin. Tu comprends ?

— L'homoncule, demanda Victor avec difficulté, c'est le... le petit monstre ? La créature ailée qui m'a mené à vous ?

— Je croyais qu'il vous connaissait, dit la gobeline avec prudence.

— Je n'avais jamais rencontré cette créature auparavant, lui assura Victor, cherchant des yeux la créature volante qui avait apparemment disparu.

Où était-elle ? La gobeline le regarda pendant un court silence avant de préciser :

— Je parle de l'antiquaire.

Victor afficha un air confus.

— Je... Vous ne parliez pas de l'homoncule ? babultia-t-il.

La gobeline parut aussi confuse que Victor. Souriante, elle répondit poliment :

— Peu importe, ce doit être notre différence d'accent ! Bref, si l'homoncule ne vous a pas attaqué, c'est parce que vous n'êtes pas comme les autres.

— Par « autres », dit Victor tandis qu'ils tournaient au coin d'un tunnel, vous entendez les humains qui veulent vous mettre en quarantaine ?

— C'est ça, oui, répondit la gobeline.

— Quarantaine, mon œil, grommela Hubert. Ils veulent notre peau !

— Je m'appelle Laurence Tuscane, se présenta la gobeline. Ravie de vous connaître. Lui, c'est Hubert, comme vous le savez déjà, et ces deux-là, ajouta-t-elle en pointant les autres gobelins, Rémy et Charles.

Victor leur accorda à tous un hochement de tête poli en guise de salutations.

— Moi, c'est Victor Pelham. Enchanté.

Il s'était presque attendu à ce qu'on le reconnaisse pour ses talents musicaux, mais apparemment, non. Ce qui n'était pas une mauvaise chose. Soudain, Victor entendit des martèlements de pas sur le sol humide et crasseux.

— Victor ? lança une voix.

C'était Pakarel qui venait de tourner au coin d'un tunnel. Puis, les trois Kobolds apparurent à leur tour, leur chapeau allumé.

— Victor ! cria le raton laveur. Tu nous as retrouvés ! Je le savais, je le savais !

Pakarel bondit dans les bras du jeune homme, qui manqua de tomber.

— Vous êtes tous parvenus à vous enfuir ! lança-t-il jovialement. J'en étais sûr !

— On a couru pendant un bon moment, dit Pakarel d'un air surexcité. Mais… on ne savait pas réellement où aller. En plus, ajouta-t-il en pointant Po, celui-là, il ne court vraiment pas vite. D'ailleurs, à cause de lui, on a failli se faire prendre…

— Ce n'est pas ma faute, se plaignit Po d'un air désolé. Mon sac est vraiment lourd…

— À un moment, dit Ribère, de la chandelle duquel la cire dégoulinait sur son long nez de rongeur, nous avons dû briser une vitre pour nous réfugier dans un café.

— Nous étions encerclés, ajouta Pakarel d'une voix sombre.

— Et ils ont même ouvert le feu sur nous ! protesta Luboo d'un air outré tandis qu'il ajustait sa lanterne sur sa tête.

— C'était vous ? s'étonna Victor. Nous vous avons entendus, moi et les autres. Laurence, dit le jeune homme en s'adressant à la gobeline, mes amis peuvent-ils nous accompagner ?

— Bien sûr. Nous sommes presque arrivés. Les garçons, adressa-t-elle à l'intention d'Hubert, de Rémy et de Charles, vous pouvez nous laisser.

— Tu es certaine, Laure ? demanda le gobelin nommé Rémy.

La gobeline fit un signe positif en souriant. Les deux gobelins et le graboglin firent volte-face et se dirigèrent vers un autre tunnel. Victor comprit aussitôt que les autres les accompagnaient par méfiance.

— Encore désolé, hein! lança Hubert en direction de Victor, avant de suivre ses deux amis hors du champ de vision du jeune homme.

— Désolé pour quoi? demanda Luboo, l'air confus.

— Je vous expliquerai, lui assura Victor.

À peine deux minutes plus tard, Laurence ouvrit une lourde porte en fer rouillé et entra dans une pièce, invitant Victor et ses amis à la suivre. Victor la reconnut comme était une salle de génératrices; elle avait été aménagée de sorte qu'une personne pouvait y vivre. Un lit était poussé dans un coin, ses couvertures bien pliées, tandis qu'un chaudron bouillonnait sur une cuisinette en mauvais état.

— C'est ici que je vis, dit Laurence avec un peu de fierté. Ce n'est pas beaucoup, mais… ça fait l'affaire. Installez-vous à la table, offrit-elle joyeusement à ses invités.

Étant donné qu'il n'y avait que quatre chaises, Victor laissa Pakarel et les Kobolds s'y installer. Il s'assit, quant à lui, sur le lit.

— Lorsque je vous ai rencontré, dit Laurence en s'adressant à Victor, je passais près de la porte par laquelle vous alliez entrer. Je revenais de distribuer des vivres.

Le jeune homme répondit d'un hochement de tête. La gobeline tira alors un pistolet de sa jupe et le déposa dans le tiroir de sa table de chevet, puis elle se dirigea vers la cuisinette. Victor remarqua qu'une bonne quantité de vivres étaient disposés sur le sol, en une petite montagne, dans un coin.

— J'ai bien fait de faire bouillir de l'eau, dit-elle en lançant un regard bienveillant à Victor. Et vous, vous voulez du thé?

Pakarel et les Kobolds acquiescèrent joyeusement. Après avoir présenté ses amis à Laurence et vice-versa, Victor leur raconta qu'il s'était mis à leur recherche avec Nathan, mais que ce dernier avait choisi d'aider une famille sur le chemin. Il leur dit aussi que

Béatrice était restée à leur auberge et qu'elle devait actuellement attendre leur arrivée. En racontant son périple dans les égouts, le jeune homme ne mentionna pas son altercation avec l'homoncule. Il n'avait pas l'intention de dévoiler ces détails devant Laurence, qu'il connaissait depuis peu. Pakarel et les Kobolds firent savoir à Victor qu'ils avaient, à leur manière, bien compris qu'ils n'étaient pas les bienvenus à la surface. Entre-temps, la gobeline avait pansé la blessure que Victor avait au cou.

— Comment vous êtes-vous retrouvés dans les égouts ? demanda le jeune homme.

— Oh, dit Pakarel, c'est vrai, on ne te l'a pas dit. Eh bien, dans le sous-sol du café dans lequel nous nous étions cachés, il y avait une trappe.

— Et nous l'avons ouverte ! continua fébrilement Po. Derrière, il y avait un passage vers les égouts.

— Et c'est ainsi que nous nous sommes retrouvés ici, termina Pakarel en envoyant un regard noir à Po, qui l'avait interrompu. On a aussitôt rencontré un vieux bonhomme à la mine bizarre.

— Oh ! ouais, confirma Luboo en hochant rapidement la tête, son œil grossi par son monocle lui donnant toujours un air aussi fou. Pour être bizarre, il l'est !

— Qu'est-ce qu'il a de si particulier, ce bonhomme ? demanda Victor, intrigué.

En fredonnant une chanson, Laurence fit couler six tasses de thé qu'elle avait prises dans une boîte en carton.

— Ses yeux, répondit tranquillement Ribère en pointant les siens avec son index et son majeur. Jaunes vifs.

— Comme ceux d'un faucon ! ajouta presque aussitôt Po.

— Ah ! s'exclama Laurence en servant les tasses de thé. Vous avez rencontré monsieur Hainsworth. Il est gentil, n'est-ce pas ?

— Très, confirma Pakarel. Il nous a donné des biscuits et du chocolat chaud.

— Maître Pelham, demanda Ribère, pourquoi souriez-vous ?

Victor, qui venait de prendre une gorgée du délicieux thé, remercia Laurence. Puis, il observa Ribère, un sourire aux lèvres.

— Parce que, dit-il simplement, l'air satisfait. Vous avez tous rencontré la personne que je recherche.

Pakarel et les Kobolds lui envoyèrent un regard interloqué.

— Vous recherchez l'antiquaire ? demanda Laurence.

— Oui.

— Attends, attends, s'interposa Pakarel. Ce vieux bonhomme aux yeux orange, c'est l'oncle de Caleb ?

Les Kobolds ne semblaient pas comprendre et Victor ne les en blâmait pas ; ils ne savaient rien de la raison de son séjour à Paris.

— On dirait, répondit le jeune homme.

— Je peux vous mener à lui, lorsque vous aurez fini votre thé, se proposa Laurence. Je dois aller porter quelques caisses de vivres à une famille qui vit tout près de son bureau.

— Son bureau ? répéta Victor.

— Vous verrez, dit-elle d'un air mystérieux.

Jetant un coup d'œil autour de lui, Victor remarqua l'installation générale de Laurence. En songeant aussi aux tunnels d'égout éclairés et surpeuplés, il avait la nette impression que la gobeline et les autres étaient là depuis bien plus longtemps qu'une journée.

— Puis-je vous poser une question ? demanda-t-il à la gobeline au bout d'un court silence.

— Bien sûr, répondit-elle avant de se mettre à empiler des vivres dans une caisse.

— Le décret ministériel, il est en vigueur depuis… ?

— Hier, répondit la gobeline.

D'un ton prudent, Victor continua :

— Je ne veux pas paraître impoli, mais… j'ai l'impression que vous, ainsi que tous ces gens, vous trouvez dans cet égout depuis bien plus longtemps qu'une journée.

— Depuis un mois, environ. Le gouvernement a secrètement commencé sa chasse aux non-humains bien avant le décret officiel.

— C'est bien ce que je pensais. Merci pour le thé, dit-il en brandissant sa tasse vide.

Voyant bien que tout le monde avait bu la sienne, Laurence prit sa boîte de carton, qui était maintenant pleine de vivres, et demanda :

— Vous voulez toujours rencontrer l'antiquaire, monsieur Pelham ?

— Absolument.

— Alors, venez, il travaille à quelques pas d'ici.

En quittant la salle des génératrices, ou plutôt l'abri de Laurence, l'un des Kobolds s'éclaircit la gorge d'une manière qui attira l'attention. C'était Ribère. Tout le monde, y compris Laurence, qui portait sa caisse, se tourna vers lui.

— Maître Pelham ? Nous ne voulons pas vous… euh… importuner, mais il me semble que vous avez… comment dire… oublié de…

Ribère jouait inconsciemment avec ses doigts, donnant l'impression de chercher ses mots, mais Victor savait très bien qu'il jouait le jeu.

— Votre paie, dit le jeune homme. N'est-ce pas ?

Ribère sourit, mais Po et Luboo semblaient plutôt contrariés.

Victor fouilla dans ses poches, sortit son portefeuille et donna aux Kobolds ce qu'il leur devait.

— Merci ! lui dit un Ribère immensément satisfait. Eh bien… nous vous souhaitons bonne chance pour le reste de votre aventure, maître Pelham.

Victor et Pakarel observèrent les Kobolds pendant un moment. Victor avait oublié, pendant un instant, qu'ils n'étaient pas réellement ses amis. Ils n'avaient pas décidé de l'accompagner.

— Ah ! oui, bien sûr, admit Victor de bonne foi. Bon, alors… je vous souhaite à tous bonne chance. J'espère vous revoir un jour. Ne faites pas trop de bêtises, d'accord ?

— C'est promis, maître Pelham, répondit tristement Po.

Étonnamment, Po et Luboo ne paraissaient pas enchantés à l'idée de se séparer de Victor. Ce dernier s'était d'ailleurs presque attendu à ce que l'un ou l'autre proteste, mais les Kobolds restèrent silencieux. Laissant Po, Ribère et Luboo derrière eux, Victor, Pakarel et Laurence reprirent leur route dans les tunnels qui abritaient les Parisiens de toutes races, chassés de leur demeure.

Chapitre 19

Hansel Hainsworth

Tandis que Victor, Pakarel et la gobeline marchaient sur une passerelle surplombant un cours d'eau dans un tunnel d'égout, le jeune homme demanda :

— Laurence, je peux vous demander quelque chose ?

La gobeline acquiesça d'un hochement de tête. En pesant ses mots, le jeune homme lança :

— J'ai l'impression que l'antiquaire est un personnage bien connu par… les résidents de ces égouts. Ai-je raison ?

— Tout à fait, répondit Laurence en déposant la boîte par terre. On peut prendre une petite pause ? demanda-t-elle ensuite en souriant. Mes bras vont lâcher.

Victor, voulant aider malgré son invalidité, proposa :

— Laurence, si vous voulez, je peux…

— Mais non, mon cher, une simple pause suffira ! répondit-elle d'un geste nonchalant de la main, comme si de rien n'était.

— Et moi, je peux la porter pour vous, s'offrit Pakarel en pointant la caisse. Je suis vraiment fort !

Laurence lâcha un petit rire en observant le pakamu comme s'il était un ourson tout mignon. D'ailleurs, Victor leva les yeux en soupirant d'amusement.

— Ça ira, mon petit bonhomme fort ! répondit amicalement la gobeline avant de porter son attention vers Victor.

— Vous avez autre chose à me demander, n'est-ce pas ? demanda-t-elle d'un air amusé. Au sujet de monsieur Hansel Hainsworth, je présume ?

— En effet, avoua-t-il. J'aimerais savoir : en quoi consiste son rôle ?

— Je pourrais vous répondre, dit Laurence, mais je crois que vous aurez le loisir de lui demander vous-même. Mais pour nous, les gens bannis par le nouveau décret, monsieur Hainsworth est un sauveur. Il nous a avertis et permis de nous enfuir bien avant que le gouvernement nous chasse de nos maisons pour nous mettre en quarantaine.

Victor répondit d'un hochement de tête.

— Beaucoup de personnes lui doivent la vie, ajouta la gobeline. Moi inclusivement.

— Et l'homoncule, quel est le rôle de cette créature ?

— C'est quoi, un homoncule ? demanda Pakarel, interloqué.

— C'est le familier de l'antiquaire, répondit la gobeline.

Le pakamu, confus, ne comprenait visiblement pas ce dont Victor et Laurence parlaient. Le jeune homme lui en ferait part, mais plus tard.

— Est-il dangereux ? poursuivit Victor.

— Bien sûr que non, répondit Laurence. C'est un petit ange ! Il nous aide à distribuer des vivres et nous avertit de la présence des humains.

Victor observa la gobeline en hochant la tête, mais au fond de lui… il avait la certitude que l'homoncule était la source de bien des problèmes.

— Je vois, répondit Victor d'une voix normale.

— C'est quoi, un homoncule ? répéta Pakarel. Ça ressemble à un petit ange ?

— Pas vraiment, répondit Victor en ricanant. Je t'expliquerai plus tard, ajouta-t-il à voix basse. Fais-moi confiance.

La gobeline se leva et prit sa caisse de vivres.

— Bon ! Je suis prête !

Pendant les cinq minutes qui suivirent, le trio resta silencieux. Victor remarqua qu'ils ne croisaient maintenant que des humains. En passant sous une série de lampes à huile maintenues par de gros câbles pendants, Laurence leur dit :

— Lorsque vous en aurez terminé avec l'antiquaire, monsieur Pelham, vous pourrez venir passer votre temps ici, avec les autres humains. Vous serez sans doute moins dévisagé que dans l'autre section des égouts.

— D'accord.

— Si ce n'est pas un problème de demander, enchaîna Laurence, je peux savoir pourquoi vous voulez voir l'antiquaire ?

— Son neveu est gravement malade, répondit aussitôt Pakarel. Il a été attaqué par quelque chose qui vient probablement des égouts de Paris, et nous avons des raisons de croire que l'antiquaire pourra l'aider.

— Hansel Hainsworth n'a jamais mentionné avoir de neveu, dit Laurence sur un ton vague. Et je peux vous assurer qu'il n'y a rien de dangereux dans ces égouts !

Elle avait dit sa dernière phrase d'un ton catégorique. Laurence croyait donc fermement ses paroles. Voyant que Pakarel, visiblement en désaccord, allait rétorquer quelque chose, Victor lui fit signe de se taire et dit avec une grande politesse :

— Mademoiselle Tuscane, pourrions-nous reprendre notre chemin ? Je n'aime pas l'idée de vous faire porter cette caisse sur une période prolongée.

— C'est gentil, dit-elle, souriante. Venez, c'est par là, nous y sommes presque.

Au bout d'un moment, Laurence s'arrêta et pointa au loin dans l'égout, vers une grande porte illuminée de deux torches.

— Vous voyez cette grande porte ? C'est là que vous trouverez l'antiquaire, s'il est présent. Moi, je dois vous laisser ici, je vais aller porter cette caisse à une famille.

— Merci beaucoup, Laurence, lui dit Victor.

La gobeline répondit d'un sourire.

— Vous pouvez venir me voir quand vous le voulez, leur dit-elle. Vous serez les bienvenus !

Puis, laissant Victor et Pakarel, Laurence se dirigea vers le tunnel dans lequel une bonne vingtaine de personnes étaient abritées sous des couvertures et assises le long du mur, entre des barils enflammés. En regardant la gobeline distribuer des vivres aux humains, Victor fit signe à Pakarel de le suivre.

— Qu'est-ce que l'homoncule ? demanda Pakarel, lorsque Victor et lui furent suffisamment éloignés.

Le jeune homme s'arrêta et pinça momentanément le haut de son nez en fermant les yeux, puis répondit :

— C'est une créature volante qui ressemble un peu à une chauve-souris. Bref, elle m'a attaqué lorsque je suis entré dans les égouts, mais a ensuite étrangement changé d'idée, mentionnant que je n'étais pas comme les autres humains. Par la suite, c'est elle qui m'a mené aux réfugiés. Je n'ai pas trouvé l'endroit tout seul, comme tu aurais pu le croire, puisque je ne l'avais pas mentionné plus tôt.

— Pourtant, dit Pakarel d'un air songeur, Laurence vient de dire que cette créature était comme un ange…

— Je ne voudrais pas accuser cet homoncule à tort, mais j'ai l'impression que c'est lui, la créature qui a attaqué Caleb.

Le regard de Pakarel s'enflamma.

— Mais pourquoi l'aurait-il attaqué, s'il t'a aidé, toi ?

Victor haussa les épaules. Tout cela n'avait effectivement pas vraiment de sens.

— Je ne sais pas.

Au même moment, un petit bruit se fit entendre. Victor réalisa avec quelques secondes de retard que c'était la sonnerie de sa radio portative. Fébrile, il la sortit de son sac et la porta à son visage.

— Allo ?

— Victor ? fit la voix de Maeva. C'est bien toi ? Tu es finalement à Paris ?

— Oui. Oui... nous y sommes. Qu'est-ce qu'il y a ?

— C'est Caleb, il ne va pas bien du tout. Le champignon de Chantico ne fait plus effet, comme elle l'avait prédit.

Victor recula la radio de sa bouche et marmonna un juron. Se reprenant, il ramena la radio à sa bouche et demanda :

— Comment va-t-il ?

— L'un de ses poumons ne marche plus. L'autre devrait cesser de fonctionner dans les heures à venir.

Soudain abattu, Victor, adossé au mur, se laissa tomber en position assise. Il échangea un regard avec Pakarel, qui semblait aussi désemparé que lui.

— On ne sait plus quoi faire, dit Maeva en sanglotant.

Victor allait lui dire que lui non plus, il ne savait pas quoi faire, mais une idée lui vint aussitôt en tête. Revigoré, il dit :

— Maeva, j'ai une idée. Maeva, ma chérie, tu m'écoutes ?

— Oui, oui, répondit-elle avec assurance.

— Appelle Ichabod. Il peut sécréter un poison extrêmement puissant du bout des doigts. C'est une plante, ne l'oublie pas. Je suis persuadé que son poison, qu'il peut doser à sa guise, pourra faire l'affaire.

— Oh mon Dieu ! lâcha Maeva d'un ton précipité, plein d'excitation. Victor, tu es incroyable ! Je vais tout de suite aller en parler aux autres et je te rappellerai plus tard, pour te donner des nouvelles ! Je t'aime !

Avant même qu'il ait pu dire quoi que ce soit, Maeva avait déjà raccroché. Pakarel observait Victor d'un air ravi.

— Tu es une bête, lui dit-il d'un air sérieusement épaté.

Le jeune homme lâcha un petit rire et se leva à l'aide de sa canne.

— Bon, dit Pakarel. Allons vite voir l'antiquaire. Tu verras, il est gentil !

Victor acquiesça d'un signe de tête vigoureux. En effet, avec l'état de Caleb, ils n'avaient plus beaucoup de temps. Une fois arrivé devant la porte, le jeune homme leva le bras et le maintint dans le vide pendant un court moment d'hésitation, avant de finalement cogner. Soudain, il sentit un courant d'air. Pakarel et lui sursautèrent en même temps lorsque l'homoncule se matérialisa à mi-hauteur et ouvrit la grande porte avec une facilité remarquable. Levant ensuite son petit bras, la créature pointa vers la porte ouverte, faisant signe à Victor et au pakamu d'entrer. Puis, sous les yeux des deux amis, elle se posa sur le sol et entra dans la pièce de sa démarche de pingouin.

— C'est donc ça, lâcha Pakarel d'une petite voix. On dirait plutôt un gobelin ailé, pas une chauve-souris…

Ayant repris ses esprits, Victor enclencha le pas et suivit l'homoncule. Victor, Pakarel et la créature se trouvaient à présent dans une pièce circulaire ayant un plafond assez haut, en forme de dôme. Plusieurs vitraux étaient incrustés dans le plafond, et un grand chandelier éclairait les lieux. Quant aux murs, ils étaient uniformément recouverts de bibliothèques. Une voix forte et autoritaire s'éleva alors, avec un faible écho :

— Refermez derrière vous.

Dirigeant son regard vers l'endroit d'où provenait la voix, Victor vit un curieux personnage installé derrière un large bureau en chêne. Ce dernier poussa son énorme chaise recouverte de coussins rouges et se leva. Pakarel tira sur la main de Victor pour avoir son attention avant de lui envoyer un sourire encourageant et de se ruer pour refermer la porte.

— Que puis-je faire pour vous, mes amis ? déclara la voix faussement amicale du personnage, qui s'avançait maintenant à leur rencontre.

L'homme était vêtu d'une longue et ample robe rouge, recouverte de motifs dorés, qui traînait sur le sol. Il tenait d'une bonne poigne un long bâton gravé de symboles étranges, et sa démarche était saccadée par son dos courbé. Ses cheveux, semblables à ceux de Victor, étaient mi-longs, blancs et fins, et tombaient en bataille sur son visage, lequel était recouvert d'une courte barbe hirsute. Victor remarqua alors ses yeux, d'une teinte orangée, bien vive. En les observant, le jeune homme avait l'impression de regarder un animal, un prédateur... comme un oiseau de proie. C'était l'antiquaire.

— Ah, dit l'homme, lorsqu'il eut posé les yeux sur Victor. Celui qui a survécu. Et qui est ce... Ah! Pakarel, le mangeur sans fin.

Le pakamu se balançait sur ses talons en hochant la tête, l'air satisfait de son titre.

— Que me vaut votre visite, Pelham ? demanda l'antiquaire.

Victor fut plus qu'étonné que l'homme connaisse son nom, mais il n'en montra aucun signe. Et de quoi parlait l'antiquaire, en le désignant comme «celui qui a survécu»? De sa jeunesse au pensionnat ou des événements récents? Après une grande inspiration, Victor débuta d'une voix sûre :

— Nous venons...

— Nous ? le coupa aussitôt l'antiquaire. Petit Pakarel, tu accompagnes donc Pelham dans ses demandes ?

L'homme avait pointé Victor d'un geste las. Victor remarqua aussitôt combien les ongles de l'antiquaire étaient longs, légèrement recourbés et noirs.

— Euh… oui, monsieur, répondit le raton laveur avec un brin d'incertitude.

— Très bien, continua l'antiquaire avec un geste impatient. Continuez, Pelham.

Victor n'aimait pas particulièrement se faire appeler uniquement par son nom de famille ni se faire interrompre pour rien. Laissant ces différends de côté, le jeune homme poursuivit :

— Je suis venu, avec l'aide de quelques amis, dont Pakarel (qu'il désigna d'un geste), vous demander votre aide.

— Et moi qui croyais déjà en faire bien assez, lâcha l'antiquaire d'un air sarcastique. Mais bien sûr, compte tenu de votre accent, je suppose que vous n'êtes pas d'ici, il est donc peu probable que vous ayez connaissance de la vaste étendue de mes actes.

— Votre neveu est en grave danger, continua Victor d'un ton plus froid. Il a été blessé par une créature qui, selon mes impressions… rôde dans ces égouts.

— Selon vos impressions, répéta l'antiquaire d'un air moqueur. Amusant. Et vos impressions, Pelham, sont en fait de graves accusations à mon égard.

— À l'égard de cette créature, rectifia Victor en pointant du doigt l'homoncule, qui marchait bêtement autour d'eux.

Tandis qu'il fixait Victor de ses yeux orangés, l'antiquaire se mit à sourire sombrement.

— Aurions-nous enfin trouvé quelqu'un d'assez perspicace pour élucider le mystère qui rôde dans la Ville lumière ?

— Ne me faites pas croire que personne ici ne suspecte votre créature des meurtres commis ! lança Victor.

L'antiquaire haussa bêtement les épaules d'un air amusé.

— Peut-être, peut-être pas. Il n'en reste pas moins que vous, Pelham, êtes venu à ma porte, m'accusant, moi, qui me suis donné corps et âme pour sauver les gens de Paris. Le plus comique, c'est que vous avez une requête. Vous êtes venu ici pour me demander mon aide. C'est bien le cas ?

Même si c'était la vérité, le jeune homme ne confirma pas. Sa main serrait plus fermement sa canne tandis qu'il continuait d'observer l'antiquaire sur un air qui frôlait le défi.

— Je ne vous ai pas accusé, vous, rectifia Victor. Mais bien cette créature.

Pris d'un fou rire, l'antiquaire tapa plusieurs fois son bâton sur le sol.

— Pourquoi votre homoncule a-t-il attaqué votre neveu ? demanda froidement Victor en ignorant les rires de l'homme. Pourquoi ?

L'antiquaire cessa de rire tandis qu'une expression sévère s'affichait sur son visage.

— Votre agressivité me déplaît, Pelham. Savez-vous ce qu'est un familier, jeune homme ?

Victor fit signe que non. L'antiquaire pivota sur lui-même, sa longue robe virevoltant autour de lui, avant de se mettre à faire les cent pas.

— Un familier est une créature qui est liée corps et âme à une autre, expliqua-t-il. En l'occurrence, cet homoncule m'appartient, dit-il en tendant le bras pour gratouiller la tête nue de la créature. Tout son être n'existe que pour me servir. D'ailleurs, il est temps que je retourne vérifier toutes les entrées des égouts.

À la suite de ce commentaire, l'homoncule se dématérialisa sous les yeux incrédules du jeune homme. Sur un ton mystérieux, l'antiquaire fixa Victor et ajouta :

— Je devrai faire attention à ne pas me montrer aux humains de l'extérieur, corrompus ou non.

Mais pourquoi cet homme parlait-il à la première personne, alors qu'il venait visiblement d'envoyer l'homoncule faire une patrouille ? Tout cela n'avait pas de sens, songea Victor.

— Cette créature est donc votre esclave ? lâcha-t-il sur un ton de dédain.

— Tout compte fait, répondit l'antiquaire sur un ton de moquerie, vous n'êtes peut-être pas aussi perspicace que vous en avez l'air, Pelham.

L'homme marqua une pause avant de poursuivre sur un ton léger :

— Le fils de ma très chère et malheureusement défunte sœur est donc grièvement malade. C'est bien ce que vous rapportez, Pelham ?

Le jeune homme confirma d'un seul hochement de tête.

— Et qu'est-ce qui vous fait croire que mon familier est la cause de ses maux ? ajouta l'antiquaire d'un air intrigué. Laissez-moi deviner, dit-il appuyant son poids contre son bâton. Une… impression ?

— Caleb se trouvait à Paris pour venir vous voir, dit Victor en ignorant l'affront de l'homme. Comme par hasard, plusieurs autres personnes ont elles aussi été tuées. Toutes avaient la même trace de morsure sur eux. Une dentition qui me paraît être identique à celle de votre homoncule.

— Vous avez de bons yeux, commenta l'homme d'un air faussement impressionné. Cela dit, qu'est-ce qui vous faire croire que je puisse aider le fils d'Abigail ? Je ne suis qu'un simple et modeste antiquaire, dit-il en faisant une révérence, comme pour se présenter.

— Pourtant, on vous aurait déjà demandé de soigner la mère de Caleb, continua Victor, tout en pointant l'homme. On dit que vous saviez comment la sauver. Et aussi que vous avez refusé. Vous venez donc de me mentir.

Ces accusations semblaient laisser l'antiquaire complètement indifférent.

— C'est mon cher neveu qui vous a dit cela ?

— Son père, le corrigea Victor.

— Ah ! Dweedle, dit l'antiquaire en posant son doigt sur sa lèvre inférieure. Sage et courageux petit homme. Je l'aime bien. Eh bien ! ajouta-t-il en s'inclinant vers Victor, je suppose que Dweedle vous a aussi spécifié que c'est moi qui ai envoyé Caleb chercher l'oiseau de feu, cette fleur des cimetières de Iavanastre ?

Victor ouvrit la bouche pour parler, mais ne sut quoi dire.

— Ah ! s'exclama l'antiquaire avec une certaine satisfaction. Il ne vous l'avait donc pas dit. Mais je ne suis pas une pie et je ne compte pas salir la parole de Dweedle. Il a en partie raison. J'ai refusé d'utiliser la fleur pour concocter l'antidote qui aurait pu neutraliser la maladie de ma chère sœur.

— Pourquoi ? demanda Victor.

L'antiquaire lâcha un petit rire.

— Ce ne sont pas vos affaires, Pelham. Est-ce bien clair ?

Le jeune homme ne répondit pas et baissa la tête. Non pas par soumission ni par résignation, mais bien pour contrôler son envie de marteler de coups de canne l'homme qui se trouvait devant lui.

— Caleb est mon ami, dit Victor sans lever la tête. Je ferais tout pour lui. Mais si vous ne pouvez rien pour lui, alors je m'en irai.

— La porte est juste derrière vous, lui répondit l'antiquaire d'un air nonchalant.

Victor n'accorda même pas de regard à l'homme, il se retourna aussitôt et se dirigea vers la porte. Pakarel prit alors la parole :

— Je révélerai votre secret aux autres.

Intrigué, Victor s'arrêta, fit volte-face et observa le raton laveur et l'antiquaire. L'homme fixait Pakarel dans les yeux, d'un air incrédule. Le pakamu avait-il touché une corde sensible ?

— Quel secret ? demanda l'antiquaire sur un ton irrité.

— Vous êtes un lycanthrope, dit Pakarel d'un air sombre.

L'antiquaire lâcha un rire forcé avant de répliquer :

— Je ne suis pas un loup-garou, petit Pakarel. Sinon, je présenterais certains signes, comme…

— Pas un loup-garou, rectifia Pakarel en interrompant l'antiquaire. Vous êtes… différent. Et je sais ce que vous êtes. Je vous ai vu tuer ces hommes.

Victor fronça les sourcils, confus. Qu'est-ce que Pakarel avait vu ? Il ne lui avait jamais mentionné ces faits. Cependant, en voyant la réaction stupéfaite de l'antiquaire, qui restait sans voix, il semblait bien que le raton laveur avait mis le doigt sur quelque chose.

— Quels hommes? demanda Victor d'une voix alertée. De quoi parles-tu, Pakarel?

Le pakamu n'accorda pas de réponse au jeune homme, il fixait plutôt l'antiquaire d'un air hostile.

— Vous nous aiderez à sauver Caleb, ordonna-t-il. Sinon… je dirai votre secret aux gens. Certains se doutent déjà de ce que vous êtes. Et je sais, tout comme vous, que si…

D'une voix sérieuse, grave et tonitruante, l'antiquaire lui coupa la parole d'un geste de la main, la longue manche de sa robe virevoltant devant lui :

— Assez!

Victor, qui en avait visiblement manqué un bon bout, décida d'observer l'antiquaire d'un air intrigué, curieux de ses prochaines réactions. L'antiquaire se mit à marcher de long en large, l'air tracassé, ou plutôt agacé.

— Comment son corps supporte-t-il l'infection? demanda-t-il enfin à Pakarel et à Victor, qu'il dévisageait de ses yeux orange.

— Il est mourant! répondit Pakarel d'un ton grave.

Sur un ton sarcastique, l'antiquaire répondit :

— Évidemment qu'il est mourant.

— Une amie à nous est médecin, et elle tente de combattre son infection avec des doses de poisons, lui expliqua Victor. Pour l'instant, il tient le coup.

L'air songeur, l'antiquaire questionna :

— Avez-vous prévu un nouveau poison, au cas où ce dernier cesserait de faire effet? Étant donné ses origines croisées d'homme et de gobelin, son corps risque d'assimiler le poison et d'en annuler les effets.

Victor hocha la tête et répondit :

— On vient de lui trouver un poison qui pourrait faire l'affaire.

— Si jamais votre tentative échoue, essayez des résidus de graines de mandragore mélangées avec un lait de chèvre bien caillé.

C'est écœurant au goût, mais il n'y a pas de meilleure façon pour ralentir…

Comme s'il allait en dire trop, l'antiquaire cessa de parler et sourit.

— … son infection, termina-t-il simplement, donnant la nette impression d'avoir choisi ses mots.

L'antiquaire fit volte-face et se déplaça vers l'une de ses bibliothèques.

— J'en prendrai note, lui dit Victor d'un air contrarié. Mais cela ne sera pas assez pour le soigner entièrement, n'est-ce pas ?

— Bien sûr que non, dit l'antiquaire d'un air absent, tout en promenant son index sur les reliures des livres. Caleb est un hybride. Coriace !

— Très coriace ! précisa Pakarel.

L'homme se retourna et observa le raton laveur d'un air amusé pendant un moment, avant de retourner à son occupation.

— Caleb peut remercier ses gènes de gobelin, continua l'antiquaire sans regarder ses interlocuteurs. Ah ! voilà…

Il tira un livre et se mit à feuilleter ses pages. Victor remarqua que le livre avait une couverture uniformément brune, et se demanda comment l'antiquaire l'avait différencié de la vingtaine d'autres complètement identiques.

— Les maladies ne peuvent pas tuer les gobelins, continua l'homme sans lever les yeux de son livre. Elles peuvent les affaiblir, les handicaper, les diminuer mentalement, mais pas les tuer.

— Donc, vous dites que Caleb n'est pas en danger de mort ? demanda Victor d'une voix précipitée.

L'antiquaire leva les yeux de son livre et observa le jeune homme en disant :

— Cependant… les gobelins, comme bien des races, ne peuvent pas… subir de transformation comme celles des loups-garous ou des goules. La métamorphose leur est fatale.

— Caleb pourrait donc mourir, c'est ça ? lâcha le jeune homme.

— Je doute que vous vouliez attendre pour voir par vous-même, Pelham, répondit l'homme d'un air léger.

— Alors, que suggérez-vous? continua Pakarel. Qu'on le laisse ainsi? Si Caleb meurt et que vous ne faites rien…

— Mon linceul, intervint l'antiquaire, ne portant aucune attention aux propos du raton laveur.

— Votre quoi? demanda le jeune homme, se demandant s'il avait bien compris.

En appuyant le livre contre sa poitrine, l'homme observa Victor et Pakarel de ses yeux orangés.

— Mon linceul, répéta-t-il d'un ton ferme. Vous voulez sauver Caleb et détruire sa maladie? Il vous faudra donc mon linceul. Seulement… l'atteindre sera une tout autre chose.

Chapitre 20

Une révélation troublante

— Expliquez-vous, lui demanda Victor, perplexe.
— Un linceul ? répéta Pakarel. À quoi ça sert, un linceul ?

— Avant de me retirer à Paris en tant qu'antiquaire, dit l'homme en observant ses deux invités, je pratiquais une tout autre profession, car voyez-vous, j'étais apothicaire.

— Voilà ce qui explique vos connaissances en poisons, fit remarquer Victor.

Sans démontrer de signe de fierté, l'antiquaire poursuivit :

— J'ai consacré toute ma vie à l'étude des plantes et des autres ingrédients médicinaux, ainsi qu'à leur mixture.

Prenant une courte pause, l'homme glissa son doigt dans le livre pour garder sa page, le referma et continua d'expliquer en faisant les cent pas :

— Étant plus jeune, j'ai parcouru le monde à la conquête de savoir. Je voulais élucider les plus grands mystères au sujet des maladies qui étaient, à l'époque, incurables. Je suis parvenu à créer des remèdes contre la peste des arachnides, la variole rouge ou encore la grippe des sables. Évidemment, étant avare de succès et confiant… je voulais quelque chose de plus… difficile. Je voulais un test digne des plus grands. Il s'avérait qu'une maladie m'intéressait particulièrement. Le virus de la *noctemortem*, cette infection virale qui prend toutes sortes de formes.

— La maladie dont était atteinte votre sœur, fit remarquer Victor.

L'antiquaire poursuivit, faisant comme si le jeune homme n'avait rien dit :

— Durant d'innombrables années, j'ai tenté sans relâche de trouver un remède à cette maladie. Au fil des ans, toutes mes recherches n'aboutissaient qu'à des échecs. D'autant plus qu'étant un simple apothicaire, je n'avais pas l'autorisation de m'approcher des malades et encore moins de ceux infectés par la *noctemortem*. Car voyez-vous, des patients encore soignables qui ont la *noctemortem* dans le sang, c'est très rare, même à l'époque.

Victor sentit qu'on tirait sur son index; c'était Pakarel. En murmurant, celui-ci demanda :

— C'est quoi, un linceul?

Le jeune homme n'eut pas le temps de lui répondre, car l'antiquaire ajouta aussitôt :

— J'étais découragé. À bout. Cependant… comme je vous l'ai dit plus tôt, j'étais obsédé. Je me suis donc résolu à affronter le problème d'une manière plus directe. Il me fallait un corps que je puisse étudier. Un corps… que je pourrais contrôler. Le mien.

Même s'il s'attendait un peu à cette révélation, Victor haussa quand même un sourcil.

— Je ne vous expliquerai pas les détails, dit l'antiquaire, mais je suis parvenu en quelques semaines à contracter la maladie.

— Vous avez attrapé ce virus volontairement? s'étonna Pakarel d'un air dégoûté. Mais c'est une grave maladie!

— J'ai d'ailleurs failli perdre la vie à maintes reprises. Mais j'avais quelques assistants, des automates, que j'avais programmés pour me venir en aide au cas où je me trouverais dans l'incapacité d'agir.

— Des automates? répéta Victor. Vous parlez de robots?

L'antiquaire eut une expression de moquerie. Pendant un instant, le jeune homme avait oublié sa personnalité détestable.

— Bien sûr que non, Pelham! Un automate est un être construit dans une matière, par exemple, le bois, le fer ou l'argile, et qui est dépourvu de toute pensée. Il est alimenté avec du sang artificiel.

Victor trouvait sa comparaison avec les robots presque idéale. Il soupçonnait que l'antiquaire venait simplement de le contredire par plaisir.

— Tandis que je poursuivais mes recherches avec une conviction inflexible, continua l'homme, mes assistants s'assuraient de ma survie. Par trois fois, mon cœur a cessé de battre, mais chaque fois, mes automates me réanimaient. C'est au bout de mes forces que je suis enfin parvenu à trouver ce qui avait la faculté de réduire à néant cette maladie, ainsi que son virus.

L'antiquaire ouvrit son livre à la page maintenue et le présenta sous les yeux de Victor. Y jetant un œil, le jeune homme vit le croquis de ce qui semblait être un rayon de soleil traversant un bout de tissu. De petites particules émanaient du côté opposé aux rayons. De nombreuses phrases étaient griffonnées tout autour du croquis. L'une d'elles sauta aux yeux de Victor :

« ...L'utilisation d'un linceul est primordiale, puisque ses propriétés sont altérées par la décomposition du corps qui se trouve... »

L'antiquaire lui enleva le livre des yeux avant qu'il ait fini de lire.

— Un linceul, dit-il d'une voix sévère, observant Victor avec une certaine amertume, comme si le fait qu'il ait lu une phrase l'avait profondément dérangé. Non pas une mixture ou un élixir, ni une plante ou une racine. Un linceul. Fait de coton.

— Comment avez-vous découvert cela ?

— Mes automates ont volé de nombreux corps pour me permettre de mener mes expériences, dit l'antiquaire avec fierté, et par inadvertance, je me suis retrouvé avec un corps bien particulier recouvert d'un linceul.

— Et... ? lâcha Pakarel.

L'antiquaire lui envoya un regard amusé avant de poursuivre :

— Le corps était celui d'un lycanthrope, d'un loup-garou. Revenu sous sa forme humaine.

— Mais l'onyxide détruit aussi cette infection, dit Victor, qui n'était pas certain de comprendre.

— Faux, Pelham, le coupa fortement l'homme. L'onyxide annule certains effets de la maladie, comme la métamorphose, mais le virus reste bien présent. Dans plusieurs cas, chez les plus malchanceux, le virus continue de gruger la victime jusqu'à sa mort.

Victor soupira et leva les mains tout en levant les yeux au ciel, avant de faire signe à l'homme de poursuivre.

— J'étais devant ma réponse. À l'époque, j'étais inexplicablement persuadé que ce bout de tissu, ce drap mortuaire, était l'élément clé de la destruction du virus. Seulement, je ne savais pas comment m'y prendre. Certes, le corps devant moi avait été miraculeusement guéri, mais par quoi ? Par un simple linceul ? Non. Étant donné que mes automates avaient récupéré les corps sans ma présence, en Égypte, je n'avais aucune idée de l'endroit exact d'où ce corps miraculé provenait. Je ne pouvais donc pas retenter l'expérience à la même place. Durant des jours et des nuits, j'ai tenté toutes sortes d'expériences pour reproduire le même phénomène. Quelle... frustration...

Il avait dit ces derniers mots d'une voix bourrée de rage.

— Au bout d'innombrables tentatives, continua-t-il d'un ton plus calme, j'ai finalement trouvé. Un soir, j'avais installé un cadavre fraîchement infecté devant une fenêtre avant d'aller me reposer pour la première fois depuis une semaine. Étant donné que j'avais mouillé le linceul, j'avais ordonné à un de mes assistants de le placer devant la fenêtre ouverte, pour le faire sécher par la brise. Le matin suivant... j'ai vu quelque chose d'extraordinaire.

Tout en gesticulant, l'antiquaire expliqua avec une expression d'immense bonheur :

— Le soleil pénétrait à travers le linceul qui recouvrait la fenêtre et une étrange lueur jaunâtre en émanait !

Retrouvant son calme, l'homme poursuivit :

— Je venais de découvrir que les rayons ultraviolets avaient pour effet de transformer les particules microscopiques laissées par les cadavres sur le linceul en une énergie purificatrice.

— Vous êtes parvenu à vous guérir ? demanda Victor.

— Bien sûr que oui, rétorqua sèchement l'antiquaire.

Pakarel ajouta d'un air froid :

— Je n'en suis pas si sûr, moi.

L'antiquaire le fusilla du regard.

— Je n'ai plus aucune trace de cette maladie en moi, rétorqua-t-il.

— Ben moi, je trouve que vous n'avez pas l'air de quelqu'un en parfaite santé, continua Pakarel. Surtout sous votre réelle apparence.

— Petit Pakarel, dit l'antiquaire d'un air meurtrier, un mot de plus à ce sujet et je mets un terme à notre accord. Je laisserai Caleb mourir, et vous aurez tout le loisir de crier mon secret sur tous les toits !

Le raton laveur ne savait visiblement plus quoi dire.

— D'ailleurs, continua l'homme, une fois sorti d'ici, vous ne pourrez même pas en parler à Pelham. Sinon, je le saurai et je renoncerai à notre pacte.

L'air furieux, Pakarel voulut protester :

— Mais...

— Ce n'est pas grave, intervint aussitôt Victor. Cela ne m'intéresse pas. Ce qui m'importe, c'est la vie de Caleb.

L'antiquaire afficha un sourire de satisfaction. Tournant progressivement son regard vers Victor, l'homme poursuivit :

— Revenons à nos moutons. Lorsqu'il est transpercé par le soleil, le linceul acquiert des propriétés de guérison.

— Pourquoi ne pas l'avoir utilisé pour sauver votre propre sœur ? le blâma aussitôt Victor. Au lieu d'envoyer Caleb chercher cet oiseau de feu ?

— Encore une fois, Pelham, ce sont mes affaires.

Victor croyait avoir une bonne idée de la raison pour laquelle Caleb avait voulu se venger de son oncle. Il avait le linceul. Il aurait pu guérir sa mère. Par contre, Victor avait une mission à accomplir. Abandonnant l'idée de critiquer les décisions de l'antiquaire, le jeune homme dit plutôt d'une voix calme :

— Vous disiez qu'atteindre votre linceul serait une tout autre chose ?

L'homme pivota sur lui-même et remit son livre à sa place, dans la bibliothèque. Restant dos à Victor et à Pakarel, il se mit à jouer nerveusement avec son bâton en disant :

— Mes assistants. Ils sont devenus incontrôlables.

— Ils ne sont plus contrôlables... pourquoi donc ? lui demanda Victor.

D'un vif mouvement, l'antiquaire se retourna vers le jeune homme et le dévisagea avec véhémence.

— Cela ne vous regarde pas, Pelham !

Victor plissa les yeux et se mordit la lèvre. Il ne devait pas nourrir la colère de l'homme.

— Que voulez-vous que je fasse, exactement ? demanda le jeune homme qui avait déjà une bonne idée de la réponse.

— Que vous vous rendiez à mon laboratoire et que vous y récupériez le linceul !

— Où se trouve votre laboratoire, au juste ?

— Au nord de Paris, répondit l'antiquaire en allant vers son bureau pour se mettre à griffonner quelque chose sur un papier, en campagne, pour être exact... Laissez-moi vous donner les indications... vous ne pourrez vraiment pas vous tromper...

— C'est tout ? demanda Victor, perplexe.

Il ne croyait pas une seule seconde que l'antiquaire accepterait de l'aider ainsi sous les menaces du raton laveur, sans y gagner quelque chose. Pendant un moment, un silence froid s'installa alors que Victor et Pakarel observaient l'antiquaire. Puis, sans quitter le jeune homme de ses yeux orangés, il admit :

— Non, ce n'est pas tout. Lorsque vous trouverez mon ancien lieu de travail, mon laboratoire plus exactement, vous devrez faire quelque chose pour moi. Dans mon bureau se trouve un objet qui m'est très important. Premier tiroir sur la gauche. Ramenez-le-moi.

Victor voulut protester, mais encore une fois, il n'en laissa rien paraître.

— J'accepte, dit-il. Mais avant, je veux savoir pourquoi vous requérez le meurtre de vos automates.

Furieux, l'antiquaire répondit avec rapidité :

— Cette information ne vous...

— Vous exigez que j'aille à votre ancien lieu de travail chercher un objet dont j'ignore la nature, l'interrompit Victor d'une voix forte, mais sans me préciser que vos automates sont toujours présents, pas vrai ?

L'antiquaire avoua simplement :

— C'est juste.

— Quoi ? lâcha Pakarel. Vos automates sont toujours sur place ?

— C'est pour ça qu'il n'est pas allé les récupérer lui-même, conclut Victor en observant l'antiquaire. Les automates. Ils sont probablement loin d'être amicaux. D'ailleurs, combien sont-ils ?

— Trois.

— Et comment réussirais-je à passer sous leur nez sans me faire tordre le cou ?

Cette fois, un sourire malicieux se traça sur le visage de l'antiquaire.

— Usez de votre intelligence, Pelham.

Victor et Pakarel échangèrent un regard. Puis, tout à coup, l'antiquaire hocha la tête dans une série de spasmes qu'il ne semblait pas contrôler. Il se mit alors à marmonner :

— Ils arrivent… ils arrivent, je les vois…

Puis, les spasmes cessèrent d'un seul coup et son regard se fixa devant lui, perdu.

— Ils ont trouvé l'entrée du quartier est, dit-il d'une voix absente. Je dois avertir les occupants des tunnels… je dois les avertir.

L'antiquaire se mit à marcher vers Victor et lui fourra dans la main le papier contenant les indications menant au laboratoire.

— Sortez d'ici ! leur beugla l'homme en leur pointant la porte de son bureau. Sortez !

Sans hésiter, les deux amis le dépassèrent et quittèrent la pièce circulaire. L'antiquaire lâcha alors :

— Pelham ?

Victor se retourna et l'observa.

— Croyez-vous au destin ? lui demanda-t-il d'un air mystérieux.

— Pas vraiment, lui avoua Victor.

— Rien n'arrive par hasard dans ce monde. Ne l'oubliez pas.

Un instant plus tard, il leur ferma la porte au nez, les laissant dans le tunnel d'égout.

— Très gentil, l'oncle de Caleb, dit Victor sur un ton sarcastique à l'intention de Pakarel.

D'un air sombre et bougon, le raton laveur répondit :

— Il n'était pas comme ça quand je l'avais rencontré, plus tôt... Je ne comprends vraiment pas ses agissements bizarres...

En vérité, le jeune homme était aussi confus que Pakarel. De qui l'antiquaire parlait-il alors qu'il éprouvait ces étranges spasmes ? Qui voulait-il avertir ? Pourquoi s'était-il réfugié dans les égouts ? Depuis combien de jours, de semaines, voire d'années avait-il quitté son laboratoire, y laissant derrière lui son linceul et ses automates ? De quoi avaient l'air ces êtres qu'il avait créés ? La liste continuait...

— Moi non plus, admit Victor en soupirant. Mais pour l'instant, nous devons nous concentrer sur une chose : ramener le linceul et l'objet à l'antiquaire. Je doute aussi que cet homme se déplace jusque chez moi pour soigner Caleb, donc il faudra prévenir Maeva et les autres pour le faire venir jusqu'ici. Ce qui pourrait être dangereux, considérant les wyrms...

— Au sujet du wyrm, dit Pakarel d'un air noir, c'est la faute de l'un des Kobolds. Tu te souviens de l'idiot du groupe, le dénommé Po, avec sa lanterne et sa dentition assez large...

Le raton laveur mima une grosse paire de dents avec ses mains devant son museau.

— Eh bien, continua-t-il, c'est lui qui avait accroché un leurre à pigeons sur le vaisseau. Et ce type de leurre attire les wyrms.

— Pourquoi ? s'étonna Victor.

Pakarel répondit sur un ton moqueur :

— Parce qu'il aime... les pigeons. Vraiment idiot, hein ? Bon débarras. Je ne les aimais pas.

Victor ne partageait pas l'opinion de son ami poilu, mais il ne lui fit pas savoir. Il s'éclaircit plutôt la gorge et expliqua :

— Bon, je vais aller retrouver Nathan et Béatrice pour les informer de ce que nous avons appris. Pakarel, il serait préférable que tu...

— Non ! le coupa aussitôt le raton laveur. Je viens avec toi !

Le jeune homme s'abaissa au niveau de son ami, grimaçant sous la douleur de sa jambe gauche, qu'il venait de fléchir trop rapidement.

— Écoute, lui dit-il d'un ton amical. Je sais que tu veux m'accompagner et, crois-moi, Pakarel, j'aimerais t'avoir à mes côtés en tout temps.

Le pakamu le regardait d'un air innocent et enfantin.

— Je te suivrai par les égouts, dit-il simplement.

— Par les égouts, répéta Victor, un peu incrédule. Comment comptes-tu t'y retrouver et, surtout, comment veux-tu me suivre de cette façon ?

— J'entends mieux que toi, lui rappela Pakarel avec fierté. Je pourrai te suivre. Et je peux te sentir, aussi.

Il n'y avait rien à faire, se dit Victor, qui se releva.

— D'accord, se résigna-t-il. Si tu dis pouvoir me suivre par les égouts, alors fais-le, mais sois prudent.

Pakarel lui fit un salut militaire. Ils entendirent alors une détonation provenant de loin dans les égouts. Alertés, les deux amis échangèrent un regard inquiet avant que Victor se fasse bousculer.

— Fais attention ! lui reprocha une voix.

Une bonne dizaine de personnes les dépassaient en les frôlant de près. Victor reconnut Hubert, le graboglin, en tête d'un groupe composé de satyres, de gobelins et de gnomes. Tous étaient munis d'armes à feu et d'épées.

— Vite, vite ! cria le satyre. Il ne faut pas qu'ils se sauvent !

Victor et Pakarel observèrent le groupe d'individus courir à pleines jambes dans le tunnel. Puis, le raton laveur s'élança à leur trousse.

— Pakarel, attends ! s'écria le jeune homme.

Mais bien sûr, il était trop tard. Étant impossible pour Victor de rattraper son ami à la course, il se résigna à une marche rapide. Voyant le groupe d'individus tourner à gauche au loin, le jeune homme prit tout de suite sur la gauche, empruntant un autre tunnel en espérant prendre un raccourci.

— Qu'est-ce qui lui prend ? marmonna Victor.

Droit devant, au bout du tunnel, Victor vit la bande d'Hubert s'arrêter brusquement.

— À genoux! cria une voix. Lâchez vos armes!

— Allez! À terre! s'écria une autre.

Le jeune homme vit Hubert et ses complices se mettre à genoux et lâcher leurs armes devant eux. Tentant de faire le moins de bruit possible, Victor poursuivit sa route pour s'approcher tranquillement du groupe. Soudain, il vit des humains des forces de l'ordre s'avancer près du groupe d'Hubert. Les humains pointaient leurs carabines vers les non-humains, bottant les armes hors de portée, tout en leur criant de s'étendre sur le sol crasseux du tunnel d'égout. Il devait contourner la scène. Prenant un autre tunnel à sa gauche, puis un autre à droite, Victor parvint à arriver dans le dos des assaillants.

Adossé au coin d'un mur, le jeune homme jeta un coup d'œil furtif à la scène. Ils étaient huit humains, presque tous occupés à ramasser les armes sur le sol en assenant des coups de pieds dans le ventre des individus au sol. Pakarel était parmi le groupe d'Hubert, allongé au sol en maudissant du regard les humains autour de lui. L'un des hommes des forces de l'ordre tentait en vain de faire fonctionner sa radio portative, lâchant des jurons.

— Ça ne marche pas! se plaignit l'homme.

— Pourtant, ça devrait, fit remarquer un autre qui était en train de fouiller Hubert. La mienne capte les signaux. Tu veux que j'appelle le... Hé!

Profitant du moment, Hubert était parvenu à désarmer son assaillant avant de le soulever devant lui comme un bouclier humain. Tenant la carabine d'une seule main, le graboglin recula prudemment, tandis que tous les autres hommes pointaient maintenant leurs armes vers lui.

— Lâche-le, graboglin! s'écria l'un des hommes.

— Venez le chercher, si vous le voulez! aboya Hubert.

Victor vit un homme saisir un gnome par l'oreille et lui coller le canon de son arme sur la gorge.

— Tu veux qu'il meure? lui lança-t-il aussitôt. Hein?

Ça allait mal finir, se dit Victor. Se déplaçant rapidement, le jeune homme saisit sa canne par le pied et s'approcha de l'homme qui tenait le gnome. Les non-humains portèrent tous leur regard stupéfait vers lui, mais ils restèrent heureusement silencieux. Hubert accorda un léger signe de tête à Victor. Sans perdre une seconde de plus, le jeune homme abattit sa canne comme une matraque derrière la tête de l'homme, qui s'écrasa au sol sans un mot.

— Qu'est-ce que…? lâcha l'un des membres des forces de l'ordre en commettant l'erreur de se retourner vers Victor.

Avant même que leurs assaillants aient pu réagir, les non-humains s'étaient jetés sur eux. Un gobelin attrapa son épée pour la plonger de toutes ses forces dans la poitrine d'un homme, tandis qu'un autre désarmait son adversaire de sa carabine pour la retourner contre lui et faire feu. Hubert projeta l'humain qu'il tenait contre un mur, dans un bruit d'os brisés, avant de s'élancer de toute sa masse musculaire sur un homme qu'il renversa. De ses énormes mains, il lui brisa la nuque.

Victor avait détourné la tête de la scène, fermant les yeux dans une grimace de dégoût. La violence gratuite le rendait malade. Lorsqu'il n'y eut plus de bruit, il ouvrit les yeux.

— Assurez-vous qu'ils soient bien morts, ordonna Hubert à son groupe.

Un satyre s'approcha d'un homme qui gémissait sur le sol et l'acheva d'une balle.

— Merci, l'ami! lança le graboglin d'un air joyeux à l'intention de Victor.

Dégoûté, Victor eut un haut-le-cœur. Le graboglin avança vers le jeune homme, et celui-ci réalisa qu'il ne venait pas vers lui pour le féliciter, mais pour tuer l'homme qu'il avait frappé de sa canne et qui gisait maintenant à ses pieds, inerte.

— Non! s'interposa Victor.

Hubert s'arrêta et observa le jeune homme.

— Il ne doit pas avertir les autres, dit le graboglin. Il doit être neutralisé. C'est l'ordre de monsieur Hainsworth. Ces chiens doivent mourir. Alors, tu te bouges ou je dois te tasser moi-même?

— Je n'en ai rien à faire! lui répliqua froidement Victor. Quel genre de personnes êtes-vous?

— Et eux, tu crois qu'ils nous auraient laissés en vie? répliqua un gnome en bottant le corps sans vie d'un des hommes.

— Vous n'êtes pas mieux qu'eux, si vous les abattez comme des sauvages! lui répondit Victor. Vous ne faites que jeter de l'huile sur le feu! C'est ça que vous voulez?

Victor était à bout de nerfs. Son cœur battait la chamade dans sa poitrine, et sa respiration était haletante. Se passant vivement la main sur le visage, puis dans les cheveux, le jeune homme observa la scène d'un air dépourvu, tandis que Pakarel le rejoignait à pas lents, la tête basse. Deux gobelins chuchotèrent quelque chose à Hubert, tout en dévisageant le jeune homme.

— Non, leur répondit le graboglin en hochant la tête, Laurence dit qu'il est réglo. On ne peut pas.

Le jeune homme comprit aussitôt. Les gobelins avaient probablement demandé à Hubert s'ils pouvaient se débarrasser de lui, tout comme ils l'avaient fait avec les autres hommes.

— Bon, écoutez, reprit Hubert en désignant ensuite l'homme assommé. On va prendre celui-là en otage et on reviendra s'occuper des corps tout à l'heure.

Une fois toutes les armées ramassées, Hubert balança l'homme assommé sur son épaule et fit signe aux autres de le suivre, laissant Victor et Pakarel seuls parmi les cadavres.

— Victor, dit Pakarel d'une petite voix…

— Retournons voir Laurence, dit le jeune homme d'une voix absente. Elle pourra peut-être nous dire comment sortir d'ici.

Les deux amis suivirent le groupe d'Hubert en laissant une bonne distance, sans dire un seul mot. De temps à autre, un membre du groupe se retournait pour leur envoyer un regard hostile.

— Tu crois qu'ils nous haïssent? chuchota le raton laveur.

— C'est probablement moi qu'ils n'apprécient pas, lui répondit Victor sans prendre la peine d'établir un contact visuel.

Au bout d'une minute, Hubert et son groupe s'arrêtèrent à une dizaine de mètres du bureau de l'antiquaire. Il donna quelques ordres inaudibles à ses complices, qui partirent dans tous les sens. Quant au graboglin, il pivota vers Victor et Pakarel et leur dit :

— Les autres ne vous feront rien, n'ayez pas peur.

— Qu'allez-vous faire de cet homme ? demanda Pakarel en le pointant sur l'épaule d'Hubert.

— J'allais justement demander à l'antiquaire ce qu'on doit en faire, dit le graboglin en pointant la porte avec son pouce, derrière lui.

— C'est lui qui vous donne des ordres, à toi et à ton petit groupe de tout à l'heure ? demanda Victor d'un ton froid.

— Pas vraiment, répondit Hubert d'un air vague, en haussant les épaules. Il ne fait que nous donner des suggestions. D'ailleurs, je vais aller le voir maintenant.

Sur ce, il fit volte-face et se mit à marcher en direction du bureau de l'antiquaire. C'est alors que quelque chose sauta aux yeux de Victor.

— Hubert ! vociféra-t-il.

Il venait de voir un détail qui l'intriguait fortement. Hubert pivota vers le jeune homme en affichant un air interrogatif.

— Pose cet homme par terre, lui demanda Victor avec une certaine politesse. S'il te plaît.

— Mais pourquoi ? demanda le graboglin, intrigué. Je ne veux pas qu'il se réveille…

Victor lâcha un soupir bien audible en s'avançant vers Hubert, qu'il contourna. Il voulait voir la nuque de l'homme que le graboglin tenait sur son épaule comme un sac de patates.

— Ne bouge pas, lui ordonna Victor en inspectant attentivement la nuque de l'homme inconscient.

Victor pouvait voir un petit pansement blanc maintenu par un ruban adhésif médical. Délicatement, il le décolla de moitié pour jeter un coup d'œil en dessous. Ce qu'il vit le choqua jusqu'au profond de son être. Une petite chose en métal, émettant une lumière verte, était incrustée dans la peau de l'homme. Le visage figé, la bouche entrouverte, Victor recula.

— Qu'est-ce qu'il y a ? demanda bêtement Hubert. On dirait que tu as vu un mort-vivant.

— Quoi ? s'inquiéta Pakarel. Victor, tu vas bien ?

Après une déglutition difficile, le jeune homme regarda son ami poilu et lui dit :

— Il… il a un traceur.

Chapitre 21

Un plan assez fragile

— Un traceur? répéta Pakarel, une vague d'inquiétude traversant son visage. Tu veux dire... ces petites choses qui... Lorsque tu étais enfant...

Victor confirma d'un hochement de tête, l'air distant, car son esprit divaguait à travers ses pensées. C'était donc ça. Des traceurs. Ces puces voleuses de vie avaient autrefois été utilisées sur les orphelins londoniens, dont Victor lui-même. Un nombre considérable d'enfants avait succombé aux effets des traceurs, avant que le jeune homme parvienne à y mettre un terme à sa manière. Seulement, les traceurs qu'il connaissait n'étaient pas fixés à la surface de la peau, mais bien en dessous...

— Ces hommes, dit Victor d'une faible voix, ils n'agissent pas par eux-mêmes... On leur a ordonné de commettre ces atrocités...

— Je ne suis pas sûr de comprendre, lâcha Hubert. De quoi parles-tu?

— Pose-le par terre, dit Victor d'un ton catégorique.

Cette fois, le graboglin décida de coopérer. Il déposa doucement l'homme inconscient sur le sol. Le jeune homme s'agenouilla près du corps inerte et l'observa d'un œil attentif.

— Victor, intervint Pakarel en pointant le traceur d'un air agité. Nous devons enlever cette chose de son cou...

Le jeune homme accorda un bref regard à son ami.

— Qu'est-ce que vous racontez, tous les deux? dit à nouveau Hubert en se grattant bêtement la tête.

Victor leva la tête vers Hubert.

— Ces humains n'agissent pas d'eux-mêmes. Ils sont contrôlés par cette puce, incrustée dans leur peau.

Le graboglin se pencha et observa d'un air un peu stupide le traceur indiqué par Victor.

— Comment une si petite chose peut-elle contrôler des humains ? marmonna-t-il.

— Je ne suis pas médecin, répondit le jeune homme. Je ne pourrais pas te donner d'explication scientifique, mais une chose est certaine : ces hommes n'ont aucune conscience de leurs actes !

Victor avait prononcé cette phrase avec conviction.

— Nom de nom ! grommela Hubert. Ça expliquerait bien des choses…

D'un ton catégorique, Victor dit au raton laveur :

— Pakarel, tu as raison. On doit lui enlever son traceur.

— Tu connais quelqu'un qui est chirurgien ou médecin ? lui demanda le pakamu. Je veux dire, ici, à Paris…

— Non, répondit Victor.

— Moi, je connais quelqu'un, intervint Hubert. On pourrait peut-être emmener ce type inconscient jusqu'à lui…

Mais soudain, une voix froide et puissante intervint :

— Personne n'ira nulle part.

L'antiquaire se tenait maintenant à quelques pas de la scène, observant Victor avec une sévérité extrême. N'ayant aucune envie d'être à genoux devant ce vicieux personnage, le jeune homme se releva avec un air sombre sur le visage.

— Monsieur Hainsworth, débuta Hubert d'un air poli, je suggérais simplement que l'on amène cet homme à Laurence…

L'antiquaire lui fit signe de se taire en battant de la main fébrilement, comme pour chasser une mouche invisible.

— Dois-je me répéter, Hubert ?

Le graboglin afficha un air interloqué ; il ne comprenait visiblement pas la réaction de l'antiquaire. Quant à Victor, il n'était pas si surpris…

— Mais monsieur, dit Pakarel les sourcils froncés, je ne comprends pas… nous avons une preuve que cet homme est contrôlé…

Comme s'il n'avait rien entendu, l'antiquaire ajouta :

— Cet homme devra mourir comme les autres qui ont odieusement décidé de supporter les décisions gouvernementales qui empoisonnent Paris.

Il leva son bâton et dans un déclic, une lame jaillit de son extrémité inférieure. L'antiquaire abattit son arme vers l'homme inconscient pour lui perforer la nuque, mais Victor fut plus rapide ; lâchant sa canne, il parvint à empoigner le bâton de ses mains avant qu'il touche sa cible.

— Vous ne tuerez pas cet homme, siffla Victor d'une voix menaçante.

— Pauvre fou ! grogna l'antiquaire en se débattant pour reprendre son arme. Vous n'avez aucune idée des répercussions que…

— Taisez-vous ! l'interrompit Victor en repoussant le vieil homme, qui faillit perdre l'équilibre d'une manière un peu loufoque. Quel genre de personne êtes-vous ?

— Et qui êtes-vous, Pelham, pour me juger ? rétorqua l'antiquaire.

— Qu'est-ce qui se passe, ici ? intervint une voix féminine.

C'était Laurence, qui s'avançait vers la scène d'un air confus, une boîte vide sous le bras. L'antiquaire fit volte-face, sa robe flottant dans l'air, et marcha à grands pas vers son bureau. À ce moment-là, Pakarel intervint :

— Il se réveille… Victor, regarde !

L'homme étalé sur le sol émettait à présent de faibles grognements.

— Laurence, dit Hubert, cet homme à un truc sur la nuque. Victor dit que c'est ce qui rend les humains bizarres.

Laurence s'agenouilla auprès de l'homme et l'observa d'un bref regard inquiet.

— C'est un traceur, dit-elle d'une petite voix. Oh mon Dieu…

— Laurence, tu peux l'aider ? demanda Hubert.

Visiblement déboussolée, elle balbutia :

— Je… Ce traceur est lié à son système nerveux, ce qui pourrait être… Mais… oui, je crois que je pourrais…

Puis, la gobeline fit signe à Hubert de soulever l'homme, qui grognait toujours faiblement. Le graboglin s'exécuta.

— À l'infirmerie, dit-elle.

— Oui m'dame, acquiesça Hubert d'un signe de tête.

— Venez, dit Laurence en direction de Victor et de Pakarel.

Victor et son ami les suivirent à travers trois ou quatre tunnels d'égout mal éclairés, avant d'arriver devant une entrée sans porte. Juste au-dessus, il y avait un signe en forme de croix rouge grossièrement et récemment peint à la main. À l'intérieur de la pièce, éclairée par plusieurs lampes à huile posées un peu partout, se trouvait du matériel médical installé en désordre. Une flaque de sang mal essuyée souillait le sol, juste sous une table visiblement utilisée à des fins médicales.

— Dépose-le sur la table, ordonna Laurence au graboglin tandis qu'elle fouillait dans une étagère. Sur le ventre.

Sans difficulté apparente, Hubert installa l'homme sur la table dans la position demandée.

— Vous êtes médecin ? demanda Pakarel.

Laurence remplissait maintenant une seringue d'un liquide transparent en la piquant dans le couvercle d'un petit récipient.

— Spécialisée dans la chirurgie, ajouta-t-elle en répondant d'un clin d'œil. Victor, il y a un tabouret derrière vous. Pourriez-vous… Merci.

Le jeune homme avait compris la requête de Laurence et, avant même qu'elle termine sa phrase, il avait déjà positionné le tabouret devant la table. Étant donné sa petite taille, Laurence avait besoin de quelque chose pour arriver à une hauteur convenable. S'y installant, la gobeline s'inclina vers l'homme et lui prit le poignet. Soudain, ce dernier retira la main d'un geste maladroit. Surprise, Laurence recula en se protégeant de ses mains tandis que l'homme essayait de se lever en marmonnant :

— Où suis-je… ?

— Maîtrisez-le, dit précipitamment la gobeline. Il ne doit pas bouger.

Hubert et Victor échangèrent un bref regard avant de s'exécuter; le jeune homme lui tint les jambes tandis que le graboglin s'occupait du haut du corps.

— Lâchez… lâchez-moi, grogna l'homme d'une voix endormie et pâteuse.

L'homme leva la tête et remarqua ses ravisseurs non humains.

— Que… Vous êtes des bâtards… Attendez que je…

— On va vous endormir, monsieur, l'interrompit-elle poliment. Hubert, tiens-lui le poignet.

Même si l'homme tentait de se débattre, seules ses jambes retenues par Victor bougeaient faiblement, car l'étreinte d'Hubert était visiblement écrasante et puissante. Sans difficulté, Laurence parvint à piquer la seringue dans une veine du poignet de l'homme.

— Lâchez-moi! grommela l'homme. Je vous…

Sa tête retomba sur la table dans un bruit sourd. Victor observa l'homme pendant quelques instants. En début de trentaine, c'était un roux aux cheveux rasés. Ses joues étaient potelées et grassouillettes, tandis que son nez était retroussé. Puis, Victor remarqua que quelques curieux, un gnome, deux humains et un gobelin, étaient apparus à l'entrée de l'infirmerie.

— Ne restez pas ici! leur lança Laurence.

Ce qui n'eut pas vraiment d'effet.

— Qu'est-ce que vous lui faites? demanda le gnome.

— Je sais, lâcha l'un des gobelins. Ils lui mettent probablement une sonde dans le…

— Hé! grogna Hubert, qui contourna la table d'un pas imposant pour se diriger vers l'entrée. Aussitôt, les curieux repartirent dans tous les sens.

— Il est endormi pour combien de temps? demanda Pakarel à Laurence.

— Deux heures environ, répondit-elle en débarquant du tabouret avant de jeter sa seringue dans une corbeille. Bon. Écoutez-moi tous. Je vais tenter de lui retirer son traceur, mais il me faudra du temps et de la place. J'aimerais donc que vous me laissiez travailler.

— Tu risques de te faire déranger, fit remarquer Hubert, surtout qu'il n'y a pas de porte…

Laurence fronça les sourcils.

— Hubert pourrait effectivement faire office de porte, suggéra Victor avec un sourire mesquin.

— Vous venez d'avoir une excellente idée, répondit Laurence d'un ton enjoué.

— Et vous aurez probablement besoin d'un assistant pour vous aider, s'offrit Pakarel sans grande conviction.

Cette déclaration surprit Victor. Laurence parut réfléchir un moment avant de répondre :

— Il est vrai que si je fais une erreur…

— Pakarel ? intervint Victor. Tu veux vraiment… ?

— Je sais que tu préférerais que je reste dans les égouts, répondit le pakamu d'un air bougon. Et puis, avec ce vil personnage dans les parages…

Victor sourit à son ami et tapota sa petite épaule.

— Promets-moi de rester dans les égouts, d'accord ? lui demanda le jeune homme. Je vais revenir plus tard pour te chercher. Je ne compte pas rester dans cette ville trop longtemps. Sans vouloir vous offenser, ajouta-t-il à Hubert et à Laurence.

— Comment comptes-tu sortir des égouts ? demanda ensuite le raton laveur.

— C'est ce que j'allais demander ensuite, dit Victor en portant son attention vers Laurence.

La gobeline lui expliqua en détail la façon la plus simple d'atteindre la surface et, par la suite, comment rejoindre son auberge. Étant donné que la plupart des entrées étaient condamnées, Victor devait marcher une bonne distance sous la ville avant de pouvoir en sortir, tout près de la cathédrale Notre-Dame. Cependant, en tout premier lieu, il allait devoir retourner à l'auberge pour avertir et informer ses amis.

Après avoir souhaité bonne chance à Laurence, Victor salua Pakarel et Hubert avant de se mettre en route dans les tunnels d'égout en utilisant le chemin indiqué par la gobeline. Le jeune homme marcha pendant une bonne vingtaine de minutes avant d'arriver devant une grande porte. Juste à côté se trouvaient deux hommes vêtus de vieilles chemises et de vestons rabougris, armés de carabines. Victor passa cinq minutes à leur assurer qu'il était l'un des leurs avant qu'ils finissent par accepter de le laisser passer.

Une fois dehors, Victor dut se réhabituer pendant quelques instants à la clarté éblouissante du soleil, masqué par une nappe de nuages. Après avoir pris une bonne bouffée d'air frais, le jeune homme observa les lieux. Il se trouvait actuellement sur la berge de la Seine et de l'autre côté, un peu en hauteur, se tenait la haute et glorieuse cathédrale Notre-Dame. Il s'arrêta un instant pour la contempler.

Le jeune homme prit quelques minutes avant de se situer par rapport aux indications données par Laurence pour retourner à l'auberge. Il fallut près d'une demi-heure, pendant laquelle Victor arpenta les rues sinistrement occupées par les forces de l'ordre et quelques autres humains, avant qu'il parvienne à rejoindre l'allée sur laquelle se situait son auberge. Une fois à l'intérieur, le jeune homme remarqua que l'endroit était toujours aussi désert, même son propriétaire n'était pas là.

Arrivé à la chambre, Victor tourna la poignée, mais celle-ci était verrouillée. Le jeune homme cogna à la porte.

— Il y a quelqu'un?

Il entendit des bruits de pas de l'autre côté, et la porte s'ouvrit si peu qu'il ne voyait qu'une partie du visage méfiant de Nathan.

— Entre, dit-il en ouvrant la porte un peu plus pour laisser passer le jeune homme.

Nathan sortit la tête dans le corridor et envoya un regard furtif dans les deux sens.

— Tu n'as pas été suivi? demanda-t-il.

Victor remarqua la famille de gobelins assise sur le lit; le père et sa femme tenaient leurs enfants sur leurs genoux. Il leur accorda un sourire chaleureux.

— Non, répondit Victor en s'installant sur une chaise. Cette ville est tellement vide que si quelqu'un m'avait suivi, je l'aurais entendu à un kilomètre.

La porte de la salle de bain s'ouvrit et Béatrice en sortit, les cheveux mouillés.

— Bonjour Victor ! lui envoya-t-elle avec un sourire qui s'effaça lorsqu'elle ajouta d'un ton dégoûté :

— Le bas de ton pantalon est recouvert de…

— Je sais, la coupa Victor avec un bref sourire.

— Pakarel et les trois autres ne sont toujours pas revenus, dit Nathan d'un air contrarié.

— Ça va, le rassura Victor. Je les ai rencontrés. Ils vont bien et sont en sécurité. J'ai payé les Kobolds pour leur aide et ils sont partis de leur côté.

L'air déçue, Béatrice fit remarquer :

— Ça risque de compliquer notre retour vers Québec…

Nathan s'adossa au mur, les bras croisés, et demanda :

— Et cet antiquaire ?

— Lui aussi je l'ai rencontré, répondit Victor en marquant une pause qui en disait long.

— Et puis… ? demanda Béatrice, interrompant le silence.

D'un air sarcastique, Victor répondit :

— Ce n'est pas vraiment le genre de personne que l'on pourrait qualifier d'agréable.

D'une voix plus sérieuse, il continua :

— J'ai… appris des choses assez troublantes au sujet de ce qui se passe dans cette ville.

En 10 minutes, il raconta à ses amis tout ce qu'il avait vu et vécu, sans se préoccuper de la présence de la famille de gobelins. Le jeune homme leur expliqua son périple dans les égouts, la rencontre avec l'homoncule, puis avec les non-humains. Le jeune homme fit aussi mention de l'appel qu'il avait reçu de Maeva au sujet de Caleb et du fait qu'il leur avait suggéré de demander l'aide d'Ichabod. Il prit un soin particulier à bien répéter ce que lui avait dit l'antiquaire, surtout au sujet du linceul qu'il devait ramener et de l'autre objet inconnu. Victor leur parla même de la supposée lycanthropie de l'oncle de Caleb mentionnée par Pakarel. Finalement, il les mit au courant à propos des traceurs et de l'homme qu'il était parvenu à sauver des griffes d'Hubert et de son groupe. Comme il l'avait prévu, ce fut un choc pour tout le monde, même pour la famille de gobelins.

— J'avais entendu parler de cette horrible histoire dans cet orphelinat, en Angleterre, ajouta le père de la famille de gobelins.

— Ça expliquerait bien des choses, confirma sa femme d'une petite voix, le regard perdu devant elle. Je me disais bien que tout cela était sans queue ni tête...

Quant à Béatrice, elle était visiblement outrée et sans voix, les mains recouvrant sa bouche dans une position de prière.

— Fais voir cette adresse, soupira Nathan en tendant la main. Il faudra agir rapidement.

Victor lui remit le papier sur lequel était griffonnée l'adresse du lieu de travail de l'oncle de Caleb. Nathan afficha une expression neutre.

— L'antiquaire t'a-t-il donné d'autres indications? demanda l'homme à la crête blonde en agitant le papier.

— Non, répondit franchement Victor. Il n'était pas du tout coopératif, comme je vous l'ai expliqué.

Nathan fit un signe de tête, puis, il s'avança vers les gobelins et leur tendit l'adresse.

— Vous savez où c'est?

Le père prit l'adresse et après un bref coup d'œil, répondit :

— C'est la tour d'observation. Je sais où elle se trouve. Je peux vous expliquer comment vous y rendre.

La femme gobeline, qui caressait la tête d'un de ses enfants, demanda alors à Victor d'un air incertain :

— Vous êtes sûr que vous parlez bien de monsieur Hansel Hainsworth?

— J'en suis certain, oui, confirma Victor.

Hésitante, la gobeline poursuivit en s'adressant au jeune homme :

— C'est si… inconcevable. Monsieur Hainsworth est si gentil… Je ne comprends pas pourquoi il refuserait d'aider son neveu, votre ami. Cet homme a toujours été si charitable, il doit forcément y avoir une erreur... Vous l'avez dit vous-même, c'est lui qui a organisé un refuge dans les égouts.

— Il semblerait, confirma Victor. Je n'ai pas vraiment d'explication à vous donner, madame. Je vous rapporte seulement ce que j'ai vu. Je vous jure, je ne vous mens pas.

Nathan lâcha :

— Parfois, on croit connaître les gens et finalement…

— Je sais, soupira la femme. Je vous crois, mais… tout cela est si insensé…

Laissant la femme à sa confusion, Nathan regarda Victor et décida :

— On doit partir pour la tour d'observation.

— Pas en plein jour, intervint le père. C'est trop risqué.

Victor et Nathan semblèrent surpris.

— Pourquoi ? demanda le jeune homme.

Le gobelin chercha ses mots et dit finalement, d'un air désolé :

— Il y a des patrouilles tout autour de la ville et, étant donné qu'elle se trouve en campagne, nous serons facilement repérables. Je les ai vus. Je suis désolé d'être couard, mais je ne veux pas risquer de me faire prendre. Il faudra attendre la nuit. Vous n'aurez qu'à trouver un carrosse et je vous conduirai, les lumières éteintes.

— Je comprends, lui assura le jeune homme, qui eut soudain une idée. Vous avez raison. C'est même… parfait ainsi.

— Qu'est-ce que tu as en tête ? demanda Nathan, les yeux plissés.

— J'irai jouer au Marmelade avec Béatrice. Vous savez où c'est ? demanda-t-il aux gobelins.

— Oui, répondit le père de famille. Je vous expliquerai le chemin à suivre.

— Quoi ? protesta la jeune femme. C'est hors de question, je ne veux pas que ces monstres m'approchent !

— J'ai oublié de mentionner quelque chose d'important. J'ai croisé des hommes des forces de l'ordre, expliqua Victor. Ils m'ont informé qu'en début de soirée, la tête dirigeante du ministère parisien, un dénommé Beltimbre, assistera à nos prestations, à moi et à Béatrice.

— Beltimbre a été élu dans la controverse, l'an dernier ! fit remarquer le père gobelin d'un air stupéfait. Je ne suis pas vraiment au courant de la politique… mais j'ai lu l'article dans un journal.

— Et que comptes-tu faire ? demanda ensuite Nathan.

Victor prit une inspiration et expliqua :

— Eh bien… on va capturer la tête dirigeante, Beltimbre, et lui faire cesser son contrôle. De force, s'il le faut. Il y a forcément un ordinateur qui tient ces puces activées. Celui de mon orphelinat était apparemment situé au sous-sol. Louis l'avait trouvé et fait détruire aussitôt. Donc, je suis sûr que Beltimbre sait où se trouve cet ordinateur, puisque c'est lui, l'auteur du décret ministériel.

— Vous êtes fous ! lâcha la mère de la famille de gobelins.

Quant à son mari, il avoua :

— Moi, j'aime bien leur idée… Aïe !

Sa femme venait de lui donner un coup de coude dans le flanc, avec un de ces regards bien noirs.

— Victor ! balbutia Béatrice d'une voix tremblante. Tu ne peux pas… Ce ne sont… C'est dangereux !

— J'aime bien ton plan, répondit Nathan avec un sourire. Nous ne pouvons pas laisser Paris dans un tel état, surtout que nous avons peut-être les moyens d'y changer quelque chose. Mais il nous faudra quelques personnes en plus… nos amis du Consortium ?

— C'est impossible, trancha aussitôt le jeune homme. Ils sont trop loin et vous n'avez pas de vaisseaux assez rapides pour arriver ici à temps.

— Tu as d'autres suggestions ?

Victor fit signe que oui de la tête.

— Cet homme que j'ai sauvé dans les égouts. Si l'on parvient à lui retirer son traceur, on pourra sûrement le convaincre de nous aider.

— Tu crois que cet homme sera en mesure de nous aider après une telle opération ? s'étonna Nathan.

— Je le crois, oui, affirma Victor. Parce que j'ai la nette impression que les traceurs utilisés sur les humains de cette ville sont… plus faibles. Ils sont capables d'émotions et semblent agir d'eux-mêmes. Je suis prêt à parier que ces traceurs ne font qu'inscrire un but commun dans la tête de ces gens. Ils ne dominent pas leur vie, leurs choix ni leurs fonctions vitales. Ce qui est en notre avantage, car ce sera plus facile d'y changer quelque chose.

Nathan sembla réfléchir.

— Bon. Il faudra voir pour cet homme. Espérons que tu aies raison. Voilà ce que nous ferons : étant donné que tu dois être propre et bien habillé pour ta performance de ce soir, tu devras éviter les égouts. J'irai donc dans les égouts à ta place. Quant à Pakarel, il se trouve avec ces gens, non ?

— C'est exact, confirma Victor d'un signe de tête.

— Je lui expliquerai la situation et je suis certain qu'il pourra m'aider à rassembler quelques personnes pour nous aider… si je suis en mesure de me faire accepter, bien sûr. Cela dit, je suis persuadé qu'il y en a un ou deux qui veulent se venger de la situation, donc trouver des volontaires ne sera pas très difficile. Ils sont armés ?

— La plupart, oui. Il faudra cependant que vous agissiez sans vous faire repérer.

— Attendez ! intervint Béatrice, les yeux grands ouverts. Vous êtes sérieux ?

— Ouais, répondirent Victor et Nathan en même temps.

Dans l'heure qui suivit, Victor et Nathan parvinrent à élaborer un plan. Le jeune homme allait donc devoir se rendre au Marmelade en compagnie de Béatrice et la soirée se déroulerait normalement. Nathan, lui, irait dans les égouts, en compagnie de la famille de gobelins, pour tenter de trouver de l'aide et de convaincre quelques personnes de l'accompagner jusqu'au Marmelade, dans le but de capturer Beltimbre. Leur plan comportait quelques failles et pouvait s'écrouler à quelques endroits. Par exemple, aucun d'eux n'avait mis les pieds au Marmelade, et personne ne savait à quoi ressemblait Beltimbre, pas même les gobelins, puisqu'ils ne suivaient pas vraiment la politique locale. C'était d'ailleurs la mission de Victor : identifier l'homme et l'isoler en lieu sûr. C'était risqué, mais ils n'avaient pas le temps de faire mieux.

Une fois douché, bien coiffé et vêtu de sa chemise et de son pantalon de soirée, Victor retrouva les autres dans la chambre pour récapituler leur plan une dernière fois.

— Espérons que tout se déroule comme prévu, conclut Nathan.

Il se tourna vers la famille des gobelins et demanda :

— Vous êtes prêts ? Je vais aller chercher le carrosse.

— Vous voulez vraiment les déplacer en plein jour ? demanda Béatrice, qui mettait ses boucles d'oreilles en observant Victor à travers le miroir de la chambre.

— Je ne vois pas de meilleure option, commenta le père de famille. La sécurité sera redoublée dans les rues, en soirée. Il faut y aller maintenant.

Sa femme et ses enfants ne semblaient pas vraiment rassurés, mais aucun d'eux ne prononça un mot.

— Et si jamais Beltimbre ne se présente pas au Marmelade ? demanda Béatrice.

Victor avait l'impression qu'elle cherchait simplement à les dissuader de mettre leur plan à exécution. Malgré tout, son amie avait raison. Que feraient-ils dans une telle situation ? Il n'avait pas de réponse.

— Espérons qu'il y sera, dit Nathan. Car sinon, ça va virer en bain de sang. Victor, n'oublie pas : tu ne dois pas nous venir en aide, garde ta couverture en tant que simple pianiste. Même lorsque nous débarquerons.

— Ne t'inquiète pas, lui assura le jeune homme, le pouce en l'air.

D'un air plus sérieux et inquiet, Nathan ajouta :

— Si jamais je ne me présente pas… c'est que les choses auront mal tourné. Ne joue pas les héros. Promets-le.

— Promis.

Nathan hocha la tête et s'adressa aux gobelins :

— Je vais chercher le carrosse et m'assurer que le champ est libre.

Un instant plus tard, l'homme au mohawk blond était revenu chercher la famille de gobelins. Après que Victor et Béatrice leur eurent souhaité bonne chance, Nathan et les gobelins partirent. De la fenêtre, Victor les observait. Il vit les gobelins entrer furtivement dans l'habitacle du carrosse et les portières se refermer rapidement. Puis, le moteur de l'engin démarra et avança le long de la rue, quittant le champ de vision du jeune homme.

— Tu crois qu'il va réussir ? demanda Béatrice, qui observait la scène aux côtés de Victor.

— Je l'espère, lui avoua-t-il en consultant sa montre. Bon, il est bientôt l'heure. Je vais essayer de joindre Maeva et les autres.

Chapitre 22

Une courte visite au Marmelade

Victor prit sa radio et s'installa sur son lit. En réglant son gadget à la bonne fréquence à l'aide d'une molette, il parvint à avoir un signal. Portant l'appareil devant son visage, il attendit patiemment. Au bout d'un court moment, une voix d'adolescente répondit :

— Oui ?

— Clémentine, répondit-il d'une voix joyeuse, c'est moi, Victor.

— Victor ! s'exclama-t-elle. Comment vas-tu ?

— Je vais bien. Et vous, à la maison ?

— Les choses ne vont pas trop mal. On attend toujours l'arrivée d'Ichabod. Il est en route. Il devrait arriver cet après-midi.

Cet après-midi ? Victor eut besoin d'une seconde ou deux pour que l'information se rende à son cerveau. Il avait oublié qu'il y avait un décalage horaire d'environ six heures entre les deux pays.

— Caleb tient le coup ?

— Chantico dit que si le poison d'Ichabod fait effet, il devrait pouvoir être stabilisé malgré l'arrêt de l'un de ses poumons. Et toi, Victor, tu as trouvé l'oncle de Caleb ? Oh, attends ! Les filles arrivent.

— C'est lui ? dit une voix au loin dans le micro de la radio. Il va bien ?

— Oui ! répondit Clémentine. Venez !

Victor entendit des bruits parasites, comme si on venait de déposer le micro à l'autre bout de la ligne. Puis, la voix de Maeva survint :

— Et puis, avez-vous rencontré l'oncle de Caleb ?

— Oui, on l'a rencontré, répondit le jeune homme.

— Il pourra l'aider ?

— Euh… oui, répondit-il, ne voulant pas préciser les détails pour n'affoler ni son amoureuse ni ses amies. Il pourra l'aider.

Victor entendit alors des cris de joie féminins si forts qu'il dut reculer la radio de son visage.

— C'est magnifique ! lâcha la voix de Maeva. Quand reviens-tu ? Comment nous y prendrons-nous ?

Hésitant longuement, Victor finit par bredouiller :

— Euh, bien… bientôt. Il faut d'abord que je règle quelques petites affaires et ensuite je reviendrai. Quant à Caleb… je n'ai pas encore confirmé s'il faudra l'amener à Paris. Mais je vous tiendrai au courant dès que possible ! ajouta-t-il précipitamment pour éviter de se faire poser trop de questions.

— Parfait, répondit Maeva. Et, Victor ?

— Oui ?

— Il y a une autre chose que nous voulions te demander, expliqua Maeva d'un ton plus sérieux. Nous avons reçu un journal, ce matin, et…

Le cœur de Victor se crispa.

— … il semblerait que les choses n'aillent pas très bien, à Paris, termina Maeva. C'est vrai ?

C'était ce que Victor redoutait de se faire demander. S'il y avait bien une chose qu'il voulait éviter à tout prix, c'était d'inquiéter ses amies.

D'un ton neutre, il répondit :

— C'est… vrai, en partie. Mais ce n'est pas très grave.

Béatrice lui fit signe de regarder l'heure.

— En tout cas, continua le jeune homme, je dois y aller. Je vous donne des nouvelles dès que possible, d'accord ?

— D'accord, répondit Maeva d'une voix qui laissait paraître un brin de confusion. J'attendrai ton appel.

— Portez-vous bien, dit Victor à l'intention de ses amies avant de couper le signal de sa radio et de la ranger dans son sac.

Une fois préparés, les deux amis s'observèrent dans le miroir. Tous deux étaient très beaux, Victor s'était même attaché les cheveux à l'aide d'un ruban noir. En soupirant, Béatrice se lamenta :

— Dire que je me fais belle pour des gens qui sont probablement sous l'effet d'un traceur…

Victor lui tapota amicalement l'épaule.

— C'est pour une bonne cause, dit-il simplement en enfilant son manteau et son écharpe. N'oublie pas ton violon.

En sortant de l'auberge, Victor et Béatrice croisèrent l'aubergiste. Il avait un œil au beurre noir et son nez était grossièrement enflé. Lorsque le jeune homme lui demanda ce qui s'était passé, ce dernier répondit en grognant :

— Les gobelins qui étaient ici. J'ai nié leur présence. M'suis pris quelques coups.

Une fois à l'extérieur, Béatrice sortit de sa poche l'adresse du Marmelade et se positionna sous la lanterne accrochée à la porte de l'auberge pour bien voir.

— Je connais l'adresse, lui dit Victor. Nous l'avons vérifiée au moins dix fois dans la chambre.

— Oh, dit Béatrice en donnant l'impression de se trouver elle-même idiote. Bon. Je… Oui, c'est vrai.

Victor et son amie arpentèrent les rues désertes d'un Paris qui sombrait doucement dans la noirceur. La moitié des maisons étaient cependant éteintes, sans occupants. Quelques carrosses passaient dans les rues de temps à autre, mais Victor savait qu'en temps normal, il y aurait eu beaucoup plus de circulation. En se rapprochant de leur destination, Victor et Béatrice virent la tour Eiffel apparaître dans leur champ de vision. Elle était illuminée et majestueuse devant un ciel sans nuages, d'un bleu profond éclairci par la pleine lune.

— C'est si beau, commenta Béatrice. C'est dommage qu'on visite… Enfin, qu'on voie Paris sous son plus mauvais jour.

— Les choses vont changer, lui assura Victor. Les habitants de cette ville ne se laisseront pas faire très longtemps. Un gouvernement devrait toujours avoir peur de son peuple, surtout lorsqu'il est sous pression.

— Tu es vraiment certain de tout ça ? Je veux dire… on pourrait simplement récupérer le linceul et… Je parle dans le vide, n'est-ce pas ?

— Je ne peux pas laisser les choses ainsi, alors que j'ai le pouvoir d'y changer quelque chose, lui répondit Victor en l'observant d'un regard sérieux.

— Tu ne devrais pas jouer les héros, Victor. Ce que tu as fait pour ces enfants de Londres est déjà extraordinaire.

Victor savait que son amie l'appuyait toujours du regard, mais il ne répondit rien. Il se contenta de sourire. Béatrice soupira et dit d'un air découragé :

— Dis-moi, tu as des défauts ou tu es simplement le bel homme parfait ?

Victor lâcha un petit rire.

— Ma jambe gauche ne coopère pas vraiment, répondit-il d'un air léger. Regarde, j'ai même une canne. C'est un défaut, ça.

— Un défaut au sujet de ta personnalité ! spécifia Béatrice.

— Je suis grognon lorsque je me réveille après une mauvaise nuit…

La jeune femme lui donna un coup sur l'épaule.

— Sois sérieux !

— Je suis égoïste, répondit-il sincèrement.

Béatrice le regarda d'un air intrigué.

— Je vais te donner une preuve, continua le jeune homme, je ne veux pas passer les prochains jours de ma vie à me répéter sans cesse que j'aurais pu faire quelque chose. Lorsque je fais des choses pour les gens, je le fais aussi pour moi. Parce qu'au final, je vais me sentir bien. Tu vois ?

— Ce n'est pas être égoïste ! protesta Béatrice. C'est être tout à fait normal !

Un instant plus tard, elle demanda :

— Alors… toi et Maeva, votre relation se porte bien ?

— Vraiment bien.

Béatrice eut un sourire sincère.

— C'est super ! répondit-elle d'une voix franche.

C'était l'une des choses que Victor appréciait de son amie ; elle n'avait jamais succombé à son charme. Béatrice était une amie pure et simple. Quelques minutes plus tard, Victor et Béatrice virent le Marmelade apparaître au tournant d'une rue. C'était difficile de le rater, puisqu'il arborait une grande demi-lune lumineuse, entourée d'étoiles qui montaient et descendaient doucement à l'aide d'un mécanisme à engrenages. Les murs de la bâtisse étaient couverts d'affiches de spectacles à venir, dont certaines (un artiste gobelin et un groupe de chanteurs gnomes) avaient été biffées, et ses portes d'entrée bien éclairées donnaient sur un long tapis rouge étendu sur le sol. Une foule de gens bien habillés s'y trouvaient.

— Je déteste les foules, marmonna Victor.

Béatrice prit une profonde inspiration et prit le bras du jeune homme.

— Tu es prêt ? lui demanda-t-elle.

— Il le faut.

Se tenant par le bras, les deux amis entrèrent dans le Marmelade avec un faux sourire aux lèvres. Par politesse, ils saluèrent amicalement tous ceux qui les croisaient. Le hall d'entrée du Marmelade, quoique bondé de personnes, était majestueux. Le plancher était constitué d'une moquette brodée de lunes et d'étoiles sur un fond mauve, tandis que les murs étaient tapissés de motifs dorés, recouverts de grands rideaux rouges en satin. À peine avaient-ils fait deux pas dans le luxueux hall d'entrée qu'ils se firent interpeller :

— Mademoiselle Duval et monsieur Pelham ! Garçon, débarrassez-les de leur manteau !

Tandis qu'une volée de mains venait les dévêtir de leurs manteaux et écharpes, les deux amis se tournèrent vers leur interlocuteur. C'était un homme grassouillet particulièrement laid vêtu d'un habit de soirée, d'un sceptre et d'un chapeau haut de forme. En le voyant, Victor eut l'image mentale d'un crapaud. Il tendit sa petite main potelée à Béatrice, qui lui donna la sienne avec une certaine réticence.

— Je me présente, dit-il en baisant à maintes reprises la main de la jeune femme qui grimaçait, Claudio Montpellier, propriétaire du Marmelade.

Étant donné que Béatrice tenait son étui à violon d'une main, elle retira vivement l'autre de l'emprise du bonhomme grassouillet sous prétexte de prendre une coupe de champagne du plateau d'un serveur qui passait par là.

— Enchanté, lui dit Victor d'un ton faussement amical.

— Ah, vous, les Québécois, et votre accent! lâcha l'homme grassouillet d'un air moqueur, mais amical.

Victor afficha un sourire jaune, tout comme Béatrice.

— Vous voudriez peut-être manger un peu? leur proposa Claudio en joignant ses petites mains.

Victor et Béatrice échangèrent un regard qui indiquait la même pensée.

— Oh! euh… non merci, répondit le jeune homme en souriant, même si son estomac criait l'inverse. Nous voudrions simplement accéder à nos loges… histoire de nous préparer, vous comprenez?

— Mais bien évidemment! répondit Claudio qui parut soudain excité. Savez-vous qui vient vous voir jouer, ce soir?

Il donnait l'impression de jubiler. Victor et Béatrice haussèrent les épaules innocemment.

— Le ministre Beltimbre en personne! répondit le propriétaire, comme s'il explosait. Quel honneur! L'emblème parisien lui-même!

— Oh! oui, ajouta Victor d'un air approbateur, il représente effectivement la totalité des Parisiens.

Béatrice donna un petit coup de coude à Victor en lui envoyant un regard plein de reproches. Fort heureusement, Claudio ne sembla pas dérangé par le sarcasme de Victor.

— Suivez-moi, jeunes gens! leur déclara l'homme grassouillet. Je vous mène à vos loges!

Laissant Claudio passer devant, Béatrice reprit le bras du jeune homme avant de suivre le propriétaire. Le jeune homme remarqua une petite lumière verdâtre sur la nuque de Claudio, un traceur.

Les deux amis échangèrent d'ailleurs un regard. Toutes les nuques qu'ils pouvaient voir dans la salle étaient équipées d'un traceur. Ils traversèrent un long couloir éclairé de lampes murales dorées en forme de coquillage. Victor et Béatrice passèrent devant une double porte entrouverte qui donnait sur la salle de spectacle ; elle était gigantesque et avait même des balcons.

— Jolie salle, n'est-ce pas ? commenta Claudio. Elle sera à vous deux bientôt !

Les deux amis lui accordèrent un bref sourire. Un peu plus loin, passant à travers une foule de gens vêtus comme des artistes de scène, ils arrivèrent devant une série de portes numérotées.

— Mademoiselle Duval, monsieur Pelham, lâcha Claudio en faisant une révérence ridicule. Voici notre troupe d'artistes, qui divertira le public avant votre entrée en scène.

Un silence froid s'installa presque aussitôt. Les artistes, tous des humains, étaient maquillés et costumés. Ils observaient Victor et Béatrice avec un mépris glacial. L'un d'eux marmonna une phrase inaudible aux autres et tous firent un bref signe de tête au jeune homme et à son amie.

— Ils ont probablement le trac, murmura Claudio d'un air amusé à Victor et à Béatrice.

En dépassant la bande d'artistes, Victor remarqua un détail frappant : leur nuque était dépourvue de traceur. Voilà donc la raison de leur mauvaise humeur, et c'était parfaitement justifiable.

— Voilà ! déclara Claudio en indiquant la porte n° 2. Votre loge, la plus spacieuse.

Il ouvrit la porte pour Victor et Béatrice et, d'un geste invitant, leur indiqua d'entrer. La loge avait plutôt l'air d'un appartement miniature. Il y avait un lit, une salle de bain, de grandes fenêtres et même une porte menant à l'extérieur.

— Faites comme chez vous ! leur dit le propriétaire. Je vous envoie des serveurs avec des amuse-gueules dans quelques instants. N'oubliez pas, vous entrez en scène dans 20 minutes !

Une fois la porte fermée, Victor y plaqua son oreille pour écouter le bruit des pas de Claudio. L'homme s'éloignait. Soudain, il entendit des pas courir dans sa direction. Alarmé, il ouvrit la porte et vit un homme habillé en serveur.

— Vos manteaux, monsieur, expliqua poliment le serveur en les lui tendant.

— Merci, dit Victor, rassuré.

Une fois certain que le serveur s'était bien éloigné, le jeune homme referma la porte. Jetant les manteaux sur le lit, Victor retira ensuite son veston de soirée. Quant à Béatrice, elle posa son violon sur le lit avant de s'y asseoir et de plonger la tête entre ses mains.

— Qu'est-ce que tu fais ? demanda-t-elle à Victor, qui lança son veston sur le dossier d'une chaise.

— Je vérifie quelque chose, répondit-il simplement.

Le jeune homme s'approcha de la porte qui donnait sur l'extérieur et l'ouvrit. Un courant d'air froid vint lui frôler le visage, le faisant frissonner de plaisir.

— Reste là, dit-il à Béatrice.

Victor mit les pieds sur le porche enneigé et referma la porte derrière lui. Il se trouvait maintenant dans une allée plutôt sinistre et déserte. Quelques flocons de neige virevoltaient vers le sol. Victor remarqua alors que de nombreuses traces de pas dans la neige menaient à… une bouche d'égout située tout prêt. C'est à ce moment précis qu'il sentit un cylindre froid se coller sur sa tempe.

— C'est Victor ! chuchota une voix familière. Baisse ton arme, merde !

— C'est lui ! lança une autre voix. Il est avec nous !

Le jeune homme sentit le bout de l'arme se décoller de sa peau. Soudain, sortant de la pénombre, une série de silhouettes s'avancèrent lentement vers lui. Il y avait bien une quinzaine de personnes, qui apparurent d'un peu partout. Victor n'arrivait pas à y croire ! Humains, gobelins, gnomes, satyres et graboglins, tous armés. Le gobelin qui l'avait menacé s'écarta de quelques pas tandis que quelqu'un posait la main sur son épaule. C'était Nathan. Il avait la lèvre inférieure gonflée de sang. Pakarel apparut de nulle part et étreignit le jeune homme.

— Tu as vu Beltimbre ? lui demanda aussitôt un satyre d'un ton plutôt pressant.

— Non, répondit Victor. Je ne l'ai pas encore vu.

Il entendit quelques jurons d'insatisfaction.

— Ce n'est pas grave, dit la voix d'Hubert, qui se détacha du groupe.

Il était vêtu de ses fourrures habituelles, et son visage (aux traits de gobelin, mais bien plus large et carré) affichait un air sévère.

— On savait déjà qu'il arriverait en retard, poursuivit-il.

— Comment ça ? demanda le jeune homme.

— Tu sais, cet homme que tu as insisté pour sauver ? expliqua hâtivement Pakarel. Eh bien, il nous a donné beaucoup d'information ! Il est très gentil. Son nom est Henri !

— Il était affecté à la garde personnelle du ministre avant que sa bande découvre une porte en fer entrouverte menant aux égouts, expliqua Nathan d'un ton sévère. Il nous a informés de plusieurs détails cruciaux. Beltimbre sait que les non-humains et les humains de la classe ouvrière se cachent dans les égouts. Il veut apparemment déclencher une attaque ce soir même !

— Vous êtes certains ? demanda Victor, les sourcils froncés.

— Oui, répondit le gobelin qui l'avait menacé. On a envoyé quelques humains patrouiller furtivement et ils nous ont rapporté que les forces de l'ordre sont déjà prêtes à attaquer.

— Et on va leur en donner pour leur argent ! déclara un des satyres.

Le jeune homme lui accorda un regard interloqué et, avant même qu'il ait pu poser la moindre question, Hubert intervint :

— On a posté plus de six cents hommes et femmes partout dans les égouts, prêts à mener l'attaque.

— L'attaque ? répéta Victor, outré.

— Ils ne veulent pas se faire coincer dans les égouts, reprit Nathan d'un soupir. Ils vont… sortir et se défendre. J'ai essayé de les en dissuader, mais il n'y a pas vraiment d'autres solutions… Il y aura des victimes dans tous les cas.

Le jeune homme devait bien admettre que son ami avait raison. S'ils voulaient éviter qu'il y ait trop de victimes innocentes dans les deux camps, ils allaient devoir faire vite.

— Nous sommes là pour la mission, Victor! dit Pakarel avec un regard vif et fier. Nous trouverons cet ordinateur!

Hubert fit un geste pour désigner le groupe et dit :

— Chaque personne ici présente est venue pour capturer Beltimbre. Il faudra faire vite, Victor. Car ce soir, nous sommes à l'aube d'une guerre civile.

Soudain, un autre groupe arriva dans l'allée. Ils étaient tous déguisés et maquillés. C'était les artistes que Victor avait vus plus tôt.

— Nous les avons infiltrés dans le Marmelade il y a moins d'une heure, expliqua Nathan. Ils sont tous volontaires pour te donner un coup de main.

Ils lui accordèrent un bref signe de tête avec un sourire mesquin.

— Bon, dit Hubert en s'adressant à tout le monde. Victor et les artistes doivent retourner à l'intérieur.

Le graboglin se tourna vers Victor et le groupe d'artistes costumés et continua :

— Faites comme si de rien n'était et, même si vous voyez Beltimbre, attendez l'entracte avant de l'approcher. Nous entrerons armés dans le hall et nous...

— L'entracte? l'interrompit l'un des artistes. Mais c'est bien trop long! Le combat aura éclaté bien avant!

— Nous n'avons pas le choix, lui dit Nathan en soufflant son haleine dans ses mains pour les réchauffer. Beltimbre n'arrivera pas avant l'entracte.

— On n'a qu'à le capturer avant qu'il arrive ici! protesta un gnome, assis sur le sol et nettoyant le canon déjà propre de son arme.

— Ouais! confirma une humaine assez costaude.

Des protestations s'élevèrent parmi les personnes présentes.

— Silence! les coupa Hubert de sa grosse voix. Vous voulez qu'on se fasse entendre? Bon sang... Toi et toi, ajouta-t-il en pointant au hasard un gnome et un satyre. Faites le guet au coin de l'allée. Vous trois, là-bas, dit-il à des humains qui discutaient sournoisement au fond du groupe, faites de même de l'autre côté. À force de crier comme ça, on va se faire repérer…

— Ils n'ont pas tort, dit Nathan d'un air pensif. Capturer Beltimbre avant qu'il arrive ici serait peut-être mieux.

Hubert paraissait réfléchir.

— Ce sera dangereux, dit-il en grattant son large menton. Et puis, nous ne savons pas vraiment par où il arrivera…

Au même moment, quelque chose se matérialisa parmi le groupe d'individus, juste devant Victor et Hubert. La plupart des gens sursautèrent en voyant l'homoncule de l'antiquaire apparaître et prendre forme.

— L'homoncule! lâcha à voix basse un graboglin de petite taille, qui s'était avancé pour mieux voir.

La créature, qui s'était matérialisée dans les airs, se posa sur le sol enneigé. Tout le monde forma un cercle autour d'elle dans un silence total. Puis, de son doigt, la créature inscrivit grossièrement dans la neige :

Henri nous a donné d'autres renseignements. Beltimbre arrivera par l'avenue Est. Un cortège de trois véhicules le suit. Déplacez-vous par les égouts.

L'homoncule disparut aussitôt. Victor entendit le battement de ses ailes s'éloigner.

— Je suis partant, dit un homme d'un air décidé.

— Moi aussi, déclara un gobelin en se tapant du poing dans la main.

En fait, tout le monde tomba d'accord. Quant à Victor, il trouvait lui aussi que c'était la meilleure solution, s'ils voulaient éviter le plus de morts possible. À vrai dire, c'était une bonne chose. Il n'avait pas vraiment envie de rester coincé au Marmelade.

— D'accord, dit Hubert. Repartons par les égouts et dépêchons-nous, car si quelqu'un se rend compte du départ de Victor et de son amie, Beltimbre pourrait faire demi-tour! On se bouge!

Ils ouvrirent la bouche d'égout et le groupe commença à y entrer, un par un. Pendant ce temps, Nathan vint voir Victor.

— Pakarel et toi retournerez dans les égouts, lui dit-il. Il te mènera à Maxime.

— Maxime? répéta Victor.

— Le gobelin que nous avons sauvé avec sa famille, précisa Nathan. Celui qui se trouvait à l'auberge. Il s'appelle Maxime.

Victor fit un signe de tête en guise de compréhension.

— Il vous conduira, Pakarel et toi, à la tour d'observation.

— Attends une minute, intervint Victor, qui venait de comprendre. Vous comptez retrouver cet ordinateur sans moi?

Nathan hésita un moment.

— Victor... tu n'es pas du genre... physique. Sans vouloir t'insulter. Et puis, avec ta carrière de pianiste, ce serait une bien bête idée de t'impliquer dans un attentat contre Beltimbre.

Le jeune homme rétorqua :

— Mais...

Nathan l'interrompit :

— Écoute Victor, c'est le combat des gens qui vivent ici. Ce n'est pas ton combat. Concentre-toi sur ton ami, Caleb.

Victor ferma la bouche, ne sachant pas quoi dire. Nathan poursuivit :

— Quant à Béatrice, il serait préférable, pour sa sécurité, qu'elle retourne à l'auberge.

— J'admets, lui répondit Victor, un peu déçu. Je vais aller la chercher, elle est toujours dans...

— Inutile, dit aussitôt la voix de la jeune femme en question, qui apparut en fermant la porte de la loge. Je vous ai écoutés depuis tout à l'heure. Il est hors de question que je retourne à l'auberge. Je vous accompagnerai dans les égouts. Tiens, Victor, ton manteau.

Le jeune homme le prit en la remerciant d'un sourire.

— Alors, c'est réglé, dit Nathan.

— Qu'est-ce que tu as eu au visage? lui demanda Victor, qui venait d'enfiler son manteau, en montrant sa lèvre.

— Oh ça, lâcha Nathan, c'est le gros balèze, Hubert. Il m'a cogné, lorsque je suis entré dans les égouts.

Victor lâcha un petit rire.

— Venez! leur dit Hubert. Il est temps d'y aller!

En effet, tout le monde s'était infiltré dans les égouts, sauf Hubert, qui retenait le couvercle. Victor s'y glissa après Béatrice et Pakarel. Tout en descendant l'échelle, le jeune homme prit soin de ne pas faire de faux mouvements avec sa jambe gauche. Une fois le couvercle de la bouche d'égout bien refermé, Hubert rejoignit Victor et ses amis, qui s'étaient immédiatement mis en marche, à la suggestion de Nathan, sur les traces du groupe que l'on voyait au loin. Ils marchèrent pendant une dizaine de minutes avant d'arriver à une intersection. Hubert fit signe à Victor de venir près de lui.

— Tu dois prendre cette voie, dit-il en désignant un tunnel éclairé par des barils enflammés. Continue tout droit et tu tomberas sur l'infirmerie. De là, tu seras en mesure de te retrouver.

Victor le remercia et lui souhaita bonne chance. Tandis qu'il observait le graboglin rejoindre le groupe qui s'éloignait, Nathan s'avança et dit :

— Je vais avec eux, Victor.

— Quoi? protesta le jeune homme. Mais, Nathan, j'ai besoin de...

L'homme au mohawk blond lui sourit et mit ses deux mains sur ses épaules.

— Tu n'as pas besoin de moi, Victor.

Chapitre 23

La fuite de Paris

L'air confus, Victor cligna des yeux et hocha la tête.

— Mais… je ne suis pas sûr de comprendre… tu as dit que c'était leur combat, Nathan, pas le nôtre.

— Contrairement à toi, mon ami, dit Nathan en appuyant son index sur la poitrine du jeune homme, je n'ai pas de carrière importante ni de réputation comme la tienne. Il serait idiot que tu fasses partie d'un attentat, encore plus si ça tourne mal. Tu es encore jeune, Victor.

Victor fronça les sourcils, ne sachant pas quoi dire.

— Va retrouver le gobelin, Maxime, il s'est réfugié avec les autres. Si tu demandes à… Quel est son nom, déjà… cette gobeline que j'ai rencontrée tout à l'heure…… Ah oui ! Laurence. C'est ça. Demande à Laurence, elle te dira où Maxime se trouve. Il t'emmènera à la tour d'observation.

Victor hocha la tête.

— Concentre-toi sur le linceul et l'autre truc que l'antiquaire t'a demandé, continua Nathan. Le sort de Caleb repose sur toi. On se retrouve tous à l'auberge, lorsque tout sera terminé, et on trouvera un moyen pour revenir à Québec ensemble, d'accord ?

— Sois prudent, lui dit simplement Victor.

Les deux amis s'enlacèrent brièvement. Puis, Nathan se tourna vers Pakarel et Béatrice.

— Ne faites pas les idiots, d'accord ? Restez sains et saufs.

Sur ces mots, Nathan se dirigea vers le groupe d'Hubert au pas de course. Victor le regarda s'éloigner jusqu'à ce qu'il tourne à l'intersection d'un tunnel.

— Victor, allons-y, suggéra Pakarel d'une voix qui laissait transparaître sa déception.

Le jeune homme lui accorda un hochement de tête et pressa le pas dans la direction qu'Hubert avait désignée. Pendant une dizaine de minutes, les trois amis marchèrent en silence. Ils semblaient tous déçus du départ soudain de Nathan. Victor ne leur en voulait pas de rester muets, car lui-même ne savait pas vraiment quoi dire, il avait la tête concentrée sur son objectif. Au bout d'un moment, ils virent la croix rouge peinte au-dessus de la salle qui faisait office d'infirmerie.

— Je crois que Laurence y est, suggéra Pakarel. Ça tombe bien. Allons la voir.

À cet instant précis, une voix familière retentit :

— Que faites-vous là, Pelham ?

L'antiquaire venait d'apparaître dans le champ de vision de Victor, qui préféra ne pas lui répondre. Il marchait dans leur direction depuis une intersection. Lorsque l'homme arriva à quelques mètres de lui, Victor remarqua quelques coupures fraîches sur son visage près d'un de ses sourcils et sur sa joue gauche. Victor remarqua aussi que la main droite de l'antiquaire, qui tenait son bâton, était recouverte de sang séché. Voyant bien que le jeune homme l'avait remarqué, Hansel Hainsworth plissa ses yeux orangés et se hâta de changer son bâton de main, pour cacher l'autre sous la manche de sa longue robe.

— Vous avez peut-être oublié notre petit accord ? ajouta-t-il d'une voix sifflante.

— Je n'ai pas oublié, lui répondit Victor.

— Alors, pourquoi perdez-vous votre temps ici ? vociféra l'antiquaire avec irritation.

Victor fronça les sourcils. Pourquoi cet homme venait-il de hausser le ton ?

— Je viens chercher de l'aide, répondit le jeune homme d'une voix calme, car il voulait éviter d'affecter l'humeur déjà massacrante de l'antiquaire.

— De l'aide ? Quel genre d'aide ?

— Il me faut un moyen de transport. Je n'en ai pas.

— Ah, je vois. Je ne peux rien pour vous, Pelham.

Victor n'en fut pas du tout surpris. Sans ajouter un mot, l'antiquaire pivota et partit dans une autre direction.

— Comment vous retrouverai-je lorsque j'aurai ce que vous voulez ? lui lança Victor.

— Inutile de vous en préoccuper, répondit l'antiquaire en poursuivant sa marche. Nos chemins se recroiseront bien avant.

L'homme disparut dans l'angle d'un tournant, à travers une foule de réfugiés qui marchaient en sens inverse, laissant Victor dans la confusion.

— C'est lui, l'oncle de ton ami ? demanda Béatrice à voix basse.

Victor lui répondit d'un hochement de tête. La jeune femme parut stupéfaite. Puis, Pakarel suggéra :

— Victor, on devrait aller voir Laurence...

Le jeune homme acquiesça et mena ses amis vers l'infirmerie. Lorsqu'il y entra, il vit Laurence occupée à bander la jambe d'une vieille femme de race humaine.

— Oh, je suis désolé, s'excusa-t-il aussitôt en reculant.

— Bonjour Victor, dit-elle en lui envoyant un regard rapide. Vous pouvez entrer, ce n'est rien de grave.

Le jeune homme et ses amis entrèrent timidement et s'installèrent à l'écart, pour ne pas gêner la gobeline et sa patiente.

— Que puis-je faire pour vous, Victor ? demanda Laurence sans détourner la tête de son occupation. Martine, ne bougez pas, s'il vous plaît, j'ai presque fini.

— Laurence, demanda poliment Victor, je voulais vous demander si vous saviez où se trouve un certain Maxime. C'est un gobelin qui est récemment venu se réfugier ici avec sa famille, accompagnés d'un ami à moi... dénommé Nathan, qui est coiffé d'un mohawk... Vous savez, cette étrange coupe de cheveux...

Victor mima une crête de sa main.

— Ah ! oui, bien sûr, dit-elle en restant bien concentrée sur la jambe de la femme. Je sais de qui vous parlez. Je les ai installés dans mes quartiers, enfin, la salle où je vous ai emmenés lorsque nous nous sommes rencontrés. Vous pouvez y aller, faites comme chez vous.

— Merci, lui dit Victor en se dirigeant vers la sortie.

— Henri s'est rétabli en quelques heures à peine ! l'informa la gobeline avec enthousiasme. Vous savez, l'homme que vous avez sauvé ?

— On m'a raconté, oui, lui répondit Victor, planté sur le seuil de la porte. Où est-il ?

— Il est parti avec un groupe de rebelles pour protéger les entrées des égouts… Voilà, dit Laurence d'un air satisfait. Vous pouvez y aller. Faites attention, cependant.

Victor et ses amis laissèrent passer la vieille dame en lui accordant un sourire poli. Laurence retira ses gants et s'approcha d'eux. Remarquant la présence de Béatrice, la gobeline eut un sourire et tendit la main.

— Bonsoir, je m'appelle Laurence.

— Béatrice, répondit la jeune femme en lui rendant son sourire.

— Eh bien ! continua Laurence en regardant Victor, j'ai des nouvelles qui devraient vous intéresser concernant ces fameux traceurs.

Victor échangea un regard rapide avec Pakarel et Béatrice. Laurence leva le doigt pour leur faire signe d'attendre avant d'aller chercher un petit coffret métallique qui traînait sur une table. Elle ramena l'objet et le tendit à Victor avec insistance. Le boîtier était en fait un étui à cigares de bonne réputation.

— Ouvrez-le, dit la gobeline.

Vidant le contenu du boîtier dans sa main, Victor vit une petite boule froide et métallique y tomber. Elle n'était pas plus grosse qu'un pois.

— Qu'est-ce que c'est, qu'est-ce que c'est ? demanda fébrilement Pakarel en sautillant comme un enfant.

— C'est le traceur de cet homme ? demanda Victor en regardant la gobeline.

— C'est effectivement ce que j'ai retiré du cou d'Henri, mais ce n'est pas un traceur.

— Alors qu'est-ce que c'est ? s'empressa aussitôt Victor, stupéfait.

— C'est un microdrone. Regardez.

Elle prit la petite boule dans la paume du jeune homme et pressa sur ce qui s'avéra être un bouton. Soudain, quatre petites pattes en fer jaillirent de la boule, laquelle se redressa aussitôt. Béatrice lâcha alors un hurlement de terreur.

— Ne vous inquiétez pas ! intervint Laurence après que Victor eut vivement sursauté à cause de la réaction de son amie. Un ingénieur est venu un peu plus tôt et a désamorcé son cerveau électronique.

En effet, le drone semblait perdu ; la boule qui lui faisait probablement office de tête tournait lentement sur elle-même et une lumière orangée, comme un œil, s'allumait à intervalles réguliers.

— C'est… mort ? s'assura Béatrice en pointant le drone comme s'il s'agissait d'un horrible insecte gluant et plein de pattes.

— Béatrice, c'est une machine, lui fit remarquer Victor, légèrement découragé.

— Oh ! bon, répondit-elle d'un air détaché.

— Ce drone agit comme un traceur ? demanda Pakarel, reprenant le fil de la conversation.

— C'est un peu le cas, oui, répondit Laurence.

D'un air songeur, Victor dit :

— La question est : comment est-ce que ce truc s'est retrouvé sur la nuque des Parisiens de race humaine ?

— J'en ai discuté avec des amis et nous en sommes venus à un consensus, dit Laurence. Nous croyons que ces microdrones ont été… ingérés.

— Qui voudrait manger ces… choses ? s'indigna Béatrice d'une expression dégoûtée.

Laurence haussa les épaules.

— Nous ne faisons que supposer. D'après les lésions observées sur le cou d'Henri, le microdrone s'est frayé un chemin jusqu'à sa nuque. Étant donné mon manque de matériel, je n'ai pas pu approfondir mes analyses… mais je suis certaine d'une chose : ce drone n'a pas simplement été déposé sur la nuque d'Henri.

À cet instant, une détonation se fit entendre, semblant provenir de la surface. Avant même que Victor et ses amis aient pu dire un mot, une violente secousse survint, ébranlant les lampes à huile dans la pièce et faisant tomber une bonne quantité de poussière des murs. Des cris et des hurlements jaillirent des tunnels d'égout et un instant plus tard, ils virent des personnes courir dans tous les sens.

— Oh mon Dieu! lâcha Laurence en regardant Victor d'un air impuissant. Ils attaquent...

Sortant de la salle, Victor fut presque aussitôt bousculé par une foule de personnes qui fuyaient dans tous les sens, dans un désordre total. Une seconde détonation survint, suivie d'une importante secousse, faisant perdre l'équilibre au jeune homme, qui se retint avec peine contre le mur. D'un ton alarmé, il lança à ses amis :

— Sortons d'ici! Allons nous réfugier dans votre chambre, Laurence!

Tous acquiescèrent d'un signe de tête. La gobeline passa en tête et se fraya un chemin dans la foule, suivie par Victor et ses amis. Les gens hurlaient, lâchaient des jurons et les enfants pleuraient. Le jeune homme remarqua une trentaine de réfugiés armés s'élancer dans un tunnel. Un satyre qui se trouvait en tête du groupe cria :

— Il faut les empêcher d'entrer par l'accès nord! Dépêchez-vous!

Victor et ses amis parvinrent à atteindre la pièce habitée par Laurence au bout d'un court moment. En ouvrant la porte, le jeune homme réalisa qu'il n'y avait personne.

— Où sont Maxime et sa famille? lâcha Pakarel d'un air alarmé.

Puis, ils entendirent un roulement sonore parmi les cris. À travers la foule, le jeune homme vit quatre ou cinq énormes bêtes ressemblant à de grands félins tourner à pleine vitesse au coin du tunnel, puis venir dans leur direction. Les créatures n'avaient pas quatre pattes, mais bien six. Leur corps, marqué de rayures noires, comme celui d'un tigre, était d'un blanc profond. Quant à leur tête, elle était munie d'une paire de cornes pointant vers l'arrière.

— Des kirrés! s'écria une voix féminine. Sauvez-vous!

Quelques réfugiés courageux, trois gnomes et un graboglin, armés de leurs carabines et pistolets, stoppèrent leur course et firent feu vers les monstres. Par chance, tous les monstres furent tués. L'une de ces bêtes, atteinte au dernier moment, s'écroula dans sa course et fit des tonneaux jusqu'aux pieds de Victor, qui recula brusquement.

— Entrez, entrez! cria Victor à ses amis qui, tout comme lui, s'étaient attardés trop longtemps à regarder la scène.

Avant que le jeune homme puisse lui aussi se réfugier dans la pièce, quelque chose le percuta de plein fouet. Tout devint noir pendant un instant. Sentant qu'il était allongé sur le dos, Victor se retourna péniblement sur le ventre. Il entendait des cris inaudibles, mais il était incapable de discerner leur signification. Malgré l'intense douleur qu'il ressentait maintenant aux côtes, Victor tenta rapidement de revenir à lui et de se relever, sans sa canne. Sa vision était trouble et son corps était incapable de trouver un point d'équilibre; il était pris d'étourdissements.

C'est alors que quelque chose bondit sur lui et le renversa à nouveau. Tandis que les mains de Victor repoussaient instinctivement la chose qui le retenait au sol, le jeune homme pouvait entendre celle-ci émettre des grognements bestiaux. Victor sentit alors sa peau être lacérée au niveau de ses avant-bras et de ses cuisses. Bien qu'il essayât tant bien que mal de repousser la chose qui le tenait plaqué au sol, Victor sentait ses bras trembler sous la puissance adverse. Il était incapable de discerner son agresseur; ce n'était qu'une masse lourde baignant dans l'ombre.

Il entendit alors des coups de feu et, un moment plus tard, un poids s'écrasa sur lui, inerte. Péniblement, le jeune homme poussa la chose sur le côté et tenta de reprendre des bouffées d'air. Victor sentit alors plusieurs mains le redresser sur ses pieds.

— Victor! lança la voix inquiète de Pakarel, qui était tout près de lui. Tu vas bien?

— Réponds-nous! le supplia la voix de Béatrice.

— Je vais bien, grogna le jeune homme sans trop savoir à qui s'adresser, puisqu'il était étourdi. Ça va… ça ira.

Après avoir cligné plusieurs fois des yeux, il parvint à voir correctement. Béatrice lui tendait sa canne, qu'il prit de la main gauche. Le jeune homme remarqua alors la présence de trois lumières à faible hauteur. C'étaient les casques de mineur illuminés des trois Kobolds, Po, Ribère et Luboo. Victor n'arrivait pas à y croire. Derrière eux se trouvaient une bande d'individus, environ une vingtaine, vêtus d'armures et armés de haches, d'épées, de lances et d'armes à feu.

— Nous sommes revenus ! déclara Po.

— Vous êtes blessé, maître Pelham ? demanda Luboo, dont le monocle réfléchissait la lumière émise par la lanterne installée sur le casque de ses compagnons.

— Quelques égratignures, lui répondit Victor, plutôt étonné. Qu'est-ce que vous faites là ?

— On s'est dit que les Parisiens auraient besoin d'un coup de main, répondit Po d'un air convaincu. Enfin, ceux qui ne sont pas soumis à ce décret stupide !

— D'où viennent ces monstres ? demanda Pakarel, observant l'animal qui avait attaqué Victor.

Le jeune homme jeta un coup d'œil vers la masse sans vie qui était étendue sur le sol. C'était l'un des félins à six pattes qui avaient fait irruption dans les tunnels. Il n'avait jamais vu de telle créature auparavant.

— Ce sont des kirrés, expliqua une voix grave depuis le groupe qui se tenait derrière les Kobolds. Elles vivent dans les forêts et ne se montrent généralement pas. Il faut croire que les forces de l'ordre en ont dressé quelques-unes comme chiens de garde. Pauvre bête. Heureusement que je l'ai tuée à temps, sinon votre ami n'aurait plus de visage.

Victor tourna alors son regard vers l'individu qui venait d'adresser la parole à Pakarel. À première vue, il l'avait pris pour un graboglin, mais il était beaucoup plus grand et large. C'était un hobgobelin. Victor n'en avait jamais rencontré auparavant, mais il en avait souvent entendu parler ; c'était un peuple nordique qu'on décrivait comme barbare et violent, mais apparenté aux gobelins et aux graboglins. Sa peau était brunâtre et il avait un nez très retroussé. Sa mâchoire inférieure était proéminente et ses dents semblaient crochues. Ses yeux étaient petits et noirs, tandis que leur pupille était rouge. Son crâne était chauve et ses oreilles, pointues, trouées par deux gros anneaux en or. Le hobgobelin était vêtu d'une armure en métal abîmée par l'usure sur laquelle se trouvait une gravure représentant une tête de lézard sectionnée.

Après avoir remarqué ce détail, le jeune homme réalisa que tous les individus se trouvant derrière les trois Kobolds portaient le même emblème.

— Attendez… vous faites partie de la milice des sept lames ? demanda Victor.

Le hobgobelin hocha la tête positivement.

— Mon capitaine, où va-t-on ? demanda l'un des miliciens.

— Dans le sens inverse de ces gens, répondit le hobgobelin en désignant de son index les réfugiés qui fuyaient dans les tunnels. Il faut aider les réfugiés et repousser l'ennemi jusqu'à l'extérieur. Restez groupés et ne jouez pas aux héros. Nous sommes payés pour trois heures seulement, après, on retourne au dirigeable. C'est compris, les gars ?

Tous les miliciens répondirent en même temps :

— Oui, capitaine !

Au pas de course, le hobgobelin s'élança dans les tunnels, suivi par son armée. De nouvelles secousses survinrent, cette fois si proches que le plafond trembla, faisant tomber de la poussière sur la tête de Victor et de ses amis.

— Il ne faut pas rester ici ! lança Pakarel d'un ton alarmé. Je ne veux pas mourir enseveli sous les décombres de ces égouts !

— Oui, admit Béatrice d'un air inquiet, je veux sortir d'ici…

Victor observa dans tous les sens pendant un moment. Ses pensées se bousculaient. Tout le monde courait autour de lui et ses amis, qui ne faisaient qu'attendre sa décision, avaient l'air inquiets. Le jeune homme ne savait plus quoi penser. Devait-il ignorer la requête de l'antiquaire et sauver sa peau, ainsi que celle de ses amis, laissant ainsi Caleb aux prises avec sa maladie ? Devait-il tenter de porter assistance à Nathan et à Hubert, qui menaient une attaque désespérée pour capturer Beltimbre ? Que devait-il faire ? Les engrenages de son cerveau tournaient à fond. Il devait établir des priorités ; d'abord, ses amis. Devait-il les mettre à l'abri dans la chambre de Laurence ou encore tenter de retourner vers la surface? Lorsque son regard tomba sur le corps des kirrés mortes, Victor déduisit que les forces de l'ordre allaient probablement en lâcher d'autres à travers les tunnels à la recherche de malchanceux. Mais aller à la surface serait tout aussi dangereux, étant donné qu'ils n'étaient pas armés et que, d'après les secousses et les impacts, il devait y avoir un combat assez explosif.

— Po, Ribère et Luboo, leur dit aussitôt le jeune homme, qui venait d'avoir une idée. Vous pourriez piloter votre vaisseau jusqu'en dehors de Paris?

Les trois Kobolds échangèrent un regard avant d'acquiescer conjointement d'un hochement de tête.

— Très bien. Nous allons tenter le tout pour le tout. Il nous faudra quitter les égouts et tenter de rejoindre votre machine volante. Nous irons ensuite à la tour d'observation, au nord de Paris, où je récupérerai le linceul et l'objet de l'antiquaire. Par la suite, nous...

Victor s'était tu; il ne savait plus quoi dire. Son plan s'arrêtait là. Même s'il récupérait ces objets, qu'adviendrait-il de son pacte avec l'antiquaire? L'oncle de Caleb allait-il respecter sa parole? Et finalement, comment allait-il aider Caleb? Le faire venir à Paris dans une telle situation serait stupide...

Victor fut alors tiré de ses pensées; quelque chose lui avait agrippé les doigts.

— Victor? dit Pakarel. Ne sois pas confus. Je trouve que tu as eu une bonne idée.

Un autre impact ébranla les structures des égouts.

— Mais je ne sais même pas ce que nous allons faire par la suite..., avoua Victor, déçu.

— Victor... on ne peut pas toujours tout prévoir, lui répondit Béatrice d'un air amical. Nous verrons en temps et lieu. Pour l'instant, essayons de sortir vivants de ces égouts, d'accord?

Le jeune homme ne répondit pas, il observa plutôt les Kobolds.

— Vous êtes partants? leur demanda-t-il.

Ce fut Ribère qui répondit, d'un air plutôt désapprobateur :

— Ai-je bien compris, vous… vous voulez aller faire un tour au nord de Paris ?

— C'est bien ça, oui, répondit Victor.

Ribère lâcha un rire forcé.

— Non. On retourne à Québec. Je veux bien vous ramener avec nous, mais pas de détour. Quant à votre ami, je suis sincèrement navré, maître Pelham, mais parfois, les gens meurent…

Soudain, Po, le Kobold à la dentition proéminente et dont le chapeau était surmonté d'une lampe à huile, donna une gifle en plein sur le museau de Ribère.

— Alors ça, pas question ! protesta-t-il. On va aider maître Pelham, même si tu ne le veux pas !

— J'approuve, moi aussi ! ajouta Luboo.

Les yeux mouillés et une main plaquée sur son museau enflé, Ribère répondit d'une voix nasale :

— *Ch'est* bon… je vous *chuis.*

C'est à ce moment qu'un nouvel impact survint et, cette fois, il fut si puissant qu'un énorme morceau de béton s'effondra en plein milieu d'un tunnel, à travers une foule de réfugiés, envoyant une nappe de poussière dans toutes les directions. Des hurlements et des cris survinrent.

— Oh mon Dieu ! lâcha Béatrice d'une petite voix.

Laurence saisit aussitôt le bras de Victor et lui dit :

— Sauvez vos amis ainsi que votre peau, Victor ! Je dois rester pour aider ces gens. Partez par ce tunnel, sur les traces des miliciens. Vous arriverez près des plateformes aériennes. Partez !

Le jeune homme ne savait pas quoi lui répondre. Lui aussi voulait aider ces gens, mais au fond de lui, il savait qu'il avait un autre combat à mener.

— Allez-y ! lui cria Laurence, le faisant sursauter. Maintenant !

Sans ajouter un mot, la gobeline fit volte-face et se rua vers l'endroit où le plafond s'était effondré. Victor l'observa pendant un court moment, jusqu'à ce que Béatrice lui prenne le bras pour le forcer à bouger. À contrecœur, le jeune homme se laissa emmener tandis qu'il voyait Laurence, parmi une foule de réfugiés, tenter de donner un coup de main aux blessés.

— On ne peut rien faire pour eux, lui dit-elle d'une voix qui laissait paraître que son cœur était lourd. Allez, Victor, viens...

— Ressaisis-toi, Victor ! lui lança Pakarel. On doit sauver Caleb, souviens-toi !

Se déplaçant le plus rapidement qu'il le pouvait, Victor arpenta les égouts de Paris en compagnie de ses amis, contournant cadavres et débris. À la surface, les impacts étaient de plus en plus forts, comme s'ils se rapprochaient d'une zone de combat. Cependant, personne n'osa le mentionner.

Au bout d'une dizaine de minutes, dans un lourd silence, le petit groupe parvint à une porte de fer menant à l'extérieur des égouts. La porte s'ouvrit alors, ne dévoilant nul autre que l'antiquaire en personne.

— Venez ! leur dit-il en maintenant la porte ouverte.

Victor et ses amis échangèrent un regard inquiet.

— Dépêchez-vous ! gronda-t-il aussitôt, leur faisant signe de le suivre.

Indiquant à ses amis de le suivre d'un signe de tête, Victor prit les devants et rejoignit l'antiquaire avant de franchir la porte qu'il tenait ouverte. Une fois à l'extérieur, sous un ciel sombre et sans nuages, le jeune homme vit avec surprise que ses amis et lui avaient débouché tout juste en dehors de la ville de Paris, devant une foule de gens de toutes races. Ceux-ci montaient les uns après les autres dans une bonne trentaine de carrosses motorisés et de diligences tirées par des chevaux. De temps à autre, de lointaines détonations se faisaient entendre, indiquant que le combat faisait toujours rage. Un homme, que Victor reconnut comme étant un réfugié armé, courut vers l'antiquaire pour lui annoncer :

— C'est fait, monsieur. La diversion a fonctionné, les forces de l'ordre combattent à l'opposé de la ville !

— Bien, bien, répondit l'antiquaire d'un ton froid. Il semblerait qu'Hubert et ses acolytes nous ont fait gagner du temps. Ordonnez aux conducteurs de ces véhicules de fuir dans toutes les directions. Cela compliquera la tâche aux forces de l'ordre.

— Où doivent-ils aller ? demanda l'homme.

— Aussi loin que leur véhicule les mènera. Dans tous les coins de la France, s'il le faut.

— Bien, monsieur, répondit l'homme avant d'aller transmettre les ordres aux chauffeurs.

L'antiquaire se tourna alors vers Victor.

— Qu'est-ce que cet homme voulait dire par « diversion » ? lui demanda le jeune homme d'un air contrarié.

— Vous êtes assez intelligent pour trouver la réponse par vous-même, Pelham, répondit l'antiquaire, avant de se mettre à marcher d'un bon pas entre les véhicules.

— Ce n'est pas une réponse ! lui lança Victor en se lançant à ses trousses, se frayant un chemin à travers les réfugiés qui montaient dans les véhicules.

L'antiquaire l'ignora et continua à avancer.

— Vous avez envoyé Hubert et son groupe capturer Beltimbre, mais ce n'était pas vraiment ce que vous vouliez, hein ? l'accusa Victor d'un ton froid. Et que faites-vous de ceux qui sont toujours dans les égouts, comme Laurence ?

La centauresse que Victor avait croisée dans les égouts un peu plus tôt dans la journée apparut alors et vint serrer joyeusement la main de l'antiquaire, et tous deux se mirent à échanger des paroles inaudibles. Puis, la centauresse fit volte-face et alla enfiler un harnais à la place d'un cheval, pour tirer une diligence pleine de gobelins. Sans se retourner, l'antiquaire s'exclama :

— Pour faire une omelette, Pelham, il faut casser des œufs.

Victor se figea. Il était outré. L'antiquaire venait de confirmer à sa manière que la capture de Beltimbre n'était qu'une façon d'attirer l'attention des forces de l'ordre de Paris. Comme s'il avait senti la réaction de Victor, Hansel cessa lui aussi de bouger et se tourna vers lui.

— Vous êtes un monstre ! lui lâcha Victor à voix basse.

L'antiquaire afficha un large sourire. L'homme qui s'était chargé de livrer le message de l'antiquaire aux chauffeurs revint vers lui au pas de course.

— C'est fait, monsieur ! dit-il, essoufflé.

— Donnez l'ordre aux véhicules prêts de partir immédiatement, lui répondit l'antiquaire. Lorsque ce sera fait, ajouta-t-il, rejoignez le carrosse de votre famille et partez.

L'homme acquiesça d'un hochement de tête et se rua entre les véhicules, donnant des tapes de main sur leurs parois et indiquant aux chauffeurs de démarrer, d'un signe de pouce. Puis, dans un vacarme étourdissant de moteurs et de hennissements de chevaux, les engins commencèrent à partir dans tous les sens, laissant des traces de roues dans la neige.

Comme si Victor n'existait pas, l'antiquaire se dirigea vers la gauche avant de s'arrêter devant un carrosse et d'en ouvrir une portière. Il se tourna alors vers Victor et ses amis et leur fit signe de le rejoindre.

— Nous ne devrions pas le suivre, dit Béatrice d'un air contrarié.

— Je sais où il veut aller, dit Victor en fixant l'homme du regard. Il nous mènera à sa tour d'observation.

— Il faudra être prudent, dit Ribère d'un air sournois à l'intention de Victor. Je ne fais pas confiance à ce type.

— Je te suivrai où que tu ailles, Victor ! déclara Pakarel.

Victor lui sourit avant de rattraper l'antiquaire, qui monta dans le carrosse le premier, glissant soigneusement son bâton avec lui. Une fois tout le monde à bord du véhicule, un gobelin vint les rejoindre et sauta dans l'habitacle du conducteur.

— Je vais vous emmener à mon ancien lieu de travail, leur dit l'antiquaire. Edgar, dit-il en s'adressant au chauffeur, vous pouvez démarrer !

— Pourquoi ? lui demanda Victor. Pourquoi tenez-vous à ce point à ce que je ramène le linceul et votre objet ?

L'antiquaire sembla réfléchir pendant un instant ; le jeune homme fut alors persuadé d'avoir touché un point sensible.

— Parce que… c'est ma destinée de vous venir en aide, répondit-il simplement.

De toutes les réponses possibles, c'était de loin la dernière que Victor s'attendait à entendre. C'était d'ailleurs la deuxième fois que l'antiquaire évoquait le destin. La première fois, il lui avait simplement demandé s'il y croyait.

— Vous êtes un peu vague, lui dit Béatrice d'un air confus.

— Je sais, lui répondit l'antiquaire. Pelham, regardez dans le compartiment situé derrière vous. Vous y trouverez un pistolet et une carabine.

Le jeune homme se retourna et tendit le bras vers un compartiment à bagages situé juste derrière son siège. Il l'ouvrit et observa son contenu. Il y avait effectivement deux armes à feu et des munitions.

— Vous pourrez les prendre à notre arrivée, conclut l'antiquaire, fixant l'extérieur depuis l'une des vitres du carrosse.

Chapitre 24

L'horrible secret de la tour de l'antiquaire

Ce fut au bout d'une demi-heure de route à travers la campagne parisienne que Victor et ses amis purent voir, au loin, la tour d'observation de l'antiquaire, à partir des vitres du carrosse motorisé. C'était une structure haute et faite de pierres usées par le temps et les intempéries, dont le toit se terminait par un imposant observatoire. De multiples télescopes gigantesques pointaient vers le ciel.

— Voilà bien des années que je me suis approché de ce lieu, commenta Hansel, dont les yeux orangés observaient la scène d'un air triste. Tenez, Pelham, voici la clé pour entrer dans la tour.

Le jeune homme la prit et l'observa; elle était vieille, banale et rouillée. Un instant plus tard, le carrosse se stationna au pied de la tour, éclairant sa porte de ses phares jaunâtres.

— Comment déjouerai-je vos automates? demanda Victor à l'intention de l'antiquaire.

Ce dernier répondit d'un ton las :

— Je vous ai déjà répondu à ce sujet, Pelham. Souvenez-vous.

— Vous m'avez laissé comprendre que je devrais utiliser mon cerveau. Seulement, vous m'avez aussi offert des armes à feu. Que dois-je comprendre?

— Ces armes à feu vous seront inutiles contre mes trois automates.

— Alors, pourquoi me les avoir offertes?

D'un air dégagé, Hansel répondit :

— Parce que vous en aurez besoin pour vous rendre au sommet de cette tour.

Victor prit la carabine ainsi que le pistolet, puis il ouvrit la portière du carrosse et en débarqua.

— Je ne vous conseille pas de le suivre, prévint l'antiquaire. Victor n'a pas besoin de votre aide.

Le jeune homme pivota sur lui-même et vit que ses amis s'étaient apprêtés à le suivre.

— Pourquoi ? osa Pakarel avec un regard flamboyant.

— Parce que vous risquez de perdre la vie, répondit simplement l'antiquaire.

— Mais de quoi parlez-vous ? lui demanda Béatrice.

— Laissez tomber, dit Victor en s'imposant dans la conversation. Ce vieux bonhomme aime s'entendre parler avec ses phrases mystiques. Vous voulez que j'y aille seul ? demanda-t-il à Hansel sur un ton défiant. Très bien. J'irai seul.

— Nous vous attendrons, répondit l'antiquaire, ignorant les propos du jeune homme.

À contrecœur, Béatrice et les Kobolds retournèrent dans le carrosse, tandis que Pakarel s'approchait de Victor, qui chargeait le barillet du pistolet à mécanisme d'horlogerie de munitions.

— Je ne veux pas que tu y ailles tout seul, lui dit-il. On ne sait pas ce qui se trouve là-dedans !

— Des automates, répondit Victor en lui accordant un bref regard. Et forcément autre chose, ajouta-t-il en observant l'antiquaire à travers une vitre du carrosse. Cet homme ne m'a pas proposé ces armes pour rien.

— Qu'est-ce que tu veux dire ?

Un vent froid vint leur siffler au visage.

— Les automates ne peuvent pas être abattus avec des armes conventionnelles, expliqua Victor en glissant son pistolet dans sa ceinture. Penses-y, Pakarel. Il aurait pu demander à n'importe qui d'accomplir cette besogne à ma place. S'il a choisi de m'y envoyer, c'est probablement parce qu'il a une bonne raison de le faire.

— S'il a choisi de t'y envoyer, argumenta Pakarel, c'est parce qu'on a réussi à le convaincre en faisant du chantage !

Victor lâcha un petit rire et posa son genou à terre, ressentant une légère douleur. Maintenant à la hauteur de son ami au gigantesque chapeau, le jeune homme lui dit d'un ton amical :

— Pakarel, l'antiquaire se moque de notre pacte. C'est évident.

Le raton laveur semblait figé par l'incompréhension. Victor tira la culasse de la carabine à mécanisme d'horlogerie et commença à y glisser des balles.

— Retourne dans le carrosse et assure-toi que ce véhicule ne parte pas d'ici sans moi, lui ordonna gentiment le jeune homme. Il fait un froid mortel dehors et, étant donné que j'ai laissé mon sac dans ma chambre d'auberge, je n'ai pas mon régulateur. Je ne voudrais pas être obligé de marcher dans une campagne enneigée en pleine nuit. Tu peux faire ça pour moi ?

— Oui ! acquiesça vivement Pakarel.

Victor lui sourit et lui tapota l'épaule avant de se relever. Il glissa la bandoulière de la carabine sur son épaule et prit une bonne inspiration.

— Reviens-nous vite, d'accord ? lui demanda Pakarel.

Le jeune homme leva le pouce en l'air avant de s'avancer vers l'entrée de la tour d'observation. Arrivé devant la grande porte de bois, Victor entendit une portière du carrosse claquer. Pakarel devait être retourné à l'intérieur. Après avoir déverrouillé la porte à l'aide de sa vieille clé, Victor posa la main sur la poignée, qu'il tourna.

Dans un grincement sinistre, la porte de bois s'ouvrit difficilement. La lumière émise par les phares du carrosse traçait un long rectangle sur le sol et projetait l'ombre agrandie de Victor et de sa canne. Des bourrasques de neige poudreuse s'infiltraient dans la pièce tandis que Victor observait les lieux.

Même dans la pénombre, le jeune homme pouvait voir que tout était sens dessus dessous. Les planchers étaient sales, les quelques étagères avaient été renversées et leur contenu, des livres et des fioles, éparpillé sur le sol. De larges toiles d'araignée pendaient des poutres en bois qui soutenaient le plafond. Dans un coin de la pièce circulaire se trouvait un large escalier qui montait en colimaçon.

Le jeune homme repéra une lanterne renversée sur le sol, non loin de lui. Il la prit et l'alluma. Maintenant muni d'une source de lumière, il revint sur ses pas et referma la porte d'entrée, coupant ainsi le bruit du vent et la lumière des phares du carrosse. Victor était maintenant seul dans cet endroit abandonné, et sa seule source de lumière était la lueur fantomatique provenant de la lanterne. Intrigué par les lieux, le jeune homme décida de jeter un coup d'œil aux alentours avant d'accéder au deuxième étage. Il finit par remarquer un livre renversé sur le sol, à demi ouvert.

Après l'avoir ramassé, il jeta un coup d'œil sur la page à laquelle le livre était ouvert. Sous le dessin d'une fiole remplie d'un liquide se trouvait un paragraphe écrit à la main. L'écriture était fine et très petite. Plissant les yeux pour mieux voir, Victor tenta de lire en diagonale, mais cette pratique hâtive se révéla vite être un échec. Il reprit donc depuis le début. Ce qu'il lut s'avéra être un procédé alchimique nécessitant un demi-litre de sang humain ainsi qu'une liste de matériel nécessaire à la création d'un...

Victor tourna la page.

— ... d'un homoncule, murmura-t-il en observant une reproduction dessinée du monstre volant.

Il apprit, en feuilletant quelques pages, que l'homoncule était créé à partir du sang de la personne voulant en posséder un. Une fois sa création achevée, la bête était liée à son maître par télépathie et tous deux partageaient les mêmes pensées. Ils n'étaient en fait qu'un seul individu. Victor lut aussi que l'homoncule possédait une faculté de camouflage élaborée, semblable à celle des caméléons, lui permettant de se fondre dans n'importe quel décor. Complètement incapable de parler ou même d'émettre le moindre son, le monstre pouvait cependant écrire. Toutes les connaissances du créateur étaient d'ailleurs transmises à l'homoncule à sa création, ce qui en faisait un assistant particulièrement doué. Le livre indiquait même les habitudes alimentaires de l'homoncule. Ce dernier avait besoin de la même quantité de nourriture qu'un chat et ses goûts étaient identiques à ceux de son maître.

— Voilà ce qui explique les comportements bizarres de l'antiquaire, se dit Victor à voix basse.

Le jeune homme feuilleta plusieurs autres pages, qu'il jugea inutiles, puisqu'elles parlaient du long procédé de création, avant de tomber sur une page qui attira son attention. Les sourcils froncés, Victor lut à voix haute :

— « L'homoncule, étant créé à partir du sang de son maître, aura les mêmes attributs sanguins, y compris ses maladies… »

Une lumière s'alluma dans la tête du jeune homme. L'homoncule était infecté de la même maladie que son maître.

— C'était lui, comprit Victor en marmonnant, le regard vide. L'homoncule est la source de tous les problèmes de Paris… c'était lui qui avait mordu ces gens, qui étaient ensuite devenus mortellement malades… c'est ce monstre qui avait mordu Caleb... Alors comment se faisait-il que l'antiquaire l'eût laissé faire ?

Oubliant aussitôt ces questions, le jeune homme se replongea dans le livre et feuilleta fébrilement les pages à la recherche d'un peu plus d'information. Puis, il tomba sur un chapitre intitulé « Automates : leur création ». Au même moment, Victor sentit une présence tout près de lui. Dirigeant sa lanterne vers la droite, il réalisa avec horreur que quelque chose se tenait à ses côtés. Une voix froide, ténébreuse et malsaine s'éleva alors :

— Je n'ai pas souvent l'honneur…

Un visage cadavérique sans yeux et sans cheveux, émacié, et recouvert d'une peau grisâtre et craquelée apparut dans le cercle de lumière de la lanterne de Victor. Pris de panique, le cœur du jeune homme se figea dans sa poitrine et les poils de sa nuque se hérissèrent. Victor recula brusquement, lâchant le livre au passage, avant de s'adosser brusquement contre la paroi de la tour.

— … d'avoir de la visite, termina la voix de la chose.

Victor fut incapable de dire quoi que ce soit, sa respiration était saccadée et rapide. Le monstre s'avança un peu plus, d'une démarche lente et posée, les mains jointes sous son abdomen dénudé et si maigre — presque squelettique – que l'on voyait parfaitement son ossature. Il portait simplement les lambeaux de ce qui avait dû être un pagne blanc brodé de coutures dorées. Le monstre, dont les orbites étaient vides, semblait pourtant bien voir Victor, puisqu'il tenait sa tête à la même hauteur que celle du jeune homme. Victor, mettant sa peur de côté, essaya de se reprendre malgré ses membres qui tremblaient toujours faiblement.

— Qui êtes-vous ? demanda-t-il dans un souffle.

Le monstre sourit.

— Vous êtes différent de mes derniers visiteurs. Vous prenez le temps de faire preuve de civisme. Apprécié, ajouta-t-il en inclinant légèrement la tête.

Si Victor devait qualifier ce qu'il avait devant lui, il aurait tout de suite pensé au terme « mort-vivant ».

— Je me nomme Abim-Kezad, dit la créature. Je suis ce qu'Hansel appelle une « Liche ».

Le jeune homme cligna des yeux, stupéfait.

— Je ne… je ne comprends pas, balbutia-t-il.

La créature nommée Abim-Kezad afficha un sourire avant de répondre :

— À votre place, je ne comprendrais pas non plus. Comment vous appelez-vous ?

— Victor.

La créature s'inclina faiblement.

— Qu'est-ce qui vous est arrivé ? lui demanda Victor en observant le monstre avec un mélange de compassion et d'épouvante. Pourquoi êtes-vous… ainsi ?

Abim-Kezad inclina légèrement la tête sur le côté, comme intéressé par les dires de Victor.

— Hansel ne vous a donc rien dit à mon sujet ? croassa la créature.

Victor fit signe que non de la tête.

L'étrange humanoïde fit quelques pas vers la porte de bois qui menait à l'extérieur de la tour et aussitôt, quatre larges bracelets bleutés, des hologrammes, apparurent autour de ses poignets et de ses chevilles. La créature leva son poignet squelettique et observa le bracelet holographique avec une certaine lassitude.

— Vous êtes prisonnier, n'est-ce pas ? demanda Victor.

Abim-Kezad pivota sur lui-même et hocha la tête positivement en guise de réponse.

— Venez à l'étage supérieur en ma compagnie, dit-il en regardant Victor. Je veux vous montrer quelque chose.

Abim-Kezad escalada nonchalamment le large escalier de pierre. Puis, Victor le vit disparaître dans un tournant. L'espace d'un instant, le jeune homme voulut dégainer son pistolet. Cependant, quelque chose au fond de son être lui disait qu'Abim-Kezad n'était pas dangereux. Victor s'approcha donc de l'escalier et l'escalada, éclairant au passage les sinistres lieux avec sa lanterne.

Lorsqu'il fut arrivé au deuxième étage, Victor remarqua tout d'abord que l'escalier menant au troisième était barré par une porte de fer sans serrure. Puis, son regard fut aussitôt attiré par une étrange source de lumière. Abim-Kezad se trouvait tout au fond de la pièce, allumant de nombreuses chandelles installées sur de longs chandeliers. Le jeune homme s'avança d'un pas prudent en continuant d'analyser les alentours. Dans un coin de la pièce, il vit un sarcophage ouvert, dont le couvercle avait été brisé. Tout le long des murs se trouvaient des objets de toutes sortes, comme des vases, des armures asiatiques, des épées nordiques et même une réplique miniature d'un drakkar.

— Ces objets appartiennent à l'antiquaire? demanda Victor.

— Rien dans cette pièce ne lui appartient, rectifia Abim-Kezad en continuant d'allumer les chandelles. Hansel les a volés à leurs propriétaires.

Victor n'ajouta rien. Il continua d'observer les lieux et remarqua une grosse caisse recouverte d'une couverture blanche tachée de sang. Victor sentit alors une légère odeur de pourriture. Au même moment, Abim-Kezad alluma la dernière chandelle avant de se retourner pour faire face au jeune homme.

— Savez-vous pourquoi vous êtes ici?

— En quelque sorte, répondit vaguement Victor.

— Vous êtes ici pour ramener le fragment qui se trouve au dernier étage, n'est-ce pas? poursuivit Abim.

Le jeune homme hocha la tête. La créature ne parut pas surprise, mais il était vrai qu'il n'était pas très évident de discerner les expressions sur un visage aussi émacié et cadavérique. Abim-Kezad s'avança ensuite près du sarcophage et y passa doucement le bout de ses doigts décharnés.

— C'est bien Hansel qui vous envoie ? demanda la créature.

— Oui, répondit Victor, qui n'avait rien à cacher.

Abim hocha lentement la tête avant de se retourner vers Victor.

— Cet insecte est donc finalement parvenu à trouver le moyen de se débarrasser de moi, soupira la créature d'un air sarcastique.

— Qu'est-ce que vous voulez dire ? lui demanda Victor, tentant de comprendre. Hansel veut se débarrasser de vous ?

— Évidemment. Je lui coûte cher.

Confus, Victor hocha légèrement la tête et bredouilla :

— Je ne suis pas certain de comprendre à quoi vous faites allusion…

— Ah ! lâcha Abim-Kezad, comme s'il venait de réaliser quelque chose. Je comprends, maintenant. Vous n'êtes pas au courant de ce qui se passe dans cette tour. Ni du rôle que vous devez jouer.

— Non, en effet, confirma le jeune homme, qui avait la nette impression qu'il ne tarderait pas à le découvrir.

— Je vais éclairer la noirceur qui entoure votre esprit, continua la créature qui, ensuite, leva nonchalamment le bras pour pointer la caisse de bois. Allez voir ce qui se trouve à l'intérieur.

Sans détacher son regard d'Abim-Kezad, Victor avança doucement et prudemment vers la caisse. Au fur et à mesure qu'il s'en approchait, l'odeur de pourriture qu'il avait sentie plus tôt devenait de plus en plus forte. Arrivé tout près, il ne fit que contempler le drap blanc et taché qui recouvrait la boîte.

— Allez-y, l'encouragea la créature.

Victor déposa sa lanterne sur le sol et, après une déglutition difficile, tira le bout du drap. Il vit des restes de chair humaine recouverts de vers grouillants. Cet horrible spectacle lui leva le cœur et sa gorge fut prise de spasmes. Portant vigoureusement la main à sa bouche pour ne pas vomir, Victor s'éloigna rapidement de la caisse.

— Voilà pourquoi je lui coûte cher ! lança Abim-Kezad d'un ton qui démontrait une certaine frustration.

Dégoûté, Victor demanda avec difficulté :

— Vous avez tué ces gens ?

— Je n'ai tué personne, répondit Abim. L'antiquaire s'occupe de mettre un terme à la vie de ces pauvres âmes avant de me livrer leur corps comme repas.

Le fait que la créature se nourrissait de cadavres humains ne choqua pas vraiment Victor, étant donné ce qu'il avait vu dans la caisse, c'était assez évident. La créature reprit alors :

— Vous êtes visiblement déconcerté, confus et vous devez avoir une multitude de questions qui vous trottent dans la tête. Comme je vous l'ai annoncé plus tôt, je ferai office de lumière dans les ténèbres de votre ignorance.

Victor passa rapidement la main droite sur son front dans le but d'essuyer les sueurs froides qui lui coulaient sur les tempes.

— J'étais autrefois prince de la belle Égypte, raconta Abim, d'un ton qui laissait entrevoir une certaine nostalgie. J'ai vécu avec ma famille et, plus tard, ma femme et mes enfants dans le luxe, l'amour, le plaisir et l'abondance. Un jour, alors que mes filles recevaient des leçons de leurs tuteurs, mon épouse et moi sommes partis nous promener, avec un vaste entourage de gardes et de serviteurs, aux alentours de notre domaine. Plus jeune, j'étais avide d'aventures. La simple vue de l'horizon m'emplissait d'envie de découvrir ce qui se cachait plus loin. Malgré l'insistance de mon épouse pour nous faire rebrousser chemin, j'ai ordonné à mon entourage de pousser notre promenade au-delà des limites du royaume établies par mon père et son père avant lui.

En écoutant Abim-Kezad, Victor sentait que sa voix était maintenant accompagnée d'une lourde tristesse.

— J'avais repéré, continua la créature, tout près du Nil, un objet qui scintillait. Je me souviens encore de son éclat. Identique à celui du soleil. Piqué par la curiosité, je me suis élancé vers l'objet et je l'ai récupéré. C'était… un fragment métallique.

Abim avait levé la main et maniait quelque chose d'invisible, comme s'il tenait l'objet dans son imaginaire. Puis, il poursuivit :

— Ce fragment était fait d'un matériau qui m'était inconnu. Sur sa surface lisse, on pouvait voir des inscriptions étranges et impossibles à traduire.

Le prince prit une longue pause durant laquelle il sembla réfléchir… ou plutôt ressentir de profonds regrets.

— Le soir même, une fois de retour à notre palais, ma vie allait changer pour l'éternité, continua-t-il. À peine quelques heures après que j'avais acquis cette… partie d'objet, je suis tombé malade, pris d'une épouvantable fièvre. Dans les jours qui suivirent, je me retrouvai prisonnier de mon propre lit.

Même si Abim n'avait pas d'yeux, seulement des orbites noires et vides, Victor se sentait fixé et analysé jusqu'au plus profond de son âme.

— Je me souviens, continua-t-il d'un air plus sombre, je pouvais continuellement entendre les battements de mon cœur dans mes tympans…

— Que s'est-il passé ensuite ? demanda le jeune homme d'un ton poli.

La créature baissa la tête pendant quelques secondes avant de la redresser et de dire d'une voix éteinte par l'émotion :

— Au bout de quelques jours, mon corps ne supporta plus cet état.

— Que voulez-vous dire ?

— J'étais continuellement assoiffé et affamé, poursuivit Abim-Kezad d'une voix qui était maintenant tremblante. Et lorsque… lorsque mon épouse est venue vérifier mon état, je lui ai saisi le poignet et… j'ai bu son sang. Jusqu'à la mort.

La créature fut prise de quelques sanglots avant de se reprendre.

— J'étais incapable de contrôler le moindre de mes gestes… mon corps ne répondait plus à ce que je lui ordonnais de faire. C'est à ce moment que les gardes royaux ont fait irruption dans ma chambre avec… mes filles. Par chance, les gardes sont parvenus à me maîtriser, m'empêchant de les attaquer.

Victor ne savait pas quoi dire. Il était complètement renversé d'entendre une telle histoire et, même si ce qui se tenait devant lui était horrible, il éprouvait une profonde compassion pour lui. Cette fois d'un ton plus sombre, et même haineux, Abim continua :

— Les gardes m'ont ensuite traîné comme un vulgaire animal jusqu'au temple mortuaire, non pas pour m'embaumer, mais dans l'intention de m'enfermer dans un sarcophage jusqu'à ce que la mort m'emporte. Cependant, avant que l'on m'enferme, un homme étrange est venu à ma rencontre. Il n'était pas Égyptien. Sa peau était beaucoup plus sombre. Je ne sais pas pourquoi ni comment cet homme y est parvenu, mais il a exigé que l'on place le fragment métallique dans mon sarcophage et les gardes ont accédé à sa requête. Pour ne pas contracter ma maladie, l'homme prit soin de ne pas toucher le fragment, il l'enroula plutôt dans un gros drap avant de le mettre à mes pieds. Puis… les gardes ont refermé le couvercle du sarcophage et tout est devenu noir.

— Attendez, dit Victor, qui fronçait les sourcils. Vous êtes resté enfermé là-dedans pendant combien de temps ?

— Je ne sais pas, répondit Abim en donnant l'impression d'être perdu. En étant enfermé dans la noirceur pendant une si longue période… on perd la raison. J'ai imploré et imploré que la faim et la soif viennent à bout de moi, mais non. Je restais continuellement en vie… jusqu'à ce que je parvienne à endormir mon esprit.

Une multitude de questions se bousculaient dans l'esprit de Victor. Il parvint à clarifier ses pensées et demanda :

— Mais comment est-ce que vous vous êtes retrouvé ici ?

Abim lâcha un rire un peu sinistre.

— Devinez par vous-même, Victor.

— L'antiquaire… ?

Abim acquiesça d'un signe de tête.

— C'est lui qui m'a réveillé de mon éternel sommeil, après avoir traîné mon sarcophage jusqu'à cet endroit.

— Et… depuis quand êtes-vous ici ? se risqua Victor.

— Six ans. Selon les dires d'Hansel, du moins.

Victor venait de comprendre quelque chose. Le linceul découvert par l'antiquaire n'était autre que le drap que le mystérieux homme à la peau sombre avait glissé dans le sarcophage d'Abim.

— Je… je peux vous poser une question ? demanda le jeune homme d'un ton hésitant.

La créature lui fit signe de parler.

— Êtes-vous un loup-garou ?

— Je ne me transforme pas en loup humanoïde. Pourquoi cette question ?

Le jeune homme s'expliqua :

— L'antiquaire m'a dit qu'il a découvert le linceul… Enfin, le drap de votre sarcophage, sur le corps d'un lycanthrope…

Abim éclata d'un rire morbide qui fit presque sursauter Victor.

— Ce misérable et odieux personnage croit tout savoir ! Je ne suis pas un lycanthrope, Victor ! Je suis vous ai déjà spécifié être une Liche. Je suppose que ce terme me désigne en tant que charognard et buveur de sang incapable de mourir naturellement. Car honnêtement, je n'ai aucune idée de la nature exacte de ce que je suis devenu. Une chose est certaine, je n'ai plus rien de l'homme que j'ai autrefois été.

— Il y aurait d'autres personnes comme vous ? demanda Victor en espérant ne pas vexer la créature.

— Je ne sais pas, mais… je crois que oui. Je sens que d'autres âmes dans ce monde subissent le même supplice que moi… Certains à d'autres niveaux. Mais dites-moi, Victor, comprenez-vous votre rôle dans cette histoire ?

Le jeune homme observa Abim-Kezad pendant un court moment avant d'acquiescer d'un hochement de tête.

— L'antiquaire m'a envoyé ici pour récupérer ce fragment avec le linceul, dit lentement Victor en détournant le regard de son interlocuteur.

Le jeune homme contempla le pistolet rangé dans sa ceinture avant de relever les yeux vers Abim et d'ajouter :

— Je crois qu'il veut aussi que je mette fin à votre existence.

Chapitre 25

Les automates

À la suite des paroles de Victor, il y eut un bref silence. Puis, Abim-Kezad se mit à marcher lentement de long en large, d'un air détendu.

— Vous n'avez deviné qu'une partie de votre rôle, dit finalement le prince égyptien en s'immobilisant. Car en réalité, une lourde tâche vous attend, Victor. Cette tâche ne peut être accomplie que par vous, fils des étoiles.

Le jeune homme observait maintenant la créature avec une certaine surprise.

— L'antiquaire ne vous a pas choisi par hasard, continua Abim. Il vous a sélectionné à la demande de quelqu'un que vous connaissez bien, et vous a attiré à lui dans un seul et unique but.

— Mais de quoi parlez-vous ? demanda Victor, soudain inquiet.

— Hansel est venu ici, il y a un mois, pour m'apporter ma nourriture. Pressé, il s'est rué au dernier étage dans le but d'y récupérer le fragment, seulement ses automates ne l'ont pas laissé passer. Il était frustré. Dans sa colère, il m'a laissé savoir qu'il devait absolument récupérer le fragment et m'a demandé mon aide, puisque les automates ne sont pas dangereux pour moi.

Abim prit une pause et sourit avec satisfaction.

— J'ai refusé, continua-t-il. Enragé, il m'a tout d'abord menacé. Étant donné mon état, il n'est pas vraiment parvenu à me forcer la main avec du chantage. Par la suite, il a tenté d'obtenir mon aide en me suppliant. Il m'a laissé comprendre à travers ses plaintes qu'il avait été avisé de ramener ce fragment, histoire de le mettre en lieu sûr, jusqu'à ce qu'il puisse le faire parvenir à un individu bien particulier. Quelqu'un venu d'un autre monde.

Victor haussa les sourcils et ouvrit la bouche sans s'en rendre compte.

— Je ne l'ai pas cru, ajouta aussitôt Abim. Hansel est un manipulateur. Mais aujourd'hui… je réalise que j'avais tort.

La créature leva son doigt émacié et noirci par le temps et pointa Victor.

— C'est vous, l'enfant des étoiles. C'était à vous qu'Hansel voulait livrer ce fragment.

Étonné et ne sachant pas par où commencer, Victor parvint à balbutier :

— Co… comment est-ce que vous savez que…

Abim, leva son autre main, qui était maintenant refermée sur quelque chose.

— Parce que vous n'êtes pas affecté par ceci, dit-il en ouvrant sa paume.

Un petit objet métallique s'y trouvait. Sur sa surface étaient gravés plusieurs glyphes que Victor reconnut aussitôt comme étant ceux des Mayas. C'était le fragment qu'Abim avait autrefois trouvé. Soudain envahi par la peur d'être lui aussi infecté, Victor recula d'un pas brusque.

— Vous êtes immunisé, ajouta Abim en remarquant la réaction du jeune homme. Sinon, vous auriez présenté des effets secondaires dès le premier instant où je vous ai coupé.

— Me… quoi ? lâcha Victor, confus.

— Regardez votre main, dit Abim d'une voix calme.

Victor observa la paume de sa main et celle-ci était intacte. Puis, un petit picotement survint au revers de sa main, qu'il tourna aussitôt pour réaliser qu'en effet, une fine et délicate coupure s'y trouvait, ayant laissé tomber une bonne coulure de sang. Victor fut pris d'un haut-le-cœur ; cette créature aurait pu le tuer !

— Lorsque je vous ai surpris à lire l'un des livres d'Hansel, expliqua Abim, c'est plutôt vous qui m'avez pris par surprise.

Le prince pivota vers le mur et s'en approcha avant d'y passer la main, comme s'il l'analysait.

— J'ai pressenti l'arrivée de plusieurs personnes, qui attendent d'ailleurs à l'extérieur, mais vous… non.

Abim se retourna vers Victor et ajouta :

— Vous m'êtes invisible, indiscernable.

Malgré le fait que le jeune homme ne savait pas trop ce qu'il fallait comprendre de ce qu'Abim venait de dire, il ne prit pas la peine de le lui demander. La créature revint vers Victor et lui tendit le fragment.

— Prenez-le. Votre nature vous protègera de ses méfaits.

Victor hésita un moment, mais choisit bien vite de faire confiance à la créature, car après tout, elle aurait vraisemblablement pu le tuer bien plus tôt. Le jeune homme tendit les doigts et saisit l'objet, qu'il porta sous ses yeux. Le prince lui dit alors :

— Faites en sorte que le fragment n'entre pas en contact avec les autres êtres vivants que vous côtoyez, car sinon…

Abim-Kezad ne termina pas sa phrase, mais ce n'était pas nécessaire. Le jeune homme avait une bonne idée du sort qui attendait les malheureux qui entreraient en son contact.

— Je croyais que les automates le gardaient ?

Abim lâcha un petit rire un peu morbide.

— C'est ce qu'Hansel croyait, précisa-t-il. Mais je ne m'en suis jamais vraiment départi…

Le jeune homme remarqua alors que la créature tendait délicatement la main vers le fragment, presque amoureusement, comme pour le reprendre. D'un geste involontaire, Victor baissa la main, ce qui fit sursauter Abim.

— Quelque chose ne va pas ? lui demanda le jeune homme, un sourcil levé.

Passant ses mains décharnées sur son corps squelettique, Abim donna l'impression d'être soudain mal à l'aise. Sa respiration était d'ailleurs devenue rauque et saccadée.

— Il me faudra vous expliquer quelques petites choses à mon sujet, répondit-il. Je dois d'abord… m'asseoir.

Lentement et avec une soudaine maladresse, la créature alla s'asseoir, adossée au sarcophage. Abim fit signe à Victor de le rejoindre. Le jeune homme s'approcha de la créature et, arrivé à un mètre d'elle, posa un genou sur le sol et s'appuya sur sa canne.

— Peu après mon réveil par Hansel, expliqua Abim avec une élocution difficile, je me suis appliqué à comprendre ce que j'étais devenu. Une Liche, comme m'identifie Hansel. Comme vous pouvez le voir, Victor, mon corps est répugnant, décomposé, et pourtant… je suis encore en vie. Encore en vie dans une ère qui n'est plus la mienne.

— C'est l'antiquaire qui vous a dit que vous étiez une Liche ?

Abim fit signe que oui de la tête.

— Il m'a dit l'avoir appris dans des livres bien spéciaux. Mais il a toujours refusé de m'en dire plus. À l'exception d'une fois. Hansel a déjà voulu m'offrir la vérité en échange du fragment… mais j'ai refusé.

La Liche toussa fortement et gesticula avant d'expliquer :

— S'il possède ces livres, ils ne sont pas ici. De toute manière, je ne sais pas lire votre écriture.

Le jeune homme observa le fragment dans sa paume pendant un moment.

— Vous croyez que c'est ce fragment qui vous a transformé ainsi, c'est bien ça ? demanda Victor en montrant l'objet à la Liche.

De ses orbites vides, la créature contempla le fragment en silence, avant que sa mâchoire se mette à trembler.

— J'en suis persuadé, oui, répondit Abim d'une voix entrecoupée par des sanglots.

— Est-ce que ça pourrait rendre d'autres gens… comme vous ?

La créature se mit alors à tousser faiblement.

— Non, répondit-elle. Non… c'est impossible. Il faut croire que la malédiction de cet objet s'est bien heureusement atténuée avec les années. Maintenant, mettre ce fragment en contact avec une plaie est inévitablement fatal aux gens normaux… Cela, je le sais, car l'antiquaire l'a expérimenté sur de nombreux cobayes, ici même, dans cet endroit. Ce sont d'ailleurs leurs dépouilles qui me servent de nourriture lorsque je suis séparé de… de ce fragment.

Abim se redressa un peu avant de continuer :

— En me séparant de cet objet, je me sens soudainement… si faible et… affamé. N'ayez crainte ! ajouta-t-il aussitôt en levant instinctivement la main vers Victor, qui s'était brusquement relevé. Je n'ai plus l'intention de me nourrir… plus jamais.

Le jeune homme afficha une grimace. Il s'était fait mal à la jambe.

— Qu'est-ce que vous voulez dire ? demanda-t-il d'une voix endurcie par la douleur.

— Faites ce qu'Hansel veut de vous, demanda Abim d'une voix rauque et faible. Je veux… le repos éternel. Je veux rejoindre mes filles et mon épouse. Aidez-moi à atteindre cette délivrance, Victor… je vous en supplie.

Victor ne dit rien, mais il savait qu'il allait accéder à la demande de la Liche. Si son histoire était vraie, le calvaire enduré par Abim était épouvantable. Une éternité à être enfermé dans un sarcophage après avoir inconsciemment tué sa propre épouse, c'était une cruelle punition qui ne connaissait pas de fin. Le jeune homme allait tuer Abim-Kezad, probablement comme le voulait l'antiquaire. Mais, aussi pourrie, hideuse et corrompue soit-elle, il détestait l'idée de prendre une vie. Cependant, il ne le ferait pas avant que la Liche l'ait aidé. Victor glissa le fragment dans la poche de son manteau avant d'en tirer doucement son pistolet.

— Avant de vous retirer la vie, dit le jeune homme, j'aimerais que vous m'aidiez à atteindre le dernier niveau de cette tour, si c'est possible pour vous. Je veux aller récupérer le linceul gardé par les automates. Dans le but de sauver un ami qui est gravement malade.

— Ce linceul peut effectivement guérir quelques malédictions, répondit Abim, qui soupira ensuite. Mais pas la mienne, bien sûr. Ironique, puisque c'est dans mon sarcophage que cet insecte d'Hansel l'a trouvé.

Il y eut une courte pause avant qu'Abim ajoute :

— Ce que vous voulez atteindre est déjà à votre portée. Je ne peux pas vous aider davantage, puisque vous possédez déjà ce qui vous permettra de passer devant les êtres qui se trouvent plus haut.

— Que voulez-vous dire, exactement ?

— Je suis persuadé que les automates sont aveugles. Ils sentent les individus d'une autre manière. Étant donné que vous possédez le fragment... ils risquent de vous confondre avec moi. Vous laissant ainsi le chemin libre.

— Et comment ouvrir cette porte ? demanda le jeune homme en la pointant.

— À l'aide de la même clé qui vous a permis d'entrer ici. La serrure est située en bas à droite de la porte. Étrange, je sais.

Soudain, quelque chose de logique vint à l'esprit de Victor.

— Je peux vous demander quelque chose ?

— Demandez, Victor, demandez...

— Où avez-vous appris notre langue ?

— Votre langue ? Je ne l'ai pas apprise. Hansel m'a fait ingurgiter quelque chose. C'est un objet doté d'une étrange magie, qui traduit mes paroles pour que vous les compreniez.

— Ah ! je comprends, c'est un traducteur, dit Victor d'un ton assuré. Cet objet n'est pas magique, il traduit simplement les ondes de vos cordes vocales et...

Le jeune homme, qui gesticulait légèrement, laissa tomber son bras sur le côté de son corps. Il s'était arrêté de lui-même, car il avait la nette impression qu'il parlait dans le vide et que ses propos au sujet de technologies modernes étaient peu intéressants pour la Liche. D'ailleurs, son silence en disait long. Abim fixait Victor de son regard sans yeux. Le jeune homme savait ce que la Liche voulait, car son silence avait, dans un sens, parlé à sa place. La créature voulait mourir.

— Vous êtes prêt, Abim ? demanda Victor à contrecœur.

— Venez près de moi, l'invita le prince en lui faisant un faible signe de main pour que le jeune homme le rejoigne.

Victor s'approcha de la Liche, qui avait gardé la main levée.

— Prenez... prenez ma main.

Même si la main d'Abim-Kezad était répugnante, noircie par le temps et squelettique, Victor la lui prit pour respecter sa demande. Le contact avec la main de la Liche était pour le moins surprenant, car elle était froide comme celle d'un mort. Cependant, le jeune homme sentait une faible pulsation. C'est à ce moment bien précis que Victor réalisa qu'Abim-Kezad n'était pas qu'une créature hideuse ressemblant à un cadavre, mais bien un être vivant.

— Après… après tant de temps passé seul, dit Abim, cela m'est agréable d'avoir un contact avec un être vivant. Merci de me permettre de… de ne pas mourir seul, Victor.

— Ce n'est rien, Abim, répondit Victor avec compassion.

— Je suis prêt, dit aussitôt la Liche en exerçant une plus forte pression contre la main du jeune homme.

Victor leva son pistolet et pointa son canon vers la tête de la Liche. Son cœur se mit à battre plus rapidement et son poignet tremblait faiblement. Il allait jouer le bourreau, et ce rôle lui déplaisait fortement.

— Ce fut agréable de vous avoir rencontré, Victor. Vous… avez mon éternelle reconnaissance.

Après une bonne inspiration, le jeune homme dit de sa voix la plus rassurante et la plus normale possible :

— Au revoir, Abim-Kezad.

Puis, il ferma les yeux et fit feu. La main de la créature lâcha prise. Victor entendit une masse s'effondrer doucement sur le sol. Lorsqu'il ouvrit les yeux, quelques instants plus tard, sa vision était brouillée. Le jeune homme passa les doigts sous ses cils pour essuyer les larmes naissantes.

— Merde, lâcha-t-il d'une voix coupée par l'émotion, tout en rangeant son pistolet dans sa ceinture.

Voulant à tout prix éviter de regarder le corps d'Abim-Kezad, Victor détourna le regard et ramassa sa canne ainsi que la lanterne. Puis, il fit volte-face et se dirigea vers la porte. Après un bref coup d'œil, il repéra la serrure tout en bas de la porte, comme Abim le lui avait indiqué. Il y glissa la clé de la tour et la porte s'ouvrit très doucement, grinçant contre le sol de pierre.

Victor s'avança et arriva devant l'escalier en colimaçon. Avant de l'escalader, une question lui vint à l'esprit. Devait-il tenir le fragment devant lui ou simplement le laisser dans sa poche ? Le jeune homme maudissait mentalement le fait de ne pas avoir posé la question à la Liche. Puis, Victor appuya doucement une épaule contre le mur. Il avait besoin d'un instant pour lui. Le jeune homme se mit à penser à ses amis, qui l'attendaient ; à Caleb, qui combattait sa maladie ; à Ichabod, qui s'était déplacé pour l'aider ; ainsi qu'à Chantico, qui faisait tout ce qu'elle pouvait pour sauver son meilleur ami. Il se demanda ensuite où en étaient Nathan et Hubert ainsi que leur groupe dans leur tentative de capturer Beltimbre. Tout irait bien, se dit-il dans une tentative de se rassurer. Tout irait bien…

Les pensées de Victor firent alors place au visage souriant, coquin et resplendissant de beauté de son amoureuse, Maeva. Elle représentait tout pour lui. Il lui avait promis d'être prudent et de revenir sain et sauf. C'est ce qu'il comptait faire. Puis, Victor plongea la main dans sa poche et saisit le fragment métallique. Il avait opté pour un juste milieu et avait décidé de garder le morceau bien enfermé dans la main droite, sous le support de la lanterne.

« C'est presque terminé », se dit intérieurement le jeune homme pour se motiver tandis qu'il montait l'escalier en colimaçon. « Encore une épreuve et c'est terminé… Courage, mon vieux. »

Puis, rendu à une certaine hauteur, il crut entendre quelque chose et s'arrêta pour se concentrer sur son ouïe. Il entendait un faible ronronnement, comme celui d'un moteur. Soudain, une voix grave et lente survint de nulle part, faisant presque sursauter Victor :

— Qui va là ?

Le jeune homme cessa de bouger. Il n'était même pas parvenu à l'étage supérieur que sa présence avait déjà été remarquée. Ce n'était probablement nul autre que l'un des automates. Que devait-il faire ? Répondre ou simplement tenter de s'infiltrer ? Le jeune homme opta pour le silence. En tentant de minimiser le bruit qu'il faisait, Victor escalada furtivement les quelques marches restantes… avant de se retrouver en face d'un immense humanoïde qui se tenait juste devant l'escalier, dans l'ombre. Son corps musculeux était fait d'une sorte de métal sombre. Son poitrail était recouvert d'une armure incrustée dans son corps. Le visage de l'automate présentait les traits sévères d'un humain nordique à forte barbe. Ses yeux rouges, faits en verre, luisaient dans la noirceur et fixaient le jeune homme avec ardeur. Sa mâchoire articula à nouveau, cette fois d'une voix tonitruante :

— Qui va là ?

Pris au dépourvu, Victor se résigna à annoncer avec nervosité :

— Je… je m'appelle Victor.

Avec une rapidité que sa taille massive ne laissait pas supposer, l'humanoïde de fer tendit son bras, clairement plus long que ce qu'avait estimé Victor, et saisit le jeune homme par le col de son manteau avant de le plaquer à un centimètre de son visage. Victor, qui avait été soulevé comme une marionnette, n'essaya même pas de se débattre. Au contraire, il s'assura de ne pas lâcher sa lanterne, son fragment ou sa canne. D'une voix démontrant une intense concentration, l'automate dit :

— Qui. Es. Tu ?

— Je… je m'appelle Victor Pelham, bégaya le jeune homme, qui espérait de tout cœur ne pas offenser l'immense personnage de fer en se répétant ainsi.

À cette distance, Victor remarqua que le bourdonnement semblable à celui d'un moteur provenait de la poitrine de l'automate. C'était probablement son cœur mécanique. Le sol se mit à trembler au rythme de lourds pas qui se dirigeaient vers le jeune homme. C'est alors qu'il vit deux autres automates, totalement identiques au premier, s'avancer de chaque côté de la pièce.

Sans s'y attendre, Victor fut lâché sur le sol par son agresseur et manqua de perdre l'équilibre. Il se trouvait à présent dans une pièce circulaire dont le toit en dôme était percé par de gros télescopes. Seuls quelques rayons lunaires éclairaient la pièce par un gros trou situé dans le dôme. L'endroit était poussiéreux, sombre, humide et froid. Le jeune homme repéra, au fond de la pièce, une table en bois recouverte d'une multitude d'objets.

— Es-tu un intrus ? demanda l'automate qui se trouvait à sa droite, d'une voix identique au premier.

La mâchoire de Victor s'ouvrait et se fermait ; il ne savait pas quoi répondre. Être entouré par trois colosses en fer de deux mètres de hauteur et qui devaient peser une tonne chacun était plus qu'intimidant.

— Qui t'envoie ? demanda celui de gauche.

— Abim…, dit Victor, qui n'allait certainement pas leur dire la vérité. C'est Abim-Kezad… la Liche qui vit au-dessous.

— Abim-Kezad est mort, déclara l'automate d'en face d'une voix sans émotion. Pourquoi t'enverrait-il ici ?

— Pour récupérer le linceul.

En observant les automates, le jeune homme se demanda sérieusement s'ils étaient intelligents ou s'ils n'étaient que de vulgaires machines. Il était vrai que leur façon de parler, froide et artificielle, n'aidait pas à résoudre ce mystère. À force de les regarder, il remarqua que celui de gauche avait un visage fortement égratigné et son nez était tout simplement brisé en deux. Quant à celui de droite, l'un de ses yeux n'était pas rougeoyant, comme s'il était brisé.

— C'est toi qui as tué Abim-Kezad ? demanda l'automate de droite. Comment as-tu déverrouillé la porte ?

La Liche était bien dupe de croire qu'il pourrait leur passer sous le nez avec le fragment, se dit mentalement le jeune homme.

— J'ai… mis fin à sa vie à sa demande, leur avoua Victor en hésitant un peu.

— Est-ce Hansel qui t'a demandé de venir ici ? demanda l'automate du centre, celui qui était, à première vue, en parfait état.

— Ne nous mens pas ! intervint l'automate à l'œil brisé avant même que Victor ait pu répondre.

— Je suis venu ici dans l'intention de prendre le linceul. Pour sauver la vie d'un ami. Hansel n'a rien à voir avec tout cela.

Ce qui n'était, dans un sens, pas tout à fait faux. Les automates ne montrèrent aucun signe indiquant s'ils avaient compris ou non ce qu'avait dit Victor, qui les regardait tour à tour.

— Que fais-tu avec le fragment d'Abim-Kezad ? lui demanda alors l'automate de gauche.

Victor porta un bref regard au morceau métallique qu'il tenait avec sa lanterne, puis répondit :

— C'est Abim qui me l'a donné.

— Pourquoi t'aurait-il donné son fragment ? rétorqua le même automate. Cela n'a aucun sens. Abim-Kezad n'a jamais légué son fragment. Abim-Kezad l'a toujours refusé à Hansel.

— Réponds ! lui lança l'un des automates, celui d'en face, d'une voix forte, mais vide.

En tentant de garder une voix neutre, Victor expliqua :

— Abim me l'a donné pour que je puisse monter ici et prendre le linceul sans vous poser de problèmes.

— C'est un voleur, dit l'automate de gauche.

— Un menteur, dit celui de droite d'une même voix froide.

L'estomac de Victor vira à l'envers tandis qu'il évaluait à zéro sur cent la possibilité de s'enfuir à toutes jambes ou encore de simplement disparaître dans le plancher.

— Je ne crois pas qu'il nous mente, intervint celui du centre. Je crois différemment.

Victor fut stupéfait. Les automates pouvaient-ils penser différemment ? Si c'était le cas, cela démontrait qu'ils étaient bien plus que de simples machines, comme le lui avait laissé croire Hansel Hainsworth.

— Explications ? ordonna l'automate de droite tandis que celui de gauche et lui se tournaient vers leur congénère.

— Abim-Kezad n'a jamais laissé la vie sauve à un être vivant durant les années qu'il a passées enfermé ici, expliqua l'automate du centre. Pourquoi n'a-t-il pas tué cet être ? Cela n'a pas de sens.

L'automate de gauche, celui qui était défiguré et auquel il manquait une partie du nez, inclina son visage près de celui de Victor, qui recula légèrement la tête.

— Il est vrai que ce petit bonhomme n'est pas d'une race répertoriée dans ma banque de données, dit l'automate.

— Phase de questionnement, déclara fortement le colosse de droite, celui à l'œil brisé. Comment t'appelles-tu, créature ?

— Victor, se présenta le jeune homme. Et… vous ?

— Nous sommes des automates. Nous n'avons pas de nom.

— Oh… d'accord.

— Vérification et mise à jour de la base de données, déclara l'automate au visage griffé. Es-tu hostile ?

— Je… Non, répondit le jeune homme. Je ne suis pas hostile.

Les trois colosses reculèrent d'un pas lourd, Victor pouvait entendre la décompression hydraulique dans leurs jambes. D'une posture normale, les trois gardiens de métal observaient Victor avec un certain intérêt.

— Ce que tu cherches se trouve là-bas, dit l'automate au visage abîmé en levant son énorme bras vers la table que Victor avait repérée plus tôt, tout au fond de la pièce.

Même s'ils lui avaient ouvert la voie, le jeune homme était loin d'être assuré de sa propre sécurité. Sans détacher ses yeux des automates, Victor se dirigea vers la table. Il réalisa bien vite, malgré le manque de luminosité, que l'étage était en désordre total. Fioles et gobelets brisés se trouvaient un peu partout sur les lieux, leur contenu maintenant séché et bien ancré dans le sol. De nombreux papiers moisis et jaunis étaient éparpillés dans tous les recoins de la pièce.

Ce qu'il cherchait lui sauta aux yeux bien vite. Un drap plié avec négligence reposait sur la table. C'était le linceul. Déposant sa lanterne sur la table, Victor le prit délicatement et l'observa. Son tissu était vieux et usé, taché à plusieurs endroits. Si le jeune homme était censé se sentir victorieux après avoir mis la main sur le linceul, c'était en fait loin d'être le cas. À vrai dire, il avait bien du mal à imaginer que cette vulgaire couverture pourrait guérir son ami.

Pour s'assurer que les automates ne réagissaient pas mal à l'acquisition du linceul, Victor leur envoya un regard un peu timide. Aucun d'eux n'avait montré de réaction particulière. Ils restaient là, figés comme des statues. Seule leur tête était légèrement tournée dans la direction du jeune homme. Lentement, Victor posa le linceul plié sur son épaule, juste sous la bandoulière de sa carabine, de sorte qu'il ne glisse pas.

D'un coup d'œil furtif, il observa le reste des objets qui étaient posés sur la table. Il y découvrit des objets de toute sorte, comme des batteries, des ampoules, des pinces, des seringues et des boulons.

Écartant des livres portant sur l'alchimie et d'autres sur l'électricité, Victor s'arrêta sur un parchemin vieillot et usé. Lorsqu'il vit ce qui y était dessiné, le jeune homme n'en crut pas ses yeux. C'était une représentation faite à la main de la constellation de la ceinture d'Orion. C'est là que l'information se rendit à son cerveau. Car après tout, cette tour était un observatoire...

Intrigué et à la fois alarmé, Victor se dirigea vers l'un des nombreux télescopes qui pointaient vers le ciel. Lorsqu'il mit son œil devant la lunette amplificatrice, il vit ce qu'il s'attendait à voir : une version agrandie de la ceinture d'Orion. Trois planètes scintillantes grosses comme des ballons sur un fond noir. En retirant son œil de la lunette, le jeune homme resta muet. Hansel en savait probablement plus à son sujet qu'il ne le laissait croire, surtout qu'il l'avait appelé par son propre nom avant même que le jeune homme se soit présenté. Une vague d'interrogations venait de se déverser dans l'esprit de Victor.

— Pourquoi tardes-tu à t'en aller? lui demanda la voix de l'un des automates.

Étant donné qu'il ne les regardait pas et que ces derniers avaient tous la même voix, il ne sut pas auquel s'adresser.

— Je peux vous poser une question? demanda-t-il en guise de réponse.

Les trois colosses de fer se tournèrent vers lui.

— Demande, lui lança celui au visage abîmé.

— Est-ce que vous savez si Hansel utilisait fréquemment ces appareils astronomiques? leur demanda le jeune homme en désignant l'un des télescopes.

— Oui, lui répondit l'automate en parfait état. Hansel passait des heures à observer une constellation. Je ne sais pas son nom. Manque d'information.

— La ceinture d'Orion, lui répondit Victor. C'est comme ça qu'on l'appelle.

Victor marqua une pause. Soudain, un détail lui revint en tête. L'antiquaire lui avait mentionné que les automates étaient incapables de lui indiquer l'endroit exact de leur découverte du sarcophage d'Abim-Kezad. Pourtant, le jeune homme avait devant lui trois êtres capables de raisonnement. Quelque chose clochait.

— C'est bien vous qui avez trouvé Abim-Kezad dans son sarcophage, vrai ? demanda-t-il alors.

— Oui, répondit l'automate à l'œil brisé. Mais nous n'avons pas d'information à ce sujet. Notre mémoire interne n'était pas active à ce moment-là.

— Que voulez-vous dire ? continua Victor, tournant légèrement la tête et plissant les yeux.

— Nous ne pouvons pas expliquer les motivations d'Hansel, continua l'automate, mais il a décidé de nous donner une tout autre mémoire interne. Vide. Prête à être remplie par nos propres expériences. Par nos propres choix.

Pesant ses mots, Victor déduisit :

— Donc, avant de vous faire… implanter cette nouvelle mémoire, vous étiez de simples…

— … esclaves, termina l'automate en bon état. Purs et simples.

Chapitre 26

Une rencontre avec le chaos

— Hansel a commis une grave erreur, dit l'automate au visage creusé de lacérations. En nous permettant de juger par nous-mêmes et de prendre des choix, il ne s'est pas aidé.

— Pourquoi donc ? demanda Victor.

— Automates, continua le colosse, d'une manière explicative. Semblables aux golems, mais contrairement à eux, les automates sont forgés, créés à l'aide de matériaux tels que le fer et le bronze, d'ossements, d'onyxide, de pierre ou encore d'adamantite, avec une bonne quantité de sang et d'organes vitaux. Nous ne sommes pas naturels. Créés dans le but de servir et de défendre.

L'automate à l'œil cassé prit la parole :

— L'erreur d'Hansel, notre créateur, est d'avoir cru que nous resterions passifs face à ses expériences. Nous n'étions pas d'accord.

— À quel niveau exactement ? se risqua Victor.

— Il capturait des humains. Son homoncule les mordait dans le but de leur transmettre sa maladie, la *noctemortem*. C'était amoral.

— Pourquoi est-ce qu'Hansel faisait cela ? demanda le jeune homme qui était avide d'en savoir plus au sujet de l'antiquaire et de ses motivations.

— La raison d'Hansel est inconnue, répondit l'automate en bon état. Nous ne croyons pas qu'il voulait aider les gens ni sa communauté. Hansel est égoïste. Son profil le dépeint comme quelqu'un d'obsédé par ses recherches. Selon lui, la fin justifie les moyens. Pas pour nous.

— Nous nous sommes physiquement opposés, mais il s'est échappé, continua l'automate à l'œil détruit. Grâce à sa nature.

— Quelle nature ? voulut savoir Victor.

— Indéfinie, répondit l'automate intact. Nous avons peu d'information à ce sujet. Hansel peut défier la gravité et changer de forme. Forme inconnue, puisque nous n'avons pas réussi à établir de contact visuel.

— Avant de s'échapper, dit le colosse de fer au visage abîmé, Hansel a activé une mesure de sécurité. Nous sommes enfermés dans cet endroit, maintenus par une barrière électromagnétique.

L'automate s'approcha du trou inégal dans le mur de la tour et y passa son énorme bras ; un bracelet holographique apparut alors autour de son poignet, l'empêchant d'atteindre l'extérieur.

— Emprisonnés, conclut l'automate en regardant son bras d'un regard vide. Depuis bien longtemps, nous l'empêchons de revenir. Y compris ceux qu'il ose envoyer à sa place.

En écoutant la façon de parler assez particulière des automates, Victor comprit que l'erreur de l'antiquaire avait été de permettre à ses automates d'être plus que de simples machines. De cette façon, il avait perdu sa tour. Puis, une question prit naissance dans son esprit.

— Je sais que c'est un peu hors contexte, mais pouvez-vous voir ? Car Abim vous croyait aveugles…

— Notre définition de la vue est différente de la tienne, répondit vaguement l'automate au regard de cyclope. Nous ne te voyons pas comme tu le penses, mais nous te percevons.

Le jeune homme hocha la tête en guise de compréhension. Puis, voulant éclaircir un autre point, il ajouta :

— Qu'est-ce qui me rend différent des autres que vous avez empêchés de venir ?

— Notre banque de données comprend toutes les machines et créatures organiques connues, expliqua l'automate en parfait état. Tu n'es pas inscrit dans notre mémoire primaire. Nous t'avons interrogé pour établir ton profil. Tu n'es pas un ennemi. Tu n'es pas un ami de l'antiquaire.

— C'est la même chose pour Abim-Kezad ?

— Abim-Kezad, répondit l'automate défiguré. Absent de notre banque de données. Nous le tolérions. Tu peux passer, à moins que tes intentions soient de poursuivre ses recherches alchimiques. Dans ce cas, tu devras mourir, créature inconnue.

— Non, non! leur assura rapidement Victor, dont le cœur venait de s'arrêter pendant une seconde. Pas du tout! Je n'ai rien à faire de ses recherches!

Les trois automates répondirent d'un hochement de tête. En prononçant le mot « recherches », Victor se mit à réfléchir. De ce qu'il avait compris, les automates refusaient l'accès à la tour d'observation à l'antiquaire ainsi qu'à ses alliés. Hansel avait besoin de quelqu'un pour aller chercher un objet qui lui tenait à cœur. Cependant, les recherches de l'homme, qui étaient probablement dispersées dans les piles de papiers et de parchemins éparpillés un peu partout dans la tour, n'étaient pas ce qu'il désirait retrouver. Non, c'était simplement le fragment. Pourquoi Hansel ne voudrait-il pas terminer son travail? Et comment était-il parvenu à tomber sur Victor, lui qui était la personne parfaite pour passer devant les automates? Tout ça ne pouvait pas être une coïncidence, jugea le jeune homme. C'est alors qu'il se souvint d'une phrase prononcée par Abim-Kezad, un peu plus tôt.

« *L'antiquaire ne vous a pas choisi par hasard. Il vous a sélectionné à la demande de quelqu'un que vous connaissez bien, et vous a attiré à lui dans un seul et unique but.* »

Victor porta ensuite son regard vers le télescope. Il venait de comprendre qui l'avait envoyé. Puis, au même moment, une explosion survint depuis l'extérieur, propulsant une vague de lumière rougeâtre à travers le trou dans la paroi de la tour. Le jeune homme s'y rua et tenta de voir ce qui venait de se passer. Malheureusement, peu importe l'angle qu'il prenait, il ne parvenait qu'à voir un halo rougeâtre qui dansait dans la nuit et sur la neige. C'était assurément du feu. Le carrosse motorisé.

— Oh non! gémit Victor, inquiet.

Le jeune homme se rua, d'une démarche boiteuse, entre les automates, avant de réaliser que sans sa lanterne, il ne verrait rien.

— Merde… merde! lâcha-t-il en rebroussant chemin pour aller saisir l'objet qu'il avait laissé sur la table.

Une fois la lanterne à la main, il dévala l'escalier aussi rapidement que lui permettait sa jambe, sous le regard passif des automates, qui restèrent silencieux. Descendre l'escalier d'une manière aussi peu prudente était risqué, et Victor manqua effectivement de trébucher à quelques reprises. Il renonça à jeter un dernier regard vers la dépouille d'Abim-Kezad, car sa course vers le carrosse était plus importante.

Une fois au rez-de-chaussée, Victor vit une vive lumière orangée sous la porte d'entrée. Il l'ouvrit aussitôt, dévoilant un spectacle horrifiant : le carrosse était renversé un peu plus loin, englouti dans un feu si ardent que Victor pouvait sentir sa chaleur envahissante à plusieurs mètres. Alarmé, le cœur battant la chamade, le jeune homme fourra le fragment d'Abim dans sa poche et s'avança jusqu'au carrosse, se protégeant le visage de la chaleur des flammes.

— Pakarel ! hurla-t-il. Béatrice ! Po ! Merde… saletés de flammes ! Luboo ! Ribère !

En s'approchant du véhicule et en observant à travers les vitres éclatées du carrosse renversé, Victor vit avec un grand soulagement qu'il n'y avait personne. Le jeune homme fut forcé de reculer rapidement, car la chaleur était intolérable. Il s'assura même que ses yeux ne lui jouaient pas des tours en retournant observer l'intérieur du carrosse dans tous les angles possibles, avant d'admettre que ses amis n'étaient plus là.

C'est en détachant son attention du carrosse et en observant les alentours que Victor vit quelque chose d'intérêt : une masse sombre était effondrée face contre la neige, inerte. S'en approchant, il comprit bien vite que le corps était celui du chauffeur. Sa pipe était dans la neige, près de lui. Lâchant sa lanterne, Victor se rua vers l'homme.

— Hé ! lui lança-t-il en se jetant à ses côtés dans la neige. Monsieur !

Il le retourna alors sur le dos, dévoilant une gorge tranchée, luisante de sang. Les yeux de l'homme étaient révulsés, sa bouche, entrouverte. Il était mort. Lorsqu'il réalisa ce qu'il venait de voir, Victor, appuyé sur son genou valide, eut un léger mouvement de recul instinctif et se releva aussitôt d'une manière brusque et peu élégante.

Se laissant envahir par la panique, le jeune homme balaya la scène du regard et tomba sur un détail étrange… des traces de pas entouraient la scène. Des traces de pattes comme celles d'un gros chien, pour être exact.

— Qu'est-ce que…

Agité, Victor parcourut la scène, observant les traces sur le sol. Il vit que les traces de chien — ou de quelque chose d'autre, puisqu'il remarqua aussi des empreintes de mains griffues – venaient depuis la ville de Paris, visible au loin sous la forme de petits points lumineux. Quelque chose, peut-être une sorte de canin, avait suivi le chemin emprunté par le carrosse. Le jeune homme, qui observait toujours la scène à la recherche d'indices, commençait à perdre son sang-froid.

— Mais où êtes-vous… je ne comprends pas…

Il n'y avait aucune trace visible de pas des Kobolds ni de Pakarel. Il y avait les traces d'une seule paire de chaussures autres que celles de Victor : celles du chauffeur. Et elles étaient un peu plus loin. Le véhicule s'était donc soulevé dans l'explosion pour atterrir un peu plus loin, à quelques mètres. Tandis que la détresse quittait peu à peu son corps, Victor tenta de reconstituer les choses.

«Le véhicule vient d'exploser, se dit-il en marchant autour de la carcasse enflammée. Il est retombé juste… ici, ajouta-t-il en pointant le sol. Pakarel et les autres… ils ne peuvent pas… ils ne peuvent pas s'être volatilisés ainsi sans laisser de traces… de traces !» répéta-t-il, tel un illuminé, comme si une lumière venait de s'allumer dans sa tête.

Les traces du canin étaient partout autour de l'ancienne position du carrosse, comme si la bête l'avait contourné plusieurs fois avant que le véhicule explose. En suivant les traces du regard, Victor vit que ces dernières partaient en sens opposé à la ville, traversant une plaine enneigée doucement éclairée par la lueur de la lune. Au loin, Il voyait l'ombre d'une forêt.

« Il s'est sauvé par là », se dit Victor.

Puis, ramenant son attention sur la scène, le jeune homme compris que le conducteur était probablement simplement sorti fumer sa pipe, puisqu'en la prenant, Victor sentit qu'elle était encore chaude.

« Et… ce gros chien l'a tué, se dit le jeune homme en observant les lieux. Ce qui expliquerait la lacération violente au niveau de sa gorge… Je suis persuadé que ce pauvre homme n'a rien vu venir. »

Il laissa tomber la pipe dans la neige et s'approcha à nouveau du carrosse. Sur une portière cramée par le feu, il vit une profonde lacération, probablement laissée par une griffe. Ayant épuisé tous les indices, le jeune homme n'arriva pas à un résultat très convaincant. Le carrosse avait explosé au contact d'un canin et ses amis s'étaient tous volatilisés, mis à part le conducteur ? C'était insensé.

Tout à coup, le carrosse explosa de nouveau, montant à quelques mètres dans les airs, propulsé par une boule de feu, avant de retomber lourdement sur le sol dans un vacarme métallique. Par chance, Victor se trouvait juste assez loin. En observant le triste spectacle, le jeune homme évalua le meilleur plan à suivre. Puisque les automates ne pouvaient pas l'aider, étant donné qu'ils étaient enfermés dans la tour par un système de sécurité qu'il ne pouvait désactiver, Victor devait faire quelque chose.

Il n'allait pas rester là, il allait suivre les traces de la bête. Le jeune homme alla donc reprendre sa lanterne, remonta son foulard sur ses oreilles et s'assura que le linceul tenait bien sous la bandoulière de sa carabine. Ensuite, il saisit sa canne à deux mains et se mit à en dévisser le pommeau. Avant sa mort, Balter travaillait sur l'installation d'un dispositif bien spécial, qui était ancré dans la canne du jeune homme. Même sans la supervision du vieux gobelin, Victor était parvenu à terminer l'installation du dispositif quelques semaines avant son départ vers Paris. Après tout, Victor était un bricoleur et parvenait généralement à réussir à peu près tout ce qu'il entreprenait.

Une fois dévissé, le pommeau dévoila un bouton. Victor aurait préféré pouvoir joindre ses amies à Québec pour les avertir de ce qu'il s'apprêtait à faire, mais il n'avait pas son sac qui contenait sa radio.

« Ça devrait faire l'affaire, se dit le jeune homme en le pressant à plusieurs reprises, juste au cas où. Il n'y a plus qu'à espérer que cela fonctionne et que les filles ne fassent pas une crise cardiaque… »

Puis, Victor réintégra le pommeau à sa canne, avant de s'engager dans une pénible marche sur une neige instable. Au fur et à mesure qu'il progressait dans la campagne enneigée, le vent froid semblait redoubler d'intensité, juste pour déplaire au jeune homme. En s'éloignant peu à peu de la carcasse enflammée, Victor voyait le paysage devenir de plus en plus sombre. Par chance, il ne neigeait que très peu, le risque que les traces s'effacent était donc faible. À un moment, jetant un coup d'œil derrière lui, Victor s'aperçut que le carrosse n'était plus qu'un petit feu de camp au loin.

Alors qu'il avançait dans la campagne silencieuse, s'approchant de plus en plus de la forêt, la motivation du jeune homme diminuait peu à peu. Ses pas étaient difficiles, pénibles, et le vent ne l'aidait en rien. Victor pouvait sentir que ses oreilles enflaient sous la morsure du vent. Le visage bien enfoncé dans son écharpe, il se mit à se plaindre dans une tentative bizarre de se remonter le moral en s'écoutant lui-même.

— Quelle idée de partir sur les traces d'une bête… Sale neige… je hais la neige !

C'était faux, puisqu'il adorait les saisons hivernales, mais dans la situation actuelle, se plaindre un bon coup l'aidait inexplicablement à retrouver le moral.

— Je hais aussi le vent ! grogna-t-il tandis que sa chaussure venait de rester coincée dans la neige. Ah, il ne manquait plus que ça !

En délogeant sa chaussure de la neige, Victor perdit l'équilibre et tomba sur le derrière, sa chaussette droite maintenant mouillée. Il lâcha un juron, puis continua de se plaindre en remettant sa chaussure.

— Qui aime le vent… ? certainement pas les cheveux. Allez, on continue…

Le jeune homme se releva, tenant sa lanterne, et s'engagea de nouveau sur les traces de la bête. Cette fois, c'était pire. Sa chaussette mouillée n'était pas seulement inconfortable, elle lui gelait le pied. Par désespoir, Victor se mit à rire de son propre sort.

— Oh, Victor! se dit-il en se ressaisissant. Regarde comment tu t'es attendri avec les années. Les choses pourraient être pires, par exemple...

Il surmonta un monticule de neige particulièrement coriace.

— ... ta lanterne pourrait s'éteindre, termina-t-il.

Comme par magie, la lanterne s'éteignit. Elle n'avait plus d'huile.

— Oh non! c'est une mauvaise blague...

Dans un cri de rage libérateur, Victor lança la lanterne de toutes ses forces dans une direction au hasard. Il l'entendit retomber plus loin dans un bruit assourdi par la neige. À la suite de cet acte, Victor se sentit restauré. Rien ne valait quelques plaintes et un bon défoulement pour regagner un peu de stabilité.

Le jeune homme poursuivit sa route pendant près d'une demi-heure. Alors qu'il atteignait finalement la lisière de la forêt, accompagné par le bruit de ses pas et du vent, Victor vit quelque chose sur le sol. En s'avançant de quelques pas supplémentaires, il s'aperçut que c'était le chapeau de Pakarel. Victor le saisit et l'observa d'un air désemparé.

— Oh non! Pas Pakarel...

Dans un sens, cette découverte venait de confirmer qu'il suivait le bon chemin, mais dans l'autre, l'idée que Pakarel se soit fait dévorer était insupportable. Il devait continuer. Il se mit à réfléchir. Les traces qu'il suivait n'étaient probablement pas celles d'un simple canin, mais probablement celles... d'un loup-garou. Surtout qu'il voyait de temps à autre des traces de doigts griffus, comme si la bête s'aidait parfois de ses mains. Il n'en était pas venu à cette conclusion plus tôt volontairement, car sinon, il n'aurait jamais accepté de s'élancer dans une telle situation. C'était une sorte de blocage mental nécessaire sur le moment. Mais la découverte du chapeau de Pakarel lui faisait penser qu'il était peu probable qu'un simple chien soit venu à bout de lui. Et ce ne pouvait pas être une kirré, étant donné que les traces ne montraient pas la présence de six pattes.

C'était donc un lycanthrope. Même si Victor avait repoussé cette idée, l'étrange nature des traces était irréfutable. S'il suivait un loup-garou, qui ce dernier était-il? Hansel Hainsworth? Peu probable, surtout s'il se fiait aux dires de Pakarel. Toujours était-il que cette bête était venue égorger le chauffeur avant de prendre la fuite dans la forêt et, étant donné la découverte du chapeau de son ami, Victor était forcément sur la bonne voie. Enfin, sur une voie, plutôt. Il fourra le chapeau de Pakarel dans son manteau.

Avant de pénétrer dans la forêt, Victor tourna la bandoulière de sa carabine pour qu'elle tombe sur son ventre, dans le but de l'avoir à portée de main. Il dégaina son pistolet, s'assura qu'il était bien chargé et armé, et s'engagea à travers la forêt. Finalement, le fait de ne plus avoir de lanterne n'était pas si grave, considérant qu'il l'aurait probablement laissée derrière lui pour ne pas attirer l'attention des bêtes de la forêt.

Sous la lumière lunaire, le jeune homme avançait entre les nombreuses branches des arbres sans feuilles. La luminosité n'était pas excellente, mais le ciel dégagé, la lune et la neige contribuaient à faire un bon contraste à la pénombre de la forêt. Le craquement des brindilles de bois sous ses pas faisait monter en Victor un certain stress. Des hiboux, perchés en hauteur, fixaient le jeune homme de leurs grands yeux sinistres.

Sentant son rythme cardiaque s'accélérer, Victor changea sa façon de respirer pour se calmer. N'importe quelle personne saine d'esprit ressentirait une frousse assez particulière dans une telle situation, se dit-il. Mais l'idée que Pakarel, peut-être même les Kobolds, se soient fait enlever par un lycanthrope était suffisante pour convaincre le jeune homme qu'il devait continuer.

C'est au bout de longues minutes de marche qu'il finit par apercevoir, à travers les branches, quelque chose bouger. Se crispant tout en retenant sa respiration, Victor vit un loup-garou au pelage noir penché sur le corps d'un animal mort, que le jeune homme reconnut comme étant un cerf. De sa gueule surdéveloppée et armée de dents acérées, le monstre arrachait de gros lambeaux de chair du corps de sa victime. À une distance d'environ vingt mètres, Victor pouvait même entendre sa mastication exagérée et grotesque.

Soudain, il entendit le grondement de puissants moteurs alors qu'un faisceau de lumière balayait la scène, sans pour autant éclairer Victor ni le lycanthrope. Levant les yeux vers le ciel, le jeune homme comprit que le bruit ainsi que la lumière venaient d'un énorme gyrocoptère qui passait au-dessus de la forêt. Puis, baissant les yeux vers la position du loup-garou, Victor réalisa avec stupeur qu'il ne s'y trouvait plus.

Les nerfs aussitôt à vif, le jeune homme s'élança en sens opposé, d'une course boiteuse accompagnée de stridentes pointes de douleurs au niveau de sa jambe gauche. Ce fut après un court moment qu'il s'arrêta brusquement, pour ensuite trébucher fortement sur ses genoux. À une dizaine de mètres de Victor se tenait le lycanthrope, redressé, le dos voûté et de profil, la tête tournée vers lui. Le jeune homme était incapable de garder une respiration normale, son rythme cardiaque s'accélérait ; il succombait peu à peu à la peur. Malgré tout, cela ne l'empêcha pas de se redresser rapidement et de brandir sa carabine, laissant sa canne et son pistolet au sol.

— Tiens, tiens ! dit le monstre d'une voix lente, profonde et intimidante, avant d'essuyer sa gueule ensanglantée du revers de sa grosse main, terrifiante. Victor Pelham en personne. La toute première déception de ma soirée d'une longue, longue liste de déceptions.

Le lycanthrope pouvait parler. Encore plus troublant, sa façon de prononcer les mots, malgré sa voix monstrueuse, était posée et distincte. Un fort accent français était aussi discernable, ce qui raya aussitôt l'antiquaire de la liste. Le jeune homme ne savait pas si c'était coutume chez les loups-garous de faire preuve de vocabulaire, puisqu'il les avait toujours perçus comme étant bestiaux. Il en resta donc pour le moins surpris.

Le loup-garou dut remarquer sa surprise, puisqu'il ajouta d'une voix ténébreuse :

— On vous a pris votre langue, Victor Pelham ?

— Qui êtes-vous ? demanda le jeune homme, dont la gorge s'était asséchée.

— Quelqu'un que vous avez bien... déçu, répondit la bête en se tournant vers Victor pour lui faire face.

Elle devait mesurer presque trois mètres de hauteur et sa carrure faisait le double de celle de Victor.

— On se connaît ? continua Victor en gardant sa carabine pointée vers le monstre.

Le jeune homme avait bien du mal à contrôler les faibles tremblements qui se répandaient jusqu'au bout de sa carabine et qui pourraient bien trahir son état émotionnel, chose qu'il ne voulait pas révéler au loup-garou.

— Je crains que nos connaissances se limitent à nos noms, lui dit le lycanthrope. Peut-être devrions-nous faire... Comment dire... plus ample connaissance.

Sur ces mots, la bête lâcha un rugissement colossal, qui n'avait rien à voir avec celui d'un loup, mais était plutôt comparable à celui d'un lion, avant de s'élancer vers Victor à grandes enjambées. Le jeune homme fit feu aussi rapidement que son doigt pouvait presser et relâcher la gâchette. Tous les projectiles — au nombre de huit, pour être exact – atteignirent leur cible, chacun marquant une faible explosion sanguinolente sur le poitrail du loup-garou.

Avec effroi, et surtout avec un terrible sentiment d'impuissance, Victor vit que son arme à feu n'avait en rien stoppé le lycanthrope. Ce dernier le saisit par la gorge et le souleva comme une vulgaire poupée de chiffon avant de planter ses griffes dans sa nuque. Lâchant un cri de douleur, le jeune homme fut ensuite projeté à plusieurs mètres, roulant violemment dans la neige avant de se retrouver immobile, son corps bourdonnant de douleur.

D'une voix calme, mais profondément haineuse, démente et irritée, le loup-garou grogna :

— Je suis terriblement désappointé par votre manque de ponctualité, monsieur Victor Pelham.

Sentant sa nuque s'enflammer, le jeune homme y porta instinctivement ses mains, tentant de reprendre son souffle. Victor sentit qu'elle était perforée à plusieurs endroits. Il pouvait entendre les pas du monstre s'approcher de lui. Comme un animal blessé, Victor se traîna dans la neige dans de rapides mouvements de désespoir, laissant derrière lui une traînée de sang.

— Je suis loin, très loin d'en avoir fini avec vous, continua la voix du monstre.

Se faisant saisir par les cheveux, le jeune homme sentit sa tête se redresser brusquement; plusieurs de ses cheveux furent arrachés au passage. Le visage du loup-garou était à présent à quelques centimètres du sien. Il pouvait voir ses yeux malveillants le fixer. Même si la créature ne pouvait pas sourire, étant donné la physionomie de son visage, Victor était persuadé qu'elle devait apprécier le moment.

— Allez au diable! grogna le jeune homme d'une voix affaiblie par la douleur dans sa nuque.

— Oh, oh! dit doucement le lycanthrope. Vous n'avez pas froid aux yeux, mon garçon.

— Finissez-en, au lieu de japper comme un chien! lui rétorqua Victor d'un ton de défi accompagné d'un regard noir.

Le loup-garou lui asséna aussitôt une violente gifle du revers de la main, ce qui envoya le jeune homme face contre neige. Il pouvait désormais sentir son sang lui couler sur les dents et la langue.

— De quel droit vous permettez-vous d'être grossier avec moi? lui cria le monstre d'une voix féroce.

À plat ventre sur le sol, Victor se redressa sur les coudes et tourna la tête, qui lui sembla bien lourde, vers le monstre. À travers le voile de ses longs cheveux mouillés, Victor vit le monstre avancer vers lui, la poitrine gonflant et dégonflant comme une pompe, les bras entrouverts. Ce dernier avait l'air furieux. Il fallait croire que Victor l'avait profondément insulté et, contre toute attente, le jeune homme lâcha un petit rire. Pourquoi riait-il? Il n'en savait rien, c'était sûrement le résultat plutôt tordu du mélange de plusieurs émotions : la peur, la haine, l'incompréhension et l'angoisse.

— Vous osez rire ! vociféra le monstre en écrasant sa patte droite dans la neige avec force. Oh, Victor Pelham, ajouta-t-il d'une voix maintenant calme, douce et démente. Je vais vous égorger... comme un porc.

Dans un élan de provocation, le jeune homme, se retournant sur le côté, lui répliqua :

— Faudrait premièrement que vous appreniez à fermer votre gueule, c'est le cas de le dire.

Le lycanthrope lâcha un rugissement effroyable, si fort que Victor en sentit les vibrations dans tout son corps. La poitrine du monstre pompait toujours à pleine puissance, démontrant un énervement hors du commun. Cependant, il n'avait pas bougé, il restait là, à contempler Victor avec une haine incommensurable. C'est là, à ce moment bien précis, que le jeune homme comprit qu'il venait de trouver le point faible de la bête. Elle était susceptible et n'aimait pas que les choses ne se déroulent pas à sa manière, puisque manifestement, il était toujours en vie. Toujours était-il que Victor ne savait pour l'instant pas vraiment s'il devait ou non remercier ses talents d'insulteur au pari des gobelins.

— Vous avez du cran, lui dit le loup-garou. Je l'admets.

Cette fois, Victor ne lui répondit pas verbalement, il se contenta plutôt de le dévisager avec un certain mépris.

— Savez-vous qui je suis ? lui demanda le lycanthrope, une fois arrivé à un pas de distance du jeune homme.

Le jeune homme plissa les yeux, car une idée venait de naître dans sa tête. Il allait tenter de gagner du temps, c'était la seule solution pour lui de sortir en vie de cette forêt. En guise de réponse, Victor prit une expression impassible.

— Vous me connaissez certainement sous le nom de François Beltimbre de Romagnat, lui dit le monstre.

Cette révélation, en temps normal, aurait frappé le jeune homme de surprise. Mais étant donné les circonstances actuelles et son état d'esprit, Victor lâcha lentement :

— Alors là, je dois avouer que je ne l'aurais pas deviné. Bravo.

Le lycanthrope parut flatté, puisqu'il ouvrit et referma sa gueule à quelques reprises avant de dire dans un élan d'intense satisfaction personnelle :

— Je suis effectivement doué pour la discrétion. Cela dit, Victor Pelham, vous m'avez bien déçu.

D'une façon désinvolte, le jeune homme cracha une bonne quantité de sang aux pieds de la créature.

— C'est ce que j'ai cru comprendre, lui rétorqua-t-il ensuite.

— Je dois vous demander, continua le loup-garou en croisant les bras d'un air amusé. Vous et votre petit groupe, vous avez vraiment cru que je ne savais pas que vous vous cachiez dans les égouts ?

— Sans vouloir vous offenser, François, je n'ai vraiment rien à voir avec votre histoire de domination artificielle de la haute classe parisienne. Justement, comment vous êtes-vous débrouillé pour faire avaler vos microdrones à tous ces gens ?

Le loup-garou se laissa facilement prendre dans le piège de Victor, qui voulait simplement gagner du temps. Il répondit donc avec une certaine gaieté :

— Oh, ce fut bien simple, Victor Pelham. J'ai créé une campagne publicitaire offrant aux gens d'une certaine aisance financière l'ingestion de microdrones qui avaient pour but de tonifier leur système immunitaire.

— Tonifier, répéta Victor avec un petit rire. Je dirais plutôt faire un lavage de cerveau.

— C'est une façon de voir les choses. Il me fallait cependant une raison temporaire pour masquer ces événements aux regards extérieurs. J'ai profité d'une situation bien croustillante. Je parle bien sûr des meurtres commis sur les humains par Hansel Hainsworth. C'est lui qui m'a permis d'avoir un alibi en or. En faisant passer ces assassinats sur le dos d'une maladie provenant des non-humains, j'ai pu vendre aux fortunés des microdrones en leur faisant croire qu'il s'agissait de médicaments.

— Pourquoi l'avoir seulement offert aux riches ? Je ne suis pas certain de comprendre vos motivations.

— Je n'avais pas assez de fonds pour financer des millions de microdrones, expliqua la bête. Mais aussi parce qu'en corrompant cette toute petite tranche de la société, toute son infrastructure s'en trouvait contaminée. Ministres, juges, forces de l'ordre, avocats, médecins… Vous comprenez là où je veux en venir ?

— Quoi qu'il en soit, votre plan ne s'est pas déroulé tout à fait comme prévu, hein ?

Le lycanthrope saisit Victor par le col de son manteau d'un geste lent et inclina son visage vers lui. Le jeune homme pouvait sentir son haleine nauséabonde, chargée de son dernier repas composé de chair et de sang infect.

— Au contraire, lâcha la bête entre ses dents. Tout s'est déroulé comme prévu, mis à part quelques détails insignifiants.

— Et quels sont-ils, ces insignifiants petits détails ? lui demanda Victor sur un ton défiant.

— Un petit groupe de vagabonds des égouts ont attaqué mon véhicule, alors que je venais de quitter le cabaret. Je tiens à préciser combien j'étais amèrement déçu lorsque j'ai appris que vous n'y étiez plus. Soit, ils m'ont capturé et forcé la main. J'ai été obligé de les mener jusqu'aux sous-sols du ministère de l'Éducation de Paris, là où mon équipe et moi avions installé les terminaux des microdrones.

La bête lâcha le col de Victor et se mit à marcher, les bras derrière son dos voûté, tout en continuant ses explications :

— J'ai troqué, à mes ravisseurs, ma liberté contre l'accès aux ordinateurs. Je vous épargne les détails, mais le petit groupe est parvenu à désactiver les microdrones. Évidemment, vos amis, ces réfugiés des égouts, n'avaient pas l'intention d'honorer leur parole. J'ai donc été forcé de prendre une forme… plus favorable à ma fuite. J'ai tué six ou sept des leurs sur mon chemin.

Le jeune homme espéra avec égoïsme, au plus profond de lui, que Nathan ne faisait pas partie des victimes.

— Je ne vois pas comment vous croyez pouvoir vous en sortir, lui dit Victor, c'est logiquement impensable.

Le loup-garou ricana faiblement de sa voix ténébreuse.

— La logique, dit-il ensuite avec un certain dégoût. Vous qui tentez sans cesse de comprendre la logique de toutes les petites choses de ce monde êtes toujours dans l'erreur la plus totale. Je me suis simplement enfui de Paris et je suis tombé par hasard sur Hansel Hainsworth. Pour le reste, je ne fais que m'amuser.

— Dans tous les cas, conclut Victor, vous avez perdu.

Le lycanthrope cessa de se promener et pointa brusquement Victor de son index griffu, tout en rugissant :

— Je n'ai pas perdu, Victor Pelham ! Il n'a jamais été question de perdre ou de gagner ! Il y a des hommes et des femmes dans ce monde qui n'ont aucune autre envie que de mettre le feu aux maisons des gens, dans le seul et unique but de voir se répandre le chaos. Et le chaos, cher garçon, ne suit aucune logique.

— Où voulez-vous en venir ? lui lança Victor qui avait du mal à comprendre.

Le loup-garou marqua une courte pause, durant laquelle il fixa Victor avec une étrange tranquillité, avant de répondre :

— Je veux en venir au fait que j'ai créé cette situation de racisme artificiel dans le simple but de… foutre le feu. De créer le chaos. Je me fiche que les microdrones ne fassent plus effet, Victor ! Le mal est fait ! Croyez-vous que les non-humains vont oublier les atrocités qu'ont commises les humains ? Oh, que non ! La vengeance est une perversion si tordue qu'elle trouvera son chemin même dans les esprits les plus sains.

Victor hocha lentement la tête en guise de compréhension. Il venait de saisir les motivations de Beltimbre. Il n'en avait simplement pas. Le loup-garou qui se tenait devant lui n'était qu'une personne chaotique, avide de divertissements démentiels. Puis, dans le simple but de le provoquer, Victor se mit à rire avec nonchalance.

— Qu'est-ce qui vous fait rire ? explosa le lycanthrope.

S'efforçant de cesser de rire d'une manière convaincante, le jeune homme finit par lui répondre :

— Il n'y a pas à dire, Beltimbre, vous êtes complètement détraqué.

— Moi, détraqué ? hurla ce dernier de sa voix horrifiante et tremblante de fureur. Si vous saviez, Victor Pelham ! Si vous saviez…

— Si je savais quoi ? lui demanda le jeune homme d'un air las.

— Regardez-moi, mon garçon, répondit le loup-garou en se désignant lui-même de son index. Je suis un lycanthrope, un loup-garou.

Le monstre baissa la tête et se mit à raconter, les yeux fermés, comme s'il était perdu dans ses pensées :

— Un soir, alors que je me rendais au bureau, rempli de bonnes intentions comme n'importe qui d'autre, une bête féroce m'a renversé, attaqué et laissé pour mort. Je me suis relevé et par instinct, je me suis sauvé des gens. Le lendemain, en me tenant à l'écart de la ville, je me suis métamorphosé... en monstre... tout comme celui qui m'a attaqué. La souffrance physique durant le changement était atroce. Je me suis retrouvé assoiffé de sang, de chair... J'ai tué de nombreux innocents. Moi, qui étais un père de famille exemplaire, je suis devenu un tueur brutal qui fait rage dans les contrées parisiennes. Je voulais mourir... je voulais être arrêté, car j'étais incontrôlable, incapable de parler ou de penser... je n'étais plus qu'un simple animal.

Victor vit, du coin de l'œil, une petite lumière. Il détourna rapidement les yeux du loup-garou et vit une petite étoile jaune foncer vers eux. Son plan avait fonctionné. Ne s'étant pas rendu compte de ce qu'avait vu Victor, le lycanthrope continua :

— C'est alors qu'un homme... Non, plutôt un hybride entre un homme et un gobelin, m'a attiré jusqu'à lui, dans un boisé comme celui-ci. Je me souviens de son regard... de ses yeux jaunes. Il m'a battu et au lieu de me tuer... il a essayé de me guérir avec cette chaîne d'onyxide.

Victor fixa son interlocuteur les yeux grands ouverts, la bouche entrouverte, l'air plus que surpris. Il venait de comprendre que le loup-garou qui se tenait devant lui n'était nul autre que celui qu'avait capturé Caleb.

Chapitre 27

Les motivations du corbeau

— Sa tentative pour me guérir aura relativement échoué, continua le lycanthrope. Car voyez-vous, Victor Pelham, j'ai peut-être retrouvé ma forme humaine, mais j'ai hérité d'un pouvoir immonde ; celui de me transformer à volonté ainsi qu'un désir ardent pour la destruction.

— Eh bien, lâcha Victor, ce fut une charmante histoire, mais…

Le jeune homme se redressa péniblement, la main sur sa nuque sanguinolente.

— Je n'ai pas terminé ! protesta le lycanthrope, visiblement offensé par l'interruption de Victor.

Une fois debout, dans une posture inconfortable, l'air sérieusement blessé, ce dernier sourit et dit :

— Je crois que vous auriez dû me tuer plus tôt.

Le loup-garou montra les dents et gronda comme un animal enragé.

— Je vais exaucer votre souhait, Victor Pelham, grogna le monstre avec une certaine satisfaction. De toute manière, je n'avais guère l'intention de vous laisser vivre.

Victor eut un petit rire.

— Je ne voudrais pas gâcher votre moment, dit-il, mais… vous auriez vraiment dû vous taire et terminer ce que vous aviez commencé. Regardez derrière vous.

Quelque chose de gros et de rapide fendit l'air. Le lycanthrope eut tout juste le temps de s'en rendre compte. Dans un puissant impact, une masse métallique s'ancra dans le sol, soulevant un lourd nuage de neige. Victor dut même se protéger le visage de son bras. À travers la neige qui retombait, le jeune homme aperçut les lumières jaunâtres sur la silhouette de la coquille métallique de son vieil ami robotisé. C'était D-rxt, le scorpion mécanique que Victor avait appelé à lui une quarantaine de minutes plus tôt, à l'aide de sa canne. Le jeune homme sentit une vague de réconfort l'envahir, car avec D-rxt, tout était possible.

— Drext! cria-t-il. Aide-moi!

Faisant face à la sentinelle, le lycanthrope rugit de rage; de longs filets de bave se détachèrent des dents acérées de sa gueule. Le dos voûté et les bras écartés, prêt pour le combat, le monstre bondit furieusement sur le scorpion métallique. Avec une agilité remarquable pour sa taille — semblable à celle d'un gorille —, le scorpion bondit sur le côté et laissa le loup-garou atterrir bêtement dans la neige. Ayant activé ses propulseurs, puisque ses pattes pointues s'enfonçaient trop dans la neige, D-rxt, qui survolait la scène à un mètre de hauteur, traça un cercle autour de la bête avant de foncer sur elle, la queue redressée, comme un dard.

Sous les yeux du jeune homme, le lycanthrope fut plaqué, le dos contre un gros rocher recouvert de neige. Maintenu de force par les pinces de la sentinelle, sa tête métallique poussant sur son abdomen, le loup-garou coincé planta à plusieurs reprises ses griffes dans la carapace du scorpion mécanique tout en rugissant comme un lion.

La queue de D-rxt s'abattit alors comme une flèche dans son épaule, la transperçant dans une épaisse giclée de sang. Le monstre lâcha un terrible rugissement de douleur, tandis que D-rxt reculait rapidement et s'élevait à un mètre au-dessus du sol, ses propulseurs ventraux fouettant la neige. Puis, D-rxt exécuta un demi-cercle dans les airs et, dans son élan, envoya le lycanthrope s'écraser violemment contre un arbre, qui fendit sous l'impact. Dans la manœuvre, une traînée de sang gicla jusqu'aux pieds de Victor. Ce dernier entendit le bruit des os se brisant, ce qui lui glaça le sang.

— Drext, ça suffit! intervint Victor qui, instinctivement et inutilement, avait tendu le bras.

Obéissant à son maître, la sentinelle resta en vol devant sa proie, passive. Le lycanthrope, quant à lui, tentait de se redresser en gémissant de douleur, mais sans succès. Victor vit tout de suite que le monstre était terriblement mal en point. Son bras droit était brisé, puisqu'il pendait dans un angle contre nature. Que le loup-garou soit encore en vie représentait un exploit, se dit Victor, car un tel impact aurait été fatal à n'importe qui. Puis, sortie de nulle part, une voix cria :

— Victor ! Tu vas bien ? Victor !

C'était la voix de Pakarel. Le jeune homme entendit alors des pas de course dans la neige se dirigeant vers lui. Il vit le pakamu, puis les trois Kobolds et, un peu plus loin, Béatrice ainsi que l'antiquaire en personne, qui marchait avec son bâton. Tous venaient d'apparaître, arrivant de toutes les directions.

— Mon Dieu, Victor ! lâcha Béatrice. Qu'est-ce que…

— Ne vous approchez pas ! lança aussitôt Victor à ses amis en leur faisant de grands gestes de la main pour qu'ils reculent. Il est encore en vie !

Les Kobolds, Pakarel et Béatrice se figèrent à une dizaine de mètres de la scène, l'air inquiets.

— Plus pour longtemps, dit froidement Hansel, qui avançait vers le loup-garou.

Victor lui cria rapidement :

— Hansel ! Ne vous…

— Taisez-vous, Pelham ! lui beugla-t-il aussitôt.

L'homme avait l'air furieux, il avait même accéléré la cadence, sa robe rougeâtre flottant dans le rythme effréné. Le bâton à la main, l'antiquaire avait un regard plus que menaçant et ses dents serrées démontraient une férocité absolue. Le lycanthrope venait tout juste de réussir à se relever, mais Hansel le repoussa au sol d'un puissant coup de pied à l'épaule. La bête rugit de douleur, elle respirait difficilement.

— Hansel Hainsworth, grogna la bête. De toutes les personnes, toi, tu devrais comprendre, puisque nous sommes tous les deux des monstres.

— Je suis peut-être un monstre, rétorqua l'antiquaire, mais ne commets pas la grossière erreur de me comparer à toi, Beltimbre !

Hansel fit jaillir la lame du bout de son bâton dans un sifflement métallique.

— Hansel ! intervint Victor. C'est inutile, il est déjà…

La lame de l'antiquaire s'était déjà enfoncée dans le crâne du monstre, le transperçant de manière brutale. Puis, en appuyant son pied sur l'épaule du loup-garou, l'antiquaire délogea la lame de son bâton d'un mouvement sec. Victor eut un haut-le-cœur et eut besoin de baisser la tête et de fermer les yeux. Il avait vu trop de gens se faire tuer dans une seule, longue et pénible journée. Beltimbre méritait sans doute son sort, mais pas ainsi. Béatrice vint rejoindre Victor au pas de course, suivie par les trois Kobolds et le pakamu, sans son énorme chapeau.

— Victor ! gémit Béatrice, qui masquait son visage de ses mains, inquiète. Ta… ta nuque, tu… tu es blessé ? Oh… oh mon Dieu !

Victor, quant à lui, observait l'antiquaire avec un mélange de désespoir et de haine. Comme s'il avait senti le regard du jeune homme sur sa nuque, Hansel lui envoya un regard sombre par-dessus son épaule, tout en faisant disparaître la lame de son bâton. Ramenant son attention vers son amie, Victor lui dit :

— Je vais bien, Béatrice.

C'était un peu faux, car les blessures qu'il avait à la nuque le picotaient de plus en plus. Il remarqua alors que la jeune femme observait D-rxt avec une certaine épouvante.

— C'est mon robot, lui dit-il pour la rassurer. Je l'ai appelé pour qu'il vienne à moi.

— Ton… ton robot ? répéta-t-elle d'un visage qui en disait long sur sa confusion.

— Ouais ! commenta Pakarel. C'est le robot de Victor ! Je l'adore !

— Je t'expliquerai plus tard, lui dit-il gentiment. Drext, mon vieux, au repos.

La sentinelle se posa doucement dans la neige et ses pattes s'enfoncèrent dans son ventre.

— Tu saignes de la nuque, fit remarquer Pakarel, qui observait le jeune homme d'un regard inquisiteur. Il te faut de l'aide, Victor.

— Ça va aller, insista Victor en regardant Pakarel et Béatrice, je vous assure. Regarde là-bas, ajouta-t-il en pointant d'un geste las ce qui s'y trouvait.

— Mon chapeau ! s'écria Pakarel en repérant l'accessoire vulgairement étendu, un peu plus loin dans la neige.

Po, le Kobold à la dentition proéminente et au chapeau surmonté d'une lampe à huile, s'approcha du corps du monstre, gardant tout de même une bonne distance. D'une voix qui montrait qu'il avait peine à y croire, il dit :

— Ça alors… c'est lui, Beltimbre ?

— C'est lui, répondit l'antiquaire, qui observait le loup-garou d'un air calme et absent, appuyé sur son bâton.

Luboo, le Kobold au chapeau à la lanterne et au monocle qui avait la particularité de grossir son œil de manière disproportionnée, s'approcha de Po et posa la main sur son épaule avant d'incliner la tête vers le cadavre du loup-garou. Tandis que Victor reprenait ses esprits tout en tenant sa nuque blessée, sous les yeux inquiets de Pakarel et de Béatrice, un faisceau lumineux éclaira la scène. Accompagné du vacarme de ses moteurs, un gyrocoptère se stabilisa juste au-dessus d'eux, ses hélices projetant des bourrasques de vent et de neige. Victor reconnut aussitôt ses ailes étranges ; c'était le vaisseau des Kobolds. Sa portière latérale coulissa sur le côté. Une silhouette d'un homme portant un mohawk se pencha vers eux, c'était Nathan.

— Je ne peux pas me poser ici ! leur cria-t-il en essayant de couvrir le bruit des moteurs. Trop d'arbres ! Rejoignez-moi à la lisière, là-bas ! ajouta l'homme tout en faisant des signes de bras vers la direction citée.

Puis, la portière se referma et le vaisseau se dirigea lentement vers la lisière.

— Maître Pelham ! lui lança Ribère, le Kobold au casque surmonté d'une chandelle. Nous devrions faire vite !

— Allez-y, leur dit Victor. Tous, allez !

Les Kobolds eurent un moment d'hésitation avant de se diriger d'un pas rapide sur les traces de l'appareil volant. Quant à Béatrice et Pakarel, ils ne bougèrent pas.

— Je vais vous rejoindre, leur dit Victor. Allez retrouver Nathan.

— Mais Victor, balbutia Béatrice, pourquoi tu…

Le jeune homme fit un hochement de tête pour désigner Hansel.

— Je dois lui dire un mot ou deux, avant de vous rejoindre. C'est important, ajouta-t-il d'un ton ferme.

— Viens, Béatrice, dit Pakarel, qui la tirait par le bout des doigts pour l'inciter à le suivre. Ils doivent se parler.

L'air inquiète, observant Victor par-dessus son épaule, la jeune femme se laissa traîner par le pakamu. Une fois que ses amis furent assez loin, le jeune homme boita jusqu'à sa canne, qu'il prit d'un geste lent et pénible.

— Vous êtes mal en point, Pelham, fit remarquer l'antiquaire.

Dos à l'homme, Victor, qui observait sa fidèle canne, lâcha simplement :

— Perspicace.

— Laissons de côté nos différends, Pelham, dit Hansel d'un ton froid et coupant. Nous n'avons plus le temps pour ces sottises. Vous et moi avons des points à mettre au clair.

— En effet, répondit Victor, qui se tourna finalement vers l'antiquaire.

Ils n'étaient maintenant plus que deux, mis à part la sentinelle et le cadavre de Beltimbre.

— Pourquoi vouliez-vous que je récupère ceci ? demanda Victor en sortant le fragment métallique de sa poche.

— Je vois que vous avez rencontré notre cher ami égyptien.

— Répondez ! Abim-Kezad m'a mentionné que quelqu'un vous a demandé de récupérer ce fragment. Qui était-ce ?

L'antiquaire joignit ses mains, son bâton contre son épaule, l'air d'un sage. D'une manière lente et presque amusée, Hansel répliqua :

— Je vous ai demandé de récupérer le fragment d'Abim-Kezad parce qu'étant donné que vous êtes immunisé contre ses propriétés, il vous revient d'avoir la tâche de le porter. Avant que vous le demandiez, je ne peux pas vous offrir davantage d'explications, car je n'en ai simplement pas. Par conséquent, vous vouliez savoir qui m'a demandé de vous remettre ce fragment, n'est-ce pas ?

Victor lui répondit d'un silence appuyé.

— Votre grand-père, dit simplement l'antiquaire.

Une expression de confusion s'imprima sur le visage du jeune homme. Udelaraï était donc derrière tout ça.

— Votre grand-père, oui, lui répéta Hansel.

Victor, dont la bouche était figée, entrouverte, aurait voulu poser un tas de questions, mais il ne parvint qu'à prononcer :

— Comment ?

— Inutile de vous encombrer d'insignifiants petits détails, Pelham, lui lâcha l'antiquaire. Sachez simplement que je vous ai fait venir à moi à la demande de votre propre grand-père. Il m'a fait savoir qu'il était crucial que vous récupériez le fragment d'Abim-Kezad.

— Attendez, intervint Victor d'un air agacé. Qu'est-ce que vous voulez dire lorsque vous affirmez m'avoir fait venir à vous ?

L'antiquaire observa le jeune homme en silence pendant deux ou trois secondes. Puis, un sourire s'afficha sur son visage à travers ses fins cheveux blancs, qui tombaient en bataille devant ses yeux. En l'observant, Victor remarqua combien il avait l'air épuisé. L'homme expliqua alors :

— Vous avez compris, toutes mes félicitations, que c'est mon homoncule qui a bel et bien mordu Caleb. Tout comme les quelques victimes parisiennes mentionnées par les journaux.

Puisqu'il s'y attendait fortement, Victor ne fut pas surpris par cette révélation.

— Vos automates m'ont informé de votre manque de moralité, rétorqua-t-il. Mais de là à faire mordre votre propre neveu…

— Ma moralité n'a rien à voir, Pelham ! lui répondit l'antiquaire d'un ton coupant. J'ai fait ce que je devais faire : vous faire venir jusqu'à moi. De ce fait, j'ai profité de l'opportunité qui se présentait à moi, à savoir l'arrivée de mon cher neveu, qui venait à ma rencontre avec des motivations assez… hostiles.

— Et vous l'avez fait mordre ?

— Avant de l'installer sur son gros oiseau qui lui sert de monture et de faire comprendre à ce dernier d'amener son maître jusqu'à votre domicile.

— En plein hiver ! rétorqua Victor, qui essayait de ne pas s'énerver. Il aurait pu mourir de froid !

Comme chaque fois qu'il parvenait à irriter le jeune homme, Hansel afficha un petit sourire mesquin.

— Les gobelins ne peuvent pas mourir de froid, expliqua-t-il tranquillement. Il en va de même pour Caleb. Il a une forte constitution.

— Et comment vous avez fait comprendre à Hol de retourner spécifiquement à ma maison ?

— Ces bêtes se souviennent de votre odeur, répondit simplement l'antiquaire.

Mais Victor savait qu'il manquait à une partie de l'explication.

— Comme prévu, vous êtes parti à l'aventure pour sauver votre ami, ce qui vous a mené jusqu'à moi. Vous vous souvenez, les traces de pas que vous avez suivies jusqu'à l'entrée des égouts ? C'est mon homoncule qui les avait tracées, juste pour vous.

Quelque chose ne tournait pas rond dans l'explication que lui fournissait l'antiquaire.

— Qui vous a dit que Caleb était mon ami et que je partirais à sa recherche ? demanda le jeune homme.

— Votre grand-père, répondit l'antiquaire avec une certaine satisfaction. Il vous surveille, Pelham. Il sait beaucoup de choses à votre sujet. C'est lui qui m'a suggéré d'utiliser ma rencontre avec Caleb pour vous attirer jusqu'à moi. Certes, il n'a pas précisé de quelle façon je devais agir, mais celle que j'ai choisie s'est avérée plutôt efficace, non ?

Victor s'abstint de tout commentaire, car de toute évidence, il aurait été vulgaire. Mais ce soir, il voulait des réponses.

— Vous auriez pu simplement… m'appeler ou m'écrire, dit Victor à voix basse à travers ses dents serrées. Si mon grand-père avait besoin que j'aie ce fragment, c'était probablement urgent !

— Non, répondit l'antiquaire, encore une fois avec une satis-faction irritante. Votre grand-père n'avait pas besoin que vous ayez ce fragment avant… trois ans.

— Trois ans ? répéta le jeune homme, sidéré.

— Vous avez bien entendu, Pelham. Vous aviez trois années pour venir à ma rencontre. Je dois admettre que vous avez bien fait de venir en un aussi court délai, étant donné la situation qu'a créée notre ami.

L'antiquaire envoya un regard par-dessus son épaule en direction du loup-garou sans vie.

— Qui sait ce qui serait arrivé sans votre rôle dans cette histoire, ajouta-t-il d'un air mystérieux. Vous vous souvenez, lorsque je vous ai demandé si vous croyiez en la destinée, Pelham ?

Victor hocha la tête.

— Eh bien, poursuivit Hansel en pointant le jeune homme, c'est votre destinée de garder le fragment d'Abim-Kezad jusqu'à l'arrivée de votre grand-père.

— Quoi ? répliqua Victor, plus que surpris et surtout inquiet. Que voulez-vous dire ?

— Dans trois années, Udelaraï viendra à vous, Victor. Dans trois années, il viendra pour vous dire ce que vous devrez faire de ce fragment. Je ne peux pas vous en dire davantage puisque c'est tout ce que je sais.

— Mais c'est impossible ! lâcha le jeune homme, pris d'une soudaine incertitude. Il ne peut pas venir à moi ! Les liens avec la Terre sont rompus ! Et même s'il parvenait à venir, il… il mourrait.

L'antiquaire n'ajouta rien. En silence, Victor observait maintenant le fragment qui gisait sur sa paume. Un si petit objet… pourtant si dangereux, surtout considérant ce qu'Abim-Kezad était devenu.

— Pourquoi vous ? demanda soudainement le jeune homme.

L'antiquaire haussa un sourcil.

— Pourquoi n'a-t-il pas pris contact avec moi ? précisa le jeune homme avec une certaine sévérité dans la voix. Pourquoi passer par vous ?

— Parce que nous sommes de vieux amis. Et qu'il m'a fait confiance pour vous aider à démarrer votre quête. Chose que vous n'auriez peut-être pas été capable d'accomplir sans ma participation.

— Ma quête ? répéta Victor, l'air interloqué et irrité.

— C'est bien cela, Pelham, celle que vous entamerez avec Udelaraï dans trois ans.

Hansel leva les yeux au ciel et donna l'impression d'observer les étoiles. Victor fit de même. Le ciel prenait une teinte plus pâle et, à l'horizon, le soleil annonçait son lever d'une minute à l'autre.

— Il se fait tard. J'ai des choses à faire.

L'antiquaire baissa son regard vers Victor et ajouta :

— Quant à vous, Pelham, vous devriez vous estimer chanceux.

— À quel sujet ?

L'antiquaire se déplaça vers le linceul qui gisait sur le sol enneigé, tout en expliquant :

— En temps normal, Pelham, vos cellules seraient en train de se faire infecter par la *noctemortem*. Votre transformation en lycanthrope aurait été plus qu'assurée. Bien sûr, avec ce linceul, nous aurions pu éliminer la maladie, mais vous auriez probablement été victime de sérieux effets secondaires… tout comme moi. Mais puisque vous êtes visiblement immunisé contre cette maladie, inutile de nous affoler. Vous n'avez que de vilaines entailles à panser.

Le fait que venait de mentionner l'antiquaire alarma un peu Victor. Plutôt nerveux, il demanda :

— Et… et si je n'étais pas immunisé ?

— Vous êtes fiévreux ? Nausées ? Vous voyez double ? Vos membres sont-ils engourdis ? Votre cœur bat-il aussi fort qu'un marteau frappant sur une enclume ?

— Euh… non, admit Victor.

L'antiquaire lui tendit le linceul, que Victor prit aussitôt.

— Vous êtes immunisé, Pelham. D'ailleurs, c'est aussi pour cela que vous pouvez marcher parmi les créatures de ce monde sans succomber comme les vôtres. Dites-moi, vous avez déjà attrapé un rhume ?

Le jeune homme n'ajouta rien et fit signe que non. Hansel avait raison.

— Bien, lâcha l'antiquaire. Tournez-vous, Pelham, je n'ai pas envie que vous voyiez ce qui va suivre. Tournez-vous ! gronda l'homme, étant donné que Victor n'avait pas bougé.

Obéissant à l'étrange demande de l'antiquaire, le jeune homme pivota sur lui-même.

— Qu'est-ce que vous faites ?

— Un baluchon. Ne vous retournez pas, Pelham.

Il entendait des froissements de vêtements, comme si l'homme… était en train de se dévêtir. Puis, Victor entendit un gémissement se transformer en plainte de plus en plus grave, comme celle du loup-garou…

Soudain alarmé et surtout inquiet, le jeune homme s'éloigna vers D-rxt à pas trébuchants et, une fois sa main posée sur la carapace métallique si rassurante, Victor fit volte-face. Un énorme oiseau, plus précisément un corbeau, aussi gros que Hol, se tenait devant lui, ses ailes se dépliant entre les arbres morts de la forêt. Son plumage était aussi noir que le charbon, mis à part quelques-unes des plumes de ses ailes qui étaient d'un rouge foncé. Ses yeux orangés fixaient Victor lorsqu'il lâcha un terrible croassement de corbeau, qui n'avait rien de ridicule.

— Voilà comment j'ai sauvé vos amis de Beltimbre, Pelham, lui expliqua le corbeau.

— Vous… vous en allez ? lui demanda le jeune homme, encore un peu sous le choc. Vous retournez à Paris ?

— Inutile. J'ai accompli mon devoir à Paris. J'ai aidé les gens à faire face à la situation qui a été causée par mes propres erreurs. Je m'en vais. Ailleurs.

— Mais ce n'est pas terminé ! protesta Victor, qui voyait malgré lui les choses comme le loup-garou. Avec toute cette haine que les gens exclus ont subie, ils voudront se venger !

— Paris cicatrisera, lui dit l'antiquaire. Paris renaîtra de ses cendres. Plus forte. Seul le temps arrangera les choses.

— Et les automates de votre tour ? Vous les abandonnez, condamnés à être emprisonnés comme des esclaves ? N'avez-vous donc pas de cœur, Hansel ?

— J'irai les libérer sur mon chemin, lui dit l'antiquaire, non pas pour vous satisfaire, mais parce que j'ai assez de victimes sur la conscience. N'oubliez pas, Pelham. Trois ans.

De son large bec noir, il prit son baluchon — qu'il avait confectionné à l'aide de son bâton et de sa robe –, avant de se mettre à battre de ses larges ailes. Dans un mouvement plutôt lourd, le corbeau géant s'éleva au-dessus des arbres nus avant de disparaître dans l'aube naissante, à l'horizon. Victor resta là, immobile, regrettant déjà, sachant très bien qu'il n'avait pas épuisé toutes les questions qu'il aurait voulu poser à l'antiquaire. Il entendit les battements d'ailes pendant un court moment, avant que ceux-ci disparaissent à leur tour.

Victor alla récupérer ses deux armes à feu, qui gisaient dans la neige.

— Drext ? Rejoins-moi, s'il te plaît.

Le scorpion mécanique s'éleva, ses pattes fourchues à quelques centimètres de la neige, avant de retomber près de son maître. Le jeune homme souleva une des plaques de la carapace de la machine de guerre afin de vérifier son niveau d'énergie.

— Intéressant…, fit remarquer Victor.

En effet, la jauge d'énergie de D-rxt était dans le jaune, ce qui voulait dire que la petite amélioration que Victor avait apportée à sa sentinelle était plus que satisfaisante. Il avait remplacé sa batterie par une autre, alimentée par une minuscule source d'énergie nucléaire, ce qui expliquait pourquoi D-rxt était parvenu à se rendre jusqu'à Paris en un temps record. Et ça, c'était grâce au travail acharné de Balter. Le jeune homme eut alors une idée.

— Si je te donne le linceul, marmonna-t-il d'un air songeur, tu pourras l'emmener bien plus vite que moi à Caleb. Ouais, ça me semble possible, mais je préfère quand même recharger un peu ta batterie.

Satisfait, Victor referma la plaque et ajouta :

— Pardonne-moi si je vais abuser de toi, mais… je suis complètement crevé.

Sur ces mots, Victor se hissa sur la selle intégrée de sa sentinelle, dans un effort qui fit frémir ses muscles endoloris et exténués. Il envoya un dernier regard, presque triste, vers le corps de Beltimbre.

— On s'en va, dit-il finalement en pointant la lisière. Par là. Ne vole pas trop vite, d'accord ?

Deux minutes plus tard, la sentinelle, qui survolait les arbres, atteignit la lisière de la forêt, là où le vaisseau volant des Kobolds s'était posé. D-rxt se posa doucement près du vaisseau, laissant son cavalier débarquer sur la neige. Nathan, Pakarel, Béatrice et les trois Kobolds accueillirent Victor avec sourires, étreintes amicales et tapes sur l'épaule.

— C'est bien le linceul ? lui lança Nathan, l'air excité et d'excellente humeur, malgré les cernes sous ses yeux. Merde, Victor, tu l'as vraiment trouvé !

— Ouais, confirma Victor avec un grand sourire. On a réussi.

— Parfait ! lâcha Pakarel. Maintenant, on peut rentrer et sauver Caleb !

— Tu as récupéré ce que voulait monsieur Hainsworth ? lui demanda Béatrice.

— Euh… non, répondit Victor, qui y réfléchit deux fois avant de répondre. Non, je n'ai rien récupéré. Mais ce n'est pas grave, nous avons le linceul et, de toute façon, l'antiquaire est parti.

— Bah ! lâcha Nathan. Tant pis, hein ?

— Il vaudrait peut-être mieux passer à l'auberge avant, suggéra le jeune homme, qui s'en voulait d'être rabat-joie. Et… peut-être devrions-nous donner un coup de main aux Parisiens…

Il avait prononcé cette dernière phrase d'une voix qui s'éteignit peu à peu jusqu'à devenir inaudible, car le jeune homme sentait bien qu'il était le seul à être de cet avis.

— C'est inutile, Victor, lui assura Nathan d'un ton amical, après avoir posé la main sur son épaule. Ne t'en fais plus, c'est réglé. Nous avons désactivé l'ordinateur des microdrones et pour le reste, il faut laisser les choses aller. Paris n'a pas besoin de nous, mon vieux, mais Caleb, oui. Oh! j'ai quelque chose pour toi.

Nathan se dépêcha d'aller chercher quelque chose dans le gyrocoptère, puis revint vers Victor avec son sac à la main.

— Je suis déjà passé à l'auberge, histoire de récupérer nos affaires, même les valises de Béatrice, car je voulais qu'on parte au plus vite.

Victor resta silencieux, mais son sourire répondit à sa place.

— Maeva essaie d'entrer en contact avec toi depuis un bon moment déjà, ajouta Nathan d'un ton jovial. Je suis prêt à parier que la radio va sonner d'un instant à l'autre.

— Maître Pelham, intervint Ribère d'une voix convaincante, qui se tenait avec les deux autres Kobolds, tous trois donnant l'air de vouloir partir. Mes associés et moi vous suggérons de considérer l'option de partir... dès maintenant.

— Pour une fois, ajouta Pakarel d'un air complice, je suis d'accord avec eux!

Chapitre 28

La nouvelle aube de la Ville lumière

Lorsque Ribère l'avait questionné à ce sujet, Victor avait dû expliquer aux Kobolds et à Béatrice qu'il ne risquait pas de se transformer en loup-garou. Voulant éviter de leur mentionner ses origines, il préféra leur mentir en leur disant qu'il avait, étant donné la présence de Caleb à son domicile, été vacciné contre leur infection. Pakarel et Nathan avaient joué le jeu d'eux-mêmes, acquiesçant fortement à tout ce que disait Victor. Tandis qu'il s'apprêtait à rejoindre le gyrocoptère avec ses amis, Victor entendit la sonnerie de sa radio.

— Victor ? dit une voix féminine rassurante aux oreilles de Victor, provenant de la radio. C'est toi ? Tu vas bien ?

— Oui, Maeva, c'est moi, lui confirma-t-il d'une voix douce. Je vais bien.

— Tu nous rassures, lui dit son amoureuse d'une voix soulagée. Nous étions inquiets… même Ichabod l'était ! Enfin bon… je t'appelais pour te donner des nouvelles de Caleb. Il s'est stabilisé. Le problème, c'est qu'Ichabod ne peut pas sécréter son poison continuellement… cette activité l'épuise énormément, surtout pendant l'hiver, c'est la saison où il n'a que très peu d'énergie.

Victor fit signe à ses amis de s'éloigner.

— Maeva, justement, j'ai quelque chose à te dire à ce sujet. Comme tu dois le savoir, j'ai fait venir Drext à moi…

— Oh, nous l'avons remarqué, gronda Maeva. Drext n'a pas seulement réveillé Caleb, mais il a défoncé la trappe du sous-sol de l'atelier ainsi que ses doubles portes. En plus, tu nous as fait une de ces peurs…

— Je suis désolé, mais c'était nécessaire, s'excusa le jeune homme, qui essayait de se justifier. J'ai trouvé ce qui pourra soigner Caleb.

Enfin, j'en suis presque certain. J'ai fait venir Drext à moi pour vous le renvoyer beaucoup plus rapidement.

— C'est une merveilleuse idée, Victor, mais… tu sais ce que Dujardin a dit à propos de Drext ? Si jamais il le revoit, il devra…

— Je sais, je sais ! l'interrompit Victor. Chaque chose en son temps.

— Je suppose que tu as raison. Et… qu'est-ce que tu as trouvé, au juste ? Un médicament ?

— Pas vraiment. C'est… Écoute, je sais que cela te paraîtra bizarre, mais… c'est un linceul.

— Est-ce mon français qui n'est pas encore au point ou bien j'ai mal entendu ? demanda Maeva avec un brin d'ironie.

— Tu as bien entendu, lui répondit Victor. Ma chérie ? Tu es là ?

Elle ne répondit pas pendant plus de cinq secondes.

— Je suis là, lâcha-t-elle enfin avec un certain désespoir.

Apparemment, l'idée qu'un linceul puisse être le remède à une maladie n'était pas très convaincante à entendre. Le jeune homme ne pouvait pas vraiment lui en vouloir.

— Maeva, lui dit Victor d'un ton plus sérieux. C'est ce que l'oncle de Caleb m'a recommandé de faire. Lui-même s'est soigné ainsi.

— Il est malade ?

— Plus maintenant, répondit rapidement Victor, qui ne voulait pas s'éterniser sur le sujet, mais Maeva, me fais-tu confiance ?

— Bien sûr, mon amour, lui répondit-elle sur l'un de ces tons que l'on prend lorsqu'on ne veut pas faire de peine à quelqu'un que l'on apprécie.

— Lorsque l'aube se lèvera sur Québec, lui dit Victor, il est primordial que vous ayez placé le lit de Caleb devant la fenêtre de ma chambre, de façon à ce qu'il soit complètement éclairé. Vous pouvez faire ça, toi et les autres ?

— Oui, mais pourquoi ?

— Devant la fenêtre, poursuivit Victor en mimant les gestes inutilement, étant donné qu'il parlait à une radio, tu devras placer le linceul que Drext t'aura apporté de sorte qu'il filtre la lumière sur Caleb. D'accord ? Maeva, c'est d'accord ?

— Oui, oui ! lui répondit-elle.

Il y eut un silence pendant lequel Victor leva les yeux pour observer la ville de Paris et les pointes de ses bâtiments, éclairées par le soleil levant.

— Nous nous apprêtons à revenir vers Québec, dit le jeune homme. Je veux que tu me rappelles lorsque Drext sera arrivé, d'accord ?

— Je le ferai, lui répondit Maeva. Tu me manques…

— Toi aussi, tu me manques. Passe le bonjour à tout le monde. Nous serons là bientôt. Je t'aime.

— Je t'aime aussi.

Avant que ses amis et lui décollent, Victor expliqua son idée concernant le renvoi de D-rxt avec le linceul et convainquit aisément ses amis de le laisser recharger la batterie de la sentinelle avant de partir eux-mêmes.

— Quarante minutes ? s'étonna Pakarel. Drext a fait toute cette distance en 40 minutes ? C'est drôlement rapide ! Tu crois que je pourrais chevaucher Drext ?

Devant le lever du soleil orangé sur un ciel d'un bleu foncé encore parsemé d'étoiles, les deux amis étaient assis sur le plancher du gyrocoptère, dans l'ouverture de la portière, dégustant une pomme. Seuls les pieds de Victor touchaient la neige, ceux de Pakarel ballotaient dans le vide. La sentinelle se trouvait à trois mètres d'eux, sa carapace ouverte, connectée au moteur de la machine volante par un câble.

— Tu veux rire ? lui répondit Victor d'un ton amusé. Tu as une idée de la vitesse que Drext atteint ? Sans compter le fait qu'on est en plein hiver, Pakarel !

L'air songeur et par la suite déçu, le pakamu répondit :

— Oh… Vu de cette manière... Mais c'est vraiment toi qui l'as construit ?

— J'ai copié les travaux de Balter, lui admit Victor en croquant la dernière bouchée de sa pomme. J'ai simplement fait quelques petites modifications au niveau de la batterie de Drext, rien de bien compliqué.

Nathan, qui était allé se soulager dans la neige un peu plus loin, était de retour à leurs côtés.

— Éternellement modeste, ce Victor, lui dit-il d'un air moqueur.

Victor lui lança son trognon de pomme.

— C'est bientôt terminé ? demanda Béatrice, installée sur la banquette juste derrière Victor et Pakarel.

— Je vais vérifier, lui répondit le jeune homme en saisissant sa canne.

En se levant, il sentit son corps se redresser péniblement ; il était mort de fatigue.

— Voyons voir…, se dit-il en s'inclinant vers la jauge d'énergie lumineuse située sous la carapace de D-rxt.

La jauge était dans le vert.

— Ça m'a l'air rechargé, conclut Victor. Ribère ! cria-t-il en se tournant vers le cockpit de l'appareil.

Il vit la tête des trois Kobolds apparaître par la vitre.

— Coupe le moteur ! lui lança-t-il en faisant de la main droite le bon vieux signe universel pour dire de couper ou d'éteindre quelque chose.

Un instant plus tard, le moteur de la machine volante s'arrêtait, donnant ainsi l'opportunité à Victor de débrancher le câble qui était relié à D-rxt. Refermant sa carapace, il ouvrit ensuite un compartiment et fourra le linceul à l'intérieur. Le jeune homme prit soin de s'assurer que le drap médicinal ne s'échapperait en aucun cas de son emplacement. Victor fixa le compartiment pendant un instant, soudainement inquiet à l'idée de se séparer de la seule chose qui pouvait sauver son ami, Caleb.

— Je te fais confiance, dit Victor à la sentinelle. Je veux que tu retournes chez moi le plus vite possible, et ne prends pas de risques inutiles. Tu dois livrer ce que tu contiens à Maeva et après, désactive-toi dans le sous-sol de l'atelier.

Sans démontrer s'il avait compris la requête de son maître ou non, D-rxt s'éleva dans les airs. Ses propulseurs s'activèrent dans un bruit d'explosion et la sentinelle disparut comme une fusée vers l'horizon. Son départ fut si puissant qu'une forte bourrasque de vent et de neige poudreuse avait été soulevée.

— Dieu du Ciel! lâcha Nathan, qui venait de sortir la tête du gyrocoptère, l'air d'un type nerveux qui venait de sursauter. Tu lui as mis une bombe dans le derrière ou quoi?

Victor sourit et marcha vers l'engin volant. Intérieurement, il était fier d'avoir mis à exécution les découvertes de Balter sur D-rxt.

— Hé! dit Nathan, qui s'était retourné pour parler à leurs amis, dans le gyrocoptère. Vous avez vu ça? C'est dément!

Le gyrocoptère décolla finalement quelques minutes plus tard, s'élevant doucement dans le ciel avant d'amorcer sa course au-dessus de Paris. De sa banquette, le jeune homme observait la ville en dessous. Certains bâtiments étaient complètement détruits, d'autres avaient leurs portes défoncées ou leurs vitres brisées. Des réverbères brisés en deux reposaient dans les rues qui étaient trouées par les explosions.

— C'est épouvantable! murmura Béatrice, qui, elle aussi, observait la scène, depuis l'autre hublot.

— Dire que tout ça s'est passé en quelques heures… ajouta Victor.

D'un air triste, Nathan fit remarquer:

— C'est souvent en quelques heures que les plus grandes cités sont renversées.

Les amis restèrent silencieux, observant une si belle ville blessée par la folie d'un seul homme. Mis à part le ronronnement des moteurs de l'appareil volant, seules les faibles inspirations profondes de Po, qui s'était endormi sur son siège, brisaient le silence.

— Nathan, dit Pakarel, tu devrais nous raconter ce qui s'est passé de ton côté. Avec Hubert et les autres. Jusqu'à notre rencontre, quoi!

Nathan baissa les yeux, les coudes sur ses genoux, fixant ses pieds. Il donnait l'impression de ne pas avoir très envie de s'étendre sur ces événements. Puis, alors que Victor s'apprêtait à lui proposer de changer de sujet, Nathan se mit à parler, le regard dur, mais absent:

— Après vous avoir laissés à l'intersection, dans les tunnels d'égout, le groupe d'Hubert et moi sommes sortis à l'extérieur par une bouche d'égout qui donnait sur la rue que devait emprunter le cortège de Beltimbre. Seulement, lorsqu'on l'a aperçu, il filait en sens inverse.

— C'est parce qu'il est parvenu à se rendre au Marmelade, fit remarquer Victor. Il s'est rendu compte que j'avais filé et a rebroussé chemin.

Toujours incliné vers l'avant, Nathan prit une petite pause. Puis, hochant la tête en signe de nervosité, il poursuivit :

— Dans ce cas, on a été chanceux de le prendre sur le chemin du retour. On l'a coincé sans difficulté. Les gars avec qui j'étais étaient particulièrement habiles ; ils ont fait feu sur le moteur ainsi que sur les roues. Les deux autres véhicules qui accompagnaient celui de Beltimbre se sont arrêtés. Des hommes des forces de l'ordre en sont sortis et ont fait feu sur nous. On a été obligés de les abattre.

— Et Beltimbre ? demanda Luboo, qui écoutait la conversation en observant Nathan avec son œil disproportionné. De quoi a-t-il l'air ?

Nathan leva la tête, un peu surpris par la question.

— On ne l'a jamais vu sous sa forme humaine, fit remarquer Pakarel. Juste en loup-garou.

— Les cheveux blonds et assez longs, répondit Nathan, les yeux bleus. Pas très grand.

— Qu'est-ce qui s'est passé ensuite ? insista Victor, qui n'était pas vraiment intéressé par ces détails.

— Beltimbre a essayé de se sauver, poursuivit Nathan, mais on était une quinzaine à encercler la scène. Hubert l'a aisément désarmé et plaqué au sol. Le plan était de faire parler Beltimbre, mais en pleine rue, c'était risqué. Un de nos gars a suggéré que l'on prenne les deux carrosses et qu'on reste en mouvement pendant l'interrogatoire de Beltimbre, ce que nous avons fait. Étant donné que nous avions seulement deux carrosses, Hubert a renvoyé la moitié du groupe dans les égouts pour parer à une éventuelle attaque. Puisque je conduisais le second carrosse avec le reste du groupe, je n'ai pas vu ce qui s'est passé, mais une chose est sûre, c'est qu'Hubert et ses gars sont parvenus à faire parler Beltimbre assez rapidement. Le premier carrosse s'est brusquement arrêté et Hubert nous a dit que nous devions nous rendre au ministère de l'Éducation. C'était là que Beltimbre avait caché les terminaux.

Nathan marqua une pause et soupira.

— Hubert avait passé un marché avec Beltimbre, continua-t-il d'un air sombre. Sa liberté contre la désactivation des microdrones. Nous avons trouvé les ordinateurs au sous-sol et, avec Beltimbre, nous sommes facilement parvenus à les désactiver. C'est là que... que les choses se sont compliquées.

— Hubert n'avait pas l'intention de laisser Beltimbre en vie, lui dit Victor. C'est bien ça ?

Nathan leva les yeux vers son ami et hocha lentement la tête.

— Hubert a voulu le tuer, dit Nathan. Il a levé son arme et lui a tiré une balle dans le ventre. Beltimbre s'est effondré sur le sol.

L'homme à la crête blonde pressa son index et son pouce contre ses tempes, l'air désemparé, avant de se passer la main sur le visage.

— C'était un foutu lycanthrope, ajouta-t-il d'un air frustré. Beltimbre était un loup-garou. Il s'est transformé. On n'a rien pu faire. Il a tué tous nos gars avant de sauter sur Hubert. Je suis parvenu à lui tirer dessus jusqu'à le faire fuir, laissant Hubert sur le sol, bien mal en point.

Nathan fit un signe négatif de la tête.

— Hubert n'a pas survécu, grogna-t-il, j'ai dû l'achever. J'étais le seul survivant.

En apprenant la mort d'Hubert et d'une partie de son groupe, Victor resta silencieux et dirigea son regard vers le hublot. Il voyait la tour Eiffel se dressant fièrement dans le ciel matinal. Certes, sa première rencontre avec le graboglin n'avait rien eu d'agréable, mais aussi peu qu'il était parvenu à connaître Hubert, Victor savait qu'il avait été quelqu'un de bien.

— Oh mon Dieu ! gémit Béatrice, les larmes aux yeux. Nathan, je suis si désolée...

L'homme répondit par un léger grognement avant de continuer son histoire :

— J'ai quitté les lieux après avoir détruit les ordinateurs. Comme je ne savais pas dans quelle direction s'était enfui Beltimbre, j'ai décidé de retourner à l'auberge pour voir si vous y étiez. Ce n'était pas le cas. Je me suis dit que vous étiez toujours à la tour d'observation, donc j'ai décidé de prendre le gyrocoptère des Kobolds et de vous rejoindre.

— En forçant la porte, fit remarquer sombrement Ribère. Maintenant, elle ne ferme plus comme il faut… Aïe !

Po, qui ne dormait visiblement plus, venait de lui donner un coup de coude.

— On s'en fout ! lui lâcha-t-il d'un air cinglant.

— Bien avant d'arriver à la tour, poursuivit l'homme au mohawk blond, j'ai tout de suite remarqué que quelque chose de gros était en feu.

— Le carrosse, fit remarquer Victor.

— Ouais. J'ai allumé le phare inférieur de l'appareil et j'ai remarqué des traces de pas dans la neige, que j'ai suivies jusqu'à la forêt. Par contre, je ne voyais pas grand-chose à travers les arbres. Je m'apprêtais à rebrousser chemin, lorsque j'ai vu Drext foncer droit vers la forêt. C'est là que je vous ai trouvés. Je ne savais pas que vous aviez tué Beltimbre… bien fait pour lui, honnêtement.

— Ce n'est pas moi, corrigea Victor. C'est l'œuvre d'Hansel.

— Mmmh, grogna Nathan en acquiesçant d'un hochement de tête.

— Je peux vous demander ce qui s'est passé de votre côté ? demanda Victor en s'adressant à Pakarel et à Béatrice.

Pakarel et les Kobolds prirent aussitôt la parole, racontant ce que Victor avait lui-même déduit. Ils attendaient simplement, le chauffeur fumant à l'extérieur, lorsque Beltimbre, le loup-garou, les avait attaqués. L'antiquaire était parvenu à repousser le lycanthrope avant de se transformer lui-même, retirant sa robe au passage, en corbeau géant. Il était ensuite parvenu à prendre les trois Kobolds et Pakarel dans ses serres, tandis que Béatrice s'était accrochée à son cou. Il s'était alors envolé avant de prendre la fuite vers la forêt. Le chapeau de Pakarel était tombé à cause d'une bourrasque de vent.

— Mais pourquoi vous êtes-vous arrêtés en pleine forêt? leur demanda Victor.

— Monsieur Hainsworth s'est rapidement épuisé, répondit Pakarel. Nous étions trop lourds pour lui. Tu as été surpris d'apprendre qu'il pouvait se transformer en oiseau? ajouta Pakarel avec énergie. Je ne pouvais pas te le dire! Quelle frustration!

— Je crois que j'avais une petite idée, lui avoua Victor. Ses yeux avaient quelque chose d'un prédateur, comme un oiseau de proie.

— Oh, dit simplement Pakarel, visiblement déçu de la réaction de son ami.

— Hé! intervint Béatrice, qui avait le visage et la main droite collés contre un hublot. Regardez! Regardez en bas! C'est votre amie, non?

Intrigués, Victor, Nathan et Pakarel s'approchèrent du même hublot. Survolant l'intersection de deux rues parisiennes, ils pouvaient voir un groupe d'individus, certains étendus sur le sol, parmi lesquels la petite silhouette d'une gobeline qui ressemblait fortement à Laurence.

— Posez l'appareil! dit aussitôt Victor en s'adressant aux trois Kobolds.

— Vous êtes certain, maître Pelham? demanda Ribère, un peu surpris par la demande du jeune homme.

— Oui! confirma hâtivement Victor, pose-nous dans la rue, Ribère.

Le Kobold acquiesça d'un hochement de tête avant de s'exécuter. Le gyrocoptère descendit doucement vers la rue, à une vingtaine de mètres du groupe. Depuis le hublot de la machine volante, Victor vit que Laurence et quelques autres personnes, que le jeune homme reconnut rapidement comme étant des mercenaires de la milice des sept lames, aidaient les réfugiés à sortir par une bouche d'égout.

Comme il était impossible pour le gyrocoptère de passer inaperçu, Laurence tourna la tête pour l'observer pendant un moment, avant de vite s'en désintéresser. Tout le monde, même Ribère, descendit de l'appareil volant. C'est seulement lorsque Victor et ses amis furent assez près que Laurence les remarqua du coin de l'œil. Son visage souillé s'éclaircit aussitôt d'un large sourire.

— Monsieur Pelham! lança-t-elle en marchant hâtivement vers Victor et son groupe.

Victor dut s'incliner pour l'étreindre amicalement.

— Laissons tomber les formalités, Laurence, lui dit-il, souriant, en guise de salutations.

— C'est si bon de vous voir tous en vie! lâcha-t-elle en balayant du regard le groupe de Victor.

— Il en est de même pour nous, madame Tuscane, répondit poliment Nathan.

— Victor, vous…

Laurence s'interrompit elle-même, levant ensuite les yeux au ciel avec amusement.

— Tu as récupéré ce dont tu avais besoin? reprit-elle en le tutoyant.

— Oui, dit le jeune homme en hochant plusieurs fois la tête avant de continuer d'un air vague, mais rassurant, j'ai… récupéré ce dont j'avais besoin.

— J'en suis ravie.

— On dirait que ça a marché, dit Pakarel.

Victor et ses amis observèrent le pakamu avec confusion, aucun d'eux n'avait apparemment compris ce dont il voulait parler. Le raton laveur fit alors un signe de tête en désignant l'autre côté de la rue. Y portant son attention, le jeune homme vit des hommes vêtus de l'uniforme des forces de l'ordre marcher d'un pas incertain dans la rue, l'air perdu, certains se massant la nuque. De l'autre côté, deux femmes semblaient tout aussi déboussolées.

— Les microdrones, clarifia Pakarel. Ils ne font plus effet.

Laurence, qui observait les humains, ajouta d'un air interloqué :

— Oui… en effet… Certaines personnes du groupe d'Hubert sont revenues dans les égouts et nous ont avisés des plans d'Hubert pour désactiver les ordinateurs des microdrones…

Elle tourna son regard vers Nathan avant d'ajouter :

— Vous étiez avec lui, non ? Comment vont Hubert et ceux qui l'ont suivi ?

Le visage de Nathan prit une expression plus triste, navrée.

— Ils sont morts, lui répondit l'homme à la crête blonde.

Une vague de chagrin traversa le visage de Laurence, qui plaqua le bas de sa paume contre son front, l'air démolie. De lourdes larmes coulèrent sur son visage. Par solidarité, Béatrice la prit dans ses bras. Victor posa la main sur son épaule, le regard plein de compassion. Les trois Kobolds s'approchèrent et retirèrent leur casque, qu'ils plaquèrent doucement sur leur ventre, tous ayant l'air affligés. À leur manière, ils compatissaient eux aussi.

— Je suis terriblement désolée, lui dit Béatrice.

— C'est... c'était à prévoir, sanglota Laurence, retenant visiblement ses larmes. Tant de morts... Oh, seigneur... Hubert... que dirais-je à votre fille ?

— Il s'est battu comme un forcené pour rétablir la justice dans votre ville, dit Nathan d'un ton doux. Hubert est un héros, madame Tuscane.

Au bout d'un moment, la gobeline répondit difficilement, tout en séchant ses larmes :

— Ça ira. Merci... Il faut... il faut que je retourne...

Elle ne finit pas sa phrase, désignant d'un signe de tête les réfugiés qui sortaient des égouts. Nathan toucha l'épaule de Victor.

— Je vais rester pour lui donner un coup de main, dit-il en désignant Laurence. Ces gens ont besoin de nous.

— Nathan, dit Victor, un peu surpris, tu es certain de...

Avant même qu'il ait fini sa phrase, l'homme au mohawk le coupa d'un signe de main.

— Je travaille pour le Consortium, Victor. Notre but est de rétablir notre réputation, souillée par Isaac, ne l'oublie pas.

— Monsieur Blake, dit Laurence d'un air hésitant, vous n'êtes pas obligé... je veux dire, ce n'est pas votre problème...

Nathan tourna la tête et observa la cité si fortement blessée par les événements récents.

— Aider Paris est exactement le genre de choses que nous pouvons faire, conclut-il.

Il tourna la tête vers Victor et ajouta :

— Je vais joindre notre quartier général et demander du renfort. Laurence, que vous faut-il ? Des vivres, des couvertures ?

— Euh… oui, dit-elle d'un air étonné, mais aussi fortement reconnaissant. Oui, c'est exact. Il nous faudra… en fait, il nous faut tout ce que l'on peut avoir. Beaucoup de maisons et d'appartements ont été saccagés, et même détruits…

— Très bien ! lâcha Nathan en claquant des mains. Victor, ta radio… ?

— Oh ! dit le jeune homme, je l'ai laissée dans le gyrocoptère.

Nathan lui adressa un bref sourire avant de se diriger vers la machine volante au pas de course.

— Que t'est-il arrivé ? demanda Laurence à l'intention de Victor, observant sa nuque.

Le jeune homme vit que Pakarel s'était apprêté à répondre, mais ce dernier referma la bouche presque aussitôt, lorsqu'il croisa son regard lui suggérant fortement de ne rien dire.

— Oh, ce n'est pas très grave, dit Victor à Laurence d'un air rassurant.

Il ne voulait vraiment pas lui révéler qu'il avait été lacéré par un loup-garou.

— Quelques coupures, poursuivit-il innocemment. Si je te dis avoir marché dans un buisson un peu trop hostile, tu ne me croirais pas, n'est-ce pas ?

Laurence lui envoya un regard dur, mais sans grande conviction.

— Tu veux bien me laisser y jeter un coup d'œil ? Juste désinfecter et panser tes blessures ?

Même s'il jugeait inutile qu'on désinfecte ses blessures, puisqu'il était visiblement immunisé, Victor accepta l'offre de la gobeline. Elle le fit s'asseoir sur le trottoir avant d'aller chercher une trousse de soins laissée près des réfugiés qui sortaient des égouts. Lorsqu'elle revint, elle appliqua un désinfectant liquide sur les plaies du jeune homme, avant de les recouvrir de pansements.

— C'est la seconde fois que tu soignes mon cou en vingt-quatre heures, lui fit remarquer Victor d'un air plutôt amusé.

— Et j'espère bien que c'est la dernière, marmonna la gobeline, qui remettait son matériel médical dans sa trousse de soins.

Nathan revint au même moment, redonnant sa radio à Victor.

— Liam envoie trois vaisseaux et seize hommes. Ils devraient arriver dans quatre heures. Laurence, j'espère que ce délai ne sera pas trop grave, nos vaisseaux partent d'Alexandrie...

— C'est loin d'être grave, lui répondit la gobeline. Nous devons d'abord nous occuper de transporter les blessés à l'hôpital, puis d'enterrer les morts, avant d'établir des centres pour héberger les sinistrés. Mais pour l'instant, vous devriez retourner dans votre machine volante et vous reposer, dit-elle en s'adressant à Victor et à ses amis. Vous avez tous l'air fatigués.

— Je comptais rester et vous donner un coup de main, se proposa Victor.

En voyant l'expression sur son visage, ce dernier comprit que Laurence s'apprêtait visiblement à désapprouver, mais Nathan intervint à sa place en disant :

— Non. Tu en as assez fait, Victor. Rentre chez toi. Caleb aura besoin de toi à son réveil. Maeva aussi, elle a besoin que tu reviennes. Tu n'es plus libre de te lancer dans des petites aventures comme bon te semble, mon ami, ajouta-t-il pour le taquiner.

Victor ne prit pas la peine d'insister. Il savait que Nathan avait raison. Soudain, un type assez large, à l'épiderme brunâtre, au nez retroussé et au visage bourru s'avança vers eux. C'était le hobgobelin qui faisait office de capitaine de l'unité présente de la milice des sept lames. Il jouait avec un cure-dent, qu'il balançait sur ses lèvres.

— Content de vous revoir en vie, mon bonhomme, lâcha-t-il à Victor de sa grosse voix, avant de concentrer son regard sur les trois Kobolds. Quant à vous, vous êtes dans de beaux draps. Le capitaine Baroque a pris contact avec mon unité lorsqu'il a appris que nous avions été engagés par trois Kobolds. Des déserteurs, paraîtrait-il.

Les trois Kobolds semblaient vouloir disparaître dans le plancher.

— Il dit que vous devez à la milice une bonne somme d'argent, continua le hobgobelin.

À cet instant, une étincelle s'alluma dans la tête de Victor.

— Vous avez embauché ces miliciens avec l'argent que je vous ai donné ? leur demanda-t-il d'un air plutôt étonné.

Alors que Luboo et Ribère restaient silencieux, Po fit signe que oui de la tête.

— Pas fort, lâcha le hobgobelin en croisant ses gros bras poilus et bien bruns. Vos intentions étaient nobles, mais elles ne vous sauveront pas de vos responsabilités.

— Ça ira, intervint Victor. Je vais payer leur dette au capitaine Baroque, lorsque je serai de retour à Québec.

— Maître Pelham ! gémit Luboo.

— Oh, vraiment ? couina Po.

— Vous êtes certain de vouloir prendre en charge la dette qu'ils doivent à la milice ? demanda le hobgobelin.

Victor hocha la tête en guise de réponse.

— Bon, alors c'est réglé, dit le capitaine en sortant un formulaire ainsi qu'un simple crayon. Signez ici.

Le jeune homme s'exécuta.

— Je vais aviser Baroque de votre décision, dit le hobgobelin. Vous n'aurez qu'à vous présenter dans l'une de nos casernes d'ici la fin de la journée. Ne tardez pas. Ça vous va ?

Victor hocha la tête. Le hobgobelin salua le groupe avant de reprendre sa route.

— Comment vous appelez-vous ? lui envoya précipitamment Victor. Si je dois vous nommer…

Le hobgobelin lui lâcha par-dessus son épaule :

— Rudolph Mungus.

Puis, le capitaine s'éloigna, son armure tintant au rythme de ses pas.

— Excusez-moi ? dit une voix masculine.

Victor se retourna et vit un homme aux cheveux rasés et roux. C'était Henri. Il était en compagnie d'une femme, elle aussi rousse, qui devait être son épouse.

— Vous êtes monsieur Pelham ? demanda-t-il timidement.

— C'est juste, acquiesça Victor.

Henri s'approcha et lui serra vigoureusement la main. Il voulut dire quelque chose, mais il sembla bien que les mots ne lui venaient pas. L'homme se contenta donc de sourire en hochant la tête, visiblement reconnaissant.

— Merci de l'avoir sauvé, intervint sa femme en embrassant le jeune homme sur les joues. Merci du fond du cœur, monsieur Pelham, ajouta-t-elle en sanglotant, retenant ses larmes de bonheur. Je vous en serai éternellement reconnaissante.

Sous les yeux amusés de ses amis, Victor, pris au dépourvu, fit une tentative de réponse :

— Ce n'est… ce n'est rien. C'était tout naturel.

— Merci, lui dit Henri d'une voix plus que sincère avant d'aller offrir son aide aux miliciens.

Victor resta planté là pendant un moment, observant la ville et ses citoyens, blessés, souillés, mais qui s'entraidaient avec une vigueur exemplaire. Beltimbre semblait avoir tort, et l'antiquaire avait probablement raison : Paris allait renaître de ses cendres.

— Victor ? dit doucement de Béatrice. Je ne veux pas sembler pressée, mais… nous devrions y aller, surtout que le gyrocoptère est en plein milieu de la rue…

— Oh ! oui, répondit Victor, reprenant ses esprits. C'est vrai.

Le jeune homme alla dire au revoir à Laurence, ainsi qu'à Nathan, qu'il serra contre sa poitrine. Puis, après avoir regardé ce dernier s'éloigner pendant un court instant, Victor et ses amis se dirigèrent vers leur machine volante.

Chapitre 29

Un retour bien mérité vers la maison

Ce ne furent pas les Kobolds qui conduisirent le gyrocoptère vers Québec, mais bien Victor, simplement parce que Pakarel avait sorti son fameux jeu de cartes et convaincu tout le monde de participer. Victor, lui, avait été rappelé par sa bien-aimée et avait opté pour un peu d'intimité. Des trois sièges de la cabine de pilotage, le jeune homme avait choisi celui de gauche, de sorte que ses jambes puissent être étendues sur les deux autres. Bien installé et jetant de temps à autre un coup d'œil au tableau de bord pour s'assurer que tout allait bien, Victor avait réglé les commandes du vaisseau sur l'autopilote, ce qui lui laissait donc tout le loisir de discuter. Malgré sa position décontractée, le jeune homme était plus que concentré sur sa conversation, son front plissé et ses sourcils froncés.

Maeva avait joint Victor pour lui annoncer le retour assez fracassant de la sentinelle. En effet, son retour avait fortement effrayé Hol, l'oiseau de Caleb, qui s'était enfui à toutes jambes dans les rues de Québec. D'ailleurs, Nika était la pauvre âme qui s'était offerte pour le rattraper. Mis à part cette petite anecdote, Maeva avait récupéré le linceul et, avec l'aide d'Ichabod, de Chantico et de Clémentine, elle s'était mise à l'œuvre pour installer Caleb devant la fenêtre.

— Oui, c'est ça, confirma-t-il à Maeva. Il faut bien le positionner devant la fenêtre.

— Mais le linceul ne tiendra pas par lui-même, répliqua la jeune femme. Attends un instant…

Le jeune homme entendit son amoureuse poser la radio, puis faire glisser un meuble sur le plancher. Il entendit ensuite des voix inaudibles, probablement celles de Clémentine et peut-être de Chantico. Au bout d'un moment, la radio fut reprise.

— Non, dit la voix de Maeva. Je ne suis pas capable de le faire tenir.

— Cloue-le dans le mur, suggéra hâtivement Victor.

— Ne risquons-nous pas de l'abîmer ? s'inquiéta Maeva, montrant une certaine réticence.

— Le mur ou le linceul ? demanda le jeune homme en tentant de ne pas avoir l'air impatient.

— Les deux, en fait.

— Ce n'est vraiment pas grave, répondit alors Victor.

Maeva échangea quelques paroles inaudibles avec une voix que Victor reconnut comme étant celle de Chantico. L'air un peu absente, puisqu'elle était vraisemblablement occupée, Maeva dit :

— Ah, je crois que Chantico a… oui, elle a trouvé le moyen de le faire tenir. Chantico, c'est bon ? Ça semble tenir ?

— Je crois que ça tiendra, dit la voix de l'horizonière. Je vais vérifier… Oui, ça tiendra, confirma-t-elle.

— Tu as entendu, chéri ? reprit la voix de Maeva. Ça tient !

— Oui, parfait, répondit précipitamment Victor. Le lit de Caleb est-il bien positionné devant le linceul ?

— Euh, hésita la jeune femme, nous l'avons placé… de sorte que les pieds de Caleb soient au bord de la fenêtre.

— C'est parfait, conclut Victor. Les rayons du soleil passent à travers le linceul ?

Comme si la réponse était plus qu'évidente, Maeva rétorqua :

— Victor… il ne fait pas encore soleil. Il est trois heures du matin.

Le jeune homme, qui avait oublié le décalage horaire entre la France et le Québec, répondit :

— Ah ! oui, c'est vrai… Vous devriez aller prendre un peu de repos, non ?

— Tu sais bien que nous sommes toutes incapables de dormir, lui répondit Maeva avec amusement. Même Clémentine. Nous sommes incapables de la tenir dans son lit.

— C'est une adolescente, fit remarquer Victor, il fallait s'y attendre.

— Je n'étais pas difficile, moi, pointa jovialement la voix de son amoureuse. J'allais au lit, lorsqu'on me le demandait.

Quant à Victor, il n'avait pas vraiment vécu son adolescence comme les autres, il n'avait donc jamais vraiment vécu de phase rebelle typique de la jeunesse.

— Je crois que Nika vient de rentrer dans l'atelier, reprit Maeva. Oui, c'est elle et je crois qu'elle a beaucoup de mal à tirer Hol. Je vais aller lui donner un coup de main. Je te rappelle, d'accord?

— Pas de problème, lui dit Victor. À tantôt.

Puis, il éteignit sa radio, avant d'appuyer la tête sur la paroi métallique du cockpit. Même si les murs vibraient constamment à cause des moteurs et des hélices de l'appareil volant, le jeune homme parvint à fermer les yeux et à se relaxer. Seul dans son imaginaire, Victor se mit à penser. Tant de choses s'étaient passées depuis une semaine, surtout lors de la dernière journée. Il aurait dû essayer d'en savoir plus au sujet des événements récents. Au sujet du fragment ou encore d'Abim-Kezad. Il aurait dû interroger l'antiquaire à son sujet, pour répondre aux mystères encore bien présents de son existence, son âge, par exemple. Il aurait dû rester pour aider Nathan… mais en même temps, il devait aussi rentrer. D'un autre côté, à quoi bon se presser? Le linceul était déjà arrivé chez lui grâce à la sentinelle… Non. Nathan avait raison. Il devait rentrer. Pour Maeva, ses amies, Ichabod et Caleb. Tant de choses s'étaient déroulées… Peut-être auraient-elles pu être accomplies différemment, avec moins de morts au bout du compte. Le jeune homme avait l'impression que s'il continuait à accorder davantage de temps aux regrets, son moral allait vite en pâtir.

Soudain, Victor sursauta vivement.

— Hey!

C'était Pakarel, sorti de nulle part. Le jeune homme s'était cogné la tête sur le plafond de la cabine de pilotage.

— Seigneur! lâcha Victor avec une soudaine mauvaise humeur, maintenant crispé sur son siège, la main sur la tête.

Le raton laveur profita du moment pour se hisser sur le siège du milieu.

— Ça va? demanda le pakamu d'une humeur éclatante.

Visiblement, il n'avait pas remarqué qu'il avait presque causé une crise cardiaque à Victor. Le jeune homme l'observa d'un air noir qui fit sourire Pakarel.

— Qu'est-ce qui te fait rire? grogna Victor, se massant la tête.

— Tu as sursauté, précisa Pakarel, qui avait l'air de trouver la situation bien comique.

— Tout un détective, grommela le jeune homme.

— Alors, ça va?

— Ouais, ça va. Enfin, ça allait.

— À quoi sert ce bouton? demanda le pakamu, qui avait repéré le bouton le plus attirant du lot, menaçant de presser dessus avec son index.

— Ne touche pas à ça! C'est... ce sont les freins d'urgence. Tu ne veux quand même pas que nos amis derrière se retrouvent dans la vitre du cockpit?

Pakarel gloussa d'un rire contagieux, car le jeune homme ne put s'empêcher de sourire.

— Tu veux jouer aux cartes avec nous?

— Non, merci. J'attends l'appel de Maeva. Peut-être après.

Le raton laveur, qui s'était presque aussitôt désintéressé de la réponse du jeune homme, pointa un levier près d'un cadran du tableau de bord.

— Et ça, c'est quoi?

— C'est ce qui fait sortir les roues. Pakarel, tu ne pourrais pas...

— Et ça? l'interrompit le pakamu.

Cette fois, il pointait quelque chose sur Victor. Confus et un peu irrité, le jeune homme tourna la tête en balbutiant:

— Hein... que... quoi?

— Ça, précisa le raton laveur en approchant son petit doigt de la poche droite du veston de Victor.

— Non! protesta vivement le jeune homme.

Victor eut un mouvement de recul. Ce qu'avait pointé Pakarel était le fragment métallique qui avait condamné Abim-Kezad. Le morceau dépassait de sa poche, pouvant en tomber d'un moment à l'autre. Victor le prit et l'observa d'un œil indécis. Il avait oublié de le mentionner à ses amis. Il ne leur avait pas dit que leur voyage avait été orchestré par l'antiquaire et Udelaraï, son grand-père.

— Victor ? demanda Pakarel, observant son ami, qui se mordait à présent la lèvre inférieure.

Le jeune homme leva les yeux vers Pakarel. Ce dernier l'observait avec inquiétude. Avec son énorme chapeau et son visage de raton laveur, il l'avait suivi dans ses plus grandes aventures. Malgré sa petite taille, ses agissements enfantins malgré son âge — il était centenaire —, et son insatiable appétit, qui faisait de lui le plus féroce des gloutons, Pakarel avait été un fidèle compagnon, digne de confiance. Durant leurs voyages précédents, Victor avait longuement reproché au pakamu de ne jamais lui dire les choses telles qu'elles étaient. Aujourd'hui, c'était à son tour de lui dévoiler les choses sans mentir. Après s'être assuré d'un bref coup d'œil que les Kobolds et Béatrice ne l'écoutaient pas, Victor s'approcha de Pakarel et lui dit :

— Ce fragment m'a été donné par la créature qui habitait la tour d'observation de l'antiquaire.

— Une créature ?

— Oui. Une Liche, selon ses dires. Imagine une momie sans bandelettes, précisa le jeune homme lorsque Pakarel afficha une expression de confusion.

— Comme un mort-vivant ? murmura le pakamu d'un air de conspirateur.

— Si tu veux. Je te raconterai les détails plus tard, mais tu dois savoir qu'il était emprisonné par l'antiquaire et qu'il m'a remis ce fragment.

— Oh ! c'est ça l'objet que monsieur Hainsworth voulait que tu lui rapportes ?

Victor lui confirma d'un hochement de tête.

— Mais je ne comprends pas le rapport avec le mort-vivant. Et je croyais que tu avais dit que tu ne l'avais pas trouvé, l'objet que monsieur Hainsworth désirait?

Victor lui résuma donc ce qu'il avait vécu dans la tour de l'antiquaire et contrairement à ce qu'il venait de dire, il finit par fournir presque tous les détails qui lui vinrent en tête. De sa lecture à propos des homoncules, du calvaire subi par Abim-Kezad jusqu'à la présence des automates.

— C'est dans la forêt, lui dit Victor, lorsque nous nous sommes retrouvés seuls, que l'antiquaire m'a expliqué qu'il avait fait mordre Caleb par son homoncule dans l'unique but de m'attirer jusqu'à lui. Et tu sais pourquoi? Parce que mon grand-père lui aurait demandé.

— Ton grand-père? répéta Pakarel en reculant la tête comme s'il avait reçu une claque en plein visage.

— C'est ce qu'Hansel prétend, confirma Victor. Je sais que ça paraît un peu fou, mais… je le crois. Je suis persuadé qu'il dit la vérité.

Pakarel sembla indécis, le visage plutôt sévère.

— Et cet objet que t'a donné le mort-vivant, reprit-il lentement, les sourcils froncés, pourquoi l'antiquaire ne l'a-t-il pas repris?

— Pakarel, je te l'ai dit, Hansel ne voulait pas l'objet pour lui, mais bien pour moi!

— Pourquoi?

Victor, qui était incliné vers son ami sur le bout de son siège, se laissa retomber contre son dossier.

— Je… je n'en sais rien, admit-il en observant le tableau de bord d'un regard vide. Abim m'a mentionné que ce fragment était extrêmement dangereux, et l'antiquaire m'a dit de le garder avec moi jusqu'à l'arrivée de mon grand-père.

— Il va venir ici? s'étonna Pakarel. Mais je croyais que ces gens ne pouvaient plus venir nous embêter?

Victor observa son ami, se mordant la lèvre inférieure, et se passa la main sur le visage. Il ne savait pas quoi lui répondre, car lui-même n'en savait pas plus.

— Et quand va-t-il venir, ton grand-papa ? continua le pakamu en se grattant son petit front de raton laveur.

— Dans trois ans.

Le jeune homme, qui s'attendait à ce que Pakarel lui lance une nouvelle question, fut surpris de le voir rester silencieux, l'air songeur.

— Donc, reprit finalement Pakarel en agitant son doigt, tu dois garder ce truc, le fragment, pendant trois ans. Jusqu'à l'arrivée de ton grand-papa.

— C'est à peu près ça.

— Tu vas le dire aux autres ? continua Pakarel en regardant Béatrice et les Kobolds qui, eux, s'amusaient follement.

— Non, lui répondit Victor en observant lui aussi ses amis. Ils ne savent pas ce que je suis. Et c'est peut-être mieux ainsi.

— Et ton grand-papa, dit Pakarel d'une bonne humeur soudaine, tu vas me le présenter ? J'aimerais vraiment rencontrer ton grand-papa, moi.

Victor lâcha un petit rire, hochant la tête négativement tout en regardant le pakamu.

— Quoi ? protesta le raton laveur d'un air amusé. Les vieilles personnes ont toujours beaucoup d'histoires à raconter !

— Tu es plus vieux que mon grand-père, Pakarel, lui fit remarquer Victor d'une façon qui en montrait l'évidence.

Le pakamu lui tira la langue comme l'aurait fait un enfant. Victor lui envoya un clin d'œil avant de retourner son attention vers le tableau de bord. Tout semblait correct, malgré la température hivernale qui commençait à empirer. La neige tombait maintenant à gros flocons et de grosses bourrasques de vent fouettaient la vitre de l'appareil. À vrai dire, il ne voyait pas grand-chose, mais Victor était sûr que leur vol se passerait sans trop de problèmes. Puis, bien installé dans son siège, il tira le fragment métallique de sa poche et l'observa.

— De quelle façon doit-on désigner monsieur Hainsworth ? demanda alors Pakarel.

Victor leva les yeux vers son ami.

— Que veux-tu dire ?

— Un corbeau-garou ? précisa Pakarel.

— Je crois qu'il est correct de le qualifier de lycanthrope, lui répondit Victor, qui avait haussé les épaules.

— Pourtant, le terme « lycanthrope » est mal choisi, fit remarquer le pakamu d'un air d'étudiant chevronné. Car il provient du latin, la langue mère des gobelins. « *Lycos* », pour loup, et « *anthropos* », qui signifie homme. « Lycanthrope » est donc propre aux loups-garous.

Pendant un instant de silence, le jeune homme avait fixé le raton laveur avec une expression mêlant fascination et incrédulité. Jamais il n'avait imaginé que son ami poilu puisse savoir de telles choses.

— Mais c'est vrai, continua Pakarel, tapotant son menton de son index, les yeux vers le haut et le visage songeur, que les gens désignent comme « lycanthropes » ceux qui peuvent se métamorphoser. Alors, je crois que l'on peut le qualifier de lycanthrope, tout comme Beltimbre.

Victor cligna des yeux plusieurs fois et secoua la tête. Puis, changeant complètement de sujet, le raton laveur lui demanda :

— Je peux le prendre ?

— Ce serait une mauvaise idée, l'avisa Victor.

— Je croyais qu'il était dangereux seulement lorsqu'on l'appliquait sur une plaie ouverte ?

— Ce serait stupide d'essayer, Pakarel, lui répondit Victor avec un certain sérieux. Et puis, le fragment est relativement coupant. Un accident est si vite arrivé, tu sais…

Pakarel lui répondit d'un grognement qui démontrait sa déception.

— Ça va, les garçons ? demanda Béatrice, qui venait d'apparaître sur le seuil de la porte.

Victor se dépêcha de glisser le fragment dans sa poche.

— Qu'est-ce que c'était ? lui demanda Béatrice, intriguée.

— Ma montre de poche, lui mentit Victor avec un air convaincant. Je vérifiais l'heure.

Béatrice hocha la tête et continua d'un air décontracté :

— Tu viens jouer avec nous ? Ribère a perdu pour la troisième fois et il voudrait que tu prennes sa place.

— Allez, dis oui ! insista Pakarel. Tu n'auras qu'à prendre une pause quand Maeva t'appellera.

— Bon d'accord, se résigna Victor. Pourquoi pas ?

Dans l'heure qui suivit, Victor joua aux cartes avec Béatrice, Pakarel, Po et Luboo. Même s'il était fatigué, le jeune homme dut admettre que cette séance de jeu bien anodine lui fit le plus grand bien. Rire et se détendre était apparemment ce dont son corps avait besoin. Maeva rappela Victor un peu plus tard, lui disant que le linceul était adéquatement installé et qu'elle allait se coucher, puisque son tour de garde pour surveiller Caleb était dans une heure.

Peu de temps après, lorsqu'ils finirent de jouer, Victor et ses amis optèrent eux aussi pour une petite sieste, car tout le monde avait les paupières lourdes. S'étant proposé pour piloter l'appareil dès la désactivation de l'autopilote, le jeune homme alla s'installer sur l'un des sièges du cockpit, celui de gauche, et s'abrita de son manteau comme d'une couverture. Comme c'était le cas pour toute machine volante équipée d'un tel système, l'autopilote allait se désengager bien avant sa destination pour permettre à ses occupants de poser manuellement l'appareil, chose que le gyrocoptère ne pouvait pas faire lui-même. Au beau milieu d'un rêve plutôt tordu et étrange mélangeant farfadets, licornes et tartes volantes, Victor fut réveillé par un bruit. Lorsqu'il entrouvrit les yeux, légèrement irrité, le jeune homme aperçut une lumière clignoter sur le tableau de bord de l'appareil.

Victor se frotta les yeux et observa la lumière verte d'un air un peu perdu. L'information prit un certain délai avant de se rendre à son cerveau encore engourdi. C'était l'indicateur qui alertait que l'autopilote allait bientôt se désengager, car ils allaient bientôt atteindre leur destination. Victor l'avait programmé pour se désactiver à 2000 kilomètres de distance de la ville de Québec, dans le but de lui donner quelque chose à faire et, en même temps, d'être bien éveillé pour son retour. Les yeux dirigés vers la vitre de la cabine de pilotage, le jeune homme ne voyait pratiquement rien, à part des centaines de flocons de neige qui s'y écrasaient. Victor avait la désagréable impression que le temps s'était arrêté, puisqu'en revenant vers Québec, il s'était bien éloigné du lever de soleil parisien.

— Voyons voir…, marmonna ensuite Victor d'une voix matinale, dirigeant maintenant son attention vers le tableau de bord.

Encore somnolent, il réactiva les commandes manuelles de gestes endormis et peu précis. Il régla ensuite les commandes pour que le vaisseau poursuive sa route en ligne droite. Puis, il bâilla si longuement qu'un grand frisson le traversa, ce qui eut pour effet de lui faire secouer la tête instinctivement et de le réveiller presque entièrement.

Le jeune homme jeta un coup d'œil par-dessus son épaule et observa ses amis. Les Kobolds et Pakarel étaient endormis sur une banquette, les uns sur les autres, dans des positions qui avaient l'air bien inconfortables. Béatrice, elle, était allongée sur l'autre banquette, la tête sur son manteau enroulé, qu'elle utilisait comme oreiller.

Affamé et surtout assoiffé, Victor alla fouiller, le dos courbé pour ne pas se frapper la tête, dans un compartiment qui servait de garde-manger. Un peu plus tôt, Nathan l'avait rempli de pommes, mais celles-ci avaient toutes été mangées. Il ne restait qu'une grosse bouteille d'alcool bien épais que le jeune homme suspecta, après l'avoir renfilé, d'être de l'huile ou quelque chose d'immonde que seul Luboo aurait la bien triste idée de boire. L'air bougon, Victor retourna s'installer sur son siège. S'il détestait bien une chose, c'était de se réveiller et de ne pas pouvoir prendre un bon café bien chaud.

Jetant un coup d'œil à l'écran de données, le jeune homme vit qu'ils allaient arriver d'ici trente minutes. Le café n'était pas si loin, finalement.

— On est presque arrivés, chuchota-t-il pour se remonter le moral.

Il tira le fragment de sa poche et l'observa. Ce petit bout de métal était apparemment l'objet de la convoitise de son grand-père.

Pourquoi ? Était-ce lié à quelque chose d'encore plus dangereux que l'étrange et néfaste effet de l'objet sur les gens normaux ? Tout cela était forcément lié à Abim-Kezad.

— Encore en train de te casser la tête ? glissa une voix endormie.

C'était Pakarel, qui se dirigeait vers la cabine d'un pas endormi, se grattant sa petite tête dénudée de son gros chapeau.

— Tu vas te rendre fou, continua le pakamu, surtout si tu dois attendre trois ans.

— Tu as raison, admit Victor en remettant le fragment dans sa poche, je ne devrais pas.

Le raton laveur se hissa sur l'un des sièges et observa au loin de ses petits yeux matinaux.

— On dirait qu'on revient dans le temps, fit-il observer.

— J'ai eu la même impression.

Maintenant bien installé sur son siège, ses petites pattes aux grosses bottes pendant dans le vide, Pakarel tourna lâchement la tête vers Victor et demanda :

— Que comptes-tu faire lorsque tout cela sera terminé ?

— Probablement reprendre ma routine, répondit Victor avec honnêteté. Retourner voir Laura, comme je l'ai promis à son père. Reprendre les leçons privées.

— Et le cabaret ? Tu retourneras y travailler ?

— Honnêtement… je ne sais pas trop, répondit le jeune homme, le regard perdu à travers les flocons de neige.

— Et comment vont les choses avec l'orphelinat ?

— J'aimerais être plus présent que ça pour les enfants, lui avoua Victor. J'ai l'impression de ne pas en faire assez. Comme si je laissais Louis se débrouiller avec toutes les responsabilités…

— Victor, tu ne peux pas tout faire à la fois, lui rappela amicalement Pakarel. Tu as même le droit de prendre un temps de repos juste pour toi, tu sais ?

Le jeune homme lui sourit. Sentant une certaine gêne monter en lui, il renvoya alors l'attention sur son ami :

— Et toi, Pakarel, que comptes-tu faire ?

— Je vais retourner travailler pour monsieur Fislek. Je m'y plais vraiment beaucoup. Mais pas avant que Caleb soit sur pied, ajouta-t-il fermement.

Victor lâcha un petit rire.

— J'espère que le docteur Miron ne nous remettra pas de bâtons dans les roues, fit remarquer le raton laveur d'une voix sombre. Ce vil bonhomme…

Miron. Victor avait complètement oublié son existence.

— Je l'espère aussi. Mais mon petit doigt me dit que nous n'avons pas fini d'entendre parler de cet abruti.

— Alors, je vais le tordre, ton petit doigt! grogna Pakarel en blaguant.

— Tu devrais aller réveiller les autres, lui dit Victor en faisant un signe de tête vers l'arrière du gyrocoptère. On arrive bientôt.

Dix minutes plus tard, de petits points jaunes apparaissaient à travers la pénombre grise et matinale; c'étaient les lumières de la cité de Québec. Victor avait demandé aux Kobolds s'ils voulaient qu'il pose l'appareil dans leur atelier, mais ceux-ci avaient décliné l'offre, lui indiquant de simplement poser la machine volante à l'un des quais des gyrocoptères de la ville. La visibilité n'était pas très nette, mais Victor était quand même parvenu à trouver les quais d'atterrissage, repérables grâce à de petites lumières, situés juste à l'extérieur des fortifications de la ville. Il posa l'engin volant sans difficulté. Une fois leurs affaires ramassées, Victor et ses amis débarquèrent de l'appareil. L'air était froid et humide, mais au moins, il ne neigeait plus et le ciel semblait se dégager, ce qui était une bonne nouvelle, puisque Caleb allait avoir besoin de tous les rayons de soleil nécessaires.

— On va laisser le gyrocoptère là pour le moment, dit Ribère à ses confrères Kobolds. De toute façon, quelqu'un doit ouvrir le toit depuis l'intérieur, et puisque nous sommes tous là…

— Ça m'est égal, répondit Luboo, qui ajustait son monocle.

Po, lui, n'écoutait pas les deux autres Kobolds. Il fixait Victor dans une posture un peu coincée, voulant visiblement lui dire quelque chose. Le jeune homme le remarqua d'ailleurs assez vite.

— Oui, Po ?

Comme s'il retenait ses paroles depuis toujours, le Kobold laissa échapper, d'une voix rapide et aigüe :

— Je voulais vous dire que vous êtes mon ami, maître Pelham ! En fait, moi et les autres, dit-il en désignant du doigt ses confrères Kobolds, nous avons décidé que désormais, vous serez notre ami, maître Pelham !

À la suite de ce commentaire à la fois gênant et ridicule, Victor ne put s'empêcher de sourire bêtement. Même Ribère plaça la main contre son visage, l'air honteux.

— Eh bien, c'est… c'est gentil, lui dit Victor, qui tentait tant bien que mal d'avoir l'air naturel et touché. Je… Moi aussi, je vous considère comme… Enfin, vous êtes… des amis, quoi.

Puis, contre toute attente, Po s'élança contre la jambe de Victor (la seule partie qu'il pouvait enlacer, étant donné sa taille) et se mit à pleurer bruyamment tout en sanglotant :

— Vous êtes une si bonne personne, maître Pelham ! De vouloir payer nos dettes à la milice !

Mal à l'aise, Victor lui tapota l'épaule d'un geste machinal.

— Pas de problème ! dit-il dans le simple but de rassurer Po, qui mouillait le pantalon du jeune homme de son liquide nasal et de ses chaudes larmes. Po, vraiment ! Ça ira, mon vieux ?

— O-oui, répondit-il d'une voix coupée par un hoquet après avoir finalement libéré la jambe de Victor.

— Ressaisis-toi, Po ! dit sèchement Ribère. Maître Pelham doit retrouver sa maison, maintenant.

Voulant bien faire, le jeune homme offrit alors aux Kobolds :

— Un de ces soirs, je vous inviterai à venir souper chez moi ; ça vous dirait ?

— Bien sûr ! répondit Luboo.

— Avec plaisir, répondit Ribère d'un air qui pouvait presque être sarcastique.

— Parfait, dit Victor. Eh bien, je vous souhaite bonne chance.

Après avoir dit au revoir à Victor et à ses amis, les trois Kobolds s'éloignèrent dans les rues désertes et enneigées de la ville encore assombrie par le ciel matinal.

Tandis qu'il regardait les trois Kobolds tourner au coin d'une rue, souriant, Victor demanda :

— Ça vous tente, un bon café ?

— Seigneur, oui ! répondit Béatrice avec relâchement.

— Moi, je t'emprunterais bien une couverture... ou deux ! déclara Pakarel.

Puis, les trois amis entamèrent leur route — couverte d'un peu trop de neige au goût des chaussures de Victor –, dans la direction opposée à celle des Kobolds, vers la maison du jeune homme.

Chapitre 30

La note

Lorsque Victor vit sa propre maison, située au bout d'une allée pavée de pierres, il ressentit un profond soulagement. C'était son petit chez lui, son antre, son repère. Là où il pouvait se promener torse nu comme bon lui semblait et s'écraser sur son sofa dans des positions plus royales et lâches les unes que les autres. C'était sa maison. Elle était d'allure vieillotte, avec son atelier et sa petite tour dans laquelle se trouvait la chambre du jeune homme, mais il l'adorait. Même si un assassin maya l'avait souillée d'un horrible crime, celui du meurtre de Balter, l'attachement que Victor avait pour sa maison était inébranlable. L'idée de revenir chez lui et d'y retrouver non seulement ses amis, mais aussi Maeva l'avait fait accélérer le pas jusqu'à trottiner d'une manière boiteuse jusqu'à sa porte. Il remarqua que les portes de l'atelier avaient été ouvertes de force, tout comme Maeva le lui avait indiqué. La main sur la poignée, Victor ouvrit la porte et vit son amoureuse, qui apparemment, allait elle aussi ouvrir la porte pour l'accueillir.

Puis, sans dire un mot, Victor posa rapidement sa canne contre le mur et enlaça vigoureusement sa douce. Impatients et fébriles, Victor et Maeva s'embrassèrent fougueusement, tout en se frottant tendrement le nez et en se jouant dans les cheveux. Le jeune homme se perdit pendant quelques instants dans les yeux bruns et mouillés par l'émotion de son amoureuse. Son visage garni de taches de rousseur était marqué par une profonde fatigue. Visiblement, elle non plus n'avait pas beaucoup dormi.

C'est seulement au bout d'une vingtaine de secondes, enlacés l'un contre l'autre, que les deux amoureux réalisèrent que Béatrice et Pakarel étaient restés derrière, trop gênés pour dire quoi que ce soit.

Mal à l'aise et souriant d'un air un peu stupide, les deux tourtereaux se tournèrent vers Pakarel et Béatrice.

— Fermez la porte derrière vous, leur dit gentiment Maeva.

— Je… Enfin, balbutia Victor, un peu perdu, Béatrice, je te présente…

D'une voix qui s'éteignait de plus en plus par la timidité, Béatrice fit remarquer :

— Nous nous sommes déjà présentées lorsque je suis venue… Enfin, ce n'est pas grave…

— Oh ! pardonne-moi, s'excusa Victor, qui sentit ses pommettes s'embraser.

Maeva alla quand même accueillir Béatrice d'une étreinte amicale.

— Moi aussi, je veux me faire coller ! dit Pakarel d'une voix enfantine et d'un air visage faussement boudeur.

— Oh, viens ici toi ! lâcha Maeva, qui s'était maintenant détachée de Béatrice pour saisir Pakarel avec une vigueur de petite princesse qui colle contre elle sa peluche préférée.

Puis, s'étant redressée, Maeva leva un sourcil, demandant tout bêtement :

— Où est Nathan ?

— Il… il est resté à Paris, dit Victor en choisissant ses mots.

Maeva secoua doucement la tête, étonnée, comme éclaboussée par une substance invisible.

— Il est resté à Paris ? répéta-t-elle en affichant un air confus. Mais… pourquoi ?

— C'est une longue histoire, lui dit Victor. Mais ne t'inquiète pas, il va bien, ajouta-t-il d'un air rassurant.

Observant son amoureux dans les yeux, Maeva porta alors son regard vers sa nuque, et son expression se durcit aussitôt avant de se tordre d'inquiétude. En approchant ses mains de son cou, elle s'inquiéta :

— Oh mon Dieu ! Qu'est-ce qui s'est passé ? Tu souffres ?

S'il voulait éviter une chose, c'était bien d'inquiéter son amoureuse. D'un air convaincant, Victor lui répondit en souriant :

— Ça picote, mais ça ira, Maeva, je t'assure.

Mais le regard de Maeva, perçant et impossible à tromper, fit dégonfler le petit mensonge de Victor.

— Bon d'accord, admit-il d'une petite voix coupable, ça fait mal.

Dans l'instant qui suivit, Victor suggéra que Pakarel et Béatrice aillent prendre un bon café dans le salon, lui ayant plutôt l'intention de rejoindre directement le chevet de Caleb.

— Pas question ! refusa catégoriquement Pakarel, les bras croisés. Moi aussi, je veux monter le voir maintenant !

— D'accord, leur dit Maeva, qui refusait de s'obstiner, allez le voir, mais ne faites pas trop de bruit, je crois que Clémentine dort. Et, chéri, change tes bandages, d'accord ? Ils sont tachés de sang.

— C'était déjà dans mes plans, admit Victor.

— Je ne voudrais vraiment pas vous déranger, dit timidement Béatrice en jouant avec ses doigts, je devrais peut-être rentrer…

— Je croyais que vous vous étiez entendus pour boire une bonne tasse de café avant que tu t'en ailles ? lui offrit gentiment Maeva. En fait, j'aimerais bien que tu me racontes ce qui s'est passé de votre côté pendant que les garçons montent voir leur ami. Si tu le veux bien.

Béatrice sourit. Visiblement, elle était flattée d'être invitée à rester plus longtemps.

— Bon, pourquoi pas ? dit-elle d'un air enjoué, mais avec une certaine retenue.

— De toute façon, fit remarquer Maeva d'un air complice, un café ne nous fera pas de mal, puisque nous sommes déjà bien réveillées !

Laissant les filles au rez-de-chaussée, Victor et Pakarel montèrent l'escalier en silence, l'un derrière l'autre. C'est en poussant la porte de sa chambre que le jeune homme découvrit Chantico et Ichabod, tous deux installés sur des chaises, l'air terriblement fatigués, tandis que Caleb reposait sur le lit maintenant poussé devant la fenêtre. Si Chantico était assise, les bras entourant ses genoux, Ichabod, lui, était plutôt écrasé de tout son long. L'épouvantail, vêtu de son long manteau et de son chapeau haut de forme, avait un tube qui reliait son doigt à l'intraveineuse de Caleb. La pièce avait été agencée de sorte que le linceul couvre la fenêtre, comme le jeune homme l'avait indiqué. Une faible luminosité commençait à filtrer au travers ; le jour allait se lever.

Chantico leva doucement la tête et observa Victor de son visage dépourvu d'énergie.

— Bonjour Victor, chuchota-t-elle en souriant faiblement.

Ichabod roula son étrange tête sur le côté et observa le jeune homme de ses grands yeux verts. Il leva lentement la main et fit un signe à Victor.

— Hello, chuchota-t-il ensuite.

En voyant ses amis, Victor sourit profondément. Il savait qu'à leur manière, eux aussi s'étaient donnés corps et âme à la dure tâche de sauver la vie de Caleb, et pour cela, il leur était profondément reconnaissant. Victor serra Chantico contre lui, lui flattant doucement le haut du dos.

— Merci pour tout ce que tu as fait, lui chuchota-t-il dans l'oreille.

— Ce n'est rien, lui répondit l'horizonière.

— Merci à toi aussi, Ichabod, dit Victor à l'épouvantail en lui serrant sa main libre.

— Pas de quoi, répondit l'épouvantail d'une voix pâteuse.

Pakarel s'était approché du lit de Caleb et l'observait d'un air soucieux. Le jeune homme le rejoignit et posa la main sur la petite épaule du raton laveur.

— Ça va marcher ? demanda ce dernier à Victor avec un regard plein d'espoir.

— Il le faut, lui répondit-il, son regard posé vers Caleb.

Le demi-gobelin était couché sur le dos, les paupières frémissantes, mais profondément endormi. Ses cheveux d'un bleu très foncé étaient collés à son visage encore trop blême. Sa respiration semblait toutefois normale.

— Vous devriez aller vous reposer, dit Victor à l'intention de ses amis. Je vais garder un œil sur lui.

— Je ne peux pas vraiment m'en aller, fit remarquer Ichabod, mais c'est gentil de rester avec moi.

— Mais Victor, protesta Chantico d'une voix éteinte, tu as l'air crevé et tu es blessé… Sans parler qu'il faudrait te changer tes bandages…

— J'insiste, ajouta-t-il en lui souriant. Je vais me faire un café en bas et je remonte pour le surveiller.

Lorsqu'il redescendit au rez-de-chaussée, Victor vit Maeva et Béatrice près de la porte, cette dernière remettant son manteau et s'apprêtant à s'en aller.

— Tes bandages, lui dit simplement Maeva d'un air désapprobateur.

— J'ai oublié, mais je les changerai en remontant, je venais simplement me prendre une tasse de café… tu en as préparé un peu ?

Maeva lui fit signe que oui de la tête.

— Tu t'en vas ? demanda le jeune homme à Béatrice.

— Oh, oui, dit-elle en enroulant son écharpe autour de son cou. Il vaudrait mieux que j'aille aviser monsieur Martin dès que possible des derniers événements.

Décidément, Victor était resté à l'étage plus longtemps qu'il ne le croyait.

— C'est une bonne idée, lui dit Victor. Merci d'être venue avec nous, Béatrice.

Il la serra contre lui et lui tapota le dos.

— Mais voyons, dit-elle d'un air modeste, ce n'est rien ! Les choses n'ont pas tourné comme prévu, mais bon… c'est la vie. Allez, je vous laisse. Bonne chance pour votre ami, et vous m'en donnerez des nouvelles, d'accord ?

Victor et Maeva lui répondirent d'un hochement de tête et d'un sourire. Après avoir refermé la porte derrière Béatrice, Maeva glissa la main dans celle de Victor avant de poser un petit baiser sur ses lèvres.

— Comme je sais que tu vas passer les prochaines heures au chevet de Caleb, lui dit Maeva d'un air mesquin, je veux que tu ailles changer tes bandages. Maintenant.

— Mais mon café ? protesta Victor avec un sourire. Je peux au moins…

La jeune femme posa son index sur les lèvres de son amoureux.

— Je t'apporterai ta tasse de café, le coupa-t-elle aussitôt. Tes bandages. Maintenant! ajouta-t-elle en pointant l'étage.

Amusé, le jeune homme obéit aux ordres de sa douce et remonta à l'étage. Il croisa Chantico au passage, qui tenait un rouleau de bandages ainsi qu'une serviette mouillée. La jeune femme le regardait d'un air autoritaire.

— Bon, je me rends, dit Victor d'un air comique en levant les mains. Femmes irritantes. Je vais changer mes bandages.

— Je vais te le faire, se proposa Chantico. Viens.

Une alerte sonna dans le cerveau du jeune homme. Une docteure du niveau de Chantico ne devait pas voir les lacérations sur sa nuque. Elle ne remarquerait peut-être pas qu'un loup-garou les avait causées, mais Victor ne voulait pas courir de risque. Surtout qu'elle n'était pas au courant de sa nature assez particulière, même si elle avait été la première, sans le savoir, à dévoiler au jeune homme qu'il n'était pas un humain comme les autres.

— Oh… hum, non, protesta gentiment Victor, se mettant à rire bêtement. Je préfère le faire seul… j'ai la peau sensible, tu vois…

Chantico pouffa de rire et se masqua aussitôt la bouche pour ne pas vexer Victor, avant de lui tendre les bandages et la serviette. Victor venait sans doute de passer pour une crevette, mais au moins, il n'aurait pas à inventer une histoire rocambolesque. Un instant plus tard, Maeva apparut sur le seuil de la porte de la salle de bain, que Victor avait laissée ouverte. Elle posa la tasse de café sur le comptoir, devant le miroir.

— Merci, lui dit Victor, qui déroulait délicatement ses pansements.

— Un coup de main?

— Bien sûr, mais ferme la porte, au cas où Chantico passerait dans le coin…

Maeva grimaça lorsqu'elle vit les blessures du jeune homme.

— Seigneur! murmura-t-elle en envoyant à Victor l'un de ses regards inquiets. Que s'est-il passé?

— Loup-garou… Aïe! répondit simplement Victor dans un sourire soudainement tordu par la douleur, car Maeva venait de décoller les bandages des plaies un peu trop brusquement.

Cette dernière avait cessé de bouger et le regardait maintenant d'un air épouvanté.

— Un loup-garou? répéta-t-elle d'un chuchotement sec. Oh non…

— Ne panique pas! dit précipitamment le jeune homme. Je ne suis pas infecté. Je suis immunisé.

— Quc… quoi? balbutia Maeva, confuse.

Baissant encore plus la voix, Victor lui murmura d'un ton si bas que certains de ses mots étaient presque inaudibles :

— À cause de ma nature, de mes origines! Je suis immunisé, chérie.

Maeva, qui avait la bouche ouverte dans une expression de profonde inquiétude, la referma aussitôt. Elle était décidément sans voix.

— Écoute, poursuivit Victor en lui prenant les mains comme pour la rassurer, je te dirai toute l'histoire tout à l'heure, mais pour l'instant, ce n'est pas le moment. N'oublie pas que Chantico n'est pas au courant au sujet de ma… Enfin…

Il bougea la tête de gauche à droite, cherchant ses mots.

— … Elle ne sait pas au sujet d'Orion, conclut Victor.

Approchant son visage du sien et la regardant directement dans ses beaux yeux bruns, il lui dit d'un ton des plus sincère :

— Tu dois me faire confiance, Maeva. Je ne me transformerai pas en loup ni en quelconque forme que peut provoquer la *noctemortem*. Je ne suis pas infecté.

Il y eut un bref moment de suspens avant que son amoureuse pose un petit baiser sur le coin de ses lèvres.

— Je t'ai toujours fait confiance, lui dit-elle.

Puis, elle reprit son rôle d'infirmière et retira la totalité les bandages du cou de son amoureux.

— Tu sais, poursuivit Maeva, Béatrice m'a raconté votre mésaventure parisienne. Mais te connaissant, je suis certaine que tu lui as caché quelques détails.

Victor lâcha un petit rire avant d'admettre :

— Euh… ouais, en effet. C'est si évident ?

— Je commence à te connaître, Victor Pelham, lui dit Maeva, nettoya les plaies avec un peu d'eau. Tiens donc, c'est tout propre cette blessure.

— Une docteure s'est occupée de moi avant que je revienne, lui fit remarquer le jeune homme en goûtant au café que son amoureuse lui avait préparé. Mmmh, très bon ! ajouta-t-il.

Maeva, qui regardait Victor à travers le miroir, lui fit de petits yeux mesquins.

— Une ? demanda-t-elle d'un air joueur en faisant pivoter le jeune homme vers elle. Pourquoi faut-il toujours que ce soit la gent féminine qui s'occupe de toi ?

— Parce que je suis terriblement beau ? lui répondit Victor avec un sourire charmeur et un clin d'œil, avant de prendre une gorgée de café.

Le jeune homme fut aussitôt attaqué des griffes de Maeva, qui lui chatouillèrent violemment l'estomac.

— Attention, mon café ! rit Victor, déposant subitement sa tasse sur le comptoir de la salle de bain.

Tous deux s'étaient mis à rire comme des enfants, se chatouillant l'un l'autre. Soudain, une petite voix endormie retentit de l'autre côté de la porte :

— Victor ? C'est toi ?

C'était la voix de Clémentine. Maeva ferma les yeux et se mordit la lèvre inférieure, le visage crispé. Victor savait qu'elle s'en voulait d'avoir réveillé Clémentine. Le jeune homme ouvrit la porte et vit la petite gobeline qu'il considérait comme sa petite sœur, en robe de chambre. Cette dernière le serra dans ses bras au niveau de sa taille, étant donné sa hauteur. Tendrement, il caressa ses cheveux attachés en queue de cheval pour la nuit.

— Hey… comment vas-tu ? lui demanda-t-il en souriant.

— Tu m'as manqué, dit-elle d'une voix étouffée, le visage contre Victor.

— Est-ce que nous t'avons réveillée ? lui demanda doucement Maeva.

— Nan, répondit la gobeline en hochant la tête de gauche à droite. Je lisais mes notes de cours.

— Tu devrais aller au lit, lui suggéra Victor, comme le ferait toute bonne figure fraternelle.

— Je n'ai pas envie d'aller au lit, protesta Clémentine.

Le jeune homme s'abaissa à son niveau en faisant bien attention de ne pas forcer sur sa jambe gauche.

— Alors, continue de lire tes notes.

En l'observant, Victor vit bien que quelque chose n'allait pas. Elle ne souriait pas et semblait plutôt triste. De fait, Clémentine dit :

— Victor... tu veux bien venir dans ma chambre ? J'aimerais...

La gobeline ne termina pas sa phrase, elle baissa plutôt la tête.

— Tu veux qu'on parle de quelque chose ?

Elle hocha la tête sans pour autant la relever.

— Je te rejoins dans cinq petites minutes, d'accord ? Le temps que je...

Il désigna du doigt ses blessures.

— ... m'occupe de ces coupures, termina-t-il.

Clémentine sourit et fit volte-face avant de se diriger vers sa chambre. Maeva se mit alors à panser les blessures de son amoureux avec de nouveaux bandages.

— Tu ne devrais pas l'encourager à rester debout à de telles heures, dit-elle d'un air désapprobateur. Ce n'est qu'une adolescente, elle a besoin de sommeil.

— Clémentine n'en a toujours fait qu'à sa tête, fit remarquer Victor. Que je lui dise de dormir ou non, elle fera comme bon lui semble.

Le jeune homme se tourna vers Maeva, qui sourit et lui dit :

— Voilà, tu es libre. C'était si dur que ça, de changer tes bandages ?

— Épouvantable, dit Victor d'un air amusé après avoir bu une gorgée de son café.

— Espèce de gros bébé! lui lança amicalement Maeva.

Après avoir déposé un baiser sur le front de sa douce, Victor quitta la salle de bain et, passant devant sa chambre, y jeta un coup d'œil. Chantico et Ichabod y étaient toujours.

— Chantico! murmura Victor dans l'espoir de ne pas réveiller Caleb. Je vais voir Clémentine un instant et je reviens. D'accord?

Dans la pénombre de la chambre, Victor put tout de même voir sa silhouette lever le pouce en l'air. Il se dirigea ensuite vers la chambre de Clémentine. Sa porte étant entrouverte, il ne prit pas la peine de cogner et entra. Clémentine était dans son lit, les couvertures remontées au niveau de son bassin, un gros livre posé sur les genoux. Une lampe à huile était allumée sur sa table de chevet. La gobeline leva les yeux vers celui qu'elle considérait comme son grand frère et lui fit un faible sourire. Victor déposa son café sur la table de chevet avant de s'asseoir sur le lit de Clémentine. Celle-ci tassa son livre et ouvrit les bras.

Victor se blottit contre elle, lui caressant le dos. Il pouvait l'entendre renifler et sangloter.

— Qu'est-ce qui ne va pas?

Il connaissait déjà la réponse, mais jugeait préférable de laisser Clémentine le lui dire.

— Il me manque terriblement, sanglota la jeune adolescente.

— Oh, dit tendrement Victor, je sais. Il me manque aussi.

Victor sentait son épaule s'humidifier au contact des larmes de la gobeline.

— Parfois…, je me sens coupable, lui avoua-t-il. Peut-être que si je n'étais jamais allé vous sortir de la Norvège…

Victor se tut. Il préféra soupirer. Clémentine recula et l'observa de ses grands yeux mouillés.

— Ne dis pas de telles choses. Tu es la meilleure chose qui nous soit arrivée. Oncle Balter n'avait pas d'enfant… et il te considérait comme le fils qu'il aurait aimé avoir. Tous ces moments que vous avez passés ensemble dans l'atelier, à rire tout en travaillant sur ses inventions… Balter me le disait toujours. Il t'aimait.

Victor sentit ses yeux s'humidifier, jusqu'à ce qu'une grosse larme coule sur sa joue gauche. Cette fois, c'est Clémentine qui le serra contre sa petite poitrine. Le jeune homme ferma les yeux, le cœur soudain plus lourd. Lui aussi, Balter lui manquait terriblement. Ce vieux gobelin excentrique avait laissé une profonde marque dans sa vie.

— Sans toi, je serais une orpheline à la rue, lui dit-elle. Tu nous as tellement aidés, moi, Balter et Nika. Même Pakarel et Maeva te sont reconnaissants de les avoir aidés à se trouver un logis. Je serai toujours là pour toi, Victor. Toujours.

Le jeune homme releva la tête et lui sourit. Jamais Victor ne s'était montré aussi vulnérable. En fait, il n'avait jamais pleuré dans les bras de quelqu'un, mais il était bien content de l'avoir fait dans ceux de Clémentine. La gobeline lui replaça une mèche dans ses cheveux.

— Toi aussi, tu peux venir me parler, si tu en ressens le besoin, lui dit-elle en souriant. Je suis ta petite sœur, ne l'oublie pas.

Victor lui répondit d'un hochement de tête et sécha ses larmes du revers de la main.

— Je sais que tu dois aller veiller sur Caleb, dit Clémentine. Je vous ai entendus, tout à l'heure. Je vais te laisser y aller.

— Ça ira?

La gobeline lui hocha la tête en souriant. D'une façon amicale, il lui passa vivement la main dans les cheveux pour les ébouriffer.

— Je serai dans ma chambre, lui dit-il en se relevant. Bonne lecture.

— Laisse la porte ouverte, d'accord? lui dit précipitamment Clémentine, lorsque le jeune homme s'apprêta à sortir de sa chambre.

— Pas de problème, lui répondit-il avant de retourner dans sa chambre.

Victor prit la place de Chantico, la laissant aller se reposer. Ichabod, quant à lui, dormait profondément, même si son doigt était toujours relié au tube de l'intraveineuse. Le jeune homme aurait bien voulu lui parler un peu, puisqu'il avait toujours apprécié la compagnie de l'épouvantail, mais il savait très bien qu'il était épuisé. Il préféra donc le laisser dormir. Caleb bougea soudain, ce qui attira aussitôt l'attention de Victor. En fait, le demi-gobelin s'était simplement retourné dans son lit, grommelant dans son sommeil.

Victor était assis depuis près de 20 minutes, les yeux grands ouverts, l'air absent, mais bien éveillé, occupé à ressasser les événements récents dans sa tête, lorsque Nika apparut sur le seuil de la porte.

En l'apercevant, le jeune homme se leva pour serrer contre lui sa grande amie.

— Je suis contente de te revoir à la maison, lui chuchota-t-elle en l'observant d'un visage endormi, mais souriant. Tu as mangé quelque chose ?

Victor lui fit signe que non. La mention de la nourriture fit gargouiller son estomac.

— Je vais aller te faire un déjeuner, dit Nika.

— Ne t'en donne pas la peine. Je mangerai plus tard. Prends le temps de te réveiller. De toute façon, je…

— Nous parlerons lorsque tu seras bien reposé, le coupa-t-elle aussitôt.

Victor regarda la jeune femme lui envoyer un vague sourire avant de sortir de la chambre. Le jeune homme savait qu'elle allait probablement lui cuisiner quelque chose, même s'il avait refusé. De fait, au bout de 10 minutes, elle remonta avec un plateau contenant des tranches de pain rôties tartinées de beurre ainsi que des œufs tournés.

— Tu n'aurais pas dû, lui murmura Victor, qui lui était en fait plus que reconnaissant.

— Mange, lui répondit-elle. Tu veux une autre tasse de café ?

Cette fois, Victor lui répondit d'un hochement de tête positif et d'un sourire. Il savait que Nika jouerait la maman serviable, qu'il le veuille ou non.

Quelques minutes plus tard, alors qu'il dévorait son déjeuner en tentant de faire le moins de bruit possible, Victor vit un phénomène assez particulier. Cessant de mastiquer, stupéfait, le jeune homme observa. Des particules de poussière dorées étaient apparues au-dessus du lit, virevoltant dans l'air et disparaissant au contact de Caleb. L'antiquaire avait raison. Toute la pièce, qui était jusqu'à présent assombrie par le manque de lumière, puisque la fenêtre était obstruée du linceul, baignait maintenant dans une fine lumière dorée filtrée par le linceul. Ichabod, qui s'était réveillé, agacé par la soudaine lumière, marmonna :

— Mais qu'est-ce que… Oh là !

L'épouvantail venait de se redresser en sursaut sur sa chaise, l'air ébahi. Derrière lui, Victor entendit alors le bruit d'une tasse se briser. Nika se tenait sur le seuil de la porte, les yeux et la bouche grands ouverts.

— Ça fonctionne, murmura Victor.

Puis, d'un geste rapide, le jeune homme détacha l'intraveineuse du bras de Caleb.

— Il n'a plus besoin de ça, expliqua-t-il à Ichabod, qui était trop impressionné pour dire quoi que ce soit. Si on continue à lui administrer ton poison, on pourrait risquer de le tuer.

Puis, Maeva, Pakarel, Chantico et Clémentine les rejoignirent dans les secondes qui suivirent, tous alertés par le bruit de la tasse qui s'était brisée. Alors que tout le monde était maintenant autour du lit de Caleb, inondé d'une lumière dorée, Clémentine prit la main du jeune homme et lui demanda :

— Victor, est-ce de la magie ?

— Je ne sais pas, répondit-il sans quitter le phénomène des yeux. En fait, non, Clémentine, je ne crois pas. Il y a forcément une explication derrière cette… réaction.

— Je n'ai jamais vu une telle chose, lâcha Chantico, si stupéfaite qu'elle en avait presque l'air choquée.

Caleb se mit à grogner et à bouger la tête. Son visage se crispa, comme si la vive lumière le dérangeait.

— Caleb ? hésita Pakarel.

— Ne le réveille pas ! lui dit aussitôt Nika d'un chuchotement sec.

— … suis déjà réveillé, grommela le demi-gobelin d'une voix éraillée par la somnolence.

— Caleb! s'exclama Pakarel. Tu vas bien? Comment te sens-tu?

Le demi-gobelin lâcha un juron avant de protéger ses yeux de la lumière dorée.

— Mais qu'est-ce que c'est que ce cirque? grogna-t-il sur un ton désagréable.

— Ne bouge pas, l'avisa Victor. C'est pour te soigner.

En entendant la voix du jeune homme, Caleb baissa la main et observa son ami à travers les faibles rayons dorés. Victor lui accorda un sourire confiant.

— En tout cas, dit Caleb en refermant les yeux, casser des tasses, ce n'est pas une manière de réveiller les gens.

— Oh, Caleb! pardonne-moi, l'implora Nika, prise de remords, je suis vraiment idiote…

— Je blague, répliqua-t-il sur un ton plus léger. Combien de temps dois-je endurer cette thérapie de bronzage?

— Nous ne savons pas, répondit Pakarel en échangeant un regard avec Victor.

Le fait que Caleb use de son fameux sens de l'humour était un bon présage, songea le jeune homme. Il ne doutait pas des capacités du linceul, mais n'était pas prêt à crier victoire tant qu'il ne verrait pas un Caleb rétabli.

— Où est notre ami à la coupe de cheveux douteuse? demanda ensuite le demi-gobelin, cherchant du regard quelqu'un parmi Victor et ses amis.

— Nathan? devina le jeune homme. Il est... resté à Paris. Je te raconterai cette histoire… hum, plus tard.

Il ne voulait pas dévoiler certains détails à Chantico.

— On va laisser les garçons ensemble, suggéra Maeva. Je crois qu'ils ont beaucoup de choses à se dire.

— La boule de poils peut rester, précisa Caleb, qui avait toujours les yeux fermés.

— Oh! s'exclama Pakarel avec ravissement. Tu m'aimes! Je le savais!

Tout le monde pouffa de rire. Caleb leva lentement la main et couvrit son visage avant de soupirer :

— En fin de compte…

Étant donné que le poison d'Ichabod n'était, pour le moment, plus nécessaire, ce dernier avait été envoyé dormir sur le sofa du salon. Cependant, un impact sourd se fit entendre en provenance du bas de l'escalier. Victor et ses amis y découvrirent l'épouvantail dans une position loufoque, étendu sur le sol, bien endormi et ronflant fortement. Un court moment plus tard, seuls Victor et Pakarel se trouvaient dans la chambre avec Caleb. Le jeune homme était installé sur une chaise, le raton laveur sur l'autre.

— Elle est jolie, cette fille, fit remarquer Caleb d'un air vague.

— De qui parles-tu ? lui demanda Pakarel d'un air un peu amusé.

— Celle qui porte des banderoles en guise de chemisier et qui a le teint plus foncé. Remarque, je ne me plains pas de son habillement…

— Pervers ! l'accusa Pakarel sur un ton de taquinerie.

— Tu parles de Chantico, comprit Victor. C'est une vieille amie à moi. C'est ton médecin.

Caleb sembla s'étouffer de stupéfaction.

— C'est mon… Hein, quoi ? Mon médecin ? balbutia-t-il.

Victor, le visage rieur, confirma d'un hochement de tête. D'un air idiot, Caleb souleva ses couvertures et jeta un coup d'œil dessous.

— Je suis nu, conclut-il d'un air sombre.

Puis, il leva les yeux vers Victor, comme s'il cherchait un soutien moral, avant de demander :

— Tu crois qu'elle m'a vu nu ?

— Tu me feras penser à laver mes draps et couvertures, ricana le jeune homme en s'adressant à Pakarel.

— Je peux savoir pourquoi je suis éclairé comme ça ? demanda ensuite le demi-gobelin. Avec cette lumière dorée sur mon lit, j'ai presque l'air royal…

— Tu as plutôt l'air du roi des idiots ! lança une voix venue du corridor.

C'était Clémentine, qui venait de passer la tête à travers le cadre de la porte, et qui tira la langue avant de disparaître dans le corridor. Victor, Pakarel et Caleb échangèrent un regard.

— Toujours aussi charmante, ta petite sœur, fit remarquer Caleb avec un sourire sarcastique.

— On dit que la vérité sort de la bouche des enfants, lâcha Pakarel d'un air sage.

— Si j'en avais la force, dit Caleb avec un regard noir, je te matraquerais férocement avec mes oreillers. Et puis, elle n'est plus une enfant. C'est une adolescente…

— J'étais juste un peu plus vieux qu'elle lorsque je t'ai rencontré, fit remarquer Victor d'un air nostalgique.

Soudain, une série d'impacts sourds résonnèrent depuis l'étage inférieur. Quelqu'un frappait à la porte, littéralement. Victor fronça les sourcils et tendit l'oreille. Il entendit des pas, puis la porte s'ouvrir. Il entendait la voix de Nika, mais ses paroles étaient inaudibles. Elle parlait à quelqu'un que Victor reconnut aussitôt. Ce dernier ferma les yeux dans une grimace féroce.

— Oh non! lâcha Pakarel. Pas lui!

— Miron…, lâcha Victor dans un soupir de frustration.

Le jeune homme se leva et décrocha rapidement le linceul. Le graboglin ne devait pas mettre ses mains corrompues sur la seule chose capable de sauver Caleb. Après l'avoir retiré, le jeune homme le roula vigoureusement en boule et le fourra sous le lit.

Ils entendirent Maeva, Nika et Chantico protester contre les paroles inaudibles, étouffées par le plancher. Victor se leva pour aller confronter l'odieux docteur, mais il entendit aussitôt l'escalier craquer sous une série de pas assez vifs. Se tenant droit devant le lit de Caleb, Victor vit la porte de sa chambre s'ouvrir violemment. C'était Miron, vêtu de son habituel costume ainsi que de son chapeau melon. La même barbe hirsute et sans moustache recouvrait son visage verdâtre de graboglin désagréable. De ses yeux, seul celui de gauche fixait Victor avec fureur. Apparemment, il n'était pas venu seul, puisque trois agents des forces de l'ordre se glissèrent dans la chambre avec lui.

— Vous n'avez pas le droit! protesta la voix de Nika, un peu plus loin. Vous êtes dans notre maison! Savez-vous quelle heure il est?

— Monsieur Pelham! dit le graboglin en haussant le ton pour couvrir les plaintes de Nika. J'ai ici (il tira de sa veste un document) une ordonnance du juge me donnant l'autorisation de prélever un échantillon sanguin de Caleb Fislek.

Victor lui arracha le document des mains et le parcourut en diagonale. Le document stipulait que si Caleb était bel et bien infecté par la *noctemortem*, il serait conduit en quarantaine pour une exécution, étant donné son état plus qu'avancé. Quant à Victor et à ses amis, ils seraient accusés pour avoir caché chez eux une personne atteinte de potentielle lycanthropie. Miron était là pour confirmer, devant les agents des forces de l'ordre, que Caleb était bel et bien infecté, chose qu'il ne pouvait pas prouver, puisque Dujardin avait fait voler ses documents médicaux.

— Je sais que c'est vous qui avez infiltré mon bureau et volé le dossier de mon patient, l'accusa Miron.

— Docteur Miron, intervint un des hommes des forces de l'ordre, nous ne pouvons accuser...

Mais Victor était furieux. Interrompant l'agent, il rétorqua au graboglin en lui fourrant son document en pleine poitrine :

— Oh, bien sûr! Avec ma canne, je suis extraordinairement silencieux et agile! Qui vous a donné votre diplôme? L'université des imbéciles de première classe?

— Monsieur Pelham, intervint calmement un autre agent, vous devez coopérer et nous laisser prendre un échantillon sanguin de votre ami. Sinon, nous serons obligés de vous mettre en état d'arrestation.

Victor s'était apprêté à cracher une réponse cinglante, à deux doigts d'appeler sa sentinelle à l'aide, mais Caleb prit la parole :

— Hey, Victor... Ce n'est pas grave mon vieux. Laisse-les faire.

— Parfait! s'écria Miron d'une voix triomphante.

Le jeune homme se tourna vers son ami, l'observant d'un air désemparé. Se sentant presque trahi, Victor l'implora :

— Caleb...

— Ça ira, insista le demi-gobelin.

Sous le regard bouillant de Pakarel et de Victor, le graboglin retira son chapeau et s'approcha de Caleb. Un genou à terre, Miron sortit son matériel de sa mallette et s'apprêta à faire une prise de sang.

— Pourquoi avez-vous tourné le lit ? remarqua Miron. Peu importe.

— Sortez, dit l'un des hommes des forces de l'ordre pour empêcher les filles et Ichabod d'entrer, car ils s'étaient attroupés devant la porte. Vous ne pouvez pas rester ici.

— C'est ma maison, espèce de gros idiot ! répliqua Clémentine en lui donnant un coup de pied sur le tibia. J'irai là où je veux !

La gobeline se faufila entre les hommes des forces de l'ordre et se rua vers Miron, le poing brandi, menaçant de l'attaquer. C'est Victor qui l'arrêta ; il ne voulait pas qu'elle ait de problèmes avec la justice.

— Retenez cette sauvage ! grogna Miron. Cette petite sotte n'a pas à être ici ! Si cela ne tenait qu'à moi, je vous poursuivrais pour atteinte à ma personne et…

— Faites ce que vous avez à faire, lui conseilla calmement Caleb. N'empirez pas votre cas.

Miron observa son patient, qui lui souriait d'un air de défi.

— Vous êtes bien mal placé pour parler, lui répondit le docteur en piquant sa seringue, à pleine force, dans le bras du demi-gobelin.

Miron avait été si brusque que le bras de Caleb laissa couler une longue traînée de sang, mais ce dernier ne réagit pas. Il continuait d'observer le docteur avec un air presque amusé.

— J'ai déjà éviscéré des porcs bien plus gros que vous, lui dit Caleb d'une même voix calme.

Dans un silence froid et sous les regards meurtriers de Victor et de ses amis, Miron préleva le sang de Caleb. Pakarel, dont le poil était hérissé, dévisageait Miron en tremblant de rage.

— Nous verrons bien qui a raison, lâcha Miron avec malice en sortant l'aiguille du bras de Caleb. Étant donné que je ne voulais pas vous faire attendre, continua-t-il en sortant de sa mallette un petit objet rectangulaire et doté d'un écran, j'ai amené un appareil, que j'ai tout récemment acheté, qui analysera son sang ici même. Voyons...

Le docteur piqua la seringue dans le bout du petit rectangle et pressa le sang à l'intérieur. Victor fronça les sourcils. Il n'était pas difficile de soupçonner que Miron avait acheté ce bidule exclusivement pour le cas de Caleb. Alors qu'il fixait son gadget, le regard du graboglin, qui était tordu de malice et de hâte, prit un coup de froid.

— Que... quoi? M-mais, c'est impossible! bégaya-t-il. Il doit y avoir une erreur!

Tirant le gadget rectangulaire des mains du docteur, l'un des hommes des forces de l'ordre observa ce qui y était affiché.

— C'est bien ce que je pensais, dit-il en envoyant un regard dédaigneux en direction de Miron. Dujardin avait raison, ce type n'est pas atteint de la *noctemortem*. Il est en parfaite santé.

— Non! protesta Miron, qui avait l'air dément. C'est impossible! Cet homme est infecté!

Il tira sa seringue et voulut s'élancer sur Caleb pour le piquer de nouveau, mais l'un des agents lui retint le bras.

— Vous en faites un peu trop, dit-il. Je vous suggère de vous reculer et de nous accompagner chez vous.

— Je ne laisserai pas cette ville se faire infecter par un rebut de notre société! Ces gobelins sont un fléau!

Ce fut la goutte qui fit déborder le vase. Les trois agents le saisirent.

— Désolé pour le dérangement, dit l'un des agents à travers les plaintes vulgaires du docteur.

— Monsieur Pelham, dit un autre agent en adressant un bref signe de tête au jeune homme en guise d'au revoir, tout en maintenant par les bras le docteur agité.

Le menaçant de leurs pistolets et épées, les trois agents traînèrent le docteur qui se débattait sans cesse en dehors de la chambre.

Victor l'entendit hurler des jurons jusqu'à ce que la porte d'entrée se referme. Nika se rua vers la fenêtre et jeta un regard à l'extérieur.

— Ils l'éloignent, fit-elle remarquer d'une voix qui montrait qu'elle avait peine à y croire. Ils l'éloignent !

— C'est vrai, confirma Ichabod, il est parti. Vous ne m'aviez pas mentionné qu'il avait un regard aussi, comment dire, prononcé.

Victor, lui, s'était approché de son ami, qui se redressait dans son lit, les couvertures remontées jusqu'à la taille. Il observait le demi-gobelin comme s'il regardait quelque chose qu'il n'arrivait pas à croire.

— Pourquoi tu me regardes comme ça ? lui demanda Caleb.

— Tu es vraiment guéri ?

— Je me sens… relativement bien, confirma le demi-gobelin, qui renifla ses aisselles et eut aussitôt une expression de dégoût. Je reviens un peu sur mes paroles. Je ne sens pas très bon, dit-il d'un air amusé.

Chantico s'approcha de Caleb et lui tâta les ganglions du cou, l'observant d'un air professionnel.

— Ils ont dégonflé, dit-elle avant de poser la main sur son front. La température est redevenue… normale.

Elle tourna la tête vers Victor et lui lança un regard stupéfait, comme si elle venait de voir un mort.

— Il… Je ne comprends pas. Il semble guéri.

Victor observait toujours Caleb d'un air incrédule.

— Le linceul n'est plus là ! lança la voix de Pakarel.

— Hein ? lâcha Victor, qui revint à lui. Il est sous le lit, Pakarel.

— Il n'y est pas, je te dis !

— C'est vrai ! confirma Clémentine, qui s'était accroupie pour regarder sous le lit.

Lorsque Victor y jeta lui-même un œil, il vit que le linceul avait bel et bien disparu. Pensant que c'était une mauvaise blague, le jeune homme se mit à fouiller dans toute la pièce, vidant même tous ses tiroirs. Son cœur battait follement sous le regard de ses amis, qui le regardaient avec une légèreté qui l'agaçait.

— Victor, tu t'en fais pour rien ! lui dit Clémentine, qui tentait désespérément de le convaincre.

— Elle a raison, dit Pakarel. Tu t'en fais pour rien !

D'une douce voix, Maeva tenta même de lui dire :

— Victor, chéri…

— Caleb n'est peut-être pas totalement guéri ! leur lança Victor, à bout de nerfs, vidant maintenant son armoire de toutes ses chemises et de ses vestons. Il faut le retrouver !

— Je vais bien, mon vieux, lui assura Caleb. En fait, je ne me rappelle pas m'être senti aussi en forme depuis bien longtemps.

— Il faut… il faut le retrouver, continua le jeune homme d'un air décidé.

Ce fut seulement au bout d'une minute supplémentaire, lorsque Maeva eut posé la main sur son épaule, que Victor sentit l'angoisse retomber. Il abandonna finalement. Ni Miron ni les agents des forces de l'ordre n'avaient pu le prendre. Le linceul avait simplement disparu.

En fin de journée, leur vie était presque rentrée dans l'ordre. Tout le monde était parvenu à dormir durant la journée, sauf Caleb, qui s'était, après une bonne douche, consacré à remonter le moral à Hol, qui lui en voulait apparemment d'être resté enfermé aussi longtemps dans l'atelier. Le demi-gobelin allait rester une journée de plus, pour satisfaire Victor et même Chantico (qui avait décidé de rester une journée de plus), toujours sceptiques au sujet de son rétablissement miraculeux et trop rapide. Par la suite, il s'entendit avec Pakarel pour aller rendre visite à son père, afin de le rassurer. Maeva, elle, retourna chez elle tard en soirée, puisqu'elle travaillait le lendemain. Quant à l'épouvantail, il allait lui aussi rentrer le lendemain, car il devait s'adonner à des répétitions pour son prochain spectacle.

Le jour suivant, après un copieux déjeuner, Victor alla reconduire Chantico aux quais de la ville, où Zackarias les attendait avec deux gardes, tous trois montés sur des épaulards. La docteure avait pris contact avec les horizoniers avant d'aller au lit, la veille, depuis la radio de Victor. Elle fit promettre à ce dernier de l'aviser, si jamais Caleb faisait une rechute. Après avoir embrassé Chantico sur la joue et vigoureusement serré la main du prince, Victor leur dit au revoir, les observant ensuite s'éloigner dans l'eau froide du fleuve agité.

Au cours de l'après-midi, une fois que Chantico fut partie, Victor retrouva ses amis dans le salon et leur raconta l'entière histoire, sans oublier un seul détail. Il leur dévoila aussi le dangereux fragment qu'on lui avait confié. Nika et Ichabod étaient restés muets. Clémentine, elle, fixait le vide, l'air contrariée. Caleb et Pakarel étaient les seuls à ne pas sembler dérangés.

— Ce vieux bonhomme m'a donc utilisé, se dit le demi-gobelin, souriant, hochant la tête de gauche à droite. Ah! là là, quel idiot…

— Dire qu'au début, soupira Pakarel, je le trouvais gentil, ton oncle.

— Si on touche ce… ce bout de métal, on pourrait mourir? demanda Nika à Victor pour la troisième fois.

— Oui, c'est bien ça.

— Dans trois ans, marmonna Clémentine d'un ton amer. Trois années avant de découvrir pourquoi ton grand-père s'est servi de Caleb comme appât…

— Clémentine, intervint Nika d'un air apaisant, tu n'as pas écouté ce que Victor a dit?

— Oui! Justement! protesta-t-elle. Et je crois que son grand-père est aussi coupable que l'oncle de Caleb. On ne se sert pas des gens ainsi! Ce n'est simplement… pas correct!

Dans un sens, se dit Victor, qui était resté muet, elle avait raison.

En fin d'après-midi, Victor, Nika et Clémentine raccompagnèrent Ichabod, Caleb et Pakarel à quelques rues de la maison pour leur souhaiter bon voyage. Maeva était venue les rejoindre juste à temps, trottant vers eux, les cheveux au vent. Il neigeait un peu sur la ville, qui s'assombrissait doucement, mais le temps était agréablement doux. Le jeune homme serra la main d'Ichabod, lui promettant de passer les voir, lui et ses parents, durant son prochain séjour à Londres. Victor colla contre lui un Pakarel peiné par son départ, mais le jeune homme le rassura bien rapidement en l'assurant qu'ils allaient se revoir dès qu'il le voudrait. Les filles embrassèrent toutes Pakarel et se collèrent contre lui en lui parlant comme s'il était un enfant, sous les yeux moqueurs de Victor, de Caleb et d'Ichabod.

— Qu'est-ce qu'elles lui trouvent? demanda l'épouvantail au demi-gobelin et au jeune homme.

— Il est petit et poilu, lui répondit sombrement Caleb.

Les trois amis pouffèrent de rire.

— Reviens me voir, d'accord? dit Victor à l'intention de Caleb, qu'il serra contre lui dans une étreinte fraternelle.

— Je te le promets, Victor. Tu m'as sauvé la vie, ajouta-t-il en faisant un clin d'œil. Nous sommes quittes, maintenant.

— Tu parles de cette fois, au Belize? protesta Victor d'un air amical. Eh bien, j'aurais pu m'en sortir seul!

Caleb lui sourit, visiblement peu convaincu par les dires de son ami.

— Dans trois ans, je t'aiderai, d'accord?

Victor lui lança un regard interrogateur.

— Lorsque ton grand-père viendra te voir, précisa le demi-gobelin, il aura forcément une requête à te présenter. Si jamais tu as besoin d'un coup de main, je viendrai.

— Mais tu viens de dire que nous étions quittes, le taquina Victor.

Caleb lui sourit.

— Dans tous les cas, continua-t-il en désignant sa tenue, il faudra bien que je te rende le manteau que tu viens de me prêter.

— Garde-le, insista Victor. Je ne le porte plus, de toute façon.

— Je peux monter sur Hol? demanda Pakarel avec insistance. Hein? Hein? Caleb? Tu veux bien? Je peux?

Le demi-gobelin s'inclina et prit le pakamu par les aisselles, comme on le ferait avec un enfant, avant de le déposer sur le dos du gros oiseau, dont les plumes vibraient doucement, caressées par le vent hivernal.

— Au revoir, Victor! s'écria Pakarel en faisant de grands gestes théâtraux vers le jeune homme, Nika, Clémentine, Maeva et Ichabod. Au revoir les amis!

Ichabod prit l'allée de droite, qui menait aux quais des dirigeables. Pakarel et Caleb, eux, partirent vers la gauche, dans le but d'atteindre la station souterraine menant à Ludénome. Victor avait le cœur lourd de voir ses amis partir. Il allait retrouver sa routine, et il avait bien hâte, mais il savait qu'ils allaient tous lui manquer.

Vers huit heures du soir, après le souper, Victor, Nika, Maeva et Clémentine discutaient autour de la table de la cuisine. Ils avaient évoqué à peu près tous les sujets, mais particulièrement celui du fragment qu'Abim-Kezad avait confié à Victor, gisant au centre de la table. Évidemment, Victor avait interdit à quiconque d'y toucher, ce que tout le monde avait respecté. Nika et Maeva furent particulièrement ébranlées par le calvaire vécu par la Liche.

Soudain, voulant visiblement parler d'autre chose, Nika demanda à Victor :

— Tu comptes vraiment aller voir la fille de Dujardin ce soir ?

— Il le faut bien, lui dit Victor en mâchant un morceau de biscuit. Je lui avais dit que je retournerais la voir, et puis je dois faire savoir à Dujardin que ses efforts n'ont pas été vains, puisque nous sommes parvenus à sauver Caleb.

— C'est très gentil, fit remarquer Clémentine. J'aimerais bien la rencontrer, cette Laura. Elle a mon âge, non ?

— À peu près, acquiesça Victor. Je compte aussi me rendre à Londres avant la fin de la semaine. Histoire d'aller à l'orphelinat et… de rendre visite à une amie.

Il pensait à la tombe de Marguerite Pelham, de son vrai nom, celle qui lui avait sauvé la vie et qui l'avait réconforté comme une mère, lorsqu'Isaac lui avait retiré son traceur. Maeva posa sa main sur la sienne.

— J'irai avec toi, proposa-t-elle de sa douce voix.

Victor lui sourit. Soudain, ils entendirent frapper à la porte.

— J'y vais, dit le jeune homme.

Il prit sa canne, se leva et marcha en sifflotant jusqu'à la porte. Lorsqu'il l'ouvrit, il n'y avait personne, sauf une lettre posée sur le seuil de la porte, éclairée par la lanterne accrochée au mur. Victor remarqua aussitôt qu'il n'y avait pas de traces de pas dans la neige fraîche qui avait recouvert le sol.

— Il y a quelqu'un? cria Victor au hasard, regardant aux extrémités de la rue.

À part une diligence qui tournait au coin de la rue, tirée par deux chevaux, il n'y avait que les réverbères fantomatiques qui éclairaient les rues de la cité de Québec. Fronçant les sourcils, Victor observa la lettre. Elle n'était adressée à personne en particulier. Il prit quand même la liberté de l'ouvrir, puisqu'elle n'était pas scellée. Dépliant la note qui était à l'intérieur, le jeune homme lut une très fine écriture, tracée à la main :

Cher Victor,

J'espère que tu pardonneras les récents événements, car je regrette profondément leur abominable tournure. Si j'avais su qu'Hansel emploierait de telles méthodes, j'aurais cherché à faire autrement. Je dois aussi t'avertir, même si tu en as probablement déjà été avisé, que je viendrai à toi dans trois années, peu importe où tu te trouveras. J'aurai besoin, pour une toute dernière fois, de ton assistance pour une quête de la plus haute importance. L'avenir de ton monde en dépend. Je sais que tu possèdes maintenant l'une des pièces de l'Engrenage et je te demande de la protéger du regard de quiconque, mis à part de tes proches amis et de celles qui partagent ton foyer. Pour le moment, je dois te présenter une requête. Tu dois trouver six individus qui voudront bien partager le même sort que toi. Chacune de ses personnes devra lier sa vie à la tienne, par conséquent, la mettre en grand danger. Il est crucial que tu parviennes à convaincre six personnes de t'aider pour la tâche à venir dans trois ans. Si tu n'y parviens pas, je crains fortement que nos efforts soient vains. J'aurais aimé te donner davantage d'information et j'aurais grandement préféré venir te voir moi-même, mais j'aurais agi contre la volonté des miens, et il aurait été bien imprudent que j'agisse de la sorte au nom de tous les êtres vivants. Lorsque je viendrai vers toi, dans trois années, je serai alors perçu comme un banni.

J'espère que tu vas bien et je vous souhaite tous mes vœux de bonheur, à toi et à ta chère.

Ton grand-père, Udeleraï

Après avoir lu la lettre une deuxième fois, Victor leva la tête, l'air déboussolé, fixant le ciel.

— Victor ? dit la voix de Maeva, derrière, qui marchait vers lui. Mon amour, qu'est-ce qu'il y a ?

Il lui tendit la lettre, incapable de dire quoi que ce soit, avant de rediriger son regard vers les étoiles. Plus précisément, vers la constellation d'Orion, qui brillait plus fortement que les autres. Dans les trois années à venir, il allait devoir trouver six personnes qui accepteraient de l'accompagner au péril de leur vie. Cette idée le rendait déjà bien amer.

— Victor, murmura Maeva d'une voix hésitante, je ne suis pas certaine de... de comprendre.

De la même série

Tome 1

Tome 2

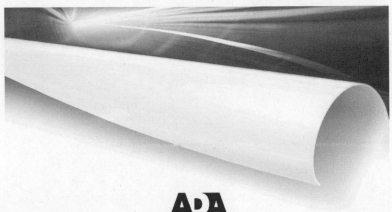